EL EXPOSITOR BÍBLICO

para el MAESTRO O LÍDER DE GRUPO

El Programa de Educación Senda de Vida se produce originalmente en castellano.

PRÓXIMAMENTE
EN VERSIÓN DIGITAL

QUINTO CICLO

VOLUMEN
1
Año 30

2016-2022

Primer ciclo 1988-1995
Segundo ciclo 1996-2002
Tercer ciclo 2003-2009
Cuarto ciclo 2009-2016
Quinto ciclo 2016-2022

Senda de Vida Publishers, Co.
Miami, Florida

ITEM 15018 y 15019

Senda de Vida

Programa Internacional
de Escuela Dominical

Escritores y Editores
de las Series Senda de Vida

SERIE DE NIÑOS
Duanys López
Vilma Moncada
Aradí Rivera

SERIE DE JÓVENES
Luciano Jaramillo
Fernando Rojas
William Fredy Córdova

SERIE DE ADULTOS
Wilfredo Calderón
Hiram Almirudis
Marcos Son Turnil

En este volumen

Lecciones originales: Wilfredo Calderón
Reedición Léxico-sintáctica: José Daniel Son Turnil
Coordinador temático: Fernando Rojas

Diseño de portadas
Marlen Montejo

Diagramación y diseño
Wilfredo Alejandro Álvarez
Ana María Ulloa

Ilustraciones
Miguel A. Paredes Bejarano

Edición, revisión y corrección
José Sifonte

Traducción
Ernesto Juan
Oralys Villona

Marco T. Calderón
PRESIDENTE

Ventas y distribución
Niurka Ávalos
Ana C. González
Deborah Calderón
Mónica Veranez
Mynor Rodríguez
Yamil Zabaleta
Álvaro Hernández

SENDA de VIDA PUBLISHERS, CO.
Miami, Florida

ISBN 978-1-928686-40-8

EDITORIAL

Marco T. Calderón
Presidente

¡Un grave error de cálculo!

"La piedra que los edificadores desecharon,
Ha venido a ser la cabeza del ángulo" (1 PEDRO 2:7).

Un error de cálculo, un pequeño olvido, una cifra incorrecta o incluso un error en la operación matemática más sencilla puede llegar a provocar un desastre de alcance incalculable. Los errores en la construcción son muy comunes a pesar de que estos trabajos son realizados por profesionales, pero el uso de materiales inapropiados, defectuosos, de bajo costo pueden terminar en estructuras colapsadas, puentes quebrados, vías en mal estado, poniendo en peligro ciudades, comunidades y muchas vidas. Hoy día en nuestra sociedad, en el mundo, en la familia, si no construimos sobre bases sólidas, con valores perdurables, con principios genuinamente cristianos, nuestra estructura social, familiar y personal se puede desplomar, va a colapsar.

La Biblia advierte: *"La piedra que los edificadores desecharon ha venido a ser la cabeza del ángulo"*. En tiempos antiguos, la piedra más importante en una construcción es la *"piedra angular"*, esta se ponía primero para que sirviese de referencia para las dimensiones del edificio y a través de la cual se unían todas las paredes. Los judíos del primer siglo cometieron precisamente este error: Tenían las Escrituras, pero la interpretaron a su manera y terminaron rechazando a su autor. Querían establecer un reino, pero lo procuraron de tal forma que terminaron rechazando al Rey. Querían construirle una casa a Dios, pero rechazaron la *"principal piedra del ángulo"*. Habiendo desechado la piedra angular, *"escogida y preciosa"*, esta se convirtió en *"piedra de tropiezo, y roca que hace caer"* (1 Pedro 2:8).

Al igual que los judíos, hemos desechando las verdades de la Palabra de Dios (piedra angular), por las mentiras del enemigo (arena movediza). Cuando nuestros líderes, están apoyando leyes a favor del matrimonio homosexual, el aborto indiscriminado, la legalización de las drogas, prácticas discriminatorias por razón de la creencia y el origen racial y toda clase de propuestas humanas que van en contra de lo estipulado por nuestro Dios. Hemos excluido la Palabra de Dios, y a Jesús de nuestras leyes, de las aulas de clase, de nuestros hogares, de nuestro corazón y estamos construyendo un mundo sobre terreno movedizo.

Tenemos que reconocer que Jesús es la *"principal piedra del ángulo"* (Efesios 2:20). Él es el origen y el punto céntrico de toda la creación y el sustentador de todas las cosas (Colosenses 1:17). Toda la estrategia de Dios está enmarcada en Jesús. Él es el eje, el principio y el fin, la razón de existir. Él dijo: *"El que no es conmigo, contra mí es; y el que conmigo no recoge, desparrama" (Mateo 11:23).* Rechazar a Jesús y su Palabra es un grave error de cálculo, el mayor absurdo, la más grande imprudencia, es estrellarse contra la "Roca".

Confiamos que este nuevo volumen contribuya a establecer a Cristo como "La Piedra angular", en nuestra vida, la iglesia, la sociedad y el mundo.

PLAN ACADÉMICO

Año	Enero-Marzo	Abril-Junio	Julio-Septiembre	Octubre-Diciembre
2009			Paradigmas de la familia cristiana	Con los salmos se canta y se vive para Dios
2010	Respuestas bíblicas a inquietudes serias	Los Hechos del Espíritu Santo	Versión marcopetrina del evangelio de Jesucristo	El origen de un pueblo indestructible
2011	El Evangelio se extiende a las naciones	Actitudes del cristiano frente al mundo	Lucas describe el ministerio de Cristo	Hechos y vivencias de los jueces de Israel
2012	Enseñanzas de actualidad en los libros poéticos	Instrucciones prácticas en las epístolas de Pablo I	Juan expone evidencias de la divinidad de Jesucristo	Las obras portentosas de Dios en el reino unido
2013	Profecías preexílicas en orden cronológico	Verdades prácticas de la teología paulina	Hebreos y la preeminencia de Jesucristo	Dos reinos y un solo pueblo
2014	Justicia y misericordia de Dios en el exilio	Exhortaciones pastorales para el crecimiento	El Espíritu Santo, su persona y ministerio	Daniel y Apocalipsis, Un panorama escatológico
2015	La experiencia cristiana en las epístolas generales	Mensajes de restauración de los profetas postexílicos	Grandes enseñanzas de la Biblia, Parte I	Grandes enseñanzas de la Biblia, Parte II
2016	Aspectos prácticos de la vida cristiana	Principios básicos en la carta a los Efesios		

SENDA de VIDA 2009-23

Año	Enero-Marzo	Abril-Junio	Julio-Septiembre	Octubre-Diciembre
2016			Estudiando la carta del apóstol San Pablo a los Gálatas	El mandato urgente a evangelizar al mundo
2017	El discipulado, base del iglecrecimiento	El plan supremo de Dios en las misiones en el Antiguo Testamento	El plan supremo de Dios en las misiones en el Nuevo Testamento	Hombres y mujeres ejemplares de la Biblia
2018	Enfoque de la divinidad de Jesucristo en Hebreos	El triunfo a través de la guerra espiritual	Introducción a la Biblia: Antiguo Testamento	1 y 2 de Pedro, cristianismo práctico
2019	La soberanía de Dios a la luz de los libros históricos	El Espíritu Santo y la conducta cristiana	Los evangelios y la iglesia de Jesucristo	Mensajes imperecederos de los libros poéticos
2020	Los milagros de la Biblia se manifiestan en la actualidad	Evidencias apocalípticas en el siglo veintiuno	El enfoque bíblico a la familia cristiana de todos los tiempos	Tipología y la vida en el espíritu
2021	Vida cristiana práctica	Parábolas de Jesús en Mateo	Fundamentos cristianos básicos	Una perspectiva del evangelio según Romanos y Gálatas
2022	Mensajes de actualidad según los profetas menores	Enseñanzas de la epístolas pastorales	Frutos, talentos y dones del Espítitu Santo	Vida cristiana en las cartas generales
2023	Grandes personajes del Antiguo Testamento	Grandes personajes del Nuevo Testamento		

ÍNDICE

Tercer Trimestre 2016
Estudiando la carta a los Gálatas

Cuarto Trimestre 2016
El mandato a evangelizar

INTRODUCCIÓN AL TERCER TRIMESTRE

En las iglesias de Galacia, las cuales el apóstol Pablo había fundado en su primer viaje misionero, había surgido una delicada situación. Predicadores judaizantes se habían infiltrado en las congregaciones enseñando que los gentiles convertidos debían guardar la ley de Moisés para poder estar seguros de su salvación. Estos ponían mayor énfasis en prácticas como: el guardar el día sábado como día del Señor, la abstinencia de ciertos alimentos, en la de la circuncisión y en la celebración de fiestas típicas del Antiguo Testamento. Para estos predicadores, el Evangelio estaría incompleto si no se le daba la debida atención a las prácticas antes mencionadas. Pero, algo más personal había surgido también en contra de Pablo, y era que lo acusaban de ser un falso apóstol que había diluido el Evangelio para hacerlo más atractivo ante los gentiles y los judíos liberales.

Dos eran las acusaciones principales: Primera, que el Evangelio que predicaba era un evangelio incompleto que necesitaba ser complementado con la observancia de ceremonias, ritos, fiestas judías y otras prácticas más que eran parte del sistema levítico. Segunda, que Pablo era un apóstol falso, que, por conveniencia, comodidad y quedar bien con los gentiles, no les exigía cuando se convertían que practicaran los ritos mosaicos. Para los judaizantes sin la conservación de estas prácticas no había salvación.

Ante esta situación, el apóstol se vio obligado a hacer una defensa del Evangelio que predicaba y también de su apostolado a través de esta muy sentida, pero directa carta a los Gálatas, que constituye con la de Romanos la defensa más vehemente del evangelio de la gracia de Dios.

Le debemos al apóstol Pablo, gracias a esta gloriosa explicación, que la iglesia pueda proclamar, sin ninguna duda, que la salvación es un acto gratuito de Dios que se recibe por medio de la fe que Él mismo provee, y que el beneficiado no tiene que aportar nada meritorio. Lamentablemente, todavía en nuestros días, donde no se entiende el tema de la justificación por la fe, la gente piensa que tiene que hacer obras que le ameriten la salvación.

Durante la historia de la iglesia se ha visto repetidas veces que el espíritu de los judaizantes se ha infiltrado en la iglesia bajo diferentes disfraces, exigiendo a los cristianos a suplementar el Evangelio con obras meritorias, esfuerzos humanos, dinero, responsos, ayunos, penitencias, flagelos, promesas y cirios encendidos. Por esta razón se han levantado defensores del Evangelio y de la pureza de la doctrina bíblica proclamando que la salvación es por gracia y por la fe, y nunca por méritos personales.

El fin definitivo de este estudio es como bien lo dice la Palabra de Dios: "Mas el justo por la fe vivirá!

¡Así sea!

FECHAS SUGERIDAS

Número del estudio	Tema del estudio	Fecha sugerida
Estudio bíblico 1	El apóstol Pablo se preocupa por las iglesias de Galacia	3 julio 2016
Estudio bíblico 2	Pablo narra el origen de su apostolado	10 julio 2016
Estudio bíblico 3	Pablo es aceptado por la iglesia de Jerusalén	17 julio 2016
Estudio bíblico 4	Pablo reprende a sus colegas	24 julio 2016
Estudio bíblico 5	Pablo corrige a sus colegas	31 julio 2016
Estudio bíblico 6	El pacto de Dios con Abraham	7 agosto 2016
Estudio bíblico 7	La superioridad de la fe sobre la ley	14 agosto 2016
Estudio bíblico 8	Transición de esclavo a libre	21 agosto 2016
Estudio bíblico 9	Pablo confiesa su amor por los gálatas	28 agosto 2016
Estudio bíblico 10	Los creyentes pertenecen a un nuevo pacto	4 septiembre2016
Estudio bíblico 11	El peligro del legalismo	11 septiembre 2016
Estudio bíblico 12	El conflicto entre la carne y el Espíritu	18 septiembre 2016
Estudio bíblico 13	La vida cristiana puesta en acción	25 septiembre 2016
Estudio bíblico 14	El precursor de la evangelización	2 octubre 2016
Estudio bíblico 15	La evangelización una misión divina	9 octubre 2016
Estudio bíblico 16	La unción para la evangelización	16 octubre 2016
Estudio bíblico 17	El llamado a la evangelización	23 octubre 2016
Estudio bíblico 18	La evangelización, la misión más poderosa de la tierra	30 octubre 2016
Estudio bíblico 19	La autoridad espiritual en el evangelismo	6 noviembre 2016
Estudio bíblico 20	La iglesia como agencia evangelizadora	13 noviembre 2016
Estudio bíblico 21	Las bases bíblicas de la evangelización	20 noviembre 2016
Estudio bíblico 22	Una iglesia de oración	27 noviembre 2016
Estudio bíblico 23	Esteban el primer protomártir del cristianismo	4 diciembre 2016
Estudio bíblico 24	La evangelización de Samaria	11 diciembre 2016
Estudio bíblico 25	La universalidad del mensaje evangélico	18 diciembre 2016
Estudio bíblico 26	Una iglesia en crecimiento	25 diciembre 2016

EL APÓSTOL PABLO SE PREOCUPA POR LAS IGLESIAS DE GALACIA

ESTUDIO BÍBLICO 1

Base bíblica
Gálatas 1:1-12

Objetivos
Por medio de este estudio los participantes podrán:

1. Saber lo que estaba sucediendo en las iglesias de Galacia.
2. Entender la indignación del apóstol Pablo.
3. Evitar el error que cometieron los gálatas.

Fecha sugerida:___/____/____

Pensamiento central
La Iglesia debe esforzarse en mantener la pureza del Evangelio tal y como se encuentra en la Biblia, ya que cualquier añadidura apartará al creyente de Cristo.

Texto áureo
Estoy maravillado de que tan pronto os hayáis alejado del que os llamó por la gracia de Cristo, para seguir un evangelio diferente (Gálatas 1:6).

LECTURA ANTIFONAL

Gálatas 1:1 Pablo, apóstol (no de hombres ni por hombre, sino por Jesucristo y por Dios el Padre que lo resucitó de los muertos),
2 y todos los hermanos que están conmigo, a las iglesias de Galacia:
3 Gracia y paz sean a vosotros, de Dios el Padre y de nuestro Señor Jesucristo,
4 el cual se dio a sí mismo por nuestros pecados para librarnos del presente siglo malo, conforme a la voluntad de nuestro Dios y Padre,
5 a quien sea la gloria por los siglos de los siglos. Amén.
6 Estoy maravillado de que tan pronto os hayáis alejado del que os llamó por la gracia de Cristo, para seguir un evangelio diferente.
7 No que haya otro, sino que hay algunos que os perturban y quieren pervertir el evangelio de Cristo.
8 Mas si aun nosotros, o un ángel del cielo, os anunciare otro evangelio diferente del que os hemos anunciado, sea anatema.
9 Como antes hemos dicho, también ahora lo repito: Si alguno os predica diferente evangelio del que habéis recibido, sea anatema.
10 Pues, ¿busco ahora el favor de los hombres, o el de Dios? ¿O trato de agradar a los hombres? Pues si todavía agradara a los hombres, no sería siervo de Cristo.
11 Mas os hago saber, hermanos, que el evangelio anunciado por mí, no es según hombre;
12 pues yo ni lo recibí ni lo aprendí de hombre alguno, sino por revelación de Jesucristo.

DATOS GENERALES ACERCA DEL TEMA

- **Enseñanza:** El Evangelio debe mantener su pureza libre de toda pretensión humana o satánica que quiera contaminarlo.
- **Autor:** La carta a los Gálatas fue escrita por el apóstol Pablo.
- **Fecha:** Alrededor de los años 55-57 d.C.
- **Lugar:** Probablemente en Éfeso, en la costa occidental de Asia, o en la ciudad griega de Corinto según otras opiniones.
- **Destinatario:** Las iglesias del sur de Galacia, fundadas por el apóstol en su primer viaje misionero, alrededor de los años 45-48 d.C.
- **Personajes:** El apóstol Pablo, los creyentes de las iglesias de Galacia, y los judaizantes.

BOSQUEJO DEL ESTUDIO

I. Breve saludo del apóstol a los gálatas (Gálatas 1:1-5)
   A. El apóstol declara el origen de su ministerio (1:1-3)
   B. El lugar de Cristo en el plan de salvación (1:4,5)

II. La razón de la carta (Gálatas 1:6-9)
   A. Los gálatas estaban siguiendo un seudo evangelio (1:6,7)
   B. Lo grave de alterar el Evangelio (1:8,9)

III. El apóstol reitera su posición doctrinal (Gálatas 1:10-12)
   A. El apóstol confiesa su deber de ser fiel a Dios (1:10)
   B. El apóstol declara, además, quién le comunicó el Evangelio (1:11,12)

LECTURAS DEVOCIONALES DIARIAS

Lunes: La conversión de Saulo (Hechos 9:1-18).

Martes: Pablo, Bernabé, Pedro y Jacobo defienden el Evangelio en Jerusalén (Hechos 15:1-21).

Galacia, provincia romana visitada por el apóstol Pablo en su primer viaje misionero donde estableció varias iglesias.

Miércoles: Pablo defiende su apostolado ante los ancianos de Efeso (Hechos 20:17-38).

Jueves: Pablo defiende su ministerio ante el tribuno y los judíos (Hechos 21:37-22:29).

Viernes: Pablo defiende el Evangelio ante el gobernador Félix (Hechos 24).

Sábado: Pablo defiende el Evangelio ante Festo y Agripa (Hechos 26).

INTRODUCCIÓN

El término "Galacia" se originó con la inmigración en Asia Menor, lo que actualmente es Turquía, de un gran número de galos que llegaron desde Europa alrededor de los años 278-277 a.C. Después del año 232 a.C. las fronteras de esta gente fueron fijadas y vino a conocerse como Galacia. Los galos eran conocidos así por pertenecer a una nación llamada Galia, lo que actualmente es Francia. Es por eso que en español cualquier vocablo o giro idiomático proveniente del francés se conoce como "galicismo", como aquel que proviene del inglés se conoce como "anglicismo", y el del griego "helenismo", ya que Grecia era conocida como Helena. Los gálatas se establecieron en el norte de Asia Menor, teniendo como ciudades principales Ancira y Pisino. Pero, había otra área, más bien étnica que geográfica al sur de Asia Menor que también era conocida como "Galacia". Esta área incluía las ciudades de Antioquía de Pisidia, Iconio, Listra y Derbe, ciudades que el apóstol Pablo visitó en su primer viaje misionero (Véase Hechos 13:13-14:18). Las iglesias de estas ciudades fueron fundadas bajo el ministerio del apóstol Pablo y Bernabé, y eran compuestas, en su mayoría, por gentiles que adoraban deidades paganas, entre ellas, Júpiter y Mercurio. Después de la salida del apóstol Pablo y Bernabé, se infiltraron creyentes judíos que insistían en que el Evangelio que Pablo y Bernabé predicaban debía ser complementado con la obediencia de la ley judaica, entre ellas la circuncisión, el cumplimiento del día sábado y otros ritos más, que incluían la abstinencia de ciertas comidas. Es obvio inferir que los judaizantes enseñaban que sin la obediencia de estos ritos, no era posible la salvación. Había otro problema, y era, que los intrusos judaizantes acusaban al apóstol Pablo de ser un falso apóstol ya que no pertenecía al número original de los doce. Esto destruía la reputación misionera del apóstol y presionaba a los creyentes de las iglesias de Galacia a aceptar las enseñanzas de aquellos seudo misioneros cristianos y abandonar el Evangelio que el apóstol y Bernabé les habían predicado. Al ser informado el apóstol de lo que estaba sucediendo en las iglesias que él y Bernabé habían fundado se indignó severamente. Sus razones se pueden resumir de la siguiente manera: Al aceptar los gálatas lo que los judaizantes enseñaban: 1) hacían de la iglesia una secta judía, perdiendo así su identidad cristiana; 2) pervertían el Evangelio drásticamente; 3) hacían de Pablo un charlatán, y 4) destruían todo el trabajo que Pablo y Bernabé habían llevado a cabo en esas ciudades con tanto sacrificio y persecución. Para el apóstol, todo esto era intolerable y requería hacer públicas las falsas enseñanzas de los judaizantes.

DESARROLLO DEL ESTUDIO

I. BREVE SALUDO DEL APÓSTOL A LOS GÁLATAS (GÁLATAS 1:1-5)

Ideas para el maestro o líder

Muestre en un mapa la ubicación de las ciudades de Antioquía de Pisidia, Iconio, Listra y Derbe, al sur de Asia Menor, hoy Turquía, que comprendían la provincia étnica de los gálatas. Muestre en el norte del mapa la provincia geográfica de Galacia, donde se encontraban las ciudades de Ancira y Pisino. Creemos que las iglesias de Galacia se encontraban al sur de Asia Menor.

Definiciones y etimología

* *"apóstol"* (v.1). Traducción del griego *apóstolos*. Literalmente significa, "enviado", "delegado", "emisario", "mensajero", "misionero". En griego clásico, que precedió al koiné, esto es, el popular que se usaba en tiempos del Nuevo Testamento, se usaba en referencia a "una expedición naval, principalmente a su comandante". Un apóstol era uno que era enviado por una autoridad superior a cierta región o pueblo con un mensaje especial. En nuestros días equivale a "misionero a un campo nuevo". En el caso del apóstol Pablo, 1) había sido enviado por Cristo, 2) con el Evangelio como mensaje, 3) para predicarlo a los gentiles.

A. El apóstol declara el origen de su ministerio (1:1-3)

"Pablo, apóstol (no de hombres ni por hombre, sino por Jesucristo y por Dios el Padre que lo resucitó de los muertos)" (v.1). La introducción de esta carta es sumamente breve en comparación a otras introducciones de las cartas que el apóstol escribió.

No hay acciones de gracias a Dios por las iglesias de Galacia, como es el caso en las cartas a los Romanos (1:1-14); 1 Corintios (1:1-9); 2 Corintios (1:1-11); Efesios (1:1-14); Filipenses (1:1-11), etc. Esto demuestra la indignación del apóstol por lo que los gálatas habían permitido que sucediera en sus iglesias. Ahora, es evidente que, desde el principio de la carta, el apóstol defiende su ministerio que había sido difamado por los intrusos judaizantes: "Pablo, apóstol (no de hombres ni por hombre, sino por Jesucristo y por Dios el Padre que lo resucitó de los muertos".

La primera preposición en griego, que en español se traduce "no de" ("hombres") denota la fuente de donde la autoridad del apóstol brota, y la segunda, que se traduce "ni" ("por hombres"), el canal por medio del cual su ministerio era ejercido. La idea es: "Pablo, un apóstol, cuya autoridad no brota de ninguna fuente humana, y cuyo oficio no fue conferido por ninguna mediación de hombres, sino por la mediación de Jesucristo y la soberanía de Dios el Padre, el mismo que resucitó a Jesucristo de entre los muertos".

".....y todos los hermanos que están conmigo, a las iglesias de Galacia" (v.2). No se puede precisar quiénes eran los hermanos que estaban con el apóstol, por el hecho de que hay divergencia en los comentaristas bíblicos acerca del lugar y la fecha en que la carta fue escrita. Lo importante es que, aquellos hermanos que estaban con Pablo, coincidían en su sentir con el apóstol Pablo por lo que estaba sucediendo en las iglesias gálatas. "Gracia y paz sean a vosotros, de Dios el Padre y de nuestro Señor Jesucristo" (v.3). Este es el saludo que el apóstol emplea en todas sus cartas, excepto en 1 y 2 Timoteo, Tito y Hebreos, de haber sido él el autor de esta última. Al igual que en el v.1, el apóstol hace referencia "a Dios el Padre y a nuestro Señor Jesucristo". A pesar de las fallas que había en las iglesias de Galacia, como en las de las iglesias de Corinto, el apóstol les comunica una bendición parecida a la que se encuentra en 2 Corintios 13:14: "La gracia de nuestro Señor Jesucristo, el amor de Dios, y la comunión del Espíritu Santo sean con todos vosotros". ¿Son estas expresiones mecánicas que utilizaba el apóstol como un simple cliché? ¡No! Eran bendiciones que invocaba sobre los creyentes así como Dios le dijo a Moisés que lo hiciera sobre el pueblo de Israel: "Así *bendecirás* a los hijos de Israel, diciéndoles: Jehová te bendiga, y te guarde; Jehová haga resplandecer su rostro sobre ti, y tenga de ti misericordia; Jehová alce sobre ti su rostro, y ponga en ti paz. Y pondrán mi nombre sobre los hijos de Israel, *y yo los bendeciré*" (Números 6:23-27). Fue por eso, que desde muy temprano en la iglesia primitiva se llamó la bendición de 2 Corintios 13:14, "La bendición apostólica", con la cual los pastores concluían los cultos, bendiciendo así a los adoradores al salir a sus hogares.

B. El lugar de Cristo en el plan de salvación (1:4,5)

"El cual *se dio a sí mismo* por nuestros pecados para librarnos del presente siglo malo..." (v.4). La expresión "a sí mismo", en referencia al sacrificio voluntario de Cristo, la utiliza el apóstol Pablo trece veces en sus cartas (Romanos 15:3; Gálatas 2:20; Efesios 2:15; 5:2, 25,27; Filipenses 2:7,8; 1 Timoteo 2:6; Tito 2:14 (dos veces); Hebreos 1:3; 9:7. En estos textos hay todo un tratado teológico del valor que posee el sacrificio voluntario de nuestro Señor Jesucristo a favor de la humanidad, y el ejemplo de cómo debe ser la conducta de los creyentes a favor de los demás, especialmente, hacia sus hermanos en la fe. Por otro lado, esta expresión era un golpe mortal para los judaizantes que intentaban sustituir lo que Cristo hizo voluntariamente para la salvación de las almas, con las obras meritorias que ellos deseaban imponer. Cuando al Evangelio se le agrega algo que pretenda coadyuvar a la salvación, deja de ser Evangelio.

El Evangelio no consiste en "gracia, más..."; es "gracia y punto final". En el v.4, la entrega voluntaria de Cristo se asocia con "nuestros pecados"; en Gálatas 2:20 y Efesios 5:2,25, con su amor; en Efesios 2:15, con la formación de la Iglesia, compuesta de judíos y gentiles convertidos; en Efesios 5:27, con el deseo de Cristo de que la Iglesia sea gloriosa, sin mancha ni arruga, santa; en Filipenses 2:7 con el despojamiento que Cristo hizo de sí mismo para hacerse humano; en Filipenses 2:8, con la humillación de Cristo; en 1 Timoteo 2:6, con el rescate que Cristo hizo de la humanidad; en Tito 2:14, con la redención del pecado que Cristo hizo de los que creyesen en él; también en Tito 2:14, con la purificación de un pueblo que sea celoso de buenas obras; en Hebreos 1:3, con la purificación de nuestros pecados, y en Hebreos 9:7, con los pecados de ignorancia del pueblo. ¡Cuán grandes y poderosos fueron los motivos para que Cristo se ofreciera voluntariamente a sí mismo en sacrificio!

"...conforme a la voluntad de nuestro Dios y Padre". Aquí hay dos ideas muy importantes que tienen que ver con el plan de redención: 1) fue la voluntad de Dios el Padre que Cristo se entregara a muerte, y 2) es la voluntad de Dios librar a todos los hombres de este presente siglo malo, esto es: Dios quiere que todos sean salvos.

Lo declaran muchísimos pasajes de la Biblia, entre ellos: "El Señor no retarda su promesa, según algunos la tienen por tardanza, sino que es paciente para con nosotros, no queriendo que ninguno perezca, sino que todos procedan al arrepentimiento" (2 Pedro 3:9). Por esta razón el apóstol prorrumpe en una doxología: "A quien sea la gloria por los siglos de los siglos. Amén" (v.5). Véanse los siguientes pasajes parecidos: Romanos 9:5; 11:36; 2 Corintios 9:15; Efesios 3:21. Así concluye el saludo del apóstol a los gálatas.

Afianzamiento y aplicación

(1) Explique el por qué de la brevedad de la introducción de esta carta.

(2) ¿Qué sucede cuando se le agrega al Evangelio los méritos personales?

(3) ¿Qué ideas hay en las palabras, "conforme a la voluntad de nuestro Dios y Padre"?

II. LA RAZÓN DE LA CARTA (GÁLATAS 1:6-9)

Ideas para el maestro o líder

Pregunte a la clase si alguno de ellos tomaría un medicamento que haya sido alterado; o si edificaría una casa cuyos planos hayan sido modificados por un inexperto en construcción, o si comería un alimento que haya sido manipulado por una persona de higiene dudosa. Así es con el Evangelio: Si alguien le agrega o le quita, pierde su pureza.

Definiciones y etimología

* *"maravillado"* (v.6). Traducción del verbo griego, *thaumazo*. "Maravillado" es una de las acepciones de este verbo, pero en el sentido negativo. Probablemente alguna de las siguientes palabras pueda ser una mejor traducción: "Perplejo", "atónito", "asombrado", "pasmado", *"sorprendido"*. En griego el verbo se encuentra en el tiempo presente, voz activa, primera persona, de modo que la traducción debe ser: "Me asombro", "Me sorprende".

A. Los gálatas estaban siguiendo un seudo evangelio (1:6,7)

"Estoy maravillado de que tan pronto os halláis alejado del que os llamó por la gracia de Cristo...". La carta contiene un fuerte estado de indignación de parte del apóstol. Por esta razón el apóstol omite su acción de gracias a Dios por los destinatarios, como lo hace con el resto de sus cartas. El eminente comentarista de la Biblia, J. B. Lightfoot parafrasea los vv.6-9 en la manera que debió sonarles a los gálatas:

"Me asombro de que ustedes se hayan sublevado tan rápido de Dios, quien les llamó a ustedes, y que de una manera tan irresponsable hayan abandonado la dispensación de la gracia por un evangelio diferente. ¿Dije, 'un evangelio diferente'? ¡No!, no es otro. No puede haber dos evangelios. Lo que pasa es que ciertos hombres están sacudiendo vuestra lealtad, intentando pervertir el Evangelio de Cristo. Un intento vano, ya que el Evangelio pervertido, no es de ninguna manera Evangelio. Ciertamente: porque si aun nosotros o un ángel del cielo (si esto fuera posible) os predicase cualquier otro evangelio que aquel que nosotros les predicamos hasta hoy, sea maldito. He dicho esto antes, y lo repito de nuevo: Si algún hombre les predica a ustedes otro evangelio que aquel que les fue enseñado por nosotros, sea maldito".

Es vitalísimo conocer la situación de las iglesias de Galacia de acuerdo a lo que el apóstol les dice y de acuerdo a cómo debieron haber entendido lo que el apóstol les escribió. *Primero*, aunque no habían incurrido en pecados groseros y repudiables, el haber aceptado prácticas ajenas a lo que habían recibido por Pablo y Bernabé era igual de condenable, si no peor, ya que Dios demanda que el Evangelio se mantenga incólume. *Segundo,* El quitarle o añadirle a lo que Dios ha revelado y ha sido preservado por el pueblo de Israel y la Iglesia, amerita la eliminación de su nombre del libro de la vida. Es así como se cierra el canon bíblico: "Yo testifico a todo aquel que oye las palabras de la profecía de este libro: Si alguno añadiere a estas cosas, Dios traerá sobre él las plagas que están escritas en este libro. Y si alguno quitare de las palabras del libro de esta profecía, Dios quitará su parte del libro de la vida, y de la santa ciudad y de las cosas que está escritas en este libro" (Apocalipsis 22:18,19). ¡La Biblia habla tanto acerca de guardar y vivir la sana doctrina! Por ejemplo: "Así que hermanos, estad firmes, y retened la doctrina que habéis aprendido, sea por palabra, o por carta nuestra" (2 Tesalonicenses 2:15); "Si esto enseñas a los hermanos, serás buen ministro de Jesucristo, nutrido con las palabras de la fe y de la buena doctrina que has seguido" (1 Timoteo 4:6); "Ten cuidado de ti mismo y de la doctrina; persiste en ello, pues haciendo esto, te salvarás a ti mismo y a los que te oyeren" (1 Timoteo 4:16). Y, ¡este imperativo aplica a la Iglesia de nuestros días!

B. Lo grave de alterar el Evangelio (1:8, 9)

"Mas si aun nosotros, o un ángel del cielo, os *anunciare* otro evangelio diferente del que os hemos anunciado, sea anatema. Como antes hemos dicho, también ahora lo repito: Si alguno os *predica* diferente evangelio del que habéis recibido, sea anatema" (vv.8, 9). Es notable, para los que conocen el idioma griego koiné en que se escribió el Nuevo Testamento, el cambio de modo en los verbos “anunciare” del v.8, y “predica” del v.9. “Anunciare” se encuentra en el modo subjuntivo, significando una hipótesis, una suposición altamente improbable; el verbo “predica” se encuentra en el indicativo y tiempo presente señalando un hecho en el momento en que se escribió la carta. En ambos casos el error era mayúsculo. Pero, algo que es importante es que el apóstol utiliza el plural “nosotros”, refiriéndose muy en particular a aquellos que fueron testigos y compañeros del trabajo misionero en Galacia. Por lo tanto, el mensaje es: “Si cualquiera de aquellos de nosotros que os llevamos el Evangelio por primera vez, o un ángel de cielo os anunciare otro evangelio diferente del que os proclamamos cuando os convertisteis, sea anatema”. Con la palabra “anatema”, que en el contexto implica “maldito”, incluye tanto al que lo predica como al mensaje que predica. Esta imprecación del apóstol suena muy severa, pero se justifica al recordar que, de acuerdo a los autores del Nuevo Testamento, seguir una falsa doctrina equivalía apostatar de la fe, traicionar la gracia de Dios, y perder el alma. Por esta razón encontramos varios pasajes, tanto en el Antiguo como en el Nuevo Testamentos, en que se advierte a los hijos del Señor no seguir falsas doctrinas, por ejemplo: “Para que ya no seamos niños fluctuantes, llevados por doquiera de todo viento de doctrina, por estratagema de hombres que para engañar emplean con astucia las artimañas del error” (Efesios 4:14); “Como te rogué que te quedases en Éfeso, cuando fui a Macedonia para que mandases a algunos que no enseñen diferente doctrina” (1 Timoteo 1:3); “Pero el Espíritu dice claramente que en los postreros tiempos algunos apostatarán de la fe, escuchando a espíritus engañadores y a doctrinas de demonios” (1 Timoteo 4:1); “Cualquiera que se extravía, y no persevera en la doctrina de Cristo, no tiene a Dios; el que persevera en la doctrina de Cristo, ese si tiene al Padre y al Hijo” (2 Juan 9). ¡Cuidado: 1) Las tergiversaciones de la sana doctrina pueden ser inspiradas por el mismo demonio; 2) una doctrina diferente es una estratagema de hombres corruptos, cuya intención es engañar con astucia utilizando artimañas del error; 3) las falsas doctrinas conducen a la apostasía, 4) las falsas doctrinas nos quitan de Dios!

Afianzamiento y aplicación

(1) ¿Se puede apostatar de la fe aunque uno no cometa pecados groseros?

(2) Según usted, ¿quiénes son los más propensos a ser engañados por falsas doctrinas?

(3) Mencione las consecuencias de abrazar falsas doctrinas.

III. EL APÓSTOL REITERA SU POSICIÓN DOCTRINAL (GÁLATAS 1:10-12)

Ideas para el maestro o líder

Pida a los estudiantes que uno de ellos lea en voz alta Gálatas 1:10-12.

Definiciones y etimología

* *“Siervo de Cristo”* (v.10). *(doulos)* “Esclavo”. Efectivamente nadie puede servir a dos señores, que exigen un servicio a tiempo completo. Por lo tanto, Pablo no va agradar a los hombres, al precio de ser infiel a Dios.

A. El apóstol confiesa su deber de ser fiel a Dios (1:10)

“Pues, ¿busco ahora el favor de los hombres, o el de Dios? ¿O trato de agradar a los hombres? Pues si todavía agradara a los hombres, no sería siervo de Cristo” (v.10). Es obvio en el texto griego que el v.10 es una defensa del apóstol contra los ataques falsos que lanzaban contra él los judaizantes. La acusación era que el apóstol estaba diluyendo el Evangelio para hacerlo más atractivo a los gentiles e incluso a judíos liberales que no simpatizaban con el cumplimiento de todas las prácticas ritualistas de los judíos. Las ideas de los judaizantes era: “Parte del Evangelio era la obediencia fiel de la circuncisión, guardar el sábado de acuerdo a la ley, abstinencia de ciertos alimentos, el guardar meticulosamente ciertos días del mes y fiestas anuales, pero Pablo las ha eliminado para hacer más fácil la conversión de los gentiles”. En otras palabras, Pablo quería ganarse la simpatía de aquellos que deseaba que entraran a la Iglesia, sacrificando su fidelidad a Dios. Por eso, las palabras del apóstol: “Pues, ¿busco ahora el favor de los hombres, o el de Dios? ¿O trato de agradar a los hombres?" Para la sensibilidad apostólica tal acusación era devastadora. Si alguien procuró servir a Dios con integridad y una limpia conciencia, fue precisamente él, y eso no lo podía tolerar. Para Pablo y sus colegas insistir que los gentiles guardasen la ley de Moisés era imponerles un yugo que ni ellos ni sus antecesores pudieron llevar. Así lo declaró el apóstol Pedro en el Concilio de Jerusalén cuando algunos de la secta de los fariseos decían: "Es necesario circuncidarlos, y mandarles que guarden la ley de Moisés" (Hechos 15:5). Pedro respondió: "¿Por qué tentáis a Dios, poniendo sobre la cerviz de los discípulos un yugo que ni nuestros padres ni nosotros hemos podido llevar?" (Hechos 15:10). Lo penoso fue que líderes del calibre de Pedro y Bernabé cayeron en la trampa de actuar hipócritamente por temor a lo que fueran a decir los cristianos judaizantes. Esto sucedió en Antioquía de Siria (había otra Antioquía en Pisidia). Antes de que llegaran los maestros judaizantes, Pedro y Bernabé se asociaban con los gentiles y comían en sus casas, pero cuando aquellos llegaron se abstuvieron de hacerlo para no ser criticados. La causa era que los judíos, y aun algunos de los que se convirtieron, creían que era inmundicia entrar a la casa de un gentil. Cuando Pablo se dio cuenta los recriminó enfrente de todos porque su conducta era "de condenar" (Hechos 2:11-14). Para Pablo, agradar a los hombres antes que a Dios, lo descalificaba como siervo de Cristo. ¡Qué lección tan apropiada: Muchas veces lo que nos preocupa es la opinión de los hombres y no la aprobación de Dios!

B. El apóstol declara, además, quién le comunicó el Evangelio (1:11,12)

"Mas os hago saber, hermanos, que el evangelio anunciado por mí, no es según hombre" (v.11). El apóstol prosigue con un argumento que es irrebatible y que le da una fuerza especial a sus palabras: El Evangelio que anunciaba no era de acuerdo a hombres. El verbo que se traduce "os hago *saber*" es la traducción del griego *gnorizo*, que en el Nuevo Testamento ocurre veinticuatro veces, dieciocho de las cuales en las cartas el apóstol Pablo. Es un verbo muy rico que, de acuerdo al contexto, se traduce de diferentes maneras, por ejemplo: "declarar", "entender", "certificar", "recordar". Si se acepta que la idea de este verbo, dentro del v.11, es "hacer recordar", lo que les está diciendo, es: "¿No se acuerdan todo lo que os enseñé cuando estaba con vosotros?" En este caso, el problema de los gálatas era uno de ser olvidadizos o de ser indiferentes a lo que el apóstol les había enseñado respecto al Evangelio que predicaba. Algunos comentaristas bíblicos optan por esta interpretación. Otros, se inclinan a pensar que uno de los problemas de los gálatas era la ignorancia, que no tenían una idea clara de lo que era el Evangelio, pensando que era una mera prolongación del judaísmo. En todo caso, lo que el apóstol quería era romper toda conexión con el judaísmo. Las palabras, "no es según hombre" le dan una mayor fuerza al argumento del apóstol: El Evangelio, que les había predicado a los gálatas, y que seguía predicando, no solamente no tenía nada que ver con el judaísmo sino además con cualquier sistema, ideología, filosofía, secta o religión inventada por los hombres. Ahora, hay un interesantísimo juego de palabras en el v.11 en las palabras "*anunciado* por mí". El apóstol no utiliza la palabra clásica para "predicar" o "anunciar", *keiruso*, sino *euanguelízo*, que literalmente significa "evangelizar", "anunciar buenas noticias". En español resultaría redundante traducir literalmente, ya que la traducción sería: "...el evangelio evangelizado por mí". La gran idea es que predicar el Evangelio no es meramente hablar, ni como orador, ni como político, ni como filósofo: "Hay que *evangelizar, anunciando el Evangelio, esto es, las buenas noticias*".

"Pues yo ni lo recibí ni lo aprendí de hombre alguno, sino por revelación de Jesucristo" (v.12). ¿Cuándo lo recibió por "revelación"? Los estudiosos bíblicos nos dicen que fue un proceso que se extendió durante los tres días que estuvo en Damasco después de su conversión (Hechos 9:1-9), luego cuando estuvo en Arabia (Gálatas 1:17), y cuando fue transportado al paraíso (2 Corintios 12:1-4). ¡Lo importante es que lo que Pablo nos legó en sus cartas y predicaciones, no es de los hombres, sino directamente de Dios!

Afianzamiento y aplicación

(1) ¿Qué acusación hacían los judaizantes de Pablo por lo que predicaba?

(2) ¿Qué hubiera significado si los gentiles convertidos hubiesen guardado la ley mosaica?

(3) ¿Cuándo, probablemente, recibió el apóstol el Evangelio que predicaba?

RESUMEN GENERAL

Este estudio nos habla de una de las mayores preocupaciones que tuvieron los autores del Nuevo Testamento: La preservación pura del Evangelio. Cuando el apóstol Pablo escribió su Carta a los Romanos, inmediatamente después de haber escrito su Carta a los Gálatas, procuró combatir dos graves herejías que estaban minando la fe de los destinatarios: el antinomianismo, que enseñaba que los cristianos no estaban sujetos a ninguna ley de Cristo y que podían pecar impunemente; también trató un tema clave del Evangelio: la justificación por gracia y por la fe; cuando escribió 1 Corintios, lo hizo para corregir errores de conducta y de doctrina; cuando el apóstol Juan escribió su primera carta, se propuso combatir las herejías de los docetas, que enseñaban que Cristo no tuvo cuerpo físico; Judas y Pedro (2 Pedro) atacaron severamente a falsos maestros que habían introducido en las iglesias una variedad de herejías. Pues bien, lo mismo sucedió con Pablo cuando escribió su carta a las iglesias de Galacia. Estas habían sido el blanco de las enseñanzas de los judaizantes quienes enseñaban que 1) Pablo era un falso apóstol, y 2) que los gentiles tenían que guardar la ley de Moisés para poder ser salvos. Pablo les afirma a los gálatas que lo que él predicaba lo había recibido directamente de Dios, y que de añadirle algo a lo que él enseñaba sería una tergiversación del Evangelio y ameritaría recibir la maldición de Dios. No se necesita ser un teólogo para comprender que el mensaje que le dio el apóstol a los gálatas aplica a la iglesia contemporánea. ¡Mantengamos limpio el Evangelio porque de él depende nuestra salvación!

Ejercicio de clausura

Repitan todos al unísono el Pensamiento Central y el Texto Áureo; cierren con oración.

PREGUNTAS Y RESPUESTAS

1. ¿Cuáles eran los dos motivos por los que el apóstol Pablo se encontraba muy molesto?

Porque falsos maestros infiltrados decían que el Evangelio debía ser complementado con observancias de la ley judaica y acusaban a Pablo de ser un falso apóstol ya que no pertenecía al número original de los doce.

2. ¿Por qué era tan grave aceptar un mensaje "diferente" al que Pablo había predicado?

Porqué Dios demanda que el Evangelio se mantenga puro e incólume, y el quitarle o añadirle a lo que Dios ha revelado, puede provocar la eliminación del libro de la vida.

3. De acuerdo a los autores del Nuevo Testamento, ¿a qué equivalía seguir una falsa doctrina?

Equivalía apostatar de la fe, traicionar la gracia de Dios, y perder el alma.

4. ¿Cuál era la acusación contra el apóstol que le hacían los judaizantes?

Le acusaban de estar diluyendo el Evangelio para hacerlo más atractivo a gentiles y judíos liberales que no simpatizaban con la observancia de todas las prácticas ritualistas de los judíos.

5. Mencione el argumento irrebatible que el apóstol presenta en el versículo 12, en defensa de su evangelio.

Que el Evangelio que anunciaba no lo recibió ni lo aprendió de hombre alguno, sino por revelación de Jesucristo.

PARA LA PRÓXIMA SEMANA

La próxima semana motive a los participantes a estudiar el tema: "Pablo narra el origen de su apostolado", basada en Gálatas 1:13-24. Lean también Hechos 9:1-31; 13:1-52.

PABLO NARRA EL ORIGEN DE SU APOSTOLADO

ESTUDIO BÍBLICO 2

Base bíblica
Gálatas 1:13-24

Objetivos
Por medio de este estudio los participantes estarán capacitados para::

1. Conocer bien el origen del ministerio del apóstol Pablo.
2. Entender que cada creyente tiene un trabajo asignado por Dios.
3. Esforzarse lo más posible en el trabajo que Dios le ha asignado.

Fecha sugerida:___/____/____

Pensamiento central
Todo creyente debe tener una fuerte convicción de cuál es su trabajo en la obra del Señor y estar convencido de que su trabajo es una asignación divina.

Texto áureo
Solamente oían decir: Aquel que en otro tiempo nos perseguía, ahora predica la fe que en otro tiempo asolaba
(Gálatas 1:23).

LECTURA ANTIFONAL

Gálatas 1:13 Porque ya habéis oído acerca de mi conducta en otro tiempo en el judaísmo, que perseguía sobremanera a la iglesia de Dios, y la asolaba;
14 y en el judaísmo aventajaba a muchos de mis contemporáneos en mi nación, siendo mucho más celoso de las tradiciones de mis padres.
15 Pero cuando agradó a Dios, que me apartó desde el vientre de mi madre, y me llamó por su gracia,
16 revelar su Hijo en mí, para que yo le predicase entre los gentiles, no consulté en seguida con carne y sangre,
17 ni subí a Jerusalén a los que eran apóstoles antes que yo; sino que fui a Arabia, y volví de nuevo a Damasco.
18 Después, pasados tres años, subí a Jerusalén para ver a Pedro, y permanecí con él quince días;
19 pero no vi a ningún otro de los apóstoles, sino a Jacobo el hermano del Señor.
20 En esto que os escribo, he aquí delante de Dios que no miento.
21 Después fui a las regiones de Siria y de Cilicia,
22 y no era conocido de vista a las iglesias de Judea, que eran en Cristo;
23 solamente oían decir: Aquel que en otro tiempo nos perseguía, ahora predica la fe que en otro tiempo asolaba.
24 Y glorificaban a Dios en mí.

DATOS GENERALES ACERCA DEL TEMA

- **Enseñanza:** La fe cristiana no tiene espacio para el fanatismo ni acciones beligerantes. Es un estilo de vida donde predomina el amor, la misericordia, y la compasión.
- **Autor:** El Apóstol Pablo, cuya conversión ocurrió en las cercanías de Damasco, alrededor del año 33 d.C.
- **Fecha:** Entre los años 55-57 d.C., después del Concilio de Jerusalén en el año 50 d.C.
- **Lugar:** Probablemente en Éfeso, en la costa occidental de Asia, o en la ciudad griega de Corinto según otras opiniones.
- **Destinatario:** Las iglesias de Galacia, entre ellas: Antioquía de Pisidia, Iconio, Listra, Derbe y Perge.
- **Personajes:** El apóstol Pablo, Pedro, Jacobo el hermano del Señor y creyentes de las iglesias.

BOSQUEJO DEL ESTUDIO

I. Pablo relata una experiencia personal (Gálatas 1:13-16)
   A. Fue perseguidor de la Iglesia (1:13,14)
   B. Pablo tuvo un encuentro con Dios (1:15,16)
II. Sus años de preparación (Gálatas 1:17-19)
   A. Pablo busca la soledad (1:17,18)
   B. Pablo decide visitar los apóstoles en Jerusalén (1:19)
III. Pablo, un desconocido de quien las iglesias hablaban (Gálatas 1:20-24)
   A. Pablo predica en las regiones de Siria y de Cilicia (1:20,21)
   B. La gente glorifica a Dios por causa de Pablo (1:22-24)

Damasco, lugar de la conversión del Apóstol, desde donde viajó a las regiones de Arabia para un retiro espiritual.

LECTURAS DEVOCIONALES DIARIAS

Lunes: El llamamiento de Abraham (Génesis 12:1-9).
Martes: El llamamiento de Moisés (Éxodo 3).
Miércoles: El llamamiento de Josué (Josué 1:1-9).
Jueves: El llamamiento de Eliseo (1 Reyes 19:19-21; 2 Reyes 2:1-15).
Viernes: El llamamiento de Isaías (Isaías 6).
Sábado: El llamamiento de Pablo (Hechos 9:1-18).

INTRODUCCIÓN

En las iglesias de Galacia había surgido una delicada situación. Predicadores judaizantes se habían infiltrado en las iglesias enseñando que los gentiles convertidos debían guardar la ley de Moisés para poder estar seguros de su salvación. Entre las prácticas en las cuales estos judaizantes ponían más énfasis era la circuncisión, el guardar el día sábado como el día del Señor, la abstinencia de ciertos alimentos, y la celebración de fiestas típicas del Antiguo Testamento. Para los predicadores judaizantes, el Evangelio estaría incompleto si no se le daba la debida atención a las prácticas mencionadas. Pero, algo ya más personal en contra del apóstol Pablo era que lo acusaban de ser un falso apóstol que había diluido el Evangelio para hacerlo más atractivo ante los gentiles y los judíos liberales. Ante esta situación, el apóstol se vio obligado a hacer una defensa del Evangelio que predicaba y también de su apostolado. Para ello, tuvo que hacer referencia a experiencias personales con el Señor las cuales eran irrebatibles. Estas experiencias sobrenaturales investían de credibilidad tanto a su apostolado como al mensaje que predicaba. Consideremos, pues, nuestro pasaje bíblico.

DESARROLLO DEL ESTUDIO

I. PABLO RELATA UNA EXPERIENCIA PERSONAL (GÁLATAS 1:13-16)

Ideas para el maestro o líder

Invitar a alguno de los participantes para que realicen la lectura en voz alta de Gálatas 1:13-16.

Definiciones y etimología

* *"Judaísmo"*. Sistema religioso judío basado en la justicia por obras y en las interpretaciones y tradiciones de los rabinos.

* *"Tradiciones de mis padres"*. Se puede referir a las enseñanzas fanáticas de los fariseos, influenciadas por el Talmud babilónico, que llegaron a tener más autoridad que la ley misma.

A. Fue perseguidor de la Iglesia (1:13,14)

"Porque ya habéis oído acerca de mi conducta en otro tiempo en el judaísmo, que perseguía sobremanera a la iglesia de Dios, y la asolaba" (v.13). Tan grave era el daño que los judaizantes estaban haciendo en las iglesias de Galacia, que el apóstol Pablo se vio obligado a hacer referencia a un episodio penoso de su vida: el tiempo en que persiguió a la iglesia de Dios. La persecución fue tan furibunda y sistemática que Lucas la cita con una realismo impresionante: "Y Saulo *asolaba* la iglesia, y entrando casa por casa, *arrastraba* a hombres y mujeres, y los *entregaba* en la cárcel" (Hechos 8:3). El mismo apóstol confesó que perseguía la iglesia *hasta la muerte*: "Perseguía yo este camino *hasta la muerte*, prendiendo y entregando en cárceles a hombres y mujeres...y fui a Damasco para traer presos a Jerusalén también a los que estuviesen allí, para que fuesen castigados" (Hechos 22:4,5). Una de las confesiones más dramáticas la hizo frente al rey Agripa: "Yo ciertamente había creído mi deber hacer muchas cosas contra el nombre de Jesús de Nazaret; lo cual también hice en Jerusalén. Yo *encerré en cárceles* a muchos de los santos habiendo recibido poderes de los principales sacerdotes; y cuando los *mataron*, yo di mi voto. Y muchas veces, *castigándolos* en todas las sinagogas, los forcé *a blasfemar*, y enfurecido sobremanera contra ellos, los *perseguí* hasta en las ciudades extranjeras" (Hechos 26:9-11). La conducta de Pablo mientras estaba en el judaísmo es una prueba contundente de lo que es el fanatismo religioso. El fanatismo ciega y propulsa a acciones aberrantes y criminales. Por el contrario, el celo por la verdad y las convicciones que esta genera van acompañadas de amor. Pablo pensaba que le hacía un servicio a Dios, y que esa era una manera de demostrar su estricto fariseísmo, y todo: ¡En nombre de su religión!

"Y en el *judaísmo* aventajaba a muchos de mis contemporáneos en mi nación, siendo mucho más celoso de las *tradiciones* de mis padres" (v.14). Las palabras "judaísmo" y "tradiciones de mis padres" es una manera de expresar su fariseísmo radical. Por "judaísmo" se refiere a la letra y no al espíritu de la religión hebrea, y por "tradiciones de mis padres" se puede referir a las enseñanzas fanáticas de los fariseos, influenciadas por el Talmud babilónico. Advertencia: ¡Uno puede convertirse en un celoso defensor de las enseñanzas de su iglesia o denominación más que de las enseñanzas de Cristo!

B. Pablo tuvo un encuentro con Dios (1:15,16)

"Pero cuando agradó a Dios, que me apartó desde el vientre de mi madre, y me llamó por su gracia" (v.15). En el griego, el "pero" con que empieza el v.15 sirve para hacer un contraste entre lo que se ha dicho y lo que sigue a continuación. En los vv.13, 14 el protagonista de la historia es Saulo el perseguidor de la Iglesia; en el 15, es Dios. En el v.13 resalta "mi conducta"; en el 15, "agradó a Dios", esto es, "la conducta de Dios"; en el v.13, Saulo "perseguía sobremanera"; en el 15, "me apartó...me llamó"; en el v.13 prevalece "asolaba" (otras traducciones: "devastaba", "quería exterminarla"); en el 15, "...gracia". Desde ese momento en adelante lo que importaría en la vida de Saulo no era su protagonismo, sino el de Dios. Si Pablo hace referencia a lo que fue, no fue para impresionar a los gálatas y creyesen de él que era muy hombre: lo hizo porque fue forzado por los gálatas a hacerlo, y para magnificar el plan y la obra que Dios tenía para su vida. En el Evangelio, el hombre no vale por lo que fue, sino por lo que es. Isaías profeta declaró algo semejante a fin de que el pueblo de Israel comprendiera quién realmente estaba detrás de sus pregones, y cómo su elección representaba la elección de Israel: "Oídme, costas, y escuchad, pueblos lejanos. Jehová me llamó desde el vientre, desde las entrañas de mi madre tuvo mi nombre en memoria. Y puso mi boca como espada aguda, me cubrió con la sombra de su mano; y me puso por saeta bruñida, me guardó en su aljaba" (Isaías 49:1,2). El profeta Jeremías declaró algo similar: "Vino, pues, palabra de Jehová a mí, diciendo: Antes que te formase en el vientre te conocí, y antes que nacieses te santifiqué" (Jeremías 1:5). ¡Qué honor el haber sido escogido por Dios para una misión especial!

"...revelar a su Hijo en mí, para que yo le predicase entre los gentiles, no consulté en seguida con carne y sangre" (v.16). Resumamos el v.16 en un pequeño bosquejo: 1) Lo que Pablo predicaba era una revelación de Dios, por lo tanto, no le podían acusar de hereje; 2) La revelación no fue una doctrina, sino una persona: el Hijo de Dios; 3) La misión de Pablo no era guardar en sí lo que le había sido revelado, sino predicarlo; 4) El campo en que tenía que hacerlo era definido: Los gentiles; 5) Su mensaje no necesitaba el visto bueno de nadie, porque quien predica a Cristo no necesita que le digan si está bien o está mal. ¡Cristo no es una doctrina: Es una persona!

Afianzamiento y aplicación

(1) Con breves palabras describa la actitud de Pablo hacia la Iglesia antes de convertirse.
(2) ¿A qué conduce el fanatismo?
(3) ¿En qué consiste el Evangelio?

II. SUS AÑOS DE PREPARACIÓN (GÁLATAS 1:17-19)

Ideas para el maestro o líder

Comente y muestre en un mapa la ubicación geográfica de:

(1) Damasco. Ciudad de Siria actual capital de ese país, siendo la ciudad habitada más antigua del mundo.
(2) Arabia. Es difícil precisar exactamente en qué parte de esta península estuvo el apóstol, ya que en ese entonces incluía la península de Sinaí. Algunos comentaristas opinan que por Arabia el apóstol se refiere a la ciudad de Petra, entre el mar Muerto y el golfo de Ákaba.

A. Pablo busca la soledad (1:17,18)

"Ni subí a Jerusalén a los que eran apóstoles antes que yo; sino que fui a Arabia, y volví de nuevo a Damasco" (v.17). El apóstol continúa con la defensa de su apostolado y del Evangelio que predicaba. Su conversión ocurrió en las cercanías de Damasco, y en esa ciudad fue donde Ananías oró por él para que recibiera la vista y fuera lleno del Espíritu Santo. Al leer Hechos 9:1-18 da la impresión que Pablo no tenía una idea clara de los planes que Dios tenía para él hasta que llegó Ananías y le ministró. Es lógico suponer que Ananías le dijo lo que el Señor le había revelado acerca de él, corroborando así lo que el apóstol estaba comprendiendo en sus días de ayuno y de ceguera. Pero no tenemos ninguna prueba de que Ananías le haya explicado todo el contenido del Evangelio, sino que lo estuvo recibiendo directamente de Dios en sus horas de ceguera y ayuno, y después bajo otras experiencias. Pero en esos tres días recibió suficiente información acerca del Evangelio porque ya, antes de salir de Damasco, "confundía a los judíos que moraban en Damasco demostrando que Jesús era el Cristo" (Hechos 9:22). Hay un silencio en el libro de Los Hechos sobre el viaje del apóstol a Arabia, ya que, de acuerdo al capítulo 9, de Damasco el apóstol pasó a Jerusalén. Esto parece no concordar con lo que dice Gálatas 1:17: "Ni subí a Jerusalén a los que eran apóstoles antes que yo; sino que fui a Arabia, y volví de nuevo a Damasco". Se han dado varias explicaciones a este silencio del libro de Los Hechos sobre el viaje de Pablo a Arabia. Una de ellas es, que después del v.22 el apóstol fue a Arabia de donde regresó a Damasco (como dice nuestro texto), y que lo que se menciona en el v.23 sucedió, lógicamente, después de haber regresado de Arabia. Los que así creen, afirman su posición diciendo que las palabras "Pasados muchos días" de Hechos 9:23, pueden significar "pasado mucho tiempo". La verdad es que no se sabe exactamente cuándo fue el apóstol a Arabia.

Hay algo sutil en las palabras "a los que eran apóstoles antes que yo" (v.17). De esta manera está diciendo: "Si los que estaban en Jerusalén son apóstoles, yo también", defendiendo así su apostolado que los judaizantes negaban. Lo hermoso en el testimonio de Pablo es que defendía su apostolado no sólo con palabras sino además con hechos. Por eso les dijo a los corintios: "Con todo, las señales de apóstol han sido hechas entre nosotros en toda paciencia, por señales, prodigios y milagros" (2 Corintios 12:12). ¡Qué gran lección! ¡Somos lo que somos, no por lo que decimos sino por lo que hacemos!

B. Pablo decide visitar a los apóstoles en Jerusalén (1:19)

"Pero no vi a ningún otro de los apóstoles, sino a Jacobo el hermano del Señor" (v.19). El argumento del apóstol es, que después de su conversión, tuvo escasos contactos con aquellos que pudieron haberle explicado el Evangelio. La explicación del Evangelio hubiera requerido un tiempo prolongado, más cuando uno considera el vasto y profundo conocimiento que tuvo de la fe cristiana. Las cartas que de él tenemos en el Nuevo Testamento, más sus sermones que se registran en el libro de Los Hechos, constatan lo que se está afirmando. La teología del apóstol Pablo, su percepción de las cosas divinas, son tan llamativas y únicas que se han escrito miles de libros, comentarios y artículos especializados por eruditos en Las Escrituras, y esto, en la gran mayoría de los idiomas principales que se hablan en el mundo. No hay, prácticamente, aspecto de la fe cristiana que el apóstol no haya cubierto, con la gran ventaja de respaldar lo que escribió y dijo con el Antiguo Testamento. En nuestros días, aquellos intérpretes de Las Escrituras que se especializan en el pensamiento del gran apóstol a los gentiles necesitan cuatro años para obtener una licenciatura, dos años más para recibir una maestría, y dos años más para doctorarse. Y toda esta excelsa información de los asuntos que atañen al plan de redención la recibió el apóstol directamente de Dios. Como un acto de cortesía ministerial el apóstol tuvo la atención de ir a Jerusalén y, como él dijo, expuso "en privado, a los que tenían cierta reputación, el evangelio que predico a los gentiles" (Gálatas 2:2), y éstos, "a mí, pues, los de reputación nada nuevo me comunicaron" (Gálatas 2:6).

Ahora, es de notar que el apóstol menciona a "Jacobo el hermano del Señor". La Biblia habla de los hermanos del Señor, que lamentablemente algunos dicen que eran sus "primos", todo para poder sostener la enseñanza de la perpetua virginidad de María madre del Señor. Pero hay pasajes del Nuevo Testamento que sostienen que Cristo tuvo hermanos y hermanas, por ejemplo: "¿No es éste el hijo del carpintero? ¿No se llama su madre María, y sus hermanos, Jacobo, José, Simón y Judas? ¿No están todas sus hermanas con nosotros?" (Mateo 13:55,56). Si, como enseñan algunos, los hermanos de Jesús eran en realidad sus primos, entonces, María sería su tía y no su madre. Judas, autor de la carta que lleva su nombre, se identifica como "hermano de Jacobo" (Judas 1), y este Jacobo era hermano del Señor. De manera que el Jacobo que el apóstol menciona en el v.19 es el autor de la carta, que lleva por título "Santiago". "Santiago" es solamente una contracción de "San Jacobo". El texto griego de la carta conocida como "Santiago", empieza con el nombre propio Ἰάκωβος (pronúnciese, *Iácobos*, esto es, Jacobo".

Afianzamiento y aplicación

(1) ¿Cuál es el mejor testimonio de nuestra fe?

(2) Comente algo de Pablo como expositor del Evangelio.

(3) Pruebe que Jesús tuvo hermanos y hermanas.

III. PABLO, UN DESCONOCIDO DE QUIEN LAS IGLESIAS HABLABAN (GÁLATAS 1:20-24)

Ideas para el maestro o líder

(1) Muestre en el mapa de Asia la ubicación de Siria y Cilicia.

(2) Pedir a alguno de los estudiantes que lea en voz alta Gálatas 1:21-24.

Definiciones y etimología

* *"Siria",* era un extenso territorio que incluía áreas como Fenicia, Decápolis y los puertos marítimos del Mediterráneo, tales como, Cesarea, Tolemaida, Tiro, Sidón.

* *"Cilicia",* distrito del Imperio romano al sureste de Asia Menor, y al norte de la isla de Chipre, allí se encontraba la ciudad natal de Pablo: Tarso.

A. Pablo predica en las regiones de Siria y Cilicia (1:20,21)

"En esto que os escribo, he aquí delante de Dios que no miento" (v.20). La firmeza y solemnidad de esta apelación a Dios como testigo de la verdad que afirma, contiene dos puntos importantes: *Primero:* El poner a Dios como testigo de lo que decía, para un judío era más sagrado que un simple juramento. En el caso del apóstol, esta afirmación, de ser cierta, hacían irrebatibles sus palabras; pero de mentir, se ponía bajo el severo castigo de Dios, ya que la ley decía: "No tomarás el nombre de Jehová tu Dios en vano; porque no dará por inocente Jehová al que tomare su nombre en vano" (Éxodo 20:7). Si alguien dice, "Dios es mi testigo de que digo la verdad", pero está mintiendo, acumula doble castigo: Por mentir, y por usar temerariamente el nombre de Dios. *Segundo:* No solamente ratificaba como verdaderos los hechos que narra, sino exhibía una enorme confianza en que el Evangelio que predicaba le había sido comunicado directamente por Dios. El caso del apóstol Pablo es un majestuoso modelo de la importancia de hablar estrictamente la verdad, sin variaciones, aproximaciones o limitaciones.

"Después fui a las regiones de Siria y de Cilicia" (v.21). Siria era un extenso territorio que incluía áreas como Fenicia, Decápolis y los puertos marítimos del Mediterráneo, tales como Cesarea, Tolemaida, Tiro, Sidón y Biblos. De manera que es muy posible que durante este tiempo el apóstol se dedicara a la evangelización de los sitios mencionados.

Creemos que del puerto de Cesarea se embarcó para ir a Cilicia, provincia en donde se encontraba su ciudad natal Tarso. El hecho de que diga "Cilicia" y no "Tarso" indica que no se limitó a la evangelización de su ciudad natal, sino a toda la provincia a la cual pertenecía dicha ciudad. Es muy fácil leer estos datos históricos y contarlos, pero cuando uno se detiene a pensar seriamente que sus recorridos eran para predicar el Evangelio y dejar iglesias establecidas, doctrinadas y con ancianos a cargo de ellas, comprenderá mejor lo que fue el corazón misionero del gran apóstol de los gentiles. Asociemos a lo que se ha dicho lo que el apóstol escribió a los romanos: "Tengo, pues de qué gloriarme en Cristo Jesús en lo que a Dios se refiere. Porque no osaría hablar sino de lo que Cristo ha hecho por medio de mí para la obediencia de los gentiles, con la palabra y con las obras, con potencia de señales y prodigios, en el poder del Espíritu de Dios; de manera que desde Jerusalén, y por los alrededores hasta Ilírico (conocida antiguamente también como Dalmacia y en tiempos más recientes, Yugoslavia), todo lo he llenado del evangelio de Cristo" (Romanos 15:17-19). Y este territorio incluía Siria y Cilicia. ¡Cuán extensos e incansables fueron los trabajos misioneros de nuestro hermano Pablo!

B. La gente glorifica a Dios por causa de Pablo (1:22-24)

"Y no era conocido de vista a las iglesias de Judea, que eran en Cristo" (v.22). Al relatar el apóstol los sucesos acaecidos durante todos los años previos a la escritura de su carta, verificándolos con nombres de líderes de la Iglesia con los cuales se encontró –que fueron muy pocos– y señalar los sitios en los cuales estuvo, persigue el fin de probar cuán independiente estuvo de toda influencia humana en el ministerio que había estado desarrollando. En ningún momento declara que lo que sabía y hacía estaba supeditado a las enseñanzas e instrucciones que algún líder de la Iglesia le haya comunicado. No lo hace por ser víctima de una fuerte soberbia que controlase su carácter, sino para probar que de todo lo que enseñaba y hacía, el único responsable era Dios. Hay entre líneas un gran mensaje para todo creyente: Tener la disposición de cumplir con la voluntad de Dios aunque el número de personas que lo apoyen, sea limitado. El caso del apóstol Pablo nos lleva a lo que en una ocasión declaró nuestro Señor Jesucristo: "...entonces conoceréis que yo soy, y que nada hago por mí mismo, sino que según me enseñó el Padre, así hablo. Porque el que me envió, conmigo está; no me ha dejado solo el Padre, porque yo hago siempre lo que le agrada" (Juan 8:28,29). Las palabras, "...porque yo hago *siempre* lo que le agrada", dejan al descubierto el corazón de nuestro Señor Jesucristo.

"Solamente oían decir: "Aquel que en otro tiempo nos perseguía, ahora predica la fe que en otro tiempo asolaba" (v.23). En el idioma griego, hay en este texto dos palabras que merecen ser examinadas. En primer lugar, "perseguía" es un participio verbal (διώκων, pronúnciese, *diokon*) que se puede traducir como lo tenemos en RV1960. También se puede traducir como un participio sustantivado. Si uno opta por la segunda posibilidad, entonces, la traducción sería: "Nuestro *perseguidor* de tiempos pasados...", haciendo la idea más fuerte porque es más directa. La otra palabra es, "predica". Esta palabra es la traducción de εὐαγγελίζεται (pronúnciese, *euanguelízetai*) cuya traducción literal debe ser "evangelizar" o "proclamar las buenas nuevas". Es así que Cantera Burgos e Iglesias González traducen: "Solo habían oído que 'el que nos perseguía en otro tiempo, ahora predica el Evangelio de la fe que en otro tiempo quería exterminar'". También se pudiera traducir: "Solo habían oído: 'Nuestro perseguidor de tiempos pasados, ahora proclama las buenas nuevas que en otro tiempo quería destruir".

"Y glorificaban a Dios en mí" (v.24). ¡Qué hermosa manera de cerrar esta primera parte de la carta! Así se cumplía en la vida el apóstol, las mismas palabras que él escribió a los corintios: "...hacedlo todo para la gloria de Dios" (1 Corintios 10:31). ¡Amén!

Afianzamiento y aplicación

(1) ¿Qué peligro corría quien usase el nombre de Dios en una mentira?

(2) Según Romanos 15:17-19, ¿el ministerio de Pablo incluía la predicación de la Palabra y qué más?

(3) La vida y obras del creyente deben tener como finalidad, ¿qué cosa?

RESUMEN GENERAL

Nuestro estudio contiene varias enseñanzas importantes que atañen a todo creyente. Las enumeraremos: *Primera:* La fe cristiana no tiene espacio para el fanatismo ni acciones beligerantes. En su tiempo de inconverso, Pablo pensaba que agradaba a Dios siendo fanático y perseguidor de los cristianos. Su fanatismo le llevó a ser violento contra los cristianos y llevar a la muerte a muchos de ellos. La fe cristiana es un estilo de vida donde predomina el amor, la misericordia, la compasión y la bondad. *Segunda:* Así como el Señor escogió a Pablo para una misión especial desde antes de que naciera, lo mismo con cada uno de nosotros. Ningún creyente puede pensar de sí que no tiene nada que hacer en el reino de Dios. *Tercera:* Cuando uno tiene una experiencia directa y genuina con Dios, nada lo desanimará hacer lo que Dios le ha indicado que haga. Cada creyente debe ser un héroe de la fe, siendo fiel a la misión que Dios le asignó. *Cuarta*: Así como las predicaciones de Pablo eran confirmadas "con las obras, con potencia de señales y prodigios, en el poder del Espíritu de Dios" (Romanos 15:18,19), lo mismo debe ser en nuestros días. No hay ninguna base bíblica para pensar que la Iglesia contemporánea tiene que ser distinta a la del Nuevo Testamento. ¡Que así sea!

Ejercicio de clausura

Invitar a los estudiantes a decir de memoria el texto áureo, y a realizar una oración al Señor al finalizar el estudio.

PREGUNTAS Y RESPUESTAS

1. ¿A qué episodio penoso se refirió Pablo para defender su apostolado?

Al tiempo y la manera cómo persiguió a la iglesia de Dios.

2. ¿Cómo podemos resumir en el v.16, el ministerio del apóstol Pablo?

(1) Pablo predicaba una revelación de Dios, (2) La revelación era una persona: el Hijo de Dios; (3) La misión era predicar el mensaje revelado; (4) El campo era los gentiles; (5) Su mensaje era aprobado por Cristo.

3. ¿Cuándo recibió el contenido del evangelio que Pablo predicaba y enseñaba?

Lo estuvo recibiendo directamente de Dios en sus horas de ceguera y ayuno cuando se convirtió y muy seguramente en su retiro a Arabia.

4. ¿Por qué Pablo insinúa que como un acto de cortesía fue a Jerusalén a reunirse con Pedro y Jacobo el hermano del Señor?

Para demostrar que el Evangelio que él predicaba, no lo aprendió de Pedro o Jacobo sino de Cristo mismo.

5. Mencione las enseñanzas que se destacan en el resumen del estudio y que atañen a todo creyente.

(1) La fe cristiana es un estilo de vida donde predomina el amor. (2) Cada creyente ha sido escogido para una misión especial. (3) Tener una experiencia directa con Dios, es necesaria para lograr el objetivo (4) El llamado debe ser confirmado "con las obras, con potencia de señales y prodigios".

PARA LA PRÓXIMA SEMANA

La próxima semana estudiaremos: "Pablo es aceptado por la iglesia de Jerusalén", basada en Gálatas 2:1-10. Recomendamos analizar el contenido durante la semana.

PABLO ES ACEPTADO POR LA IGLESIA DE JERUSALÉN

ESTUDIO BÍBLICO 3

Base bíblica
Gálatas 2:1-10

Objetivos
Al concluir este estudio los participantes podrán:

1. Reflexionar acerca del pasaje bíblico estudiado.
2. Conocer que hay un solo Evangelio que nadie puede alterar.
3. Comprender que entre los siervos del Señor debe haber una total armonía.

Fecha sugerida:___/____/____

Pensamiento central
Los ministros de Dios deben vivir en armonía, al igual que todos los creyentes, y estar seguros que predican un Evangelio puro.

Texto áureo
A los cuales ni por un momento accedimos a someternos, para que la verdad del Evangelio permaneciese con vosotros
(Gálatas 2:5).

LECTURA ANTIFONAL

Gálatas 2:1 Después, pasados catorce años subí otra vez a Jerusalén con Bernabé, llevando también conmigo a Tito.
2 Pero subí según una revelación, y para no correr o haber corrido en vano, expuse en privado a los que tenían cierta reputación el evangelio que predico entre los gentiles.
3 Mas ni aun Tito, que estaba conmigo, con todo y ser griego, fue obligado a circuncidarse;
4 y esto a pesar de los falsos hermanos introducidos a escondidas, que entraban para espiar nuestra libertad que tenemos en Cristo Jesús, para reducirnos a esclavitud,
5 a los cuales ni por un momento accedimos a someternos, para que la verdad del evangelio permaneciese con vosotros.
6 Pero de los que tenían reputación de ser algo (lo que hayan sido en otro tiempo nada me importa; Dios no hace acepción de personas), a mí, pues, los de reputación nada nuevo me comunicaron.
7 Antes por el contrario, como vieron que me había sido encomendado el evangelio de la incircuncisión, como a Pedro el de la circuncisión
8 (pues el que actuó en Pedro para el apostolado de la circuncisión, actuó también en mí para con los gentiles).
9 y reconociendo la gracia que me había sido dada, Jacobo, Cefas y Juan, que eran considerados como columnas, nos dieron a mi y a Bernabé la diestra en señal de compañerismo, para que nosotros fuésemos a los gentiles, y ellos a la circuncisión.
10 Solamente nos pidieron que nos acordásemos de los pobres; lo cual también procuré con diligencia hacer.

DATOS GENERALES ACERCA DEL TEMA

- **Enseñanza:** Los ministros están llamados a defender la sana doctrina, en contra de aquellos que pretender añadir condiciones para la salvación aparte de Cristo.
- **Autor:** La carta a los Gálatas fue escrita por el apóstol Pablo.
- **Fecha:** Alrededor de los años 55-57 d.C.
- **Lugar:** Probablemente en Éfeso, en la costa occidental de Asia, o en la ciudad griega de Corinto según otras opiniones.
- **Destinatario:** Las iglesia de la provincia romana del sur de Galacia.
- **Personajes:** El apóstol Pablo, Bernabé, Tito, Pedro, Juan, Jacobo (hermano del Señor), los creyentes de las iglesia de la provincia de Galacia, y los judaizantes (falsos hermanos).

BOSQUEJO DEL ESTUDIO

I. Pablo visita los líderes de la Iglesia en Jerusalén (Gálatas 2:1-3)
   A. Subió por revelación (2:1)
   B. Pablo no cede a la presión de los judaizantes (2:2,3)
II. El trabajo de los falsos hermanos (Gálatas 2:4,5)
   A. Se habían introducido falsos hermanos (2:4)
   B. El Evangelio que predicaba Pablo no fue alterado (2:5)
III. Pablo recibe la aprobación de los líderes de la Iglesia (Gálatas 2:6-10)
   A. Reconocieron su ministerio a los gentiles (2:6-8)
   B. Los líderes de la Iglesia les dan a Pablo y Bernabé la diestra de compañerismo (2:9,10)

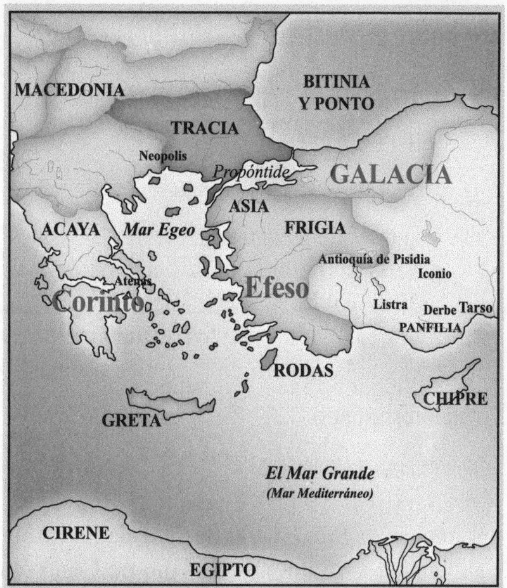

Éfeso, en la costa occidental de Asia, hoy Turquía y la ciudad griega de Corinto, lugares sugeridos donde Pablo escribió la carta a los gálatas a finales de su tercer viaje misionero.

LECTURAS DEVOCIONALES DIARIAS

Lunes: Los Diez Mandamientos son inalterables (Éxodo 20:1-17).
Martes: La felicidad depende en la obediencia a los mandamientos de Dios (Deuteronomio 6:19).
Miércoles: La dicha de los que guardan la Palabra de Dios (Salmo 119:1-16).
Jueves: La dicha del que siguió los mandamientos del Señor (Salmo 1).
Viernes: La Palabra de Dios no puede ser alterada (Apocalipsis 22).
Sábado: El Espíritu Santo nos guía a la verdad de Cristo (Juan 16:1-15).

INTRODUCCIÓN

En las iglesias de Galacia se habían infiltrado falsos maestros judaizantes los cuales enseñaban que si los gentiles convertidos no se circuncidaban y guardaban la ley mosaica no podían ser salvos.

Precisamente esta situación se agravó al punto de que se tuvo que convocar el sínodo de Jerusalén que se registra en Hechos 15 el cual ocurrió, aproximadamente en el año 50 d.C. El capítulo 15 empieza indicando la razón del sínodo: “Entonces algunos que venían de Jerusalén enseñaban a los hermanos: Si no os circuncidáis conforme al rito de Moisés, no podéis ser salvos”. Es evidente suponer que estos falsos maestros no solamente habían trastornado las iglesias de Galacia sino otras muchas más, como fue el caso de Antioquía. Los maestros judaizantes deseaban hacer de los convertidos cristianos simples prosélitos del judaísmo. Por supuesto que existía entre los judaizantes una idea equivocada de lo que era el cristianismo.

El plan de salvación, según ellos lo entendían, era totalmente ajeno a lo que Cristo, los apóstoles y Pablo lo sabían, por lo tanto, era en esencia una nueva religión. Fue por eso que el apóstol tomó el tiempo de escribirles a las iglesias de Galacia aspectos de su vida que tenían que ver con el principio de su ministerio, cómo había recibido la fe que proclamaba, y cómo había recibido el visto bueno de los líderes de la iglesia en Jerusalén. Si él estaba equivocado, entonces, los líderes de Jerusalén también estaban equivocados.

Tenía que quedar en claro que los falsos maestros judaizantes, eran precisamente eso: falsos maestros cuyo trabajo era la perversión del Evangelio. ¡Esto no se podía tolerar!

DESARROLLO DEL ESTUDIO

I. PABLO VISITA LOS LÍDERES DE LA IGLESIA EN JERUSALÉN (GÁLATAS 2:1-3)

Ideas para el maestro o líder

(1) Lea durante la semana Hechos 15 y repase la cronología de los inicios de la vida de Pablo.

(2) Invite a alguno de los estudiantes a realizar la lectura en voz alta Gálatas 2:1-3.

Definiciones y etimología

* *"Bernabé"* (v.1). En griego, Βαρνάβας, (pronúnciese, *Barnabas*). Se han dado varios significados a este nombre: "Hijo de Consolación", "Hijo de exhortación", "Hijo de profecía", "Hijo de Nebo". El nombre Bernabé le fue dado por los apóstoles, pero su nombre original era José. Era de la tribu de Leví, nacido en la isla de Chipre, y primo hermano de Juan Marcos, ambos compañeros de Pablo en el primer viaje misionero

* *"Tito"* (v.1). Era griego (v.3). Probable convertido del apóstol Pablo. Fue compañero de Pablo en algunos de los tramos de sus viajes misioneros y se cree que es uno de los hermanos que acompañaron a Pablo y Bernabé al Concilio de Jerusalén (Hechos 15:2). El apóstol lo instaló en Creta como supervisor de las iglesias de esa isla y para que corrigiera errores que habían surgido en las iglesias (Tito 1:5). Pablo se refirió a él como "verdadero hijo en la común fe" (Tito 1:4). Lo último que se menciona de él es que fue a Dalmacia (Yugoslavia) enviado por el apóstol Pablo cuando este se encontraba en su segundo encarcelamiento.

A. Subió por revelación (2:1)

"Después, pasados catorce años, subí otra vez a Jerusalén con Bernabé, llevando también conmigo a Tito" (v.1). Este "después (de)" corresponde a la visita previa que había hecho a Jerusalén la cual menciona en 1:18. Es un tanto difícil precisar con exactitud las visitas que el apóstol hizo a Jerusalén, previas a la carta que les escribe a las iglesias gálatas, pero parecería que la cronología que da el apóstol tiene como punto de partida su conversión. Los comentaristas difieren al determinar cuál de sus viajes a Jerusalén tiene en mente el apóstol. Parece ser que es el que se menciona en el capítulo 15 de Hechos, cuando se celebró el primer sínodo de la Iglesia cristiana, alrededor del año 50 d.C. para combatir el problema de los judaizantes. Los daños que estos habían causado a las iglesias eran serios. Esto es importante señalar ya que existe un movimiento moderno, que, aunque no insiste en la circuncisión, si enfatiza mucho en la fiel celebración de las fiestas judías, en el tipo de alabanza y ciertos aspectos litúrgicos y prendas que utilizaban los judíos. De ninguna manera los criticamos, pero si advertimos que no se pueden imponer en la Iglesia prácticas que caducaron con la venida de Cristo ya que tipificaban a Cristo, y al cumplirse en Él, no pueden coexistir con la realidad que simbolizaron.

El símbolo y la realidad no pueden coexistir. Ahora, volviendo al aspecto cronológico de la vida del apóstol. Si el apóstol se convirtió en el año 36 d.C., como algunos eruditos bíblicos afirman, los catorce años que el apóstol menciona en el v.1: "...pasados catorce años...", nos llevan al año 50 d.C., precisamente al tiempo cuando se celebró el sínodo de Jerusalén. Lucas menciona dos viajes anteriores del apóstol Pablo a Jerusalén: uno en Hechos 9:26 y otro en 11:30.

Según el v.1 de nuestro estudio, Pablo fue acompañado por Bernabé y Tito, de quienes mencionamos en definiciones y etimología. Lo que Pablo quiere dejar bien sentado es que en su viaje a Jerusalén fue confirmado como apóstol de Jesucristo pero con la misión de ganar a los gentiles para Cristo, mientras que Pedro tenía como campo misionero a los judíos. Para Pablo esto no significaba gran cosa porque tenía años haciéndolo de acuerdo al llamamiento que Dios le hizo cuando estaba en la iglesia en Antioquía donde fue llamado como misionero a los gentiles (Hechos 13:1-4). Pero ahora, con el reconocimiento que la habían dado Jacobo, Cefas (Pedro) y Juan (Gálatas 2:9), los falsos maestros no tenían base para decir que no era apóstol de Jesucristo. Consideremos la manera en que fue a Jerusalén.

B. Pablo no cede a la presión de los judaizantes (2:2,3)

"Pero subí según una revelación, y para no correr o haber corrido en vano, expuse en privado a los que tenían cierta reputación el evangelio que predico entre los gentiles" (v.2). Sobre todas sus pruebas de estar en la verdad, el apóstol tenía una que era la mayor y principal de todas ellas: Las revelaciones que había recibido de parte del Señor: "Pero subí según una revelación". Esta era la base inconmovible del ministerio del apóstol Pablo: las revelaciones recibidas directamente de parte del Señor. A los corintios, donde también algunos cuestionaban su apostolado por causa también de la influencia de los judaizantes, les escribió: "Ciertamente no me conviene gloriarme; pero vendré a las *visiones y a las revelaciones* del Señor" (2 Corintios 11:1), y a continuación menciona unas experiencias sobrenaturales que le hacen a uno pensar en el profeta Elías cuando fue arrebatado al cielo (2 Reyes 2:11), y a Enoc "que desapareció, porque le llevó Dios" (Génesis 5:24). A título de paréntesis, el Génesis le dedica solamente cuatro versículos a Enoc, y lo escaso que nos dice de él es que "anduvo con Dios" y "que desapareció, porque le llevó Dios" (Génesis 5:21-24). ¡Ojalá y nuestras vidas se resumieran así! El mismo argumento que usó con los gálatas y corintios, lo usó con los efesios: "Que por *revelación* me fue declarado el misterio, como antes lo he escrito brevemente" (Efesios 3:3), y, por supuesto, la revelación o visión que dio origen a su apostolado: su encuentro con Cristo en el camino a Damasco (Hechos 9:1-9). Por supuesto que estas visiones y revelaciones dadas por Dios a Pablo y muchos de sus siervos son narrativas y no normativas, pero lo esencial es lo impactante y permanente que es tener un encuentro con Dios. Además, para que no haya confusión, Dios es soberano, y puede hacer en nuestros días lo que considere extenderá Su reino en el mundo. ¡Eso sí debe estar claro en cada creyente, principalmente, en aquel que es llamado al santo ministerio!

"Mas ni aun Tito, que estaba conmigo, con todo y ser griego, fue obligado a circuncidarse" (v.3). Este texto nos lleva a Hechos 15:1 que ya fue considerado: "Entonces algunos que venían de Judea enseñaban a los hermanos: Si no os circuncidáis conforme al rito de Moisés, no podéis ser salvos". La pregunta que se hace imperativa, es: "¿De dónde habían obtenido esta creencia los judaizantes?". De sus tradiciones judías y su desconocimiento del Evangelio. El fanatismo y la ignorancia son los dos peores enemigos de la fe cristiana. Las peores aberraciones de la historia de la Iglesia fueron resultado del fanatismo religioso y la ignorancia de la Palabra de Dios. Dios nos llama no a ser fanáticos, sino amantes de nuestra fe, y esto no puede ocurrir a menos que tengamos un conocimiento amplio de la Palabra de Dios.

Afianzamiento y aplicación

(1) ¿Para qué se reunieron en Jerusalén los líderes de la Iglesia, según Hechos 15?

(2) ¿Qué hubiera sucedido con la Iglesia si se hubiera impuesto la práctica de la circuncisión?

(3) ¿Qué aprendemos de las visiones y revelaciones que tuvo Pablo?

II. EL TRABAJO DE LOS FALSOS HERMANOS (GÁLATAS 2:4,5)

Ideas para el maestro o líder

Pedir a alguno de los participantes que realice la lectura en voz alta Gálatas 2:4,5.

Definiciones y etimología

* *"Momento"*, del griego, ώρα (pronúnciese, *jora*). Esta palabra que RV1960 traduce "momento", debe ser traducida "hora".

A. Se habían introducido falsos hermanos (2:4)

"Y esto a pesar de los falsos hermanos introducidos a escondidas, que entraban para espiar nuestra libertad que tenemos en Cristo Jesús, para reducirnos a esclavitud" (2:4). Hay algo sutil que debe ser captado por el estudiante de la Palabra de Dios en las palabras "falsos hermanos". Se refiere a ellos como "hermanos", pero "falsos". Pablo no utiliza los términos drásticos que utilizó Judas en su carta (léase la carta de Judas) para combatir a los falsos maestros que se habían infiltrado en las iglesias y que tanto daño les habían causado. O sea, los individuos en referencia, se hacían pasar por hermanos, como parte de la comunidad de creyentes, participaban en los cultos y en las reuniones ágapes de las iglesias; indudablemente, que incluso se habían bautizado y participaban de la Cena del Señor, pero todo era fingimiento. Es claro que el Señor los tuvo en mente cuando dijo: "Guardaos de los falsos profetas, que vienen a vosotros con vestidos de ovejas, pero por dentro son lobos rapaces" (Mateo 7:15). Aquí, la apariencia dice "oveja", pero la realidad "lobo rapaz". En el caso de los que cita el apóstol, la apariencia decía "hermanos", pero la realidad "falsos". Desde tiempos apostólicos la Iglesia ha luchado contra falsas doctrinas y falsos maestros, por eso, el apóstol Juan escribió a las iglesias: "Si alguno viene a vosotros, y no trae esta doctrina, no lo recibáis en casa, ni le digáis: "¡Bienvenido!" (2 Juan 10). ¡La iglesia no puede ser generosa con los falsos maestros y las falsas doctrinas! La manera de protegerse de los falsos predicadores es: 1) por medio del buen conocimiento de la Palabra del Señor; y 2) manteniendo una vida espiritual fuerte que permita al Espíritu Santo que se manifieste con el don de discernimiento. Pero, regresemos a nuestro texto.

Cuando el apóstol Pedro ministró en casa de Cornelio donde hubo conversión de gentiles los cuales fueron llenos del Espíritu Santo, hablaron en lenguas y magnificaron a Dios, los apóstoles y hermanos que estaban en Judea tuvieron una seria discusión con los hermanos judaizantes quienes recriminaban a Pedro, diciéndole: "¿Por qué has entrado en casa de hombres incircuncisos, y has comido con ellos?" (Hechos 11:3). Obviamente que ellos no pensaban que el Evangelio no era para los gentiles a menos que primero se hicieran prosélitos del judaísmo. Al relatar Pedro lo que sucedió en casa de Cornelio, "Entonces, oídas estas cosas, callaron y glorificaron a Dios, diciendo: ¡De manera que también a los gentiles ha dado Dios arrepentimiento para vida!" (Hechos 11:18). Es claro que en el caso de estos hermanos que insistían en la circuncisión de los gentiles, lo hacían por ignorancia bíblica y no por maldad, ya que después glorificaron al Señor por abrir la puerta de la salvación a todo mundo.

B. El Evangelio que predicaba Pablo no fue alterado (2:5)

"A los cuales ni por un momento accedimos a someternos…" (v.5). La palabra que RV1960 traduce "momento" debe ser traducida "hora" que es como está en el griego, (ὥρα (pronúnciese, *jora*). Bien dicen L. Bonnet y A. Schroeder: "Estos dos versículos (4 y 5) dan la razón por la cual Tito no fue circuncidado: *a causa de los falsos hermanos*, que, imbuidos de prejuicios farisaicos, se habían *deslizado* en la asamblea y buscaban, precisamente en la santa *libertad* cristiana dada por la justificación por la fe sola, un pretexto para atacar el evangelio de Pablo". Pablo y el Evangelio hubieran recibido un golpe certero si hubiesen cedido a las exigencias de los judaizantes. Pablo pudo haber dicho: "Bueno, con tal de que haya unidad entre nosotros, ¿qué mal hay en que Tito sea circuncidado?". De haber cedido Pablo y los apóstoles a las exigencias de los judaizantes hubieran hecho de los gentiles más bien judaizantes, bajo el yugo de la ley mosaica, que cristianos, ya que el judaísmo se identificaba por la práctica de la circuncisión. En lugar de libertad les hubieran dado más esclavitud.

Ahora, cuando el caso era de creyentes débiles, que carecían del conocimiento del Evangelio, indecisos si debían guardar algo de la ley porque sus conciencias no estaban claras y eran novatos en la fe y prontos a ser lastimados, el apóstol cedía, pero no en asuntos fundamentales: "…a los judíos como judío, para ganar a los judíos; a los que están sujetos a la ley (aunque yo no esté sujeto a la ley), como sujeto a la ley, para ganar a los que están sujetos a la ley" (1 Corintios 9:20). Ese fue su punto cuando escribió a los romanos: "Recibid al débil en la fe, pero no para contender sobre opiniones. Porque uno cree que se ha de comer de todo; otro, que es débil, come legumbres. El que come, no menosprecie al que come, y el que no come, no juzgue al que come; porque Dios le ha recibido" (Romanos 14:1,2). Una cosa es ser prudente y sabio, y otra, timorato y sin convicciones.

"…para que la verdad del evangelio permaneciese con vosotros" (v.5). Una vez más el acertado comentario de L. Bonnet y A. Schroeder: "Mas cuando algunos hombres se erigían orgullosamente en doctores, enseñaban la necesidad de observar la ley para ser salvado, y trastornaban así la gran doctrina de la justificación por la fe, entonces Pablo, y con él los otros apóstoles, *no les cedían, ni siquiera por una hora, para someterse a ellos*. De esta manera el Evangelio puro prevalecería en las iglesias".

Afianzamiento y aplicación

(1) ¿Cómo se puede proteger la Iglesia de los falsos maestros?
(2) ¿Qué creían muchos creyentes judíos?
(3) Explique las palabras: "Una cosa es ser prudente y sabio, y otra, timorato y sin convicciones".

III. PABLO RECIBE LA APROBACIÓN DE LOS LÍDERES DE LA IGLESIA (GÁLATAS 2:6-10)

Ideas para el maestro o líder

Invitar a alguno de los participantes a realizar la lectura en voz alta Gálatas 2:6-10

Definiciones y etimología

* *"...la diestra en señal de compañerismo..."* (v.9). En griego dice: "...las diestras de comunión...". La versión de Pratt traduce: "... la mano derecha de comunión...". "Comunión" parecería ser una mejor traducción ya que esta palabra es asociada con el Espíritu Santo: "...y la *comunión* del Espíritu Santo... (2 Corintios 13:14).

A. Reconocieron su ministerio a los gentiles (2:6-8)

"Pero de los que tenían reputación de ser algo (lo que hayan sido en otro tiempo nada me importa; Dios no hace acepción de personas), a mí, pues, los de reputación nada nuevo me comunicaron" (v.6). El lenguaje del apóstol suena un tanto rudo, pero lo hace por dos razones: *Primera*, porque por encima de la reputación de las personas a las cuales los judaizantes querían apelar estaba la integridad del Evangelio que Dios le había revelado directamente. De una manera disimulada el apóstol está diciendo: "Si quieren que apele a alguna importancia de rango dentro de la Iglesia, yo al único que apelo es al más grande ellos: Cristo, el que me reveló el mensaje que proclamo. Después de todo, yo no anuncio una doctrina acordada por los hombres, sino a una persona que habló conmigo y me dijo lo que tenía que decir: Jesucristo". La historia se sigue repitiendo: El ser humano tiene la tendencia de ser más obediente a una autoridad humana superior, que a Dios. *Segunda*, porque su lenguaje, un tanto tosco, está dirigido, no tanto a los líderes de la Iglesia en Jerusalén, sino a los judaizantes que tergiversaban el Evangelio y decían que él no era apóstol. "Antes por el contrario, como vieron que me había sido encomendado el evangelio de la incircuncisión, como a Pedro el de la circuncisión" (v.7). La traducción es correcta, pero la idea es: "Antes por el contrario, como vieron que me había sido encomendado el evangelio para los incircuncisos, esto es, los gentiles, como a Pedro el *evangelio para los circuncidados*, esto es, los judíos". No se podía atribuir este lenguaje peyorativo a los gentiles, porque ellos no lo acuñaron: fueron los judíos los que lo originaron, ya que ellos se referían a uno que no era judío como a un "incircunciso". Para el apóstol no había esas distinciones raciales porque bien sabía que todos son criaturas de Dios y en Cristo todos somos hermanos, "(pues el que actuó en Pedro para el apostolado de la *circuncisión*, actuó también en mí para con los *gentiles*" (v.8). Nótese el cambio de términos que hace el apóstol: ya no dice "incircuncisión" sino "gentiles". Esto es fundamental en el hilo de pensamiento que lleva: Eran los judaizantes los que le daban importancia al rito de la circuncisión. Pues bien, si ellos deseaban considerar a Pedro como el gran apóstol porque su ministerio estaba dirigido a aquellos que practicaban dicho rito, Pablo habla de los "gentiles", independientemente de qué ritos hayan tenido o no: lo importante no eran los ritos sino la gente, aquella gente que los judíos consideraban ser inferiores al extremo de no entrar en sus casas ni compartir con ellos el alimento. ¡Se les había olvidado a algunos creyentes judíos que en Cristo todos somos uno sin superiores ni inferiores!

B. Los líderes de la Iglesia les dan a Pablo y Bernabé la diestra de compañerismo (2:9,10)

"Y reconociendo la gracia que me había sido

dada, Jacobo, Cefas y Juan…" (v.9). La identidad de este Jacobo se ha discutido mucho desde el tiempo de Clemente de Alejandría (150-215 d.C.), quien es citado por Eusebio de Cesarea. Debe recordarse que Jacobo hermano de Juan fue mandado matar por el rey Herodes, según lo narra Hechos 12:1,2: "En aquel mismo tiempo el rey Herodes echó mano a algunos de la iglesia para maltratarlos. Y mató a espada a *Jacobo, hermano de Juan*". Luego en el v.17 del mismo capítulo encontramos que cuando Pedro salió milagrosamente de la cárcel, les dijo a los hermanos: "Haced sabed esto *a Jacobo* y a los hermanos". Algunos creen que este *Jacobo* era el hijo de Alfeo (Mateo 10:3), conocido también como "Cleofas" (Juan 19:25), el cual estaba casado con María, hermana de María, la madre del Señor (Juan 19:25). (No nos sorprenda que dos hermanas hayan tenido el mismo nombre, ya que esto era costumbre antiguamente en Israel). De manera que este *Jacobo* era primo hermano del Señor. Hay otra interpretación de un gran número de comentaristas alemanes los cuales sostienen que el *Jacobo* mencionado en Gálatas 2:9,12 era el medio hermano del Señor, hijo de José y de María, que Pablo menciona en Gálatas 1:19: "…*Jacobo* hermano del Señor". Clemente de Alejandría, a quien ya mencionamos arriba, menciona que este Jacobo era llamado "El Justo", y fue nombrado primer obispo de la iglesia de Jerusalén. De ser así, entonces, el Jacobo del v.9 era hermano de Judas, el que escribió la carta que lleva su nombre, y él mismo fue el autor de la carta que equivocadamente lleva el nombre de "Santiago". El nombre Santiago se originó de la contracción de "San" y "Jacobo", como ya se indicó en un estudio anterior.

"…que eran considerados como columnas, nos dieron a mí y a Bernabé la diestra en señal de compañerismo, para que nosotros fuésemos a los gentiles, y ellos a la circuncisión" (v.9). El uso de la palabra "columnas" es sugestivo porque presenta a la Iglesia como un edificio sostenido por hombres espiritualmente fuertes que están cimentados en Cristo. Nótese que el apóstol, vuelve a referirse a las gentes a las cuales había ido a ministrar como "gentiles", como lo hizo en el versículo anterior, y no "incircuncisión", con el fin de eliminar los escrúpulos religiosos de los falsos hermanos. Nuevamente, ¡en Cristo Jesús todos somos hermanos e iguales!

Afianzamiento y aplicación

(1) ¿Por qué Pablo cambia de "incircuncisión" a "gentiles" en los vv.8, 9?

(2) ¿Quién, probablemente, es el Jacobo que se menciona en esta carta?

(3) ¿Qué sugiere el término "columnas"?

RESUMEN GENERAL

Como se puede notar en los dos primeros capítulos de la carta a Los Gálatas, el apóstol se vio forzado a defender el Evangelio que predicaba y su apostolado de las falsas acusaciones de los judaizantes. Dos eran las acusaciones principales: *Primera*, que el Evangelio que predicaba era un evangelio incompleto que necesitaba ser complementado con la circuncisión, la observancia del sábado, la celebración de las fiestas judías del Antiguo Testamento y otras prácticas más que eran parte del sistema levítico. *Segunda*, que Pablo era un apóstol falso, que por conveniencia, comodidad y quedar bien con los gentiles, no les exigía, al convertirse, que practicaran los ritos mosaicos. Para los judaizantes, sin la conservación de estos ritos, principalmente el de la circuncisión, no había salvación.

Ya habían transcurrido catorce años desde la conversión del apóstol, y, junto con Bernabé, había llevado el Evangelio a muchas ciudades donde habían dejado iglesias establecidas y organizadas con sus respectivos pastores. Pero, los judaizantes seguían infiltrándose en las iglesias para imponer sus herejías. El caso se agudizó tanto que fue necesario convocar un concilio en Jerusalén, alrededor del año 50 d.C. para definir la dañina situación que existía. A ese concilio asistieron Pablo, Bernabé, llevando consigo a Tito, que era griego. Los judaizantes deseaban que Tito fuera circuncidado a lo que Pablo, Bernabé y los apóstoles se opusieron. Pablo y Bernabé aprovecharon la ocasión para exponer detalladamente a los líderes de la Iglesia en Jerusalén el Evangelio que predicaban, con el cual, todos los líderes de la Iglesia estuvieron de acuerdo. Para concluir formalmente aquella reunión, Pablo y Bernabé recibieron una cordial bienvenida y la aprobación de los líderes de la Iglesia que estaban representados por sus autoridades máximas, Pedro, Juan y Jacobo, medio hermano del Señor. Gracias al celo de los que entendían bien que la justificación es por gracia y por fe, los trabajos de los falsos hermanos judaizantes sufrieron una estrepitosa derrota. Enseñanza: ¡Debemos mantener puro el Evangelio y defenderlo de toda falsa doctrina, pero para ello, debemos conocerlo bien!

Ejercicio de clausura

Lean todos al unísono Efesios 2:8,9: "Porque por gracia sois salvos por medio de la fe; y esto no de vosotros, pues es don de Dios; no por obras, para que nadie se gloríe". Culminen la actividad con una oración al Señor.

PREGUNTAS Y RESPUESTAS

1. ¿Cuál fue la razón por la que se convocó el primer concilio de la iglesia en Jerusalén?

Para discutir si los creyentes gentiles deberían guardar la ley de Moisés para poder ser salvos.

2. ¿Qué hubiera sucedido si Pablo hubiera cedido a las exigencias de los judaizantes?

Hubiera hecho de los gentiles, una secta más del judaísmo, bajo el yugo de la ley mosaica.

3. ¿Cuáles han sido los dos grandes enemigos de la fe cristiana?

El fanatismo y la ignorancia han sido los dos peores enemigos de la fe cristiana.

4. ¿Qué significa la expresión el evangelio de la incircuncisión?

Era una forma despectiva de los judíos para referirse al ministerio de Pablo a los gentiles, a quienes consideraban inferiores.

5. ¿Con quién ha sido identificado el Jacobo del versículo 9, quien juntamente con Pedro y Juan reconocieron la gracia que Dios había dado a Pablo?

Un gran número de comentaristas sostienen que este Jacobo era el medio hermano del Señor, hijo de José y de María; autor de la carta que lleva el nombre de "Santiago"; hermano de Judas, el que escribió la carta que lleva su nombre.

PARA LA PRÓXIMA SEMANA

La próxima semana estudiaremos: "Pablo reprende a sus colegas", basada en Gálatas 2:11-21. Analize este tema durante la semana.

PABLO REPRENDE A SUS COLEGAS

ESTUDIO BÍBLICO 4

Base bíblica

Gálatas 2:11-21

Objetivos

Al concluir este estudio los participantes podrán:

1. Entender los sucesos y enseñanzas del pasaje estudiado.
2. Fortalecer el conocimiento acerca de la importancia de ser firmes en sus convicciones.
3. Conocer la diferencia que existe entre prudencia, timidez e hipocresía.

Fecha sugerida:___/____/____

Pensamiento central

El creyente tiene el deber de defender el Evangelio de toda enseñanza o práctica que sea contraria a su contenido.

Texto áureo

La palabra de Cristo more en abundancia en vosotros, enseñándoos y exhortándoos unos a otros en toda sabiduría... (Colosenses 3:16).

LECTURA ANTIFONAL

Gálatas 2:11 Pero cuando Pedro vino a Antioquía, le resistí cara a cara, porque era de condenar.

12 Pues antes que viniesen algunos de parte de Jacobo, comía con los gentiles; pero después que vinieron, se retraía y apartaba, porque tenía miedo de los de la circuncisión.

13 Y en su simulación participaban también los otros judíos, de tal manera que aun Bernabé fue también arrastrado por la hipocresía de ellos.

14 Pero cuando vi que no andaban rectamente conforme a la verdad del evangelio, dije a Pedro delante de todos: Si tú, siendo judío, vives como los gentiles y no como judío, ¿por qué obligas a los gentiles a judaizar?

15 Nosotros judíos de nacimiento, y no pecadores de entre los gentiles,

16 sabiendo que el hombre no es justificado por las obras de la ley, sino por la fe de Jesucristo, nosotros también hemos creído en Jesucristo, para ser justificados por la fe de Cristo y no por las obras de la ley, por cuanto por las obras de la ley nadie será justificado.

17 Y si buscando ser justificados en Cristo, también nosotros somos hallados pecadores, ¿es por eso Cristo ministro de pecado? En ninguna manera.

18 Porque si las cosas que destruí, las mismas vuelvo a edificar, transgresor me hago.

19 Porque yo por la ley soy muerto para la ley, a fin de vivir para Dios.

20 Con Cristo estoy juntamente crucificado, y ya no vivo yo, mas vive Cristo en mí; y lo que ahora vivo en la carne, lo vivo en la fe del Hijo de Dios, el cual me amó y se entregó a sí mismo por mí.

21 No desecho la gracia de Dios; pues si por la ley fuese la justicia, entonces por demás murió Cristo.

DATOS GENERALES ACERCA DEL TEMA

- **Enseñanza:** Se necesita fe y valor para defender la verdad del Evangelio de los falsificadores y oportunistas.
- **Autor:** La carta a los Gálatas fue escrita por el apóstol Pablo.
- **Fecha:** Alrededor de los años 55-57 d.C. Desde Éfeso o podría ser Corinto (según otras opiniones).
- **Lugar:** El apóstol menciona en la carta la ciudad de Antioquía de Siria, ubicada al noreste de la isla de Chipre.
- **Destinatario:** Las iglesia de la provincia romana del sur de Galacia.
- **Personajes:** El apóstol Pablo, Pedro, Bernabé, creyentes gentiles y judíos de la circuncisión.

BOSQUEJO DEL ESTUDIO

I. Pablo ejerce su autoridad apostólica (Gálatas 2:11-14)
   A. Pablo recrimina a Pedro por su proceder (2:11,12)
   B. Bernabé y otros hermanos cometían el mismo error (2:13,14)
II. Pablo enfatiza que la salvación es por la fe de Jesucristo (Gálatas 2:15-18)
   A. Los judíos y gentiles necesitan salvación (2:15,16)
   B. Los judíos y gentiles son salvos de la misma manera (2:17,18)
III. El creyente ha muerto a la ley (Gálatas 2:19-21)
   A. El creyente ahora vive para Dios (2:19)
   B. Todo se debe al amor de Cristo (2:20,21)

Antioquía de Siria, ciudad donde el apóstol Pablo confrontó a Pedro en defensa de la pureza del Evangelio.

LECTURAS DEVOCIONALES DIARIAS

Lunes: Los gentiles están bajo condenación (Romanos 1:18-32).
Martes: Los judíos también están bajo condenación (Romanos 2).
Miércoles: La justificación es sólo por la fe (Romanos 3:21-31).
Jueves: Abraham fue justificado por la fe (Romanos 4).
Viernes: Cristo es la base de la salvación (Romanos 5).
Sábado: El creyente está muerto al pecado y vivo para Cristo (Romanos 6).

INTRODUCCIÓN

En nuestros estudios anteriores se trató la causa por la cual el apóstol Pablo escribió su carta a las iglesias de Galacia. Creyentes judaizantes se habían infiltrado en las iglesias diciendo dos cosas: 1) que los gentiles convertidos tenían que guardar la ley ritual de Moisés, principalmente la circuncisión: sin ella, no podía haber salvación; 2) que Pablo era un falso apóstol, por lo tanto, no debía tener ninguna autoridad sobre las iglesias de Galacia. Esto implicaba que las enseñanzas del apóstol tenían que ser rechazadas, y que al apóstol no se le debía dar entrada en las iglesias. Todo esto enardeció a Pablo ya que él había fundado las iglesias en cuestión, y, sobre todo, porque el Evangelio que Dios le había revelado para la salvación de las almas, estaba siendo rechazado por las mismas gentes que lo habían recibido. La indignación del apóstol debe entenderse desde varias dimensiones, a saber: 1) posiblemente algunos o muchos de los gentiles convertidos que Pablo había ganado, se habían circuncidado por la presión de los judaizantes; 2) los milagros que habían ocurrido durante el establecimiento de dichas iglesias, ahora eran considerados espurios; 3) los derramamientos del Espíritu Santo, meros fanatismos, 4) probablemente, se les había requerido a estos gentiles conversos, bautizarse de nuevo.

El apóstol se vio en necesidad de probar su autoridad apostólica y la verdad de su predicación haciendo referencia a una situación que había sucedido en Antioquía: el proceder reprochable de Pedro, Bernabé y otros hermanos por temor de lo que dirían los judaizantes. Antes de que estos llegaran, los hermanos mencionados convivían con los gentiles; una vez llegados, se retraían para que los judaizantes no se molestaran. Esto hizo que Pablo usara su autoridad apostólica para reprenderlos y recordarles lo que es el verdadero Evangelio.

DESARROLLO DEL ESTUDIO

I. PABLO EJERCE SU AUTORIDAD APOSTÓLICA (GÁLATAS 2:11-14)

Ideas para el maestro o líder

Muestre en el mapa la ubicación de Antioquía (de Siria)

Solicitar a uno de los participantes a que realice la lectura en voz alta Gálatas 2:11-14.

Definiciones y etimología

* *"porque era de condenar"* (v.11). Aunque la mayoría de las versiones en español e inglés traducen como lo hace RV1960 puede ser cuestionable por el hecho de que en griego "conden**ar**" no está en el infinitivo sino que es un participio en el tiempo perfecto, voz pasiva. De tomarlo así, entonces, la traducción correcta debe ser: "porque era *censurado"*, "porque era *acusado*", "porque era *condenado"*. Si optamos por esta traducción, que consideramos firmemente es la correcta, la idea es, "porque Pedro era condenado ('acusado', 'censurado') por creyentes de Antioquía para quienes su conducta causaba escándalo".

A. Pablo recrimina a Pedro por su proceder (2:11,12)

"Pero cuando Pedro vino a Antioquía, le resistí cara a cara, porque era de condenar" (v.11). Como se señaló en Definiciones y etimología, sostenemos que la traducción correcta es, "Pero cuando Pedro vino a Antioquía, le resistí cara a cara porque era condenado ('censurado', 'acusado')". ¿Por quiénes era censurado? Por creyentes de la iglesia en Antioquía quienes entendían bien el Evangelio, y consideraban su conducta inconsistente. Es de suponer que los hermanos que censuraban la conducta de Pedro eran gentiles convertidos que ya estaban al tanto de los acuerdos que se habían tomado en el concilio de Jerusalén, Hechos 15, a quienes molestaba que, después de haber hecho Pedro y Bernabé una defensa de la libertad de los gentiles en dicho concilio y de haber llevado cartas a las iglesias gentiles de los acuerdos tomados, ahora estuvieran violando lo que ellos mismos habían firmemente sostenido. La acción de Pablo en contra de Pedro y Bernabé, en nuestros días sería considerada extrema, exagerada. ¿Por qué? ¡Porque la pureza de la doctrina no es una prioridad! Incluso, muchos consideran que el énfasis en la sana doctrina causa divisiones, y por lo tanto, hay que evitarla. ¡Cierto! La sana doctrina causa divisiones porque establece linderos, pero esos linderos son de protección para los creyentes. Por otro lado, la sana doctrina va íntimamente ligada a la sana conducta. No se puede creer mal, y vivir bien; como tampoco no se puede vivir mal, y creer bien. La creencia y la conducta, por regla general, deben coincidir. Por lo tanto, la acción de Pablo no fue exagerada ni consecuencia de una reacción temperamental: fue para corregir una falla que estaba dañando la reputación de Pedro y la fe de los creyentes. Además, fue una acción valiente para preservar la pureza del Evangelio.

"Pues antes de que viniesen algunos de parte de Jacobo, comía con los gentiles; pero después que vinieron, se retraía y se apartaba, porque tenía miedo de los de la circuncisión" (v.12). En este texto hay tres cosas que observar: *Primera:* Los judaizantes eran discípulos de Jacobo, el mismo que defendió la causa de los gentiles en el concilio de Jerusalén (Hechos 15:13-21). ¿Qué sucedió? Probablemente algunos de los discípulos de Jacobo todavía preservaban ciertos prejuicios raciales. *Segunda:* El gran apóstol Pedro, que estuvo dispuesto a morir por su Señor crucificado y con la cabeza hacia abajo; el que defendió tanto el Evangelio ante las autoridades judías y romanas, ahora le tiene miedo al qué dirían de sus compatriotas. *Tercera:* Pablo se refiere a sus compatriotas judíos como "los de la circuncisión", usando así un tono despectivo. ¿Por qué? Porque para el apóstol todo lo que atentara contra la verdad del Evangelio debería ser rechazado con firmeza.

B. Bernabé y otros hermanos cometían el mismo error (2:13,14)

"Y en su simulación participaban también los otros judíos, de tal manera que aun Bernabé fue también arrastrado por la hipocresía de ellos" (v.13). Pedro, Jacobo y Bernabé que son citados en nuestros textos, fueron los que tuvieron más parte en el concilio de Jerusalén, y ahora, ¡titubean ante la presión de sus paisanos judíos! No debe de escandalizarnos porque todos tenemos nuestros momentos de indecisión y titubeo: lo importante fue que hubo uno que estuvo dispuesto a corregir la situación, intervención que todos agradecieron y por la cual se preservó la pureza del Evangelio. Lo que se debe capitalizar no es la debilidad de los que se equivocaron, sino la firmeza de quien, aunque solo, corrigió lo irregular y salvó la comunión de los hermanos en Antioquía, judíos y gentiles. De no haber intervenido Pablo, se hubieran formado dos bandos en la iglesia: judaizantes y gentiles, terminando en dos iglesias enemigas. Aquí se encuentra una aparente paradoja: El que actuó con firmeza y convicción –Pablo– fue el que logró la reconciliación de dos bandos diferentes. Pablo fue el que practicó lo que Cristo enseñó: "Bienaventurados los pacificadores, porque ellos serán llamados hijos de Dios" (Mateo 5:9). Y aquí hay una gran verdad que es irrebatible: ¡Se necesita más valor para mantenerse fiel a la verdad que para desligarse de ella! Y ¡Son los valientes, que enfrentan el desprecio y la crítica, los que al fin de cuentas traen bendición a la Iglesia! De Acab y Jezabel nadie habla; pero del profeta Elías, sí; nadie pondera al perverso Manasés que mandó aserrar al profeta Isaías, pero todos admiramos al profeta mártir y nos deleitamos con su libro; nadie llama a su hija Herodías, pero miles llaman Juan a sus hijos. Elías, Isaías y Juan el Bautista, se mantuvieron firmes arriesgando sus vidas, y honraron a Dios; Acab, Jezabel, Manasés y Herodías se perdieron en la historia como personas paupérrimas.

"Pero cuando vi que no andaban rectamente de acuerdo a la verdad del evangelio, dije a Pedro delante de todos: Si tú, siendo judío, vives como los gentiles y no como judío, ¿por qué obligas a los gentiles a judaizar? (v.14). ¿En qué sentido Pedro vivía como los gentiles y no como judío, y después trataba de judaizarlos? Porque, antes que llegaran los de Jacobo, convivía con los gentiles y vivía como ellos; pero una vez llegados los judaizantes se apegaba a un riguroso judaísmo haciéndole creer a los gentiles que ellos debían de hacer lo mismo. Después de todo, lo que uno hace es lo que cuenta, y no lo que dice.

Afianzamiento y aplicación

(1) ¿Cuál es otra traducción para la frase: "porque era de condenar" (v.11)?

(2) ¿En qué consistía la inconsistencia de Pedro, Bernabé y otros hermanos?

(3) Pruebe que la firmeza de Pablo, aunque enérgica, fue un medio de pacificación.

II. PABLO ENFATIZA QUE LA SALVACIÓN ES POR LA FE DE JESUCRISTO (GÁLATAS 2:15-18)

Ideas para el maestro o líder

Motivar a los estudiantes a escuchar la lectura de Gálatas 2:15-18, que realizará en voz alta, uno de los participantes.

Definiciones y etimología

* *"judíos de nacimiento"* (v.15). La traducción debe ser: "judíos por *naturaleza*", ya que la palabra griega que se traduce es φύσει (pronúnciese, *fusei*) que es precisamente lo que significa: *por naturaleza*.

A. Los judíos y gentiles necesitan salvación (2:15,16)

"Nosotros, judíos de nacimiento ('por naturaleza'), y no pecadores de entre los gentiles" (v.15). Con estas palabras, el apóstol recurre al pensamiento de Pedro, dando a entender más o menos lo siguiente: "Nosotros, como tú dices, somos judíos de nacimiento, y no pecadores de entre los gentiles". Pero, Pedro estaba soslayando una verdad evangélica que es incontrovertible: Independientemente de quiénes nos consideremos o seamos, todos somos pecadores delante de Dios. Meses después, el apóstol lo afirmaría al escribirles a los romanos: "¿Qué, pues? ¿Somos nosotros mejores que ellos? En ninguna manera; pues ya hemos acusado a judíos y gentiles, que todos están bajo pecado" (Romanos 3:9).

"Sabiendo que el hombre no es justificado por las obras de la ley, sino por la fe de Jesucristo, nosotros también hemos creído en Jesucristo, para ser justificados por la fe de Cristo, y no por las obras de la ley, por cuanto por las obras de la ley nadie será justificado" (v.16). Los judaizantes que habrán escuchado a Pablo en aquella histórica reprimenda, se preguntarían: "Entonces, si la ley no nos salva, ¿para qué sirve?", y el apóstol pudo haberles respondido lo que les escribió a los romanos: "...por las obras de la ley ningún ser humano será justificado delante de él (Dios); porque por medio de la ley es el conocimiento de pecado" (Romanos 3:20). Lo que hace la ley es revelar el pecado, decirnos que somos pecadores, ya que humanamente nadie puede observar la ley como se requiere para agradar a Dios. Y, para sorpresa de todos los que pensaban que Pablo y Jacobo no coincidían en este punto, fue el mismo Jacobo el que escribió: "Porque cualquiera que guardare toda la ley, pero ofendiere en un punto, se hace culpable de todos" (Santiago 2:10). Ilustremos lo que se está afirmando, de la siguiente manera: Supongamos que una lámpara es sostenida del techo por una cadena que tiene cuarenta eslabones. ¿Cuántos eslabones se necesita que se quiebren para que la lámpara caiga al piso? ¡Uno solo! Así también con la ley mosaica: La violación de un mandamiento convertía al autor en violador de toda la ley. De manera que la ley condenaba, y no salvaba. ¿Por qué? Porque Dios deseaba que tanto judíos como gentiles; unos con la ley, y otros sin ella, comprendieran que todos eran pecadores y que por sus propias obras no se podían salvar. Lo enfatizó el apóstol cuando escribió: "Por cuanto todos (judíos y gentiles) pecaron, y están destituidos de la gloria de Dios, siendo justificados gratuitamente por su gracia mediante la redención que es en Cristo Jesús" (Romanos 3:23,24).

B. Los judíos y gentiles son salvos de la misma manera (2:17,18)

"Y si buscando ser justificados en Cristo, también nosotros somos hallados pecadores, ¿es por eso Cristo ministro de pecado? En ninguna manera" (v.17). Este texto ha sido interpretado de varias maneras. Sin embargo, en la interpretación en que más coinciden los eruditos bíblicos, es la siguiente, la cual parafrasearemos: "Considerando que a fin de ser justificados en Cristo era necesario abandonar nuestra antigua justicia ritual por medio de la obediencia de la ley mosaica y convertirnos en pecadores, esto es, colocarnos en la misma situación de los gentiles, ¿es por eso Cristo ministro de pecado?" Esto es, "antes en el judaísmo, cumpliendo con la ley de Moisés, pensábamos obtener nuestra propia justicia sin tener que declararnos pecadores; ahora en la fe cristiana, tenemos que colocarnos en el mismo nivel de los gentiles y reconocer que también nosotros somos pecadores, ¿es por eso Cristo ministro de pecado?" ¡En ninguna manera! responde el apóstol Pablo, porque Cristo no es un ministro de pecado sino de gracia, de perdón y salvación. Este razonamiento paulino quizá haya sido mal interpretado por algunos y hayan pensado que lo que Pablo estaba enseñando era que al dejar la ley y estar en la gracia significaba que uno tenía el camino expedito para pecar y de esa manera, entre más pecaba, más recibía de la gracia de Cristo. Esto fue lo que sucedió en la iglesia de Roma, que motivó al apóstol decirles: "¿Qué, pues diremos? ¿Perseveraremos en el pecado para que la gracia abunde? ¡En ninguna manera! (Romanos 6:1,2). Obviamente, o no habían entendido bien las enseñanzas de Pablo, o, intencionalmente las tergiversaban para sus propios placeres. Así lo interpretó el apóstol Pedro cuando escribió: "...como también nuestro amado hermano Pablo, según la sabiduría que le ha sido dada, os ha escrito, casi en todas sus epístolas, hablando en ellas de estas cosas; entre las cuales hay algunas difíciles de entender, las cuales los indoctos e inconstantes tuercen, como también las otras Escrituras, para su propia perdición" (2 Pedro 3:15,16).

"Porque si las cosas que destruí, las mismas vuelvo a edificar, transgresor me hago" (v.18). La idea es clara: Si los judíos que se habían convertido a Cristo a fin de ser salvos, habían abandonado el cumplimiento de la ley como un medio de salvación, y ahora volvían a ella para estar seguros de su salvación, pisoteaban la sangre de Cristo y la hacían nula. ¡Cuán delicado es no vivir debidamente el Evangelio!

Afianzamiento y aplicación

(1) ¿Cuál era la finalidad de la ley?

(2) Explique por qué era imposible que los judíos fueran salvos obedeciendo la ley, y los gentiles lo fueran por gracia. ¿Había dos formas distintas de salvación?

(3) Explique el v.18.

III. EL CREYENTE HA MUERTO A LA LEY (GÁLATAS 2:19-21)

Ideas para el maestro o líder

Pedir a un estudiante que realice la lectura en voz alta de Gálatas 2:19-21.

Definiciones y etimología

* *"Por la ley soy muerto para la ley"*. Cuando un condenado es ejecutado, después de haber sido hallado culpable de un delito capital, la ley no tiene más reclamos sobre él. La justicia divina ha sido satisfecha completamente por el sacrificio de Cristo, el creyente queda libre para siempre de cualquier castigo.

A. El creyente ahora vive para Dios (2:19)

"Porque yo por la ley soy muerto para la ley, a fin de vivir para Dios" (v.19). Dada la complejidad de este texto, se han sugerido explicaciones populares que conviene mencionarlas a fin de probar su equivocación. Una de ellas es la que dice que la primera ley que se menciona es la de Cristo, y la segunda la mosaica, produciendo la siguiente idea: "Porque yo por la ley *de Cristo* soy muerto para la ley *mosaica*, a fin de vivir para Dios". Esta explicación rompe por completo la argumentación del apóstol, e introduce algo que es ajeno al tema que está tratando: lo ajeno que se introduce aquí es "la ley de Cristo", ya que el apóstol no está tratando de ella, sino de la ley ceremonial del Antiguo Testamento. Quizá, uno de los mejores comentarios de este texto lo dio San Agustín, comentario que daremos en forma de paráfrasis:

"Pablo, como todos los judíos convertidos a Cristo, tuvo la ley mosaica como un ayo ('Pero antes que viniese la fe, estábamos confinados bajo la ley, encerrados para aquella fe que iba a ser revelada. De manera que la ley ha sido nuestro ayo, para llevarnos a Cristo, a fin de que fuésemos justificados por la fe. Pero venida la fe, ya no estamos bajo ayo, pues todos sois hijos de Dios por la fe en Cristo Jesús', Gálatas 3:23-26). La función de este ayo era llevarnos a Cristo. Por lo tanto, el trabajo de ayo se hizo innecesario con el tiempo, ya que estando en Cristo no necesitamos de él. No se puede estar bajo Cristo y bajo el ayo al mismo tiempo. Es como el caso del niño que es alimentado por el pecho de su madre; una vez que crece ya no necesita del pecho de su madre. Es, también como el caso de un navío que lo lleva a uno a cierto destino; una vez arribado al puerto, ya no se requieren los servicios de ese navío. En estos ejemplos, una vez alcanzado el objetivo, el medio se hace innecesario".

Aplicados los ejemplos a la ley del Antiguo Testamento, su función era mostrar con sus mandamientos el pecado y sus consecuencias. La ley nos hizo comprender que éramos pecadores, y que ninguno de nosotros podía cumplirla a la perfección. Al violar uno de sus mandamientos era una afrenta a toda la ley y quedábamos como culpables. Por lo tanto, la ley nos hizo comprender que éramos pecadores y que no podíamos salvarnos a nosotros mismos. Nos colocó frente a Cristo quien nos hizo saber que podíamos ser salvos, pero no por las obras de la ley, sino por pura gracia al depositar nuestra fe en el sacrificio que Cristo hizo en nuestro lugar. Por lo tanto, ahora estamos en Cristo, y la función de la ley ha caducado, esto es, ha muerto. Romanos 10:4 dice: "Porque el fin de la ley es Cristo, para justicia a todo aquel que cree".

B. Todo se debe al amor de Cristo (2:20,21)

"Con Cristo estoy juntamente crucificado, y ya no vivo yo, mas vive Cristo en mí; y lo que ahora vivo en la carne, lo vivo en la fe del Hijo de Dios, el cual me amó y se entregó a sí mismo por mí" (v.20). Es necesario, en primer lugar, dar la debida traducción a la primera parte del texto, que dice: "Con Cristo estoy juntamente crucificado...". En griego, esta oración consiste únicamente en dos palabras Χριστός συνεσταύρωμαι (pronúnciese, *Jristó sunestaúromai*). Como el verbo griego que RV1960 traduce "estoy juntamente crucificado" se encuentra en el tiempo perfecto, voz pasiva, la traducción correcta debe ser: "Con Cristo *he sido juntamente crucificado*". Como "crucifixión" en la teología paulina es símbolo de muerte, el apóstol se vale de una poderosa metáfora para decir que en relación a la ley mosaica y al pecado, él hace tiempo que murió y que sigue muerto. Eso es lo indica el tiempo perfecto en griego. ¡De la ley y del pecado no se puede resucitar! Pero, ¿Por qué el apóstol utiliza el tiempo perfecto que señala un evento que ocurrió en el pasado y que tiene repercusiones en el presente? Si él fue crucificado en el pasado, ¿cuándo ocurrió esa crucifixión? La respuesta nos las da el apóstol en varios pasajes que él mismo escribió: "Sabiendo esto, que nuestro viejo hombre fue crucificado juntamente con él, para que el cuerpo del pecado sea destruido, a fin de que no sirvamos más al pecado" (Romanos 6:6).

Esta es la eficacia de la fe en el momento de convertirnos. Para empezar, la fe salvadora no es nuestra: es un regalo de Dios (Efesios 2:8,9), y esa fe nos sitúa espiritualmente con Cristo en el momento de su crucifixión a fin de que nos apropiemos de los beneficios de la muerte de Cristo y seamos uno con Él. Usando un lenguaje figurado, al convertirnos a Cristo, la fe nos traslada al momento en que Él fue muerto por los pecados del mundo, y como consecuencia, morimos juntamente con Él. Y en su resurrección sucede lo mismo: Él resucitó a nueva vida, y nosotros juntamente con Él. Potencialmente morimos en la cruz con Cristo, y ese evento se concretiza en nosotros al creer y ser bautizados en agua: "¿O no sabéis que todos los que hemos sido bautizados en Cristo Jesús, hemos sido bautizados en su muerte? Porque somos sepultados juntamente con él para muerte por el bautismo, a fin de que como Cristo resucitó de los muertos nosotros andemos en vida nueva" (Romanos 6:3,4). Toda esta maravilla salvífica es resultado de una sola razón: ¡El amor de Cristo hacia cada uno de nosotros! Por lo tanto, pretender obtener la salvación por obras personales es una burla y un desprecio al amor de Cristo y su muerte en el Calvario.

Afianzamiento y aplicación

(1) ¿Cuál fue la función de la Ley?
(2) Al morir Cristo, ¿qué sucedió con la Ley?
(3) ¿Qué significa el bautismo en agua por inmersión?

RESUMEN GENERAL

Como se ha venido tratando, el apóstol Pablo continúa defendiendo el Evangelio y su apostolado de los judaizantes que se habían infiltrado en las iglesias de Galacia. Los judaizantes insistían en que era necesario que los gentiles se circuncidaran para poder ser salvos, y añadían que Pablo era un apóstol falso. Al apóstol le preocupó fuertemente esta situación porque él y Bernabé habían fundado, doctrinado y organizado dichas iglesias. Para probar su consistencia en el Evangelio que predicaba, se vio en la necesidad de citar una irregularidad que ocurrió en la iglesia en Antioquía en la cual fueron protagonistas de un mal ejemplo, Pedro, Bernabé y otros hermanos. Pedro, quizá el líder principal de la Iglesia primitiva, convivía con toda naturalidad con los gentiles convertidos, lo mismo Bernabé. Pero al llegar hermanos de Jerusalén, de origen judío, que creían que había que preservar las costumbres judías, Pedro y Bernabé, se alejaron de los hermanos gentiles para no ser criticados por los judaizantes recién llegados. Según las tradiciones talmúdicas, un judío no podía entrar en la casa de un gentil y mucho menos, comer en su casa. Esto molestó al apóstol Pablo porque, además de ser un acto de hipocresía, era una afrenta al Evangelio. En Cristo no hay distinción de pueblos ni grupos étnicos; además, todas las costumbres, escrúpulos y exigencias de la ley, habían terminado con la muerte y resurrección de Cristo. Intentar complementar el Evangelio con los escrúpulos de la ley era volver a la esclavitud de la cual ellos habían sido redimidos. Pablo reprendió severamente a Pedro delante de todos los hermanos ya que su simulación podía tener consecuencias desastrosas para la Iglesia. Un punto fundamental en la argumentación del apóstol fue que quien está en Cristo, no puede estar también en la ley mosaica; la ley esclaviza, el Evangelio libera; la ley señala al hombre como pecador; el Evangelio lo hace justo; la ley mata, el Evangelio da vida. El apóstol concluyó su reprimenda, diciendo que si por la ley fuese la justicia, entonces, por demás murió Cristo. ¡Qué importante, es, entonces, preservar la pureza del Evangelio y mantenerse firme en Él!

Ejercicio de clausura

Repitan todos al unísono el texto áureo. Culminen el estudio con una oración al Señor.

PREGUNTAS Y RESPUESTAS

1. ¿Por qué Pedro y Bernabé estaban siendo "censurados" y "acusados", por creyentes gentiles de la iglesia en Antioquía?

Porque ellos estaban al tanto de los acuerdos que se habían tomado en el concilio de Jerusalén, y les molestaba que, ahora estuvieran violando lo que ellos mismos habían defendido.

2. ¿En qué consistía la simulación de Pedro y Bernabé?

En que antes que llegaran los judaizantes, convivía con los gentiles y vivía como ellos; pero una vez llegados estos se apegaba a un riguroso judaísmo, negando la gracia del Evangelio.

3. Explique que si la ley no salva. ¿para qué sirve la ley?

La ley nos hace comprender que somos pecadores y que no podemos salvarnos a nosotros mismos y nos coloca frente a Cristo que nos ofrece salvación gratuita.

4. ¿Cómo considera la reprensión a Pedro dada por Pablo?

La reprensión de Pablo fue una acción valiente para preservar la pureza del Evangelio.

5. Si la cruz es un evento en el pasado. Explique la expresión: "Con Cristo estoy juntamente crucificado".

Al convertirnos a Cristo, la fe nos traslada al momento en que Él fue muerto por los pecados del mundo, y como consecuencia, morimos juntamente con Él. Y en su resurrección sucede lo mismo.

PARA LA PRÓXIMA SEMANA

La próxima semana estudiaremos: "Pablo corrige a los gálatas", basada en Gálatas 3:1-12. Estudie el tema durante la semana y pida al Señor suficiente sabiduría para impartir esta enseñanza.

PABLO CORRIGE A LOS GÁLATAS

ESTUDIO BÍBLICO 5

Base bíblica
Gálatas 3:1-12

Objetivos
Al concluir el estudio los participantes podrán:

1. Comprender bien el pasaje bíblico estudiado.
2. Proponerse ser un estudiante ferviente de la Palabra de Dios.
3. Organizar su propia biblioteca de comentarios bíblicos y libros teológicos, al considerar el valor documentario de los textos.

Fecha sugerida:___/____/____

Pensamiento central
Los autores de la Biblia fueron celosos en preservar intacta la Palabra de Dios: la iglesia contemporánea no puede ser de otra manera.

Texto áureo
Y que por la ley ninguno se justifica para con Dios, es evidente, porque: El justo por la fe vivirá (Gálatas 3:11).

LECTURA ANTIFONAL

Gálatas 3:1 ¡Oh gálatas insensatos! ¿quién os fascinó para no obedecer a la verdad, a vosotros ante cuyos ojos Jesucristo fue ya presentado claramente entre vosotros como crucificado?
2 Esto solo quiero saber de vosotros: ¿Recibisteis el Espíritu por las obras de la ley, o por el oír con fe?
3 ¿Tan necios sois? ¿Habiendo comenzado por el Espíritu, ahora vais a acabar por la carne?
4 ¿Tantas cosas habéis padecido en vano? Si es que realmente fue en vano.
5 Aquel, pues, que os suministra el Espíritu, y hace maravillas entre vosotros, ¿lo hace por las obras de la ley o por el oír con fe?
6 Así Abraham creyó a Dios, y le fue contado por justicia.
7 Sabed, por tanto, que los que son de la fe, éstos son hijos de Abraham.
8 Y la Escritura, previendo que Dios había de justificar por la fe a los gentiles, dio de antemano la buena nueva a Abraham, diciendo: En ti serán benditas todas las naciones.
9 De modo que los de la fe son benditos con el creyente Abraham.
10 Porque todos los que dependen de las obras de la ley están bajo maldición, pues escrito está: Maldito todo aquel que no permaneciere en todas las cosas escritas en el libro de la ley, para hacerlas.
11 Y que por la ley ninguno se justifica para con Dios, es evidente, porque: El justo por la fe vivirá;
12 y la ley no es de fe, sino que dice: El que hiciere estas cosas vivirá por ellas.

DATOS GENERALES ACERCA DEL TEMA

- **Enseñanza:** El verdadero creyente, justificado por la fe, no por sus obras, perseverará en esa misma fe, como un estilo de vida.
- **Autor:** Fue escrita por el apóstol Pablo en su tercer viaje misionero.
- **Fecha:** Alrededor de los años 55-57 d.C.
- **Lugar:** Probablemente en Éfeso, en la costa occidental de Asia, o en la ciudad griega de Corinto según otras opiniones.
- **Destinatario:** Las iglesia de la provincia romana del sur de Galacia.

Personajes: El apóstol Pablo, los creyentes de las iglesia de Galacia, y los judaizantes (falsos hermanos).

BOSQUEJO DEL ESTUDIO

I. Los gálatas habían caído en un grave error (Gálatas 3:1-4)
   A. Habían sido engañados por falsos maestros (3:1)
   B. Habían comenzado bien, pero continuaron mal (3:2-4)

II. Carecían de una sana reflexión (Gálatas 3:5-8)
   A. Ignoraban el obrar del Espíritu (3:5,6)
   B. Ignoraban el significado de las promesas de Dios a Abraham (3:7,8)

III. El justo por la fe vivirá (Gálatas 3:9-12)
   A. Los verdaderos hijos de Abraham son los salvos por la fe (3:9,10)
   B. Nadie puede ser salvo por las obra de la ley (3:11,12)

Ciudades de Galacia, donde Pablo estableció iglesias y visitó en sus viajes misioneros.

LECTURAS DEVOCIONALES DIARIAS

Lunes: Dios exhorta a la iglesia en Éfeso (Apocalipsis 2:1-7).
Martes: Dios exhorta a la iglesia en Esmirna (Apocalipsis 2:8-11).
Miércoles: Dios exhorta a la iglesia en Pérgamo (Apocalipsis 2:12-17).
Jueves: Dios exhorta a la iglesia en Tiatira (Apocalipsis 2:18-28).
Viernes: Dios exhorta a la iglesia en Sardis (Apocalipsis 3:1-6).
Sábado: Dios exhorta a las iglesias en Filadelfia y Laodicea (Apocalipsis 3:7-22).

INTRODUCCIÓN

Los primeros dos capítulos de Gálatas son autobiográficos. El apóstol narra su elección para predicar el Evangelio, los lugares que visitó después de su conversión, y el penoso encuentro con Pedro y Bernabé en Antioquía, viéndose obligado a reprender al primero en público por su conducta inconsistente. Todo lo anterior lo hace al apóstol con el propósito de defender su apostolado y el Evangelio que predicaba: ambos procedían directamente de Dios, sin mediación humana, y debidos exclusivamente a la soberanía incuestionable de Dios. Tanto su apostolado como el Evangelio que le habían sido encomendados eran decisiones irrevocables de Dios, y atentar contra estas, significaba para Pablo provocar el juicio divino. El disgusto del apóstol no terminó después de haber escrito los dos primeros capítulos: ahora sentía la urgencia de dirigirse directamente a los gálatas para razonar con ellos lo que habían hecho. La actitud de Pablo no debe de sorprendernos ya que es la misma que encontramos en todos los siervos de Dios, principalmente, los escritores de la Biblia. Los profetas del Antiguo Testamento tronaron severamente contra Israel cuando este se apartó de la ley de Dios. Los autores del Nuevo hicieron lo mismo; el Señor Jesús expulsó del templo a latigazos a los que comerciaban dentro de sus atrios; fustigó lleno de indignación contra los fariseos llamándolos "serpientes", "sepulcros blanqueados", "hipócritas", "hijos del diablo", y otros términos peyorativos; apreciados en las lecturas devocionales diarias el Señor reprendió a las siete iglesias de Asia Menor por situaciones anti-evangélicas que había en ellas. En todo esto, hay un mensaje directo para la iglesia contemporánea que no debe verse con apatía. Por lo tanto, además de la perspectiva histórica, debemos considerar la aplicación que tiene para la iglesia contemporánea el tema que estudiaremos.

DESARROLLO DEL ESTUDIO

I. LOS GÁLATAS HABÍAN CAÍDO EN UN SERIO ERROR (GÁLATAS 3:1-4)

Ideas para el maestro o líder

(1) En la Introducción presente un breve resumen de los acontecimientos sobresalientes estudiados en las lecciones anteriores.

(2) Invitar a alguno de los participantes a realizar la lectura en voz alta Gálatas 3:1-4.

Definiciones y etimología

* "insensatos" (v.1). Traducción del griego ἀνόητοι (pronúnciese, *anóeitoi*). Este adjetivo se puede traducir, además de "insensato", como "ignorante", "tonto". Se usa en el Nuevo Testamento seis veces (Lucas 24:25, "insensato"; Romano 1:14, "no sabios"; Gálatas 3:1, "insensatos"; Gálatas 3:3, "necios"; 1 Timoteo 6:9, "codicias *necias*"; Tito 3:3, "insensatos".

* "fascinó" (v.1). Traducción del verbo griego βασκαίνω (pronúnciese, *baskaíno*) que literalmente significa "embrujar", "hechizar", "hacer un maleficio", "encantar", "fascinar". Cantera-Burgos e Iglesias González traducen "encandiló"; la Versión de Pratt traduce, "alucinó"; la Biblia Textual de la Sociedad Bíblica Iberoamericana traduce "hechizó", que probablemente sea la traducción correcta.

A. Habían sido engañados por falsos maestros (3:1)

"¡Oh gálatas insensatos! ¿Quién os fascinó para no obedecer a la verdad, a vosotros ante cuyos ojos Jesucristo fue ya presentado claramente entre vosotros como crucificado?" (v.1). Desde que empezó la carta, la indignación del apóstol no ha disminuido; al contrario, parecería que va en aumento. La palabra "insensato", como ya se indicó en Definiciones y etimología, es muy fuerte. Es dudoso que algún líder eclesiástico en nuestros días la utilizara al escribir una carta circular para corregir anomalías en las iglesias. Sin embargo, el apóstol no solamente la utiliza sino que añade, literalmente, "¿Quién os *hechizó*?" Varios, por no decir, muchos, comentaristas de la Biblia optan por el verbo "hechizar" en lugar de "fascinar". Es el único pasaje en todo el Nuevo Testamento donde ocurre este verbo. El daño que estaba ocurriendo en las iglesias de Galacia era para el apóstol una especie de maleficio. Con esta palabra, que el apóstol la puede estar usando metafóricamente, da a entender que consideraba los trastornos ocurridos como maquinaciones mismas del demonio. En griego, el sustantivo del verbo que se traduce "fascinó" es "hechicero", "brujo". Para el apóstol, por lo tanto, la tergiversación del Evangelio que los judaizantes habían hecho, era trabajo de personas que servían al demonio.

"...para no obedecer a la verdad...". En los manuscritos más antiguos, estas palabras no se encuentran. En el *Textus Receptus* se encuentran tomadas de manuscritos más nuevos que se creen fueron ligeramente alterados con motivos de énfasis. Algunos eruditos bíblicos creen que fueron tomadas de 5:7, que dice: "Vosotros corríais bien; *¿quién os estorbó para no obedecer a la verdad?*". De manera que la idea sí se encuentra en la carta, basada en manuscritos antiguos.

"...a vosotros ante cuyos ojos Jesucristo fue ya presentado claramente entre vosotros como crucificado". La palabra "presentado" en griego tiene las connotaciones de exponer como en una placa grande, como una proclama oficial, como una pancarta. La idea es que el apóstol y Bernabé les habían expuesto el Evangelio con una claridad tan evidente que no quedaba ninguna duda, ningún pequeño punto que no les hubiera sido explicado. ¿Cómo era posible, entonces, que alguien hubiera llegado y mutilado lo que ellos, como excelentes expositores, habían descrito con tanta claridad?

B. Habían comenzado bien, pero continuaron mal (3:2-4)

"Esto quiero *saber* de vosotros: ¿Recibisteis el Espíritu por las obras de la ley, o por el oír con fe? (v.2). El apóstol inicia una serie de preguntas que son muy incisivas. La primera de ellas tiene que ver con el Espíritu Santo recibido por los gálatas. La palabra que se traduce "saber" es enfática, y se puede traducir "quiero aprender de ustedes", "quiero averiguar de ustedes". La idea es que el apóstol está exigiendo una respuesta; exige que le den una explicación inteligente, ya que las cosas de Dios deben ser razonadas de una manera sabia. No espera el apóstol una respuesta sentimental, emocional, fanática, pueril, superficial, cargada de apasionamiento, sino algo convincente por no tener sentido. Los gálatas estaban siendo forzados a pensar y responder: "¿Tuvimos que ser circuncidados para recibir el Espíritu Santo"?

"¿Tan necios sois? ¿Habiendo comenzado por el Espíritu, ahora vais a *acabar* por la carne?" (v.3). Como habrá notado el lector, colocamos el verbo "acabar" en cursiva por una razón especial. Este verbo es la traducción del griego ἐπιτελέω (pronúnciese, *epiteleo*) que además de significar "acabar", "terminar", tiene la acepción de "perfeccionar". Por esta razón la Biblia Textual de La Sociedad Bíblica Iberoamericana traduce: "¿Tan insensatos sois? ¿Habiendo comenzado por el Espíritu, ahora os *perfeccionáis* por la carne?". Esta traducción se justifica por estar el verbo en la voz media, y además porque así es como RV1960 traduce este verbo en Filipenses 1:6: "Estando persuadido de esto, que el que comenzó en vosotros la buena obra, la *perfeccionará* hasta el día de Jesucristo". De ser, entonces, esta la traducción más acertada, hay cierto sarcasmo en el argumento del apóstol. Sería como decirles: "¿Habiendo colocado un fundamento de piedra, ahora vais a concluir el edificio con paja?", o "¿Habiendo empezado un vestido con seda y lino lo concluís con hojas de higuera?".

"¿Tantas cosas habéis padecido en vano? Si es que realmente fue en vano" (v.4). El apóstol se refiere a las persecuciones que las iglesias sufrieron, y lo mucho que costó establecerlas. El mismo apóstol fue apedreado en Listra y dejado como muerto (Hechos 14:19,20), y de ello fueron testigos los creyentes gálatas. Entonces, si ellos optaban por seguir la ley como un instrumento de salvación, todos los padecimientos sufridos para establecer las iglesias, habían sido en vano. ¿Qué contestarían los gálatas?

Afianzamiento y aplicación

(1) ¿De qué otra manera se puede traducir "fascinó"?

(2) ¿Qué idea implican las palabras "esto quiero saber" del v. 2?

(3) Explique la frase "ahora vais a acabar en la carne" (v.3).

II. CARECÍAN DE UNA SANA REFLEXIÓN (GÁLATAS 3:5-8)

Ideas para el maestro o líder

Solicitar a alguno de los presentes que lea en voz alta Gálatas 3:5-8.

Definiciones y etimología

* *"Abraham creyó a Dios, y le fue contado por justicia"*. Pablo citando Génesis 15:6, utiliza a Abraham como prueba que nunca hubo otro camino de salvación fuera de la gracia por la fe. Hasta el Antiguo Testamento, enseña la justificación por fe.

A. Ignoraban el obrar del Espíritu (3:5,6)

"Aquel, pues, que os suministra el Espíritu, y hace maravillas entre vosotros, ¿lo hace por las obras de la ley o por el oír con fe?" (v.5). Cada uno de los argumentos que el apóstol utiliza es una fuerte invitación al sano razonamiento. El apóstol no apela a sentimentalismos personales ni pretende persuadir a los gálatas a que tengan cierta consideración a lo que dice por ser su padre espiritual. Los exhorta a que recapaciten seriamente en la realidad concreta de las cosas. Parafraseando el v.5, el argumento sería el siguiente: "Cuando llegamos a vosotros, Dios se manifestó cambiando vuestras vidas y llenándolos a ustedes con Su Santo Espíritu. Ustedes fueron testigos de los milagros que ocurrieron bajo nuestro ministerio, que fueron instrumentos para que muchos se convirtieran. Dios sigue suministrando Su Santo Espíritu y operando milagros. Todo esto que Él ha hecho y sigue haciendo, ¿ha sido porque ustedes aparejaron el camino circuncidándose? ¿En algún momento mis compañeros o yo les dijimos que si no se circuncidaban, Dios no perdonaría vuestros pecados, ni les llenaría con Su Santo Espíritu ni haría milagros? Pues si todo lo mencionado ocurrió sin que ustedes tuvieran que hacer lo que los judaizantes les están exigiendo que hagan, ¿por qué es que les creen?".

"Así Abraham creyó a Dios, y le fue contado por justicia" (v.6). Nótese la forma de argumentar del apóstol: *Primero*, se valió de su testimonio personal; *segundo*, de las manifestaciones y milagros suministrados por el Espíritu entre ellos, y ahora, como *tercer* argumento, un caso tomado de la Biblia: La justificación de Abraham. Es bueno enfatizar que hemos dicho "un caso tomado de la Biblia", y si se encuentra en ella que es la Palabra de Dios, esto es, Las Sagradas Escrituras, el asunto debe estar decidido para siempre. ¿A qué pasaje se refiere el apóstol? A Génesis 15:6: "Y creyó a Jehová, y le fue contado por justicia". Es la misma argumentación que usará más adelante en su carta a Los Romanos: "¿Qué, pues, diremos que halló Abraham, nuestro padre según la carne? Porque si Abraham fue justificado por las obras, tiene de qué gloriarse, pero no para con Dios. Porque, ¿qué dice la Escritura? Creyó Abraham a Dios, y le fue contado por justicia" (Romanos 4:1-3). Luego, como el asunto que habían impuesto los judaizantes en las iglesias de Galacia era la circuncisión, el apóstol añade a los romanos: "¿Es, pues esta bienaventuranza solamente para los de la circuncisión (los judíos), o también para lo de la incircuncisión los (gentiles)? Porque decimos que a Abraham le fue contada la fe por justicia. ¿Cómo, pues, le fue contada? ¿Estando en la circuncisión, o en la incircuncisión? No en la circuncisión, sino en la incircuncisión?" (Romanos 4:9,10). Esto es, Abraham fue justificado por Dios, simplemente, por haber creído y sin haber pasado por la cirugía judaizante.

B. Ignoraban el significado de las promesas de Dios a Abraham (3:7,8)

"Sabed, por tanto, que los que son de fe, estos son hijos de Abraham" (v.7). A fin de tener un panorama más amplio del pensamiento del apóstol acerca de la justificación por la fe sin la participación de las obras de la ley, conviene volver a Romanos 4. Además de los textos ya arriba citados, hay tres más que deben considerarse para robustecer la gran teología del apóstol:

> "Y recibió la circuncisión como señal, como sello de la justicia de la fe que tuvo estando aún incircunciso; para que fuese padre de todos los creyentes no circuncidados, a fin de que también a ellos la fe le sea contada por justicia; y padre de la circuncisión, para los que no solamente son de la circuncisión, sino que también siguen las pisadas de la fe que tuvo nuestro padre Abraham antes de ser circuncidado... Por tanto, es por fe, para que sea por gracia, a fin de que la promesa sea firme para toda su descendencia; no solamente para la que es de la ley, sino también para la que es de la fe de Abraham, el cual es padre de todos nosotros" (Romanos 4:11,12,16).

El argumento del apóstol es contundente e irrebatible. Cuando Dios le dio a Abraham la promesa de que tendría un hijo, siendo él de noventa y nueve años de edad, y Sara su esposa de ochenta y nueve, y que en ese hijo su descendencia sería tan numerosa como las estrellas el cielo, Abraham le creyó a Dios, "y le fue contado por justicia" (Génesis 15:6). El rito de la circuncisión no se había instituido todavía, sino que Dios lo estableció en señal del pacto que Dios había hecho con Abraham. Era la ratificación de algo que había sucedido entre Dios y Abraham. Así también el bautismo en agua cristiano: es administrado no para que la persona sea salva, sino porque ya es salva, y por medio de él el creyente confirma, objetivamente, el pacto que ha hecho con Dios de servirle fielmente todos los días de su vida. La inmersión en el agua es una ratificación de su muerte al yo, al mundo y al pecado, y su emergencia, una constatación de que vive una nueva vida producida por Dios.

"Y la Escritura, previendo que Dios había de justificar por la fe a los gentiles, dio de antemano la buena nueva a Abraham, diciendo: En ti serán benditas todas las naciones" (v.8). Por esta razón, es obvio que el bautismo en agua cristiano debe ser administrado a personas que tengan uso de razón; que pueden, primero, haber depositado su fe en Cristo como su Salvador personal, y después avalar su fe por medio de un acto externo y público. Como ejemplo clásico se puede citar el caso del etíope eunuco, quien dijo a Felipe: "Aquí hay agua; ¿qué impide que yo sea bautizado? Felipe dijo: Si crees de todo corazón, bien puedes. Y respondiendo dijo: Creo que Jesucristo es el Hijo de Dios" (Hechos 8:36,37).

Afianzamiento y aplicación

(1) En la argumentación de Pablo con los gálatas, ¿qué valor tenían la suministración del Espíritu Santo y los milagros que Dios obraba entre ellos?
(2) Mencione los tres argumentos del apóstol para probar su punto.
(3) ¿Salva el bautismo en agua? Explique.

III. EL JUSTO POR LA FE VIVIRÁ (GÁLATAS 3:9-12)

Ideas para el maestro o líder

Invitar a alguno de los participantes para que realice la lectura en voz alta Gálatas 3:9-19.

Definiciones y etimología

* *"El justo por la fe vivirá",* se encuentra en cuatro pasajes bíblicos: Habacuc 2:4; Romanos 1:17; Gálatas 3:11, Hebreos 10:39. Dios estableció a Abraham como un modelo de vivir por fe y por eso se le llamó el Padre de todos los que creen. La fe no es un acto aislado sin una manera de vivir.

A. Los verdaderos hijos de Abraham son los salvos por la fe (3:9,10)

"De modo que los de la fe son bendecidos con el creyente Abraham" (v.9). La última oración del v.8 dice: "En ti serán benditas todas las naciones". Esta oración es tomada de Génesis 12:3: "...y serán benditas en ti todas las familias de la tierra". Uno esperaría que el apóstol dijera al final del v.8 que la bendición que recibirían todas las naciones de la tierra sería la simiente de Abraham, esto es, nuestro Señor Jesucristo, tal y como dice Hechos 3:25: "Vosotros sois hijos de los profetas, y del pacto que Dios hizo con nuestros padres, diciendo a Abraham: En tu simiente serán benditas todas las familias de la tierra". Esta misma explicación da el apóstol más adelante en Gálatas 3:16: "Ahora bien, a Abraham fueron hechas las promesas, y a su simiente. No dice: Y a las simientes, como si hablase de muchos, sino como de uno: Y a tu simiente, la cual es Cristo". Entonces, ¿cuál es la bendición que de Abraham han recibido tanto judíos como gentiles: Cristo o el ejemplo de la fe? ¡Ambos! De Abraham desciende el *Mesías*, que es el único Salvador, y Abraham es un ejemplo de que la aprobación de Dios viene por la *fe*, que es el único instrumento de salvación. Los judíos pensaban que por ser descendientes de Abraham en cuanto a la carne eran también acreedores de las bendiciones que Dios le había prometido a Abraham. A Cristo le dijeron: "Nuestro padre es Abraham" (Juan 8:39), y Cristo les respondió: "Vosotros sois de vuestro padre el diablo" (Juan 8:44). ¿Por qué esa respuesta de Cristo? Porque los verdaderos hijos de Abraham, que son los verdaderos hijos de Dios, reconocen que un descendiente de Abraham en cuanto a la carne, Cristo, es el Salvador del mundo, y que a este único Salvador se le recibe por medio de la fe de la cual fue ejemplo Abraham cuando le creyó a Dios lo que le prometió. *Cristo-fe* es la fórmula de la salvación, y nunca *ley-obras*. Cuando Abraham recibió la promesa: "...y serán benditas en ti todas las familias de la tierra" (Génesis 12:3), y cuando fue justificado por Dios: "Y creyó a Jehová, y le fue contado por justicia" (Génesis 15:6), no existía ley ni ritos corporales. Por lo tanto, Abraham se constituyó en padre de los creyentes, tanto judíos como gentiles, que creen que de su descendencia vino el Mesías y porque a ese Mesías se le recibe por fe, como él hizo cuando creyó a Dios. Ahora, estos dos aspectos: *Mesías-fe* se conjugaron cuando Dios le pidió a Abraham que le ofreciera a Isaac su hijo en holocausto: Abraham le dijo a sus siervos: "Esperad aquí con el asno, y yo y el muchacho iremos hasta allí y adoraremos, y volveremos a vosotros" (Génesis 22:5). Abraham estaba dispuesto a obedecer a Dios y ofrecerle su hijo en sacrificio, porque sabía que, aunque fuera sacrificado, volvería a la vida ya que Dios le había prometido que de ese hijo surgiría una multitud tan grande como las estrellas del cielo. El segundo lado de la extraordinaria fe de Abraham fue cuando le dijo a su hijo Isaac: "Dios se proveerá de cordero para el holocausto, hijo mío" (Génesis 22:8) cuando no había ninguno a la vista. Aquel cordero provisto por Dios representaba al verdadero "que quita el pecado del mundo" (Juan 1:29). ¡Lo que Abraham ofreció en sacrificio, fue el cordero que Dios le proveyó; y el cordero que fue sacrificado en la cruz, fue el que Dios también proveyó!

B. Nadie puede ser salvo por las obras de la ley (3:11,12)

"Y que por la ley ninguno se justifica para con Dios es evidente porque: El justo por la fe vivirá" (v.11). El apóstol ha probado que Abraham fue justificado por la fe, esto es, creyéndole a Dios lo que le había prometido. Aquí está la médula de la enseñanza de la justificación por la fe. La fe no es otra cosa más que creer en la veracidad de Dios, en su carácter. Entonces, el que cree es aquel que se entrega sin reservas, dudas ni condiciones en las manos de Dios, con la certísima confianza de que no será defraudado.

La fe no hace nada más que depender de la generosidad divina, y quien esto acepta, se hace agradable delante de Dios. Salvación, no por méritos, no por obras, no por dinero, no por penitencias, no por flagelos, sino por confiar en la gracia de Dios. De esta manera, la salvación es un regalo; si fuera por obras, la salvación no sería un regalo sino una compra, y la salvación no se puede comprar. Por eso, el apóstol insinúa: "¿Qué tantos mandamientos debo de guardar para ser salvo?" La ley le contestaría: "¡Todos, porque si infringes uno, ya pecaste y eres culpable ante Dios!".

El apóstol respondería: "¡Pero no hay una sola persona en el mundo que lo pueda hacer, porque todos somos malos!". La ley tendría que responderle: "Entonces, búscate otro medio de salvación, porque yo no te puedo salvar; mis demandas son muchas; solamente 'el que hiciere todas estas cosas *vivirá* por ellas' (v.12), si es que hay uno que lo pueda hacer". La ley estaría en la razón, porque lo dijo Salomón en su oración dedicatoria: "Porque no hay hombre que no peque" (1 Reyes 8:46).

Otros pasajes más lo corroborarían: "¿Quién podrá decir: Yo he limpiado mi corazón; limpio estoy de mi pecado?" (Proverbios 20:9); "Ciertamente no hay hombre justo en la tierra, que haga bien y nunca peque" (Eclesiastés 7:20); "Por cuanto todos pecaron, y están destituidos de la gloria de Dios" (Romanos 3:23). Por lo tanto, los judaizantes que habían penetrado en las iglesias de Galacia, las habían saturado de falacia ya que ¡nadie puede ser salvo por sus propias obras!

Afianzamiento y aplicación

(1) Mencione dos pruebas de la fe de Abraham cuando Dios le pidió que le ofreciera a Isaac en sacrificio.
(2) ¿Qué significa "fe"?
(3) ¿Por qué no puede salvar la ley?

RESUMEN GENERAL

En el presente estudio vimos al apóstol Pablo sumamente indignado con las iglesias de Galacia por haber cedido ante las presiones de los judaizantes que insistían en guardar la ley mosaica a fin de poder ser salvos. La indignación de Pablo involucraba muchas razones, las cuales intentaremos enumerar: *Primera:* Tanto los judaizantes como los gálatas habían corrompido el Evangelio sano, que Pablo y Bernabé les habían predicado. Para el apóstol, esto era intolerable porque el Evangelio que predicaban le había sido revelado directamente por Dios; *Segunda:* Porque estaban cuestionando el ministerio apostólico de Pablo. Esto debió ser muy doloroso para el apóstol porque Dios dio testimonio del apostolado de Pablo con muchas conversiones, derramamientos del Espíritu y suministración de dones espirituales. Por lo tanto, o tenían los gálatas que negar lo que había sucedido o atribuírselo a otra fuente; *Tercera:* Los gálatas demostraban un cambio tan drástico que para Pablo parecía que habían sido víctimas de un maleficio, esto es, de una intervención directa del demonio; *Cuarta:* Evidenciaban una crasa ignorancia de Las Escrituras. Los judaizantes consideraban a Abraham su padre, olvidando que Abraham era el ejemplo clásico de la justificación por la fe, sin los suplementos de las obras.

A título de aplicación: Durante la historia de la Iglesia se ha visto repetidas veces que el espíritu de los judaizantes se ha infiltrado en la Iglesia bajo diferentes disfraces, exigiendo a los cristianos a suplementar el Evangelio con obras meritorias. Por esta razón se han levantado defensores del Evangelio que han defendido la pureza de la doctrina bíblica, proclamando que la salvación es por gracia y por la fe, y nunca, nunca, por méritos personales, buenas obras, dinero, responsos, ayunos, penitencias, flagelos, promesas y cirios encendidos. El fin definitivo de este estudio, es lo que dice la Palabra de Dios: "Mas el justo por la fe vivirá". ¡Así es!

Ejercicio de clausura

Invite a los participantes a decir al unísono y de memoria el texto áureo; cierren con oración al Señor este estudio.

PREGUNTAS Y RESPUESTAS

1. ¿Por qué el apóstol utiliza la expresión: ¿Quién os fascinó "hechizó" para no obedecer a la verdad?

Porque el daño que estaba ocurriendo en las iglesias de Galacia era para el apóstol una especie de maleficio, maquinado por el mismo demonio.

2. Explique la expresión sarcástica de Pablo: ¿Tan necios sois? ¿Habiendo comenzado por el Espíritu, ahora vais a acabar por la carne?

Es como decir: ¿Habiendo colocado un fundamento de piedra, ahora vais a concluir el edificio con paja?, o ¿Habiendo empezado un vestido con seda y lino lo concluís con hojas de higuera? ".

3. ¿Por qué Abraham no pudo haber agradado a Dios por haberse circuncidado?

Porque cuando Abraham recibió la promesa y le creyó a Dios, no existía ley ni ritos corporales, como la circuncisión.

4. ¿Qué hizo Abraham para agradar a Dios y ser aceptado por Él?

Solamente le creyó a Dios que cumpliría todo lo que le había prometido.

5. ¿De qué manera el enemigo continúa menguando la eficacia del Evangelio para perturbar a los creyentes?

Haciéndoles creer que entre más obras y esfuerzos hagan serán más agradables ante los ojos de Dios, negando la gracia de Dios en Cristo.

PARA LA PRÓXIMA SEMANA

La próxima semana estudiaremos: "El pacto de Dios con Abraham", basado en Gálatas 3:13-20. Reflexione acerca de la misma durante la semana.

EL PACTO DE DIOS CON ABRAHAM

ESTUDIO BÍBLICO 6

Base bíblica
Gálatas 3:13-20

Objetivos
Con el desarrollo de este estudio los participantes podrán:

1. Entender bien el pasaje bíblico estudiado.
2. Conocer cuál fue el propósito de la ley.
3. Comprender la importancia de creer lo que Dios dice.

Fecha sugerida:___/____/____

Pensamiento central
La venida de Cristo como Mesías y la salvación por gracia y por fe fueron anticipados con el pacto que Dios hizo con Abraham.

Texto áureo
Cristo nos redimió de la maldición de la ley, hecho por nosotros maldición (porque escrito está: Maldito todo el que es colgado de un madero) (Gálatas 3:13).

LECTURA ANTIFONAL

Gálatas 3:13 Cristo nos redimió de la maldición de la ley, hecho por nosotros maldición (porque está escrito: Maldito todo el que es colgado de un madero),
14 para que en Cristo Jesús la bendición de Abraham alcanzase a los gentiles, a fin de que por la fe recibiésemos la promesa del Espíritu.
15 Hermanos, hablo en términos humanos: Un pacto, aunque sea de hombre, una vez ratificado, nadie lo invalida, ni le añade.
16 Ahora bien, a Abraham fueron hechas las promesas, y a su simiente. No dice: Y a las simientes, como si hablase de muchos, sino como de uno: Y a tu simiente, la cual es Cristo.
17 Esto, pues, digo: Que el pacto previamente ratificado por Dios para con Cristo, la ley, que vino cuatrocientos treinta años después, no lo abroga, para invalidar la promesa.
18 Porque si la herencia es por la ley, ya no es por la promesa; pero Dios la concedió a Abraham mediante la promesa.
19 Entonces, ¿para qué sirve la ley? Fue añadida a causa de las transgresiones, hasta que viniese la simiente a quien fue hecha la promesa; y fue ordenada por medio de ángeles en mano de un mediador.
20 Y el mediador no lo es de uno solo; pero Dios es uno.

DATOS GENERALES ACERCA DEL TEMA

- **Enseñanza**: El pacto concertado con Abraham, demuestra que la fe en Cristo es el único medio de salvación, y en su unión con Él, el creyente cumple las demandas de la ley.
- **Autor:** La carta a los Gálatas fue escrita por el apóstol Pablo.
- **Fecha:** Alrededor de los años 55-57 d.C.
- **Lugar:** Probablemente en Éfeso, en la costa occidental de Asia, o en la ciudad griega de Corinto según otras opiniones.
- **Destinatario:** Las iglesia del sur de Galacia, fundadas por el apóstol en su primer viaje misionero, alrededor de los años 45-48 d.C.
- **Personajes:** El apóstol Pablo, los creyentes de las iglesia de la provincia de Galacia, y los judaizantes (falsos hermanos).

BOSQUEJO DEL ESTUDIO

I. La obra de Cristo a favor de los creyentes (Gálatas 3:13,14)
   A. Los redimió de la maldición de la ley (3:13)
   B. Les concedió el Espíritu Santo (3:14)
II. El pacto de Dios con Abraham (Gálatas 3:15-17)
   A. No puede ser invalidado (3:15,16)
   B. El pacto señalaba a Cristo (3:17)
III. La ley y la promesa con funciones distintas (Gálatas 3:18-20)
   A. Dios le dio a Abraham una promesa no una ley (3:18)
   B. El propósito de la ley (3:19,20)

Pablo en su segundo viaje misionero, partiendo desde Antioquía de Siria visitó las iglesias en la región de Galacia.

LECTURAS DEVOCIONALES DIARIAS

Lunes: El llamamiento de Abraham (Génesis 12:1-9).
Martes: El pacto de Dios con Abraham (Génesis 15).
Miércoles: La reafirmación del pacto de Dios con Abraham (Génesis 17).
Jueves: Dios prueba a Abraham (Génesis 22:1-19).
Viernes: Abraham fue justificado por la fe (Romanos 4).
Sábado: Resultados de la justificación por la fe (Romanos 5).

INTRODUCCIÓN

El apóstol continúa su defensa del Evangelio, pero ahora en un tono más moderado. De su forma severa con que inicia el capítulo tres pasa a un tono más suave, usando más la forma didáctica que la exhortativa. En el v.14 empieza explicando el significado de la muerte de Cristo en la cruz de acuerdo a lo que enseñaba el Antiguo Testamento. Pero, esa muerte denigrante tenía un valor muy particular para los gentiles. Otro punto de sumo valor en la vida cristiana que ha empezado a tratar el apóstol en el capítulo 3, es el don del Espíritu Santo. Lo ha hecho en 3:2, 3,5, y ahora lo hace en el v.14. La referencia al Espíritu Santo es fundamental para el apóstol por las diferentes funciones que desempeña en la salvación, la vida cristiana y el ministerio de la Iglesia. Intentar asociar las funciones del Espíritu Santo con la obediencia a la ley mosaica, para el apóstol sería una interpretación desastrosa de lo que es el plan de redención. A continuación, el apóstol pasa a explicar de qué manera la promesa de Dios hecha a Abraham beneficia no solamente a los judíos sino de una manera particular a los gentiles. Todo lo que el apóstol sostiene posee un valor permanente porque es parte de un pacto que Dios hizo con Abraham, y si los pactos terrenales son irrevocables cuánto más un pacto hecho por Dios. De manera que en la argumentación del apóstol está de por medio la integridad y veracidad de Dios. Indudablemente, que tanto los gálatas como los maestros judaizantes que se habían infiltrado en las iglesias tenían un concepto equivocado del propósito de la ley, y por eso, el apóstol pasa a aclarar cuál fue su finalidad.

DESARROLLO DEL ESTUDIO

I. LA OBRA DE CRISTO A FAVOR DE LOS CREYENTES (GÁLATAS 3:13,14)

Ideas para el maestro o líder
Inicie la clase con una oración al Señor, y a continuación pida a uno de los participantes que lea en voz alta Gálatas 3:13,14.

Definiciones y etimología

* *"Redimió"*. Es la traducción del griego ἐξαγοράζω (pronúnciese, *exagorazo*). La etimología se forma del prefijo εξ (pronúnciese, *ex*, que significa "fuera", y el sustantivo ἀγόρα (pronúnciese, *agora*, "mercado"). Por lo tanto, etimológicamente, viene siendo: "Yo compro en el mercado y saco del mercado lo que compré".

A. Los redimió de la maldición de la ley (3:13)

"Cristo nos *redimió*...". El verbo "redimir" ("redimió"), significa literalmente "comprar de nuevo", "comprar de nuevo lo que era de uno". Equivaldría en nuestros días a ir a una casa de empeño y comprar de nuevo lo que uno empeñó. Teológicamente posee una idea muy especial: Los creyentes estaban en esclavitud; Dios los compró pagando como precio por ellos la vida de Su Hijo; ahora son propiedad exclusiva suya, habiéndolos sacado del sitio donde se encontraban. Esta idea coincide con lo que dice el apóstol Pedro: "Sabiendo que fuisteis *rescatados* de vuestra vana manera de vivir, la cual recibisteis de vuestros padres, no con cosas corruptibles, como oro o plata, sino con *la sangre preciosa de Cristo*, como de un cordero sin mancha y sin contaminación" (1 Pedro 1:18,19); "Mas vosotros sois linaje escogido, real sacerdocio, nación santa, *pueblo adquirido por Dios*..." (1 Pedro 2:9). El apóstol Pablo también escribió de esta adquisición divina en 1 Corintios 6:9: "Porque habéis sido *comprados* por precio; glorificad, pues, a Dios en vuestro cuerpo y en vuestro espíritu, los cuales son de Dios".

"... de la maldición de la ley hecho por nosotros maldición (porque está escrito: Maldito todo el que es colgado en un madero" (v.13). El apóstol cita Deuteronomio 21:23: "No dejaréis que su cuerpo pase la noche sobre el madero...porque maldito por Dios es el colgado...". El versículo anterior dice: "Si alguno hubiere cometido algún crimen de muerte, y lo hiciereis morir, y lo colgareis de un madero". En el caso de nuestro Señor Jesucristo, no cometió ningún crimen, pero asumió todos nuestros pecados haciéndose responsable de ellos a fin de que nosotros fuéramos declarados justos: "Al que no conoció pecado, por nosotros lo hizo pecado, para que nosotros fuésemos hechos justicia de Dios en él" (2 Corintios 5:21). Esta gloriosa verdad evangélica fue predicha por el profeta Isaías, cuando escribió:

> "Ciertamente llevó él nuestras enfermedades, y sufrió nuestros dolores; y nosotros le tuvimos por azotado, por herido de Dios y abatido. Mas él herido fue por nuestras rebeliones, molido por nuestros pecados: el castigo de nuestra paz fue sobre él, y por su llaga fuimos nosotros curados. Todos nosotros nos descarriamos como ovejas, cada cual se apartó por su camino; mas Jehová cargó en él el pecado de todos nosotros" (Isaías 53:4-6).

B. Les concedió el Espíritu Santo (3:14)

"Para que en Cristo Jesús la bendición de Abraham alcanzase a los gentiles, a fin de que por la fe recibiésemos la promesa del Espíritu" (v.14). Antes de entrar en la explicación del v.14, conviene añadir algo que es muy importante para tener claro el v.13. En el sistema mosaico había una importantísima fiesta anual llamada El Día de la Expiación. Entre otras cosas, había un ritual en que se tomaban dos machos cabríos: uno era sacrificado, y el otro era dejado con vida, llevado al desierto para que allí se perdiera, pero antes de que lo llevaran al desierto, sucedía lo siguiente:

> "Y pondrá Aarón sus dos manos sobre la cabeza del macho cabrío vivo, y confesará sobre él todas las iniquidades de los hijos de Israel, todas sus rebeliones y todos sus pecados poniéndolos así sobre la cabeza del macho cabrío, y lo enviará al desierto por mano de un hombre destinado para esto. Y aquel macho cabrío llevará sobre sí todas las iniquidades de ellos a tierra inhabitada; y dejará ir al macho cabrío por el desierto" (Levítico 16:21,22).

Ambos machos cabríos simbolizaban el sacrificio de Cristo: *Uno* era sacrificado derramando así su sangre para que el pueblo recibiese la limpieza de sus pecados; sobre el *otro*, el sumo sacerdote imponía sus manos traspasando los pecados del pueblo sobre él, y era llevado al desierto para que allí se perdiese. ¿Dónde se perdía este macho cabrío? En la soledad del desierto: aquel animal se perdía juntamente con su vicaria carga. Cristo cargó nuestros pecados, fue sacrificado por ellos, y estos se han perdido en el olvido de la gracia de Dios.

Volviendo a nuestro v.14, "en Cristo Jesús la bendición de Abraham alcanza a los gentiles" de dos maneras. *Primera,* porque Dios le prometió: "Y serán benditas en ti todas las familias de la tierra" (Génesis 12:3), y esta promesa debe ir íntimamente ligada con el pasaje de Génesis 15:5,6: "Mira ahora los cielos, y cuenta las estrellas, si las puedes contar. Y le dijo: Así será tu descendencia. Y creyó a Jehová, y le fue tomado por justicia". Esta enorme descendencia se refiere no tanto al pueblo judío, sino a todos los creyentes que han de integrar la Iglesia, y que son hijos espirituales de Abraham por poseer la misma fe que él tuvo. *Segunda,* porque la simiente de Abraham, Cristo, es el Salvador de los creyentes.

"...a fin de que por la fe (la misma de Abraham) recibiésemos la promesa del Espíritu" (v.14). Gracias a la fe de Abraham, de su descendencia vendría el dispensador (Cristo) del Espíritu Santo, que nos convierte en hijos de Dios y nos da acceso a su divina presencia: "Así que, exaltado por la diestra de Dios, y habiendo recibido del Padre la promesa del Espíritu Santo, ha derramado esto que vosotros veis y oís" (Hechos 2:33). ¡Nada de esto podía hacer cumplir la ley mosaica: por lo tanto, los maestros judaizantes estaban seriamente equivocados!

Afianzamiento y aplicación

(1) Explique lo que, según este estudio, significa "redimir".
(2) ¿Qué símbolos había en los dos machos cabríos usados en el Día de la Expiación?
(3) Explique en qué maneras serían benditas todas las familias de la tierra, según la promesa de Dios a Abraham.

II. EL PACTO DE DIOS CON ABRAHAM (GÁLATAS 3:15-17)

Ideas para el maestro o líder

Invitar a los estudiantes a leer Gálatas 3:15-17, seleccionar a uno de estos para que realice dicha lectura en voz alta.

Definiciones y etimología

* *"Pacto"*. Es la traducción del griego διαθήκη (pronúnciese, *diatheikei*). En la Septuaginta (versión griega del Antiguo Testamento) ocurre unas trescientas veinte veces, aproximadamente; en el Nuevo Testamento, treinta y tres. De estas treinta y tres veces, únicamente dos, debe traducirse "testamento"; en las otras, la traducción debe ser "pacto".

A. No puede ser invalidado (3:15,16)

"Hermanos, hablo en términos humanos: Un *pacto*, aunque sea de hombre, una vez ratificado, nadie lo invalida, ni le añade" (v.15). Por la manera en que el apóstol empieza el v.15 nos damos cuenta que se encuentra más calmado: "Hermanos...". ¡Qué distinto al término "insensatos" con que empieza el capítulo 3! La situación que existía en las iglesias de Galacia lo hacía llamarlos "insensatos"; pero el profundizarse en los misterios del Evangelio lo hacía llenarse de calma. Y es así como, aquellos sus hijos en el Evangelio, que eran insensatos al permitir que los judaizantes los engañaran, no dejaban de ser sus hermanos en la fe. Aquí notamos que el amor superó su celo un tanto apasionado. Después de todo, amor sin celo no puede ser amor: quien no tiene celo, no le importan las cosas. El apóstol continúa, diciendo: "...hablo en términos humanos". En estas palabras hay una verdad disimulada, y es: "Os tengo que hablar en términos humanos porque si os hablo en términos espirituales no me van a entender". Estas palabras nos recuerdan lo que el apóstol escribió a los corintios: "De manera que yo, hermanos, no pude hablaros como a espirituales, sino como a carnales, como a niños en Cristo" (1 Corintios 3:1). Ya antes, el apóstol les había dicho a los mismos corintios: "Pero el hombre natural no percibe las cosas que son del Espíritu de Dios, porque para él son locura, y no las puede entender, porque se han de discernir espiritualmente" (1 Corintios 2:14).

"Un *pacto,* aunque sea de hombre, una vez ratificado, nadie lo invalida, ni le añade". Ahora, si este es el caso de un pacto hecho por hombres, ¡cuánto más en el caso del pacto que Dios hizo con Abraham y su simiente! La ley que vino cuatrocientos treinta años después no lo invalida, ni le añade, ni lo puede alterar en lo más mínimo. Y el pacto de Dios con Abraham estipulaba que en su simiente, Cristo, recibirían la bendición (salvación) los que ejercieran la fe de Abraham. Ahora, consideremos una característica de este pacto: Dios lo llama "*mi* pacto": "Y pondré *mi* pacto entre Yo y tú..." (Génesis 17:2. Nota: La traducción, "Y pondré mi pacto entre mí y ti", como tiene RV1960, es un arcaísmo). ¿Por qué era el pacto de Dios si era un convenio entre dos? Porque el contenido de dicho pacto lo estipuló Dios, y Él era el protagonista principal del mismo, porque: "Dios no es hombre, para que mienta, ni hijo de hombre para que se arrepienta. Él dijo, ¿y no hará? Habló, ¿y no ejecutará?" (Números 23:19). Y aquí entra uno de los textos más impresionantes de toda la Biblia, que tiene que ver, precisamente con la promesa que Dios le hizo a Abraham: "Porque cuando Dios le hizo la promesa a Abraham, no pudiendo jurar por otro mayor, juró por sí mismo, diciendo: De cierto te bendeciré con abundancia, y te multiplicaré grandemente" (Hebreos 6:13). ¡Cuán fiel es Dios!

B. El pacto señalaba a Cristo (3:17)

"Esto, pues digo: Que el *pacto* previamente ratificado por Dios para con Cristo, la ley, que vino cuatrocientos treinta años después, no lo abroga, para invalidar la promesa" (v.17). En el Antiguo Testamento, el uso principal de la palabra *"pacto"* es, 1) en referencia al pacto que Dios hizo con Abraham: "En aquel día hizo Jehová un *pacto* con Abram, diciendo: A tu descendencia daré esta tierra, desde el río de Egipto hasta el río grande (Éufrates), y 2) al pacto concertado en el monte Sinaí: "Y tomó (Moisés) el libro del *pacto* y lo leyó a oídos del pueblo, el cual dijo: Haremos todas las cosas que Jehová ha dicho, y obedeceremos. Entonces Moisés tomó la sangre y roció sobre el pueblo, y dijo: He aquí la sangre del *pacto* que Jehová ha hecho con vosotros sobre todas estas cosas" (Éxodo 24:7,8).

Estos dos pactos no deben confundirse, ya que el primero se cumplió en la persona de Cristo y la formación de la Iglesia, y el segundo, el de la ley, aplicaba al pueblo de Israel y caducó con la venida de Cristo. Pero, ya en el Nuevo Testamento surge otro pacto que se conoce con varios adjetivos, ellos son: 1) *Nuevo:* "Esta copa es el *nuevo* pacto en mi sangre, que por vosotros se derrama" (Lucas 22:20; 1 Corintios 11:25; 2 Corintios 3:6; Hebreos 8:8; 9:15; 12:24); 2) *Mejor*: "Por tanto, Jesús es hecho fiador de un *mejor* pacto" (Hebreos 7:22; 8:6); 3) *Eterno*: "Y el Dios de paz que resucitó de los muertos a nuestro Señor Jesucristo, el gran pastor de las ovejas, por la sangre del pacto *eterno*..." (Hebreos 13:20).

Nótense los calificativos del pacto bajo la gracia: *Nuevo, mejor y eterno. Nuevo*, porque sustituye el pacto hecho en el Sinaí: "Al decir: *Nuevo* pacto, ha dado por *viejo* al primero; y lo que se da por viejo y se envejece, está próximo a desaparecer" (Hebreos 8:13); *Mejor*: Por varias razones: 1) el mediador es Cristo, no Moisés; 2) está basado en la sangre de Cristo, no en la de animales; 3) porque las leyes están puestas en el corazón (Hebreos 8:10) del pueblo de Dios, y, como ya se indicó: es eterno. Es evidente, entonces, que los judaizantes que se habían infiltrado en las iglesias de Galacia, no tenían una idea remota de lo que es el Evangelio de Jesucristo.

Afianzamiento y aplicación

(1) ¿Cuáles son las características de un pacto?

(2) ¿Por qué se refirió Dios al pacto entre Él y Abraham como "mi pacto"?

(3) ¿Cuáles son las características del pacto bajo la gracia?

III. LA LEY Y LA PROMESA CON FUNCIONES DISTINTAS (GÁLATAS 3:18-20)

Ideas para el maestro o líder

Realizar en voz alta la lectura de Gálatas 3:18-25

Definiciones y etimología

* *"La herencia".* Es algo otorgado por la libre gracia de Dios y no algo por lo cual se trabaja.

* *"Si... es por la ley, ya no es por la promesa".* Pablo recalca que no existe un punto medio entre la ley (obras) y la promesa (gracia). Los dos principios son caminos de salvación que se excluyen entre sí.

A. Dios le dio a Abraham una promesa, no una ley (3:18)

"Porque si la herencia es por la ley, ya no es por la promesa; pero Dios la concedió a Abraham mediante la promesa" (v.18). Es evidente que tanto las iglesias de Galacia como los mismos judaizantes ignoraban aspectos fundamentales del Evangelio. El apóstol, al apreciar esta ignorancia, aprovecha la oportunidad para elaborar de una manera más detallada y profunda en áreas que son fundamentales a la fe cristiana. Estas áreas las debían de conocer bien los creyentes a los cuales dirige su carta, pero también los creyentes contemporáneos. Trataremos de explicar por partes la argumentación del apóstol: *Primero*: La herencia de la cual habla el apóstol 1) fue parte de un pacto que Dios hizo con Abraham por pura gracia y no condicionado a méritos personales; 2) Tenía que ver con el advenimiento de un Salvador que redimiría a aquellos que creyesen en El: el único requisito de la salvación sería, entonces, confiar en la generosidad de Dios; 3) Consistiría en la formación de un pueblo diferente a los pueblos de la tierra porque sería un pueblo cuyas características principales serían espirituales y no étnicas. *Segundo*: La ley no existía para que se pensase que todo lo que Dios le prometió a Abraham estaba supeditado a la obediencia de la ley. Y aquí hay una verdad importantísima de la fe bíblica: En el tiempo de Abraham no había ley, de manera que la vida espiritual de Abraham no estaba condicionada a la observancia de leyes: Consistía en una relación íntima entre Dios y él. Esta relación la originó Dios cuando se le apareció en Ur de los caldeos, y que Abraham la mantuvo viva durante toda su vida. Esto nos lleva a Romanos 6-8 donde se nos explica que la vida cristiana consiste en una relación íntima con Dios; una relación que elimina lo que es contrario al carácter de Dios, que hace que uno muera al yo, al pecado y a los valores del mundo, y que le abre gustoso la puerta del corazón a Dios para que haga de la vida del creyente un santuario suyo. Si un cristiano se dedica a hacer buenas obras, a evitar aquellas que son pecaminosas, y descuida su comunión con Dios, entonces, lo que posee es legalismo pero no cristianismo. Un hombre puede ser abstemio, fiel a su esposa, carente de vicios y honesto en sus negocios, y no ser cristiano. Es una persona moralista, pero no espiritual. Una dama puede vestir extremadamente decente: tener cabello largo, no usar joyas, no usar maquillaje y vestir ropas holgadas con mangas largas. También será una persona modesta, pero sin Cristo en el corazón. Lo importante es que cuando Dios toca a la puerta de nuestra vida, se la abramos para que entre y mantengamos una comunión estrecha con Él.

B. El propósito de la ley (3:19,20)

"Entonces, ¿para que sirve la ley? Fue añadida a causa de las transgresiones, hasta que viniese la simiente a quien fue hecha la promesa; y fue ordenada por medio de ángeles en mano de un mediador" (v.19). Pablo se anticipa a lo probablemente los judaizantes desearían preguntarle a Pablo: "Entonces, ¿para qué sirve la ley?" El apóstol se apresura a dar la respuesta: "Fue añadida a causa de las transgresiones". La idea es que si no hubiera ley, tampoco habría transgresiones (Romanos 4:15; 5:13), y los hombres podrían excusarse delante de Dios diciendo que no sabían que el mal existe. De manera que por medio de la ley viene el conocimiento de pecado: "...porque por medio de la ley es el conocimiento del pecado" (Romanos 3:20). La ley no salva, pero acusa, señalándole al hombre sus pecados: "¿Qué diremos, pues? ¿La ley es pecado? En ninguna manera. Pero yo no conocí el pecado sino por la ley; porque tampoco conociera la codicia, si la ley no dijera: No codiciarás" (Romanos 7:7). Por otro lado, la ley venía siendo un dique para detener la maldad; una bandera roja para señalar los peligros del mal. Esto era importante porque ningún pueblo civilizado ha existido dentro del libertinaje de la anarquía. Las leyes son para señalarle a la sociedad el camino del bienestar común, pero una vez que son violadas causan conciencia de desobediencia y se deben pagar las consecuencias. En el caso natural, las consecuencias del mal las paga el delincuente, sea con dinero o con encarcelamiento; en el caso espiritual, el que asumió la deuda de la humanidad fue Cristo.

"...hasta que viniese la simiente a quien fue hecha la promesa...". De manera que la ley tuvo vigencia hasta que Cristo llegó, cumplió universalmente con los requerimientos de la ley, satisfizo la justicia divina, y, a los que creen en El los declara justos en lugar de pecadores. Uno de los temas del apóstol en su carta a los romanos es para señalar que "el fin de la ley es Cristo, para justicia a todo aquel que cree" (Romanos 10:4).

"...y fue ordenada por medio de ángeles en mano de un mediador". La primera mención de los ángeles en conexión con entrega de la ley se encuentra en Deuteronomio 33:2: "Jehová vino de Sinaí, y de Seir les esclareció; resplandeció desde el monte de Parán, y vino de entre diez millares de santos, con la ley de fuego a su mano derecha". En el Nuevo Testamento encontramos dicha referencia en Hechos 7:53: "Vosotros que recibisteis la ley por disposición de ángeles, y no la guardasteis". (Véase Hechos 7:35,38). ¿Cuál es nuestra conclusión, entonces? La ley fungió como un fiscal que acusa, que condena; la gracia fue el medio en que la deuda se canceló, y el juez, Dios, es quien declara: "Eres justo".

Afianzamiento y aplicación

(1) Explique por qué la ley no salva.
(2) Explique por qué la moralidad tampoco salva.
(3) Describa a una persona verdaderamente espiritual.

RESUMEN GENERAL

Nuestro estudio empezó en Gálatas 3:13 donde el apóstol habla del acto redentor de Cristo Jesús al haberse ofrecido voluntariamente para morir por la humanidad. Lo dramático de la muerte de Cristo es que fue en una cruz, y la ley declaraba que cualquiera que muriese en una cruz era maldito de Dios. Con su muerte vicaria, esto es, en sustitución por toda la humanidad, asumió la culpabilidad de todos, haciendo posible así que la bendición prometida a los descendientes espirituales de Abraham pudiese ser recibida. La bendición incluye no solamente el perdón de los pecados y por ende la reconciliación con Dios, sino además, ser convertidos en templo de Dios donde mora el Espíritu Santo. Si en el Antiguo Pacto, Dios residía en el Lugar Santísimo, ahora reside en aquellos que se benefician con la muerte de Cristo. La salvación que Dios ofreció a Abraham y sus descendientes espirituales, era irrevocable por ser una promesa de Dios, de tal manera que al venir la ley, cuatrocientos treinta años después, no podía cambiar exigiendo que se cumpliese para poder ser salvos. La ley sirvió para formar conciencia de pecado, pero no para salvar. Una vez que llegó Cristo, la función de la ley ha caducado. Por lo tanto, los judaizantes no podían revivir lo que había muerto. Distinto a la ley, la promesa de Dios a Abraham de que de su descendencia surgiría un Salvador, se hizo efectiva, porque Cristo justifica y otorga el Espíritu Santo. Pero, ¿significa todo esto que ya no hay leyes ni mandamientos que el creyente debe de acatar? ¡No! La ley moral de Dios ya no se encuentra en tablas de piedra sino en el corazón de Sus Hijos, y ellos cumplen con estos mandamientos no con el fin de alcanzar méritos delante de Dios ni para ser salvos, sino por que son salvos. Quien tiene el Espíritu Santo, del cual Pablo habla en Gálatas 3:14, manifiesta espontáneamente el fruto de dicho Espíritu (Gálatas 5:22-24); no lo hace el creyente porque tiene la obligación de guardar un código legal, sino porque las características de Dios se expresan en él con toda naturalidad. El creyente no hace cosas buenas para ser espiritual, sino porque es espiritual hace cosas buenas; no se bautiza para ser salvo, sino porque es salvo; no toma la Cena del Señor para ser más espiritual, sino porque es espiritual. ¡Así es!

Ejercicio de clausura

Repitan todos de memoria el Texto áureo y culminen el estudio con una oración al Señor.

PREGUNTAS Y RESPUESTAS

1. A qué equivaldría la acción de "redimir" con un ejemplo actual y ¿Cómo aplica bíblicamente al pecador?

Equivaldría en nuestros días a ir a una casa de empeño y comprar de nuevo lo que uno empeñó. Bíblicamente, los pecadores estaban en esclavitud y Dios los compró pagando como precio por ellos la vida de Su Hijo.

2. ¿Qué significa la expresión: Maldito todo el que es colgado de un madero?

Que solo los criminales eran crucificados, pero Jesús, que no cometió ningún crimen, asumió todos nuestros pecados haciéndose maldición por nosotros al morir en la cruz.

3. ¿Por qué serían benditas en la descendencia de Abraham todas las familias de la tierra?

Porque la simiente de Abraham es Cristo, y Él es Salvador de los creyentes.

4. ¿Cuál era la diferencia fundamental entre el pacto concertado con Abraham y el pacto de la ley con el pueblo?

El pacto con Abraham era incondicional, él solo tenía que creerle a Dios; el pacto con el pueblo, era con la condición de que ellos cumplirían cada exigencia de la ley.

5. ¿Cuál es el propósito de la ley?

La ley sirvió para formar conciencia de pecado, pero no para salvar. Una vez que llegó Cristo, la función de la ley ha caducado.

PARA LA PRÓXIMA SEMANA

La próxima semana estudiaremos: "La superioridad de la fe sobre la ley", basada en Gálatas 3:21-29. Le recomendamos que analice detenidamente el tema. Utilice comentarios, diccionarios y concordancias bíblicas.

LA SUPERIORIDAD DE LA FE SOBRE LA LEY

ESTUDIO BÍBLICO 7

Base bíblica
Gálatas 3:21-29

Objetivos
Al finalizar este estudio los participantes estarán capacitados para:

1. Comprender bien el pasaje estudiado.
2. Demostrar su interés por conocer bien lo que es la justificación por la fe.
3. Honrar siempre a Dios como lo hizo Abraham.

Pensamiento central
Por medio de la fe que Dios concede uno viene a ser salvo, hijo de Dios y heredero de Sus bendiciones sin necesidad de méritos personales.

Texto áureo
De manera que la ley ha sido nuestro ayo, para llevarnos a Cristo, a fin de que fuésemos justificados por la fe (Gálatas 3:24).

Fecha sugerida:___/____/____

LECTURA ANTIFONAL

Gálatas 3:21 ¿Luego la ley es contraria a las promesas? En ninguna manera; porque si la ley dada pudiera vivificar, la justicia fuera verdaderamente por la ley.
22 Mas la Escritura lo encerró todo bajo pecado, para que la promesa que es por la fe en Jesucristo fuese dada a los creyentes.
23 Pero antes que viniese la fe, estábamos confinados bajo la ley, encerrados para aquella fe que iba a ser revelada.
24 De manera que la ley ha sido nuestro ayo, para llevarnos a Cristo, a fin de que fuésemos justificados por la fe.
25 Pero venida la fe, ya no estamos bajo ayo,
26 pues todos sois hijos de Dios por la fe en Cristo Jesús;
27 porque todos los que habéis sido bautizados en Cristo, de Cristo estáis revestidos.
28 Ya no hay judío ni griego; no hay esclavo ni libre; no hay varón ni mujer; porque todos vosotros sois uno en Cristo Jesús.
29 Y si vosotros sois de Cristo, ciertamente linaje de Abraham sois, y herederos según la promesa.

DATOS GENERALES ACERCA DEL TEMA

- **Enseñanza:** La ley revela la pecaminosidad del hombre y su necesidad de salvación. Dios la ofrece en forma gratuita en Cristo.
- **Autor:** La carta a los Gálatas fue escrita por el apóstol Pablo.
- **Fecha:** Alrededor de los años 55-57 d.C.
- **Lugar:** Probablemente en Éfeso, en la costa occidental de Asia, o en la ciudad griega de Corinto según otras opiniones.
- **Destinatario:** Las iglesia al sur de la provincia romana de Galacia.
- **Personajes:** El apóstol Pablo, los creyentes de las iglesia de la provincia de Galacia, y los judaizantes (falsos hermanos).

BOSQUEJO DEL ESTUDIO

I. La fe trae libertad (Gálatas 3:21-23)
   A. La ley preparó el camino para la gracia (3:21)
   B. La gracia trae liberación (3:22,23)
II. La ley nos condujo a Cristo (Gálatas 3:24,25)
   A. Para que fuésemos salvos por la fe (3:24)
   B. El cambio que produce la fe (3:25)
III. La unidad que se encuentra en Cristo (Gálatas 3:26-29)
   A. Todos tenemos la misma experiencia salvadora (3:26)
   B. Todos somos iguales (3:27-29)

Pablo vuelve a visitar las iglesias de Galacia en su tercer viaje misionero usando la ruta principal de Éfeso.

LECTURAS DEVOCIONALES DIARIAS

Lunes: Cristo es liberador (Lucas 4:14-21).
Martes: Cristo cargó el pecado de todos nosotros (Isaías 53).
Miércoles: Razones por las cuales bendecir a Dios (Salmo 103).
Jueves: El creyente está muerto al pecado (Romanos 6).
Viernes: El creyente vive en el Espíritu (Romanos 8).
Sábado: El creyente recibe dones del Espíritu (1 Corintios 12).

INTRODUCCIÓN

El apóstol Pablo sigue explicando lo que es la justificación por la fe y no por las obras de la ley. Para él, este tema era tan importante que dedicó dos de sus epístolas para explicarlo detalladamente: Gálatas y Romanos. De ahí que la Iglesia, desde los días del apóstol hasta hoy, le deba tanto. Gracias a esta gloriosa explicación es que la Iglesia puede proclamar, sin ninguna duda, que la salvación es un acto gratuito de Dios que se recibe por medio de la fe que Él mismo provee, y que el beneficiado no tiene que aportar nada meritorio. Alguien ha dicho que lo único que tiene que aportar el converso para ser salvo, es sus pecados; otros lo han ilustrado diciendo, que la otra aportación que tiene que hacer el pecador, es extender su mano, como lo hace un limosnero, para recibir lo que se le está dando de gracia. Lamentablemente, todavía en nuestros días, donde no se conoce el tema de la justificación por la fe, la gente piensa que tiene que hacer obras que le ameriten la salvación. Principalmente durante los días de lo que se conoce como la Semana Santa, miles de personas hacen peregrinaciones, penitencias, promesas, flagelaciones, dan dinero, hacen largas oraciones y responsos (oración por los muertos). Durante cuaresma se abstienen de ciertos alimentos, sitios y prácticas, pensando que así entran en mejores términos con Dios. Algo similar fue lo que los judaizantes enseñaban en las iglesias de Galacia, y que indignó severamente al apóstol. Nada de lo que ellos enseñaban coincidía con el Evangelio, ya que este consiste exclusivamente en creer que Cristo es el Hijo de Dios, que murió por los pecados de la humanidad, y hay que reconocerlo como Salvador y Señor.

DESARROLLO DEL ESTUDIO

I. LA FE TRAE LIBERTAD (GÁLATAS 3:21-23)

Ideas para el maestro o líder

Invitar a uno de los alumnos a realizar la lectura en voz alta Gálatas 3:21-23.

Definiciones y etimología

* *"Lo encerró todo bajo pecado"*. El verbo griego que se traduce "encerró", significa "con-

finar por todos lados". Pablo presenta a la humanidad atrapada sin salida en el pecado, como un montón de peces atrapados en una red.

A. La ley preparó el camino para la gracia (3:21)

"¿Luego la ley es contraria a las promesas de Dios? En ninguna manera; porque si la ley dada pudiera vivificar, la justicia fuera verdaderamente por la ley" (v.21). Aquí, el apóstol está anticipando lo que podría ser una pregunta preocupante de parte de los judaizantes y de los mismos gálatas que habían sido confundidos por los falsos maestros. Después de todo lo argumentado por el apóstol, probablemente alguien se haría la pregunta: "¿Entonces Dios dio dos cosas que luchan entre sí para ver cuál de las dos subsiste?" "¿Será que Dios proveyó dos alternativas que se pueden desplazar mutuamente, triunfando una de ellas al final?" o "¿Será que hay dos realidades igual de importantes y el hombre tiene la oportunidad de optar por una de ellas?" "¡En ninguna manera!", es la respuesta del apóstol. Ambas son partes del plan de Dios, pero con funciones diferentes. Pero, era imperativo para el apóstol hacer una aclaración: las funciones de la ley y las de las promesas son diferentes, por lo tanto no se pueden intercambiar. ¿Por qué esta salvedad? Porque alguien pudiera pensar que tanto por las promesas como por la ley se puede alcanzar la salvación, y sería nada más asunto de escoger el medio. Si la ley puede vivificar, esto es, dar vida espiritual, vida eterna, entonces las promesas dadas por Dios a Abraham se hacen innecesarias; ¿para qué ofrecerle al hombre dos medios diferentes de salvación? Alguien diría que la respuesta que el apóstol da no coincide con la pregunta. Pero, la pregunta contiene varias ideas en el texto griego, siendo una de ellas: "¿Entonces, la ley difiere ampliamente de las promesas? Y si difiere, ¿esta diferencia implica antagonismo?" Esto es: "¿Hay antagonismo porque la ley puede hacer lo que hacen las promesas?" "¿Pretende la ley hacer lo mismo que hacen las promesas?". La respuesta obvia del apóstol es, ¡No! Sin tener la más mínima intención de ser contenciosos debemos señalar que la declaración del apóstol es importantísima en nuestros días porque en muchas denominaciones cristianas, en libros, y en afirmaciones de prominentes predicadores y catedráticos de teología se enseña que la salvación se puede encontrar en cualquier religión del mundo; que hay muchos caminos para llegar al cielo, y que Cristo es, "simplemente el mejor de todos ellos". Esto no es lo que enseña la Biblia, ya que ella dice: "Y en ningún otro hay salvación; porque no hay otro nombre bajo el cielo, dado a los hombres, en que podamos ser salvos" (Hechos 4:12); "Porque hay un solo Dios, y un solo mediador entre Dios y los hombres, Jesucristo hombre" (1 Timoteo 2:5); "Por lo cual puede también salvar perpetuamente a los que por él se acercan a Dios, viviendo siempre para interceder por ellos" (Hebreos 7:25). ¡Sólo Cristo salva!

B. La gracia trae liberación (3:22,23)

"Mas la Escritura lo encerró todo bajo pecado, para que la promesa que es por la fe en Jesucristo fuese dada a los creyentes (v.22). El apóstol utiliza una figura de dicción conocida como prosopopeya o personificación: "Mas la *Escritura* lo encerró todo...". El que encerró todo fue Dios por medio de las Sagradas Escrituras. Nótese cómo se refiere el apóstol a los escritos de lo que ahora llamamos Antiguo Testamento: "La Escritura". Esta es una manera de afirmar la procedencia divina de dichos escritos. Esto es fundamental en la argumentación del apóstol ya que los judaizantes no negarían ni contradecirían la inspiración divina del Antiguo Testamento. La firme convicción del apóstol de que los documentos del Antiguo Pacto fueron inspirados por el Espíritu Santo, y por lo tanto, infalibles, la afirmó en varias partes de sus escritos, por ejemplo: "Toda la Escritura es inspirada por Dios, y útil para enseñar, para redargüir, para corregir, para instruir en justicia" (2 Timoteo 3:16), y se refirió a ellas como "sagradas": "Y que desde la niñez has sabido las Sagradas Escrituras, las cuales te pueden hacer sabio para la salvación por la fe que es en Cristo Jesús" (2 Timoteo 3:15; ver también Romanos 1:2). Ahora, al decir que "la Escritura lo encerró todo bajo pecado", es muy probable que sea una cita de Deuteronomio 27:26: "Maldito el que no confirmare las palabras de esta ley para hacerlas. Y dirá todo el pueblo: Amén". En Romanos 11:32 el apóstol expresa la misma idea de Gálatas 3:22: "Porque Dios sujetó a todos en desobediencia, para tener misericordia de todos". Por lo tanto, en el caso que ocurría en las iglesias de Galacia, tanto los gentiles como los judaizantes se encontraban en la misma condición: Eran acusados por la ley como pecadores y necesitaban recurrir a Cristo para ser perdonados de dicha acusación. Lo ilustraremos con un caso verídico: En una ocasión el evangelista Billy Graham se dirigía en coche a una de sus cruzadas. Como se le hacía tarde se excedió en el límite de velocidad. Lo detuvo un patrullero que lo llevó ante el juez. El juez, que conocía al evangelista, le dijo: "Usted violó la ley; yo lo declaro culpable, la multa es tanto, pero yo la voy a pagar: se puede retirar a su cruzada". ¡Dios nos declara pecadores con Su ley, pero nos absuelve con Su gracia!

Afianzamiento y aplicación

(1) Cite de memoria Hechos 4:12.
(2) Cite de memoria 1 Timoteo 2:5.
(3) Cite de memoria Hebreos 7:25.

II. LA LEY NOS CONDUJO A CRISTO (GÁLATAS 3:24,25)

Ideas para el maestro o líder

Uno de los participantes realizara la lectura en voz alta de Gálatas 3:24-26.

Definiciones y etimología

* *"Ayo"*. Es la traducción del griego παιδαγωγός (pronúnciese, *paidagogós*). Denota a un esclavo cuyo deber era cuidar a un niño hasta que llegara a la edad adulta. El ayo o "tutor", le acompañaba siempre y vigilaba su conducta. Muchos anhelaban el día en que serían libres de esa custodia permanente.

A. Para que fuésemos salvos por la fe (3:24)

"De manera que ley ha sido nuestro ayo...". "Ayo" viene siendo: "La persona encargada en las casas principales de custodiar niños o jóvenes y de cuidar de su crianza y educación". Es la traducción del griego παιδαγωγός (pronúnciese, *paidagogós*). La palabra castellana "pedagogo" proviene, precisamente, de esta palabra griega. El diccionario define pedagogo como, "Persona que tiene como profesión educar a los niños. En casa principales, persona que educa e instruye niños. Persona que anda siempre con otra, y la lleva a donde quiere o le dice lo que ha de hacer". Entre los griegos un "pedagogo" era generalmente 1) un esclavo, pero un esclavo superior, a quien sus señores encomendaban, 2) el cuidado del niño hasta que fuera ya mayor, y 3) darle la educación correspondiente. Para el apóstol Pablo esa fue la función de la ley. En primer lugar, la ley era como un esclavo que trabajaba para su señor. El esclavo no se encontraba en el mismo nivel social que su señor: era propiedad de él. En esto el apóstol transmite una verdad que posiblemente los gálatas y los judaizantes no captaron, y es: la ley es inferior a Cristo, así como el esclavo pedagogo era inferior a su señor. Querer igualar a Cristo con la ley en el sentido de que en ambos se encuentra la salvación, equivaldría a hacer al esclavo pedagogo igual a su señor, y a este rebajarlo al nivel de su esclavo. Esto significa que cualquier cosa que se intente para hacer lo que solamente Cristo puede hacer, es quererlo rebajar a dicho nivel. Usemos un ejemplo: Si las penitencias y flagelos pueden salvar, entonces, Cristo es rebajado al nivel de ellos. ¡Ay de aquellos que enseñan que en cualquier religión hay salvación, y que cualquier método por ser sincero también salva!

"...para llevarnos a Cristo....". La ley, por supuesto tenía sus funciones que ya han sido mencionadas. Pero esas funciones no eran en sí el fin, por la sencilla razón que dichas funciones no podían justificar ni salvar a la persona. La ley tenía una sola meta con todas sus funciones, y era: llevar las almas a Cristo. ¿De qué forma? Probándole al hombre que era pecador y que no tenía la capacidad de cumplir con las demandas divinas.

"...a fin de que fuésemos justificados por la fe" (v.24). Aquí se subraya la impotencia del hombre para alcanzar su salvación. El hombre es como uno que naufraga en alta mar y llega al punto en que no tiene fuerzas para seguir nadando para llegar a la orilla; entonces, alguien desde un barco le lanza el salvavidas. ¿Qué hacer? ¿Seguir nadando? ¡Sería la muerte! ¿Entonces? Tomar el salvavidas, y dejar que desde el barco lo suban, allí donde está su salvación.

B. El cambio que produce la fe (3:25)

"Pero venida la fe, ya no estamos bajo ayo" (v.25). Hay dos palabras claves en este texto: "fe" y "bajo". Con la palabra "fe" se resume de una manera magistral el contenido del Evangelio. "Fe" es lo opuesto de "obras", como en 5:16-25 "el fruto" es lo opuesto de "las obras". En el Antiguo Pacto había tantos mandamientos qué observar que era imposible recordarlos todos, y peor en el Talmud Babilónico que supuestamente es un comentario de la ley del Antiguo Pacto. En Números 15:32-36 se menciona el caso de un hombre que por haber recogido leña en el día sábado fue apedreado hasta morir. Se puede uno hacer la pregunta si el hombre aquel lo hizo intencionalmente, por negligencia o por ignorancia; sin embargo, murió por haber quebrantado la ley. Es un pasaje difícil de entender porque la ejecución es atribuida directamente a Dios, pero que revela la facilidad conque el hombre podía violar la ley y tener que sufrir sus graves consecuencias. En el caso del Nuevo Pacto, la salvación no radica en guardar una larga lista de preceptos, sino en recibir sin méritos la fe en una persona que provee la salvación. Cuando el etíope eunuco le dijo a Felipe: "He aquí agua; ¿qué impide que yo sea bautizado? Felipe le dijo: Si crees de todo corazón, bien puedes. Y respondiendo, dijo: Creo que Jesucristo es el Hijo de Dios" (Hechos 8:36,37), y eso fue suficiente para recibir el bautismo y la seguridad de su salvación; cuando el carcelero de Filipos les preguntó a Pablo y Silas qué tenía que hacer para ser salvo, ellos le dijeron: "Cree en el Señor Jesucristo, y serás salvo tú y tu casa" (Hechos 16:30,31).

La otra palabra que debe ser considerada es "bajo": "Y no estamos *bajo* ayo". Lo más indicado hubiera sido que el apóstol haya dicho "Y no estamos *de acuerdo* a la ley" o "No estamos *según* la ley". "Bajo" indica sujeción, derrota, esclavitud. Este término no lo utiliza el apóstol en referencia a la relación del creyente con Cristo; al contrario, cuando habla de esta relación utiliza las preposiciones "con" o "en": "Con Cristo", "en Cristo". Estas dos expresiones las usa un total de ciento sesenta y cuatro veces en sus cartas, dando a entender que el creyente está en comunión con Cristo y no bajo esclavitud, lo que es el caso con la ley.

Afianzamiento y aplicación

(1) ¿Quién viene siendo un "ayo"?
(2) ¿En qué sentido la ley fue un ayo?
(3) Explique la frase "No estamos *bajo* ayo.

III. LA UNIDAD QUE SE ENCUENTRA EN CRISTO (GÁLATAS 3:26-29)

Ideas para el maestro o líder

Motive a los estudiantes para que escuchen la lectura que se realizará en voz alta de Gálatas 3:27-29

Definiciones y etimología

* *"Bautizar"*. El verbo griego es βαπτίζω (pronúnciese, *baptizo*) y significa, "sumergir", "sumir", "hundir", "introducir", "zambullir".

* *"Revestir"* es la traducción del griego ἐνδύω (pronúnciese, *endúo*), y sus diferentes acepciones son: "vestir", "ponerse algo encima", cubrirse

A. Todos tenemos la misma experiencia salvadora (3:26)

"Pues todos sois hijos de Dios por la fe en Cristo Jesús" (v.26). Estas palabras debieron sonar muy fuerte en los oídos de los judaizantes, y en los gálatas gentiles, muy animadoras. ¿Por qué? Porque aquellos que le daban mucha importancia a su ascendencia judaica tenían la tendencia de sentirse superiores a los no judíos, máxime cuando ellos habían pasado por la cirugía que deseaban imponerles a los gentiles convertidos. Pero, para aquellos que no habían cedido a las exigencias judaizantes, eran estimulantes: Por la fe en Cristo Jesús eran hijos de Dios igual que los judíos sinceramente convertidos. Judíos y gentiles que habían creído en Cristo Jesús eran hijos de Dios sin que nadie fuera superior y sin que nadie fuera inferior. Como traduce un gran comentarista británico: "Porque todos ustedes son hijos de Dios por medio de vuestra fe, hijos de Dios en Cristo Jesús", que es la fuerza del texto griego. Pero hay algo interesantísimo en la frase "hijos de Dios". Eso significa que si uno ha venido a ser "hijo de Dios", Dios es su padre. ¿Por qué decimos que esto es interesantísimo? En el Antiguo Testamento el término "padre", en referencia a Dios, no era usado con la frecuencia con que se usa en el Nuevo Testamento. Aún más, en el Antiguo Testamento no se encuentra ni una sola oración en la cual el orador se dirija a Dios como "padre". Esto es algo típico del Nuevo Testamento que tuvo su principio en el Padre Nuestro: "Padre nuestro que estás en los cielos..." (Mateo 6:9). De manera que una de las características de la fe en Cristo es que constituye al creyente en hijo de Dios y puede dirigirse a Él con toda confianza llamándolo "Padre". El creyente viene a ser hijo de Dios por adopción y por nuevo nacimiento, tema este último que Juan trata en su Evangelio y en su primera carta. Más adelante, el apóstol Pablo, en su carta a los gálatas, dirá: "para que redimiese a los que estaban bajo la ley, a fin de que recibiésemos la *adopción de hijos*. Y por cuanto *sois hijos*, Dios envió a vuestros corazones el Espíritu de Su Hijo, el cual clama: ¡*Abba, Padre*!" (Gálatas 4:5,6). "Ab" en arameo, significa "Padre" *(**Ab**raham*, "padre de multitud"); el sufijo "ba" (Ab-*ba*) es el diminutivo, haciendo el término algo así como "papacito", o simplemente "papá, pero con ternura. ¡Esta es la nueva filiación que en Cristo Jesús tenemos con Dios!

B. Todos somos iguales (3:27-29)

"Porque todos los que habéis sido *bautizados* en Cristo, de Cristo estáis *revestidos*" (v.27). Como se puede ver en el texto, hay dos palabras que hemos puesto en cursivas a fin de enfatizar la importancia que tienen en la argumentación del apóstol. En el v.25 vimos que la relación de la persona con la ley era una de sumisión, de esclavitud: "...ya no estamos *bajo* ayo". Ahora el creyente está bautizado *en* Cristo y revestido *de* Cristo. Estas son experiencias totalmente opuestas a aquellas que se tiene estando en la ley. Respecto a esta relación con Cristo, el apóstol dice: "¿...los que hemos sido *bautizados* en Cristo Jesús, hemos sido *bautizados* en su muerte? Porque somos sepultados juntamente con él para muerte por el *bautismo*..." (Romanos 6:3,4). El bautismo en agua, por inmersión, es una representación material de nuestra incorporación en Cristo. Al decir, "habéis sido bautizados en Cristo" significa "habéis sido introducidos en la persona de Cristo". Así como el aire está dentro y fuera de la persona, lo mismo Cristo: está en el creyente, y rodea al creyente. Esta última relación la refuerza con la palabra "revestidos". El verbo "revestir", con sus diferentes acepciones: "vestir", "ponerse algo encima", ocurre veintiocho veces en el Nuevo Testamento, de las cuales catorce en los escritos paulinos, todas ellas en referencia a algo espiritual que el creyente se coloca encima, por ejemplo: "...*vistámonos* las armas de la luz" (Romanos 13:12); "Sino *vestíos* del Señor Jesucristo...." (Romanos 13:14); "Pues así seremos hallados *vestidos*, y no desnudos" (2 Corintios 5:3); "Y *vestíos* del nuevo hombre, creado según Dios..." (Efesios 4:24); "*Vestíos* de toda la armadura de Dios..." (Efesios 6:11). El creyente, por lo tanto, no solamente ha sido introducido *en* Cristo, sino que se encuentra *vestido* de él. Ambos verbos, *bautizar* y *revestir,* señalan la incorporación en la naturaleza divina de Cristo. De esta manera recibimos de su carácter, de su mente, de su amor, de su naturaleza. Por ejemplo, Cristo afirmó ser la luz del mundo: "Yo soy la luz del mundo" (Juan 8:12); ahora, por la participación que tienen en él los creyentes, son hechos también la luz del mundo: "Vosotros sois la luz del mundo" (Mateo 5:14). ¡Ser cristiano, es ser uno con Cristo!

Afianzamiento y aplicación

(1) ¿Cuál es ahora la posición del creyente "en Cristo"

(2) ¿Quién introdujo el término "Padre" en las oraciones cristianas?

(3) ¿Qué significa "ser bautizados en Cristo?

RESUMEN GENERAL

Los versículos 28,29 concluyen el capítulo 3, y qué mejor forma de resumir nuestro estudio que considerar lo que el apóstol afirma en ellos. El v.28 puede ser mal interpretado si no se toma en consideración el argumento que el apóstol está exponiendo. Veámoslos, pues: "Ya no hay judío ni griego; no hay esclavo ni libre; no hay varón ni mujer; porque todos vosotros sois uno en Cristo Jesús" (v.28). Los judaizantes, siguiendo la mentalidad del pueblo israelita tenían sus escrúpulos, tanto raciales como religiosos. No hay nada de particular en estos escrúpulos porque son patrimonio del barro humano: considerarse mejor que otros. Estas rivalidades existen entre naciones, razas, culturas, niveles sociales, pueblos vecinos, incluso dentro de las mismas familias. El punto del apóstol es: si el judaizante se considera superior por su apego a la ley, lo único que hace es mostrar que vive en la carne, que sigue los patrones del mundo inconverso, y de su naturaleza pecaminosa. ¿Por qué? Porque en Cristo Jesús esas distinciones se terminan por dos motivos fundamentales: Porque los que están en Cristo están revestidos del mismo Señor: Cristo; han recibido el mismo Espíritu: el Espíritu Santo; tienen el mismo Padre: Dios. La otra razón: porque son miembros del mismo pueblo que ha sido redimido por la misma sangre: la Iglesia. Todos somos uno en Cristo, aunque seamos blancos o negros, amarillos o cobrizos, ricos o pobres, educados o no educados, hombres o mujeres, ancianos o niños. ¡Así es!

Ejercicio de clausura

Culminen la actividad con una oración de agradecimiento al Señor.

PREGUNTAS Y RESPUESTAS

1. ¿Qué enseñan algunos respecto a la manera de cómo se puede alcanzar la salvación?

Muchos enseñan que hay muchos caminos para llegar al cielo, y que Cristo es, "simplemente el mejor de todos ellos.

2. ¿Qué quiere decir el apóstol Pablo con: "la ley ha sido nuestro ayo, para llevarnos a Cristo"?

Que la función de la ley fue mantenernos bajo control y disciplina, hasta alcanzar la madurez y libertad espiritual "en Cristo".

3. ¿Qué significa igualar a Cristo con la ley en el sentido de que en ambos se encuentra la salvación?

Equivaldría a hacer al esclavo pedagogo igual a su señor, y a este rebajarlo al nivel de su esclavo.

4. ¿Cuál es la expresión que utiliza el apóstol para referirse a la relación del creyente con Cristo?

"En Cristo", dando a entender que el creyente está en comunión con Cristo y no bajo esclavitud de la ley.

5. ¿Qué señalan los verbos *bautizar* y *revestir* en la experiencia cristiana?

Señalan la incorporación en la naturaleza divina de Cristo. Estamos revestidos de su carácter, su mente, su amor y su naturaleza.

PARA LA PRÓXIMA SEMANA

La próxima semana estudiaremos: "Transición de esclavo a hijo", basada en Gálatas 4:1-11. Sugerimos que, además del expositor utilice otros recursos para hacer un buen estudio del contenido del tema durante la semana.

TRANSICIÓN DE ESCLAVO A LIBRE

ESTUDIO BÍBLICO 8

Base bíblica
Gálatas 4:1-11

Objetivos
Al concluir este estudio los participantes estarán capacitados para:

1. Comprender bien el pasaje estudiado.
2. Discernir la diferencia de vivir de acuerdo a los valores del mundo y los absolutos de Dios.
3. Proponerse vivir una vida cristiana plena.

Fecha sugerida:___/____/____

Pensamiento central
Las cosas del mundo, esto es, todo lo que está en contra del carácter de Dios, producen esclavitud, pero Cristo ofrece libertad.

Texto áureo
Pero cuando vino el cumplimiento del tiempo, Dios envió a su Hijo, nacido de mujer y nacido bajo la ley, para que redimiese a los que estaban bajo la ley, a fin de que recibiésemos la adopción de hijos (Gálatas 4:4,5).

LECTURA ANTIFONAL

Gálatas 4:1 Pero también digo: Entre tanto que el heredero es niño, en nada difiere del esclavo, aunque es señor de todo;
2 sino que está bajo tutores y curadores hasta el tiempo señalado por el padre.
3 Así también nosotros, cuando éramos niños, estábamos en esclavitud bajo los rudimentos del mundo.
4 Pero cuando vino el cumplimiento del tiempo, Dios envió a su Hijo, nacido de mujer y nacido bajo la ley,
5 para que redimiese a los que estaban bajo la ley, a fin de que recibiésemos la adopción de hijos.
6 Y por cuanto sois hijos, Dios envió a vuestros corazones el Espíritu de su Hijo, el cual clama: ¡Abba, Padre!
7 Así que ya no eres esclavo, sino hijo; y si hijo, también heredero de Dios por medio de Cristo.
8 Ciertamente, en otro tiempo, no conociendo a Dios, servíais a los que por naturaleza no son dioses;
9 mas ahora, conociendo a Dios, o más bien, siendo conocidos por Dios, ¿cómo es que os volvéis de nuevo a los débiles y pobres rudimentos, a los cuales os queréis volver a esclavizar?
10 Guardáis los días, los meses, los tiempos y los años.
11 Me temo de vosotros, que haya trabajado en vano con vosotros.

DATOS GENERALES ACERCA DEL TEMA

- **Enseñanza:** El cristiano verdadero no está llamado a vivir en esclavitud ni temor porque ya Cristo le hizo libre.
- **Autor:** La carta a los Gálatas fue escrita por el apóstol Pablo.
- **Fecha:** Entre los años 55-57 d.C., después del Concilio de Jerusalén en el año 50 d.C.
- **Lugar:** Probablemente en Éfeso, en la costa occidental de Asia, o en la ciudad griega de Corinto según otras opiniones.
- **Destinatario:** Las iglesias de Galacia, entre ellas: Antioquía de Pisidia, Iconio, Listra, Derbe y Perge.
- **Personajes:** El apóstol Pablo, los creyentes de las iglesia de la provincia de Galacia, y los judaizantes (falsos hermanos).

BOSQUEJO DEL ESTUDIO

I. Los tiempos de Dios (Gálatas 4:1-3)
   A. La condición de un niño según las leyes humanas (4:1,2)
   B. La condición de uno que no ha sido salvo (4:3)

II. El cumplimiento del tiempo de Dios (Gálatas 4:4-7)
   A. Envió a su Hijo (4:4)
   B. Envió su Santo Espíritu (4:5-7)

III. El peligro de volver atrás (Gálatas 4:8-11)
   A. En el mundo se sirve a dioses que son falsos (4:8,9)
   B. Pablo temía haber trabajado en vano con los gálatas (4:10,11)

Las iglesias de Galacia fueron fundadas por Pablo y Bernabé y eran compuestas en su mayoría por gentiles, que adoraban deidades paganas.

LECTURAS DEVOCIONALES DIARIAS

Lunes: La sangre de Jesucristo limpia de todo pecado (1 Juan 1).
Martes: El que ama a Cristo no ama el mundo (1 Juan 2:1-17).
Miércoles: Muchos se apartan de la iglesia porque nunca fueron salvos (1 Juan 2:18-29).
Jueves: El que permanece en Cristo no cae en herejías (1 Juan 3:1-10).
Viernes: El que ama a Dios procura agradarle (1 Juan 3:11-24).
Sábado: El creyente no debe dejarse engañar por los falsos profetas (1 Juan 4:1-12).

INTRODUCCIÓN

El apóstol continúa con la comparación que iniciara en el párrafo anterior (3:23-29) usando las figuras del niño y del tutor. Un hijo, mientras sea niño, poco difiere del esclavo, y, aunque sea heredero de su padre, está bajo el tutelaje de pedagogos y personas que se encargan de su alimentación, protección física y educación. No puede disponer de la herencia de su padre hasta el tiempo indicado en el testamento, aunque el padre esté vivo o muerto. Esto tiene que ser así porque así lo dictan las leyes. Los pedagogos y cuidadores no solamente lo tienen bajo su cargo hasta que alcance mayoría de edad, sino que él debe estar sujeto a ellos. Él, potencialmente es el amo, pero esa autoridad no será suya hasta que alcance mayoría de edad. Aplicando esta figura a la vida espiritual, el apóstol deriva dos enseñanzas: la ley era una especie de restricción moral señalando lo malo, pero a la vez era una forma de sujeción que decía lo que es malo, pero no podía librar de esa condición ni tampoco dar la libertad que una persona tiene cuando llega a la mayoría de edad y es poseedor de aquello que su padre le ha heredado. La ley tenía que ver con indicaciones y señalamientos, pero cuando se presentó la gracia, a los que eran niños los convirtió en adultos que pueden disponer de lo que Dios les tiene preparado para ellos. Prueba de esto es que Dios declaró, a los que alcanzaron mayoría de edad en Cristo, ser sus hijos y, además, envió a sus corazones el Espíritu de su Hijo, el cual les hace decirle a Dios: ¡Padre!

DESARROLLO DEL ESTUDIO

I. LOS TIEMPOS DE DIOS (GÁLATAS 4:1-3)

Ideas para el maestro o líder

Un estudiante seleccionado realizará la lectura en voz alta Gálatas 4:1-3.

Definiciones y etimología

* *"Niño"*, es la traducción del griego νηπιός (pronúnciese, *neipiós*). Se refiere a un niño que

ni siquiera puede hablar en público, un menor de edad que no tiene madurez espiritual ni intelectual y no está preparado para los privilegios y las responsabilidades de la vida adulta.

A. La condición de un niño según las leyes humanas (4:1,2)

"Pero también digo: Entre tanto que el heredero es niño, en nada difiere del esclavo, aunque es señor de todo" (v.1). La división de la Biblia en capítulos y versículos, que lógicamente no se encuentra en su forma original, en muchos casos interrumpe el hilo de pensamiento del autor. Un ejemplo es el pasaje de Gálatas 4:1-7 que es parte de 3:23-29. De manera que son más claras ambas citas si se ven como una unidad. El argumento del apóstol iniciado en 3:23 continúa, pero ahora utilizando una segunda figura. En 3:23-29 habla de "ayo"; en 4:1-7 del niño que es heredero. Con ambas figuras ilustra la condición de la gente bajo la ley y bajo el pecado. La palabra "niño" que ocurre en el v.1 es la traducción del griego νηπιός (pronúnciese, *neipiós*). Esta palabra tiene varios significados, aunque su acepción más común es "niño pequeño". En tiempos del apóstol, dentro del sistema jurídico romano, una persona que no había llegado a su mayoría de edad era llamada de esa manera. Por ejemplo, podía ser un adolescente, y sin embargo, legalmente, ser llamada νηπιός, esto es, una persona no calificada para administrar sus asuntos ni reclamar su herencia. Es difícil decidir cuál de las dos ideas tiene el apóstol en mente, aunque se pueden conjugar y decir que ambas lo están. Por un lado, un niño pequeño no puede reclamar y administrar su herencia, y un adolescente no está facultado por la ley para reclamar y hacer uso de su herencia hasta que llegue el tiempo estipulado por su padre en el testamento. En ambos casos, la ilustración es que mientras la persona se encuentra en el mundo, en el pecado, no ha alcanzado la madurez ni la libertad como para recibir lo que Dios tiene para su vida.

"...sino que está bajo tutores y curadores hasta el tiempo señalado por el padre" (v.2). La palabra "curadores" se ha prestado para una interpretación incorrecta. Al leerla, uno pensaría que se refiere a enfermeros o doctores que proveen salud. No, "curador" viene del latín *curātor*, y significa: "Alguien que tiene cuidado de algo"; "Persona elegida o nombrada para cuidar de los bienes o negocios de un menor o de quien no estaba en estado de administrarlos por sí". Ahora, en estos dos versículos la parte más importante es "...hasta el tiempo señalado por el padre". La figura la usa el apóstol para hablar a continuación acerca del tiempo de Dios en el plan de salvación, al cual se refiere en el v.4: "Pero cuando vino el *cumplimiento del tiempo*, Dios envió a su Hijo...". "El tiempo señalado por el padre", es un rayo de luz que deja al descubierto la soberanía de Dios, de la cual tanto escribe el apóstol Pablo, y de la cual seguiremos hablando en la siguiente sección.

B. La condición de uno que no ha sido salvo (4:3)

"Así también nosotros, cuando éramos niños, estábamos en esclavitud bajo los rudimentos del mundo" (v.3). Este versículo se ha prestado para muy variadas interpretaciones. En primer lugar, hay expositores bíblicos, y aun versiones de la Biblia que traducen la primera parte del versículo de la manera siguiente: "Así también nosotros, (*los judíos*), cuando éramos niños...". Otros opinan que por "nosotros" el apóstol se refiere a todos los creyentes, tanto judíos como gentiles, antes de convertirse. Ambas interpretaciones pueden ser correctas, y en nada alteraría la idea del apóstol al optarse por cualquiera de ellas. La otra parte que se ha prestado para más discusión es "*rudimentos* del mundo". "Rudimento" es la traducción del griego στοιχείον (pronúnciese, *stoijeion*). Esta palabra se usa en el Nuevo Testamento siete veces (Gálatas 4:3,9; Colosenses 2:8,20; Hebreos 5:12; 2 Pedro 3:10,12). RV1960 traduce "rudimentos" en las primeras cinco citas mencionadas, y en las dos últimas "elementos". Por lo tanto, es necesario considerar los diferentes significados que στοιχείον tenía en tiempos bíblicos: 1) *Elementos de aprendizaje;* 2) *principios fundamentales*; 3) *elementos de las verdades de Dios;* 4) *sustancia*; 5) *elementos naturales*, como el hidrógeno, nitrógeno, oxígeno, etc., de los cuales se han descubierto ciento dieciocho; 6) *formas elementales de la religión*, 7) *espíritus malignos,* 8) *los cuerpos celestiales* y 9) *los cuatro elementos básicos: agua, tierra, fuego* y *viento.* Cantera Burgos e Iglesias González, traducen: "Así también nosotros, cuando éramos menores de edad estábamos esclavizados bajo los *espíritus elementales del mundo*". Hay comentaristas bíblicos que interpretan la palabra en referencia como todas las minuciosas prescripciones de la ley levítica que en lugar de dar libertad, esclavizaban. Otros rechazan esta interpretación por el hecho de que el apóstol se refiere a "los rudimentos del mundo", y no de la ley judía. Otros comentaristas más afirman que la referencia es a todas las creencias que existen en las religiones paganas, por ejemplo: En India hay más dioses que se adoran que habitantes. Fuera de la fe cristiana, prácticamente no hay nada que no se adore, desde un árbol hasta una piedra, el trueno, la lluvia, la tierra, animales, etc. Pero hay otra interpretación más: Que lo rudimentos del mundo es una referencia al sistema planetario que según millones de personas controlan el destino de las gentes. De ahí, la importancia que se le da a los signos del zodiaco, al horóscopo y a la astrología. Dicho esto, posiblemente el apóstol Pablo se refiera a las fuerzas malignas que hostigan a las almas que no conocen a Cristo. Lo importante es que de todo ello, hay liberación en Cristo.

Afianzamiento y aplicación

(1) ¿Qué se entiende por "curadores"?
(2) ¿Qué tema resalta en las palabras, "el tiempo señalado por el Padre"?
(3) ¿Cómo interpretaría usted las palabras "estábamos en esclavitud bajo los rudimentos del mundo"?

II. EL CUMPLIMIENTO DEL TIEMPO DE DIOS (GÁLATAS 4:4-7)

Ideas para el maestro o líder

Motivar a los estudiantes para escuchar la lectura en voz alta que realizará uno de ellos del texto bíblico Gálatas 4:4-7.

Definiciones y etimología

* "*¡Abba, Padre!*". "Ab" en arameo, significa "Padre"; el sufijo "ba" (Ab-*ba*) es el diminutivo, haciéndolo un término familiar y cariñoso que los niños decía a sus padres, algo así como "papacito", o simplemente "papá, pero con ternura.

A. Envió a su Hijo (4:4)

"Pero cuando vino el cumplimiento del tiempo…" (v.4). Las palabras "el cumplimiento del tiempo" son el equivalente de las palabras del v.2: "…hasta el tiempo señalado por el padre". Así como el niño heredero sigue siendo igual que un esclavo sin poder disfrutar lo que su padre tiene destinado para él hasta que llegue el tiempo prefijado en el testamento, de la misma manera el mundo se encontraba en una situación idéntica a la del esclavo hasta que se cumpliera el tiempo señalado por Dios. En todo lo que tiene que ver con el plan de salvación las cosas ocurren cuando Dios decide que ocurran: el diluvio vino cuando Dios determinó que sucediera; la destrucción de Sodoma y Gomorra sucedió cuando Dios así lo determinó; la salida de Israel de la esclavitud egipcia tuvo lugar cuando Dios consideró que era el momento indicado. Así también con la introducción del Verbo en forma de hombre en la historia física de la humanidad. Sin recurrir a un hipercalvinismo las cosas de Dios no suceden accidentalmente ni cuando el hombre las determina: suceden cuando Dios ha predeterminado que sucedan.

"Dios envió a su Hijo, nacido de mujer y nacido bajo la ley" (v.4). Hay varios puntos para tomar en consideración en esta parte del texto, a saber: *Primero:* El de la iniciativa en el plan de redención fue Dios: "Dios envió". No fue asunto de que alguien le pidiera o sugiriera a Dios hacerlo. Las palabras "Dios envió" son un eco de aquellas que se encuentran en Juan 3:16,17: "Porque de tal manera amó Dios al mundo, *que ha dado a su Hijo unigénito…*"; "Porque no *envió Dios a su Hijo* al mundo…"; *Segundo:* La relación de Padre-Hijo ya existía antes de la encarnación. Dios no envió al Verbo para que viniese a ser su Hijo, sino que era su Hijo desde antes de la encarnación. En lo que toca a su estado preexistente, Jesús compartía la gloria del Padre: "El cual, siendo el resplandor de su gloria, y la imagen misma de su sustancia…" (Hebreos 1:3), antes de que el mundo fuese: "Ahora, pues, Padre, glorifícame tú para contigo, con aquella gloria que tuve contigo antes que el mundo fuese" (Juan 17:5), y fue el agente por el cual el mundo fue hecho: "En estos postreros días nos ha hablado por el Hijo, a quien constituyó heredero de todo, y por quien asimismo hizo el universo" (Hebreos 1:2); *Tercero:* Nos habla de la encarnación real de la Segunda Persona de la divina Trinidad. De esto seguiremos hablando en la siguiente división.

B. Envió su Santo Espíritu (4:5-7)

"Para que redimiese a los que estaban bajo la ley, a fin de que recibiésemos la adopción de hijos" (v.5). Antes de comentar el v.5, conviene explicar las palabras "nacido de mujer" (v.4). Si Cristo iba a tomar el lugar de la humanidad y morir por ella, recibiendo en sí el castigo que merecía, era necesario que se hiciese humano. El castigo del pecado es muerte, y el Hijo no podía morir como Dios porque Dios no puede morir. Por lo tanto, era necesario que asumiese forma humana. Esto lo expone el apóstol Pablo en su inmortal pasaje que se convirtió en letra de un himno que entonaba la iglesia primitiva, Filipenses 2:6-11, del cual citaremos únicamente los vv.6-8: "El cual, siendo en forma de Dios, no estimó el ser igual a Dios como cosa a qué aferrarse, sino que se despojó a sí mismo, tomando forma de *esclavo* (no "siervo", como tiene RV1960), hecho *semejante a los hombres*; y estando en la condición *de hombre*, se humilló a sí mismo, haciéndose obediente hasta la *muerte*, y muerte de cruz". Aquí se explica de una manera brillante el por qué de la encarnación de la Segunda Persona de la Trinidad, la Palabra eterna (Juan 1:1). Mientras la humanidad estuviese bajo la esclavitud de la ley y los rudimentos del mundo, esto es, las fuerzas del mal que predominan en el mundo, era imposible ser hijos de Dios; por lo tanto, al morir Cristo en la cruz como hombre recibió el castigo que a la humanidad le correspondía, y así redimió a los que creen en lo que Él hizo, y los convirtió en hijos de Dios.

"Y por cuanto sois hijos, Dios envió a vuestros corazones el Espíritu de su Hijo, el cual clama: ¡Abba, Padre!" (v.6). La presencia del Espíritu Santo en el creyente es una evidencia contundente de que no es esclavo sino hijo. Aquí el apóstol divide la humanidad en dos: los que son esclavos y los que son hijos de Dios. El esclavo no es hijo: es una criatura; pero cuando se convierte a Cristo, viene a ser hijo de Dios por adopción y por nuevo nacimiento, y recibe, además, lo que ninguna persona irredenta puede recibir: el Espíritu de Dios. Esto lo afirma categóricamente el apóstol en su carta a los romanos: "Mas vosotros no vivís según la carne, sino según el Espíritu, si es que el Espíritu de Dios mora en vosotros. Y si alguno no tiene el Espíritu de Cristo, no es de él" (Romanos 8:9). Hay algo más, el Espíritu Santo en el creyente es la garantía de la herencia, de aquella herencia a la cual ningún esclavo tiene derecho sino solamente los hijos: "En él también vosotros, habiendo oído la palabra de verdad, el evangelio de vuestra salvación, y habiendo creído en él, fuisteis sellados con el Espíritu Santo de la promesa, que es la arras (garantía) de nuestra herencia hasta la redención de la posesión adquirida, para alabanza de su gloria" (Efesios 1:13,14). ¡Cuán glorioso es el plan de redención!

Afianzamiento y aplicación

(1) Explique lo que significa "el cumplimiento del tiempo".

(2) ¿Por qué era necesaria la encarnación de Cristo?

III. EL PELIGRO DE VOLVER ATRÁS (GÁLATAS 4:8-11)

Ideas para el maestro o líder

Un estudiante seleccionado leerá en voz alta Gálatas 4:8-11

Definiciones y etimología

* *"Serviais"* es la traducción del griego ἐδουλεύσατε (pronúnciese, *eduleúsate*) que viene del verbo δουλεύω (pronúnciese, *duleúo*) que significa: "Llevar a cabo los deberes y trabajos de un esclavo", "Obedecer y servir como un esclavo".

A. En el mundo se sirve a dioses que son falsos (4:8,9)

"Ciertamente, en otro tiempo, no conociendo a Dios, servíais a los que por naturaleza no son dioses" (v.8). La expresión "ciertamente en otro tiempo" es típica en los escritos del apóstol Pablo. Es uno de sus banderines apostólicos que avalaban la veracidad del Evangelio que predicaba. La fe cristiana produce un cambio tan radical que la persona no puede ser la misma; su identidad presente difiere tanto de la anterior, antes de su conversión, que no son intercambiables ni aptas para mezclarse. "No conociendo a Dios". En estas palabras se encierra uno de los puntos más sobresalientes de la fe cristiana: Se puede tener religión y sin embargo no tener a Dios. Es claro que el v.8 está dirigido a los gálatas gentiles, que antes de convertirse habían servido a infinidad de deidades paganas. Un ejemplo es cuando Pablo visitó Atenas, y al recorrer la ciudad, "su espíritu se enardecía viendo la ciudad entregada a la idolatría" (Hechos 17:16). Lo mismo puede suceder dentro de las iglesias cristianas, ya que se puede ser religioso, fanático y legalista, pero sin conocer ni tener a Dios. La parte que sigue requiere una explicación especial: "...*servíais* a lo que por naturaleza no son dioses". La palabra "servíais" es la traducción del griego ἐδουλεύσατε (pronúnciese, *eduleúsate*) que viene del verbo δουλεύω (pronúnciese, *duleúo*) que significa: "Llevar a cabo los deberes y trabajos de un esclavo", "Obedecer y servir como un esclavo". La versión de Cantera Burgos e Iglesia González, traduce: "Pero entonces, al no conocer a Dios, fuisteis esclavos de seres que no tienen naturaleza divina". La versión Biblia Textual de la Sociedad Bíblica Iberoamericana, traduce: "Sin embargo, en otro tiempo, no conociendo a Dios, servíais como esclavos a los que por naturaleza no son dioses", y la Versión Moderna de Pratt traduce: "Por otra parte, en aquel tiempo, vosotros, *gentiles*, no conociendo a Dios, estaban bajo servidumbre a los que por su naturaleza no son dioses". De manera que todas las religiones (la fe cristiana no debe ser llamada "religión", ya que es una relación íntima y personal con Dios por medio de los méritos de Cristo) del mundo, son una forma de esclavitud detrás de la cual está la influencia directa del demonio. Con este verbo, "servíais como esclavos", el apóstol continúa su argumento de que tanto, bajo el sistema levítico y las religiones paganas, lo único que se encuentra es "esclavitud". Por eso el Señor les dijo a los judíos que discutían con Él y que pretendían ser hijos de Abraham: "Así que, si el Hijo os libertare, seréis verdaderamente libres" (Juan 8:36).

B. Pablo temía haber trabajado en vano con los gálatas (4:10,11)

"Guardáis los días, los meses, los tiempos y los años" (v.10). El verbo que se traduce "guardáis" debería traducirse: "Guardáis minuciosamente", "observáis escrupulosamente". Como el verbo está en el tiempo presente, significa que mientras el apóstol les estaba escribiendo la carta, las observancias ritualistas estaban siendo practicadas por los gálatas. Una situación idéntica existía en la iglesia de Colosas que motivó al apóstol escribirles: "Por tanto, nadie os juzgue en comida o en bebida, o en cuanto a días de fiesta, luna nueva o días de reposo" (Colosenses 2:16). No se vaya a pensar que los colosenses practicaban estas celebraciones, y que Pablo les dice: "Si las están observando, no se preocupen si alguien os critica por hacerlo". La idea es lo opuesto: "No les hagan caso a aquellos que les critican porque no se abstienen de ciertos alimentos, porque no observan las fiestas tradicionales de los judíos que se encuentran en el sistema levítico y las que se originaron después, o la fiesta de la nueva luna celebrada en el antiguo pacto, o porque no guardan el día sábado". Una excelente traducción de este versículo y el que sigue es la que dan Cantera Burgos e Iglesias González: "Así, pues, que ninguno os juzgue por cuestión de comida y por cuestión de bebida o en materia de fiestas, o luna nueva o sábados, cosas que son esbozo de lo futuro, mientras que la [verdadera] realidad [es la] de Cristo" (Colosenses 2:16,17). Este pasaje muestra que los judaizantes ya habían entrado e intentado hacer su daño en la iglesia de Colosas, y probablemente en las de alrededor, que son las que se mencionan en el Apocalipsis y son conocidas como las Siete Iglesias de Asia Menor.

En el Antiguo Testamento hay bastante información sobre estas actividades, como por ejemplo: "Para que ofreciesen cada cosa en su día, conforme al mandamiento de Moisés, en los días de reposo, en las nuevas lunas, y en las fiestas solemnes tres veces en el año, esto es, en la fiesta de los panes sin levadura, en la fiesta de las semanas, y en la fiesta de los tabernáculos" (2 Crónicas 8:13). Veamos las fiestas mencionadas: 1) "días", específicamente el día sábado; 2) "meses", referencia al novilunio. Veamos 1 Samuel 20:5: "He aquí que mañana será nueva luna, y yo acostumbro sentarme con el rey a comer…". "El primer día lunar era día festivo en que se suspendía el trabajo". (*Santa Biblia*, Editorial Caribe); 3) "los tiempos". Una referencia a las fiestas y ayunos anuales de los judíos, no solamente las tres prescritas en la ley levítica, sino también otras añadidas por la tradición como la fiesta de Purim y la de la Dedicación; 4) "años", referencia al año sabático séptimo en que se dejaba descansar la tierra, y el año quincuagésimo o del jubileo en que las tierras eran devueltas a sus dueños originales (Véase Levítico 25:1-24). Todas estas celebraciones pertenecían al antiguo pacto, y los creyentes no tenían ninguna obligación de guardarlas.

Afianzamiento y aplicación

(1) ¿Puede uno ser un cristiano genuinamente espiritual y a la vez fanático, religioso y legalista? Explique.

(2) ¿Está uno obligado a guardar el sábado? Explique.

(3) Los gálatas "guardaban minuciosamente, escrupulosamente" las fiestas judías: ¿Cree usted que la sinceridad de ellos en este respecto era agradable a Dios? ¿puede uno ser sincero y estar equivocado?

RESUMEN GENERAL

Después de haber usando la figura del "ayo" en el capítulo anterior, el apóstol utiliza la figura del "heredero". Con la primera figura se propuso mostrar que antes de Cristo la ley sirvió como un ayo, como un tutor, lo que algunos llaman "curador", hasta que llegase el tiempo de la madurez. ¿La madurez de quién? De todos aquellos que han aceptado a Cristo Jesús como Salvador y como Señor. En Cristo Jesús la persona está completa, máxime cuando Dios la convierte en Su templo donde reside el Espíritu Santo. Además, por medio de la presencia del Espíritu Santo el creyente recibe dones que le dan mayor madurez y le habilitan para servir a Dios de una manera efectiva. ¿Era la función de la ley, entonces, permanente? ¡No! Era temporal, porque su misión era conducir las almas a Cristo, y ahora si, en Cristo Jesús, la relación con Él es para toda la eternidad. Quien está en Cristo, ni es esclavo, ni niño, sino hijo maduro que puede beneficiarse del testamento que Dios ha legado, el cual, además de ser un testamento, es un pacto indisoluble con Dios.

No podemos pasar por alto el estado de ánimo con que el apóstol escribió la carta, porque mientras lo estaba haciendo, los gálatas, víctimas del trabajo pernicioso de los judaizantes, estaban guardando días, como el sábado, meses, como los novilunios, fiestas como las tres establecidas para Israel en el sistema mosaico, sino otras como la de Purim y Dedicación. En otras palabras habían hecho del Evangelio puro de Cristo una mezcla híbrida que no conduce al cielo. La iglesia contemporánea debe hacer un estudio minucioso de sus prácticas no vaya a ser que haya permitido la introducción de prácticas que desplazan la verdadera fe cristiana.

Ejercicio de clausura

Pregunte al grupo si pueden identificar alguna práctica dentro de la Iglesia que no le corresponde por su identidad como pueblo de Dios. Culminen esta actividad con una oración al Señor.

PREGUNTAS Y RESPUESTAS

1. ¿Qué significa estar bajo tutores y curadores hasta el tiempo señalado por el padre?

Significa que mientras la persona se encuentra en el mundo de pecado, no ha alcanzado la madurez ni la libertad para recibir lo que Dios tiene para su vida, hasta que tenga un encuentro con Cristo.

2. ¿A qué se pudo haber referido el apóstol con la expresión: "estar bajo los rudimentos del mundo"?

(1) A estar bajo las minuciosas prescripciones de la ley levítica, (2) seguir creencias de religiones paganas, (3) depender del sistema planetario que según muchos controlan el destino, (4) estar bajo fuerzas malignas que hostigan a

los que no conocen a Cristo.

3. ¿Qué atributo divino podemos descubrir en la expresión: "Pero cuando vino el cumplimiento del tiempo"?

Nos deja al descubierto la inmensa "Soberanía de Dios": Las cosas suceden en el tiempo de Dios.

4. ¿Cuál es la prueba contundente de que somos hijos de Dios y no esclavos?

La presencia del Espíritu Santo en el creyente es una evidencia contundente de que no es esclavo sino hijo.

5. ¿Qué es lo que Pablo denuncia que hay detrás de las diferentes religiones en el mundo?

Detrás de todas las religiones del mundo, hay una forma de esclavitud bajo la influencia directa del demonio.

PARA LA PRÓXIMA SEMANA

La próxima semana estudiaremos: "Pablo confiesa su amor por los gálatas", basada en Gálatas 4:12-20. Recomendamos estudiar dicho contenido durante la semana; memorice el texto áureo y el pensamiento central.

PABLO CONFIESA SU AMOR POR LOS GÁLATAS

ESTUDIO BÍBLICO 9

Base bíblica
Gálatas 4:12-20

Objetivos
Con el desarrollo de este estudio los participantes podrán:

1. Entender bien el pasaje estudiado.
2. Comprender que debe amar a sus hermanos en la fe a pesar de sus faltas.
3. Servir al Señor con fervor a pesar de las adversidades.

Fecha sugerida:___/____/____

Pensamiento central
Para servir al Señor se necesita tener un amor profundo por las almas a las cuales uno ministra a pesar de los errores que puedan tener.

Texto áureo
Amados, amémonos unos a otros; porque el amor es de Dios. Todo aquel que ama, es nacido de Dios, y conoce a Dios (1 Juan 4:7).

LECTURA ANTIFONAL

Gálatas 4:12 Os ruego, hermanos, que os hagáis como yo, porque yo también me hice como vosotros. Ningún agravio me habéis hecho.
13 Pues vosotros sabéis que a causa de una enfermedad del cuerpo os anuncié el evangelio al principio;
14 y no me despreciasteis ni desechasteis por la prueba que tenía en mi cuerpo, antes bien me recibisteis como a un ángel de Dios, como a Cristo Jesús.
15 ¿Dónde, pues, está esa satisfacción que experimentabais? Porque os doy testimonio de que si hubieseis podido, os hubierais sacado vuestros propios ojos para dármelos.
16 ¿Me he hecho, pues, vuestro enemigo, por deciros la verdad?
17 Tienen celo por vosotros, pero no para bien, sino que quieren apartaros de nosotros para que vosotros tengáis celo por ellos.
18 Bueno es mostrar celo en lo bueno siempre, y no solamente cuando estoy presente con vosotros.
19 Hijitos míos, por quienes vuelvo a sufrir dolores de parto, hasta que Cristo sea formado en vosotros.
20 Quisiera estar con vosotros ahora mismo y cambiar de tono, pues estoy perplejo en cuanto a vosotros.

DATOS GENERALES ACERCA DEL TEMA

- **Enseñanza:** Todo cristiano, no solamente los ministros y pastores, deben sentirse responsables por aquellos miembros de la iglesia que se desvían de la buena doctrina.
- **Autor:** La carta a los Gálatas fue escrita por el apóstol Pablo.
- **Fecha:** Alrededor de los años 55-57 d.C.
- **Lugar:** Probablemente en Éfeso, en la costa occidental de Asia, o en la ciudad griega de Corinto según otras opiniones.
- **Destinatario:** Las iglesia del sur de Galacia, fundadas por el apóstol en su primer viaje misionero, alrededor de los años 45-48 d.C.
- **Personajes:** El apóstol Pablo, los creyentes de las iglesia de la provincia de Galacia, y los judaizantes (falsos hermanos).

BOSQUEJO DEL ESTUDIO

I. Un ministerio abnegado (Gálatas 4:12,13)
  A. Pablo no era rencoroso (4:12)
  B. El amor de Pablo superó la adversidad (4:13)

II. Pablo apela a la bondad con que fue tratado (Gálatas 4:14-17)
  A. Los gálatas hubieran hecho lo imposible por Pablo (4:14,15)
  B. Pablo conocía las malas intenciones de los judaizantes (4:16,17)

III. Pablo deseaba consistencia en los gálatas (4:18-20)
  A. Deseaba que los gálatas fueran celosos de lo bueno (4:18)
  B. Sufría por la condición de los gálatas (4:19,20)

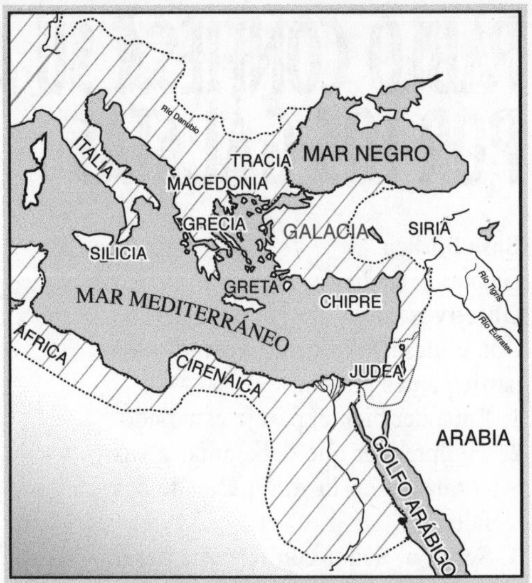

Galacia, una de las provincias romanas en que estaba dividido el Imperio para su gobierno y administración.

LECTURAS DEVOCIONALES DIARIAS

Lunes: La mayor virtud cristiana (1 Corintios 13).
Martes: El amor consiste en hechos (Lucas 10:25-37).
Miércoles: El amor en acción (1 Juan 3:11-24).
Jueves: El amor es imparcial (Santiago 2:1-13).
Viernes: Cuando hay amor se restaura al que se ha desviado (Lucas 15:11-32).
Sábado: Cuando hay amor hay intercesión (Daniel 9:1-19).

INTRODUCCIÓN

Después de haberles señalado a los hermanos de las iglesias de Galacia las prácticas erróneas en las cuales estaban participando por influencia de los judaizantes –como vimos en el estudio anterior– el apóstol vuelve al pasado, al tiempo inicial cuando les llevó por primera vez el Evangelio. No solamente cambia del presente al pasado, sino también de una actitud rígida a una impregnada de ternura y gratos recuerdos. En primer lugar, el apóstol les suplica a los hermanos a que se hagan como él se había hecho, súplica que estaremos explicando en el comentario. A continuación, les recuerda la situación precaria en que físicamente se encontraba cuando llegó la primera vez a Galacia; sin embargo, los gálatas, en lugar de rechazarlo por su estado enfermizo y su apariencia no muy agradable, lo recibieron como si fuera un enviado de Dios, como si hubiera sido el mismo Cristo. Su amor hacia él era tal que estaban dispuestos a llevar a cabo los más dolorosos sacrificios con tal que él se sintiese bien. ¡Todo esto había desaparecido por la dañina influencia de los falsos maestros! El amor inicial hacia Pablo y el Evangelio se había perdido por causa de la injerencia en su medio de agentes del enemigo. ¡Cuánto daño puede causar en una iglesia la presencia entrometida de un instrumento de Satanás! ¡Cuántas iglesias han sido arrastradas al error por creerle a un lobo vestido de oveja! Con cuanta razón escribió el autor de la carta a los Hebreos: "Obedeced a vuestros pastores, y sujetaos a ellos; porque ellos velan por vuestras almas, como quienes han de dar cuenta; para que lo hagan con alegría, y no quejándose, porque esto no os es provechoso" (Hebreos 13:17). A continuación, el apóstol les hace saber el gran amor que tenía hacia ellos y el deseo de visitarles para corregir las irregularidades que habían causado los falsos maestros. Pasemos, pues, al hermoso pasaje bíblico que tenemos para nuestro estudio.

DESARROLLO DEL ESTUDIO

I. UN MINISTERIO ABNEGADO (GÁLATAS 4:12,13)

Ideas para el maestro

(1) Inicie la clase con un breve resumen acerca de lo tratado en la Introducción.

(2) Pedir a uno de los participantes que realice la lectura en voz alta Gálatas 4:12,13.

Definiciones y etimología

* *"Cuerpo"*. La palabra que RV1960 traduce es σαρκός (pronúnciese *sarkós*) que en realidad significa "carne", pero se usa para indicar la parte material del hombre, esto es, el cuerpo.

A. Pablo no era rencoroso (4:12)

"Os *ruego*, hermanos..." No sorprende que el apóstol apele al ruego a fin de convencer a los gálatas de la sinceridad de sus palabras. En varias ocasiones, en lugar de apelar a su autoridad apostólica, recurre al ruego o a las misericordias de Dios, por ejemplo: "Así que, hermanos, *os ruego* por las misericordias de Dios...." (Romanos 12:1); "Yo Pablo *os ruego* por la mansedumbre y ternura de Cristo...." (2 Corintios 10:1); "Yo pues, preso en el Señor, *os ruego* que andéis como es digno de la vocación con que fuisteis llamados" (Efesios 4:1). Aquí hay una enseñanza muy importante para todos los cristianos, principalmente para los que poseen puestos de autoridad: Cuando se exige algo utilizando la autoridad que se detenta, se puede cometer injusticias; pero cuando se pide algo en forma de súplica apelando a las *misericordias, mansedumbre y ternura* de Cristo se logra el bien deseado. ¿Por qué? Porque quien lo hace basado en su autoridad, lo puede hacer injustamente en la carne; pero cuando se apela a los atributos de Cristo, se piensa en lo que Cristo haría en tal circunstancia.

"...que os hagáis como yo, porque yo también me hice como vosotros...". ¿Qué quiere decir el apóstol con estas palabras? Lo que está diciendo es lo siguiente: "Háganse como yo que me regocijo en Cristo como mi único y suficiente Salvador y justicia delante de Dios, y por causa de quien abandoné todo rito y ceremonias impuestas por la ley de Moisés. He abandonado los ceremonialismos y ritos por algo superior que me exime de esa esclavitud, y eso superior no es una nueva religión, sino una persona, Jesucristo, el que murió en mi lugar para hacerme libre. Yo, judío y ex celoso cumplidor de las exigencias judaicas, abandoné todo eso que me producía jactancia, y me hice como un gentil sin ley, a fin de recibir por gracia y sin méritos personales a Cristo el que me justifica. Ahora, hagan ustedes lo mismo: no traten de observar ritos ni ceremonias, judaizándose así, sino aprópiense exclusivamente de Cristo como vuestro único Salvador.

"Ningún agravio me habéis hecho" (v.12). Aquí, lo que resalta es el espíritu perdonador del apóstol. Si Pablo actuara en la carne, podría afirmar que lo habían agraviado, por: 1) menospreciar sus enseñanzas; 2) y por haber creído que era un falso apóstol. Pero Pablo no actuaba en la carne: lo hacía en el Espíritu, y cuando se actúa así, no solamente prevalece el perdón sino también el deseo de restaurar al que ha fallado. ¡Cuánto hay para aprender y practicar!

B. El amor de Pablo superó la adversidad (4:13)

"Pues vosotros sabéis que a causa de una enfermedad del cuerpo os anuncié el evangelio al principio" (v.13). El consenso de los comentaristas bíblicos es que esta enfermedad fue una infección en los ojos. Más adelante, en el v.15, el apóstol dice: "...porque os doy testimonio de que si hubieseis podido, os hubierais sacado vuestros propios ojos para dármelos", sugiriendo que la condición de sus ojos fue afectada seriamente por alguna enfermedad que contrajo estando en Galacia o antes de llegar a Galacia. Otro pasaje de la misma epístola es 6:11: "Mirad con *cuán grandes letras* os escribo de mi propia mano". "Cuán grandes letras" se refiere al tamaño de la letra que el apóstol tuvo que usar al escribir o firmar la carta. Esto significa que su problema con los ojos que tuvo en Galacia lo seguía teniendo al escribir o firmar la carta. Hay comentaristas bíblicos que piensan que este problema con la vista fue el aguijón en la carne del cual escribe en 2 Corintios 12:7: "Y para que la grandeza de las revelaciones no me exaltase desmedidamente, me fue dado un aguijón en mi carne, un mensajero de Satanás que me abofetee, para que no me enaltezca sobremanera". Aunque hay otras interpretaciones de este texto, parecería que el aguijón que el apóstol tenía en su carne era su problema en la vista. Hay un suceso en el libro de Los Hechos que parece apoyar la interpretación del problema con la vista que pudo haber sufrido el apóstol. Al estar Pablo frente al sumo sacerdote Ananías, este ordenó que golpearan al apóstol en la boca, y Pablo le respondió: "¡Dios te golpeará a ti, pared blanqueada! ¿Estás tú sentado para juzgarme conforme a la ley, y quebrantando la ley me mandas golpear? Los que estaban presentes dijeron: ¿Al sumo sacerdote de Dios injurias? Pablo dijo: No sabía, hermanos, que era el sumo sacerdote; pues escrito está: No maldecirás a un príncipe de tu pueblo" (Hechos 23:2-5). Es inconcebible pensar, si Pablo hubiera estado sano de sus ojos, que no hubiese reconocido al sumo sacerdote, ya que este vestía como tal y ocupaba un lugar particular en la asamblea. Lo más probable, entonces, es que Pablo, estando mal de la vista, no lo reconoció. Lo importante de todo lo que estamos considerando es que el apóstol no desistió de sus trabajos misioneros a pesar del severo problema físico que tenía: ¡Su amor por las almas era superior que sus penurias corporales!

Afianzamiento y aplicación

(1) ¿Qué significan las palabras del apóstol: "que os hagáis como yo"?
(2) ¿Qué problema físico tuvo el apóstol cuando estuvo en Galacia?
(3) ¿Por qué permitió Dios que el apóstol tuviera un aguijón en la carne?

II. PABLO APELA A LA BONDAD CON QUE FUE TRATADO (GÁLATAS 4:14-17)

Ideas para el maestro o líder

Invite a un estudiante que realice la lectura en voz alta de Gálatas 4:14-17.

Definiciones y etimología

* *"Enemigo"*. Del griego *ekhthrós,* la cual aparece en sentido activo. Es como si Pablo se hubiese convertido de repente en una persona perjudicial para los gálatas, por decirles la verdad.

* *"Tienen celo por vosotros"*. Literalmente: "Estas gentes están interesadas en vosotros, pero no para vuestro bien, lo que quieren es secuestraros de mi, a fin de ganaros para su causa"

A. Los gálatas hubieran hecho lo imposible por Pablo (4:14,15)

"Y no me despreciasteis ni desechasteis por la prueba que tenía en mi cuerpo, antes bien me recibisteis como a un ángel de Dios, como a Cristo Jesús" (v.14). Este texto ha recibido variadas traducciones de acuerdo a la versión griega del Nuevo Testamento que el traductor o comentarista haya usado. Reina Valera 1960, que es la versión que se usa en la gran mayoría de las iglesias en la América Latina y España, se basó en el Texto Recibido (Textus Receptus). Para las versiones más contemporáneas, generalmente, los traductores y comentaristas utilizan el Nuevo Testamento griego editado por las Sociedades Bíblicas Unidas de Londres. La razón es que este Nuevo Testamento está más actualizado por los nuevos manuscritos griegos que se han venido encontrando, algunos de ellos que datan desde el siglo II d.C. y que, por lo tanto, se remontan a fechas anteriores a los manuscritos usados en el Texto Recibido. Consideremos, pues, nuestro texto: La traducción correcta del Texto Recibido usado por RV1960 debe ser: "Y mi prueba que había *en mi carne* ustedes no despreciaron ni rechazaron, pero me recibisteis como a un ángel de Dios, como a Cristo Jesús". El Nuevo Testamento en griego preparado por las Sociedades Bíblicas Unidas, dice: "Y la prueba *vuestra* en mi carne no la despreciasteis ni rechazasteis, pero como a un ángel de Dios me recibisteis, como a Cristo Jesús". Cantera Burgos-Iglesias González, dan la siguiente traducción, que probablemente sea la mejor: "Y no despreciasteis ni os horrorizasteis ante aquella *prueba vuestra* en mi cuerpo enfermo, sino que me recibisteis como a un ángel de Dios, como a Cristo Jesús". Suena dramática esta traducción; sin embargo, es la que más se aproxima a la idea original: La apariencia del apóstol no muy agradable a la vista; pero, los gálatas lo recibieron con un amor intenso, entendiendo que a pesar de su condición, estaba dispuesto a quedarse entre ellos a fin de que recibieran el Evangelio en su plenitud. Ya en el v.15 el apóstol testifica de los extremos a que los gálatas hubieran ido por el afecto que le tenían. Ahora, según la impresión que daban, ese afecto especial lo habían perdido por causa de la intromisión de los falsos maestros. ¡Cuánto daño pueden causar en las iglesias personas mal intencionadas, carentes de amor pero llenas de espíritu divisivo!

B. Pablo conocía las malas intenciones de los judaizantes (4:16,17)

"¿Me he hecho, pues, vuestro enemigo, por deciros la verdad?" (v.16) ¡Cuánta tristeza y cuánto dolor contienen estas palabras! ¡Qué enorme diferencia entre el v.15 y el 16! Antes era igualado a un ángel, al mismo Señor Jesucristo, y ahora lo rechazaban como un falso profeta y como un predicador de un evangelio mutilado. El dolor del apóstol solamente lo pueden comprender quienes hayan levantado iglesias florecientes, fuertes, misioneras, que después se deshicieron por culpa de alguien que sembró cizaña entre ellas. El espíritu del apóstol nos recuerda lo que les escribió a los corintios: Al defender su ministerio ante los corintios, se vio en la necesidad de citar sus sufrimientos por causa de su servicio a Dios, y por encima de todos ellos colocó su preocupación por todas las iglesias: "Y además de otras cosas, lo que sobre mí se agolpa cada día, la preocupación por todas las iglesias" (2 Corintios 11:28). La gran preocupación de Pablo no eran las cárceles, lo azotes, los peligros de muerte, el ser apedreado, sufrir naufragios, ser asaltado en los caminos, y muchas otras cosas más, sino el pensar en cómo se encontraban las iglesias. Uno se puede aventurar a imaginarse en lo que pasaba por la mente del gran siervo de Dios: "¿Cómo estarán las iglesias? ¿Estarán en paz, en armonía, creciendo en su vida espiritual, ganando almas para Cristo, manteniéndose en la sana doctrina?'" ¡Solamente los grandes siervos de Dios pueden sentir esa santa inquietud que Cristo genera en el corazón!

"Tienen celo por vosotros, pero no para bien, sino que quieren apartaros de nosotros para que vosotros tengáis celos por ellos" (v.17). La traducción de Pratt dice así: "Aquellos *que os seducen* tienen celo por vosotros, pero no con honrado intento; más aún, querrían excluirlos *de nosotros*, para que tuvieseis celos por ellos". Es clara la idea: lo que los judaizantes deseaban era tener seguidores, gentes que estuviesen de su lado, pero sin ningún amor hacia ellos. Ese es, precisamente, el trabajo del proselitismo: ganar gente por la cual no se siente la más mínima preocupación. Por otro lado, prevalecía en los judaizantes una enorme envidia: les molestaba que los gálatas amaran a Pablo, por lo tanto su lucha era lograr que despreciaran al apóstol, y los quisieran a ellos como lo hacían con el apóstol. ¡Recuérdese, que toda actitud similar es de la carne y del demonio!

Afianzamiento y aplicación

(1) Describa la condición física en que Pablo llegó a Galacia.
(2) ¿Cuál fue la actitud de los gálatas ante la condición del apóstol?
(3) ¿Puede tener amor hacia la gente uno que practica el proselitismo? Explique.

III. PABLO DESEABA CONSISTENCIA EN LOS GÁLATAS (GÁLATAS 4:18-20)

Ideas para el maestro o líder

Invitar a un alumno para que lea en voz alta Gálatas 4:18-20

Definiciones y etimología

* *"Perplejo"* (v.20). La palabra en el idioma griego, proviene de una palabra que significa "estar perdido en el camino"; incluye los sinónimos "desorientado", "confundido", "perdido", "no saber qué hacer".

A. Deseaba que los gálatas fueran celosos en lo bueno (4:18)

"Bueno es mostrar celo en lo bueno siempre, y no solamente cuando estoy presente con vosotros" (v.18). En español suena redundante el doble uso de la palabra "bueno" en una frase, pero así es como se encuentra en el griego donde no existe tal clase de redundancia. Con el v.18 el apóstol condena como inconsistencia el ser bueno según las circunstancias. Expliquemos lo que el apóstol está diciendo a los gálatas: "Cuando estoy con vosotros, se muestran celosos de la doctrina que yo les impartí, y además actúan cariñosos para conmigo; pero una vez que me ausento me consideran un mutilador del Evangelio y un falso apóstol". Los destinatarios de la carta estaban actuando, precisamente, con la misma ambivalencia con que Pedro y Bernabé lo habían hecho en Antioquía (Véase Gálatas 2:11-14). Antes de que llegaran cristianos judaizantes, convivían con los gentiles con toda naturalidad; pero cuando llegaron los judaizantes, se retraían de los gentiles para no ser criticados por aquellos. ¡Considérese la magnitud de la inconsistencia, por no decir hipocresía! En la iglesia podían reunirse para adorar a Dios judíos y gentiles, pero una vez terminado el culto un creyente judío no visitaba en su casa a un hermano gentil. ¿Entonces, qué? Si un hermano gentil enfermaba, ¿los hermanos judíos no lo visitaban en su casa porque si lo hacían se contaminaban? Aquello era, simulación, fingimiento, hipocresía, falta de cristianismo. Una inconsistencia con las mismas consecuencias perjudiciales es la que Santiago condena en su carta: la acepción de personas. Parecía que Santiago sabía de iglesias en las cuales los ricos eran tratados con atenciones labiosas, y los pobres menospreciados sin ninguna consideración (Santiago 2:1-4). Esto también era una forma de hipocresía. Por más sutil que ésta sea, va en contra de las enseñanzas del Evangelio. El creyente debe ser transparente, consistente, predecible, abierto. Por otro lado, hablar bien de una persona cuando está presente, y criticarla cuando está ausente, además de ser inconsistencia e hipocresía, es traición. Judas besó –expresión clásica del amor sincero– a Cristo, pero para traicionarlo, y la respuesta inmortal de Cristo fue: "Judas, ¿con un beso entregas al Hijo del Hombre?" (Lucas 22:48). ¡El Señor nos ayude aprender la lección para que despojemos de nosotros toda actitud ambivalente, ventajosa y que no sea sincera!

B. Sufría por la condición de los gálatas (4:19,20)

"Hijitos míos, por quienes vuelvo a sufrir dolores de parto, hasta que Cristo sea formado en vosotros" (v.19). ¡Este es uno de los pasajes más tiernos de toda la Biblia! ¡Pero es una ternura saturada de dolor! Compárense estas palabras con las de 3:1: "¡Oh gálatas insensatos!" Ahora los llama: "Hijitos míos". No meramente, "Hijos míos", pero "Hijitos" (griego, τεκνία, pronúnciese, *teknía*, diminutivo). La razón por la cual se dirige así, usando la figura de una mujer parturienta, es porque él les había dado la nueva vida por medio del Evangelio. Cuando llegó a Galacia por primera vez para predicar el Evangelio, lo hizo con mucho sufrimiento, como ya lo vimos; pero ese sufrimiento fue como el de una parturienta que estaba dando a luz, y, gracias a los sufrimientos y la proclamación del Evangelio, nuevos hijos de Dios vinieron al mundo. En su primera carta a los corintios, el apóstol utilizó la figura del padre que engendra, dándole a entender a los corintios que, aunque hubiesen tenido muchos asesores espirituales, quien los llevó a Cristo fue él: "Porque aunque tengáis diez mil ayos en Cristo, no tendréis muchos padres; pues en Cristo Jesús yo os engendré por medio del evangelio" (1 Corintios 4:15). Aquellos primeros dolores se estaban repitiendo porque, prácticamente, el apóstol estaba empezando a trabajar de nuevo con sus hijos en la fe. Y, hay algo entre líneas que es omitido por los comentaristas de la Biblia: Se sufre más enderezar a un creyente que ha caído en el error, que ganar a un inconverso para Cristo. Por otro lado, nadie puede amar más a un niño que la madre, no solamente porque lo llevó en su vientre por nueve meses, sino porque para que llegue al mundo tiene que pasar por intensos dolores que solamente ella los padece. ¡Cuánta lección para los creyentes y, principalmente, para los ministros de Dios! Cuando se gana una alma para Cristo, implica dolor, pero una vez ganada hay amor, mucho amor hacia ella.

"Quisiera estar con vosotros ahora mismo y cambiar de tono, pues estoy perplejo en cuanto a vosotros" (v.20). Esta es una nueva explosión de ternura de parte del gran apóstol: deseaba ser catapultado hasta Galacia para encontrarse en ese mismo instante entre ellos. La palabra "perplejo", en el idioma griego, proviene de una palabra que significa "estar perdido en el camino"; incluye los sinónimos "desorientado", "confundido", "perdido", "no saber qué hacer". ¡Era imposible que los gálatas no se quebrantaran ante tanta demostración de ternura e interés! Una tremenda lección que se deriva del pasaje que se ha estudiado es que todo creyente, no solamente los ministros y pastores, deben sentir este mismo dolor cuando un miembro de la iglesia se desvía de la buena doctrina.

Afianzamiento y aplicación

(1) ¿El trabajo de los judaizantes producía en la iglesia unión o desunión? Explique.

(2) ¿Cuándo sufrió Pablo sus primeros "dolores de parto" entre los gálatas?

(3) ¿Qué enseñanzas se derivan del tema que hemos estudiado?

RESUMEN GENERAL

Iniciamos nuestro estudio con el ruego que el apóstol Pablo les hizo a los gálatas a que imitaran la manera como había actuado al llevarles el Evangelio. Siendo judío; sin embargo, actuó como un gentil ileso de los ritos, ceremonias, celebraciones y liturgias judías. Mucho más ellos que eran gentiles, debían de abstenerse de las prácticas judías que no contribuían a su salvación. Por causa de los judaizantes, en lugar de mantenerse como cristianos se estaban convirtiendo en prosélitos del judaísmo. Les recuerda que cuando llegó para predicarles el Evangelio sufría una penosa enfermedad que lo hacía grato a la vista de los demás. Sin embargo, los gálatas lo recibieron con mucho amor, como si fuera un ángel o el mismo Señor Jesucristo. Tanto fue el amor de ellos que hubieran hecho sacrificios dolorosos a fin de que el apóstol recobrara su salud. La enfermedad que llevaba era una fuerte infección en los ojos, dolencia que todavía sufría mientras les escribió la carta, ya que tenía que estampar su firma con grandes letras, evidencia de una fuerte miopía. Tristemente, todo el afecto inicial se había perdido por la nefanda influencia de los judaizantes. Ahora, era considerado un mutilador del Evangelio y un falso apóstol. Bien dicen los refranes: "Una manzana podrida echa a perder toda la caja"; "El que entre con lobos anda, a aullar se enseña", y "Dime con quién andas, y te diré quién eres". ¡Cuán cuidadosas deben ser las iglesias y sujetas a sus pastores que enseñan la sana doctrina para no ser desviados de la verdad! Tanta era la preocupación del apóstol por los hermanos gálatas que deseaba trasladarse a donde ellos para hablarles cara a cara y poder así corregir las anomalías que habían causado los falsos maestros. Fue muy evidente en nuestro estudio que el apóstol era un siervo de Dios que sufría por sus hijos en la fe, que los amaba con intensidad, y no deseaba que ninguno de ellos se perdiera por causa del error. ¡Esta es una lección que debe ser tomada con mucha seriedad por todas las iglesias!

Ejercicio de clausura

Repitan todos al unísono el texto áureo. Culminen el estudio con una oración de agradecimiento al Señor.

PREGUNTAS Y RESPUESTAS

1. ¿Cómo puede decir el apóstol: "Ningún agravio me habéis hecho", cuando sí lo estaban agraviando?

Aquí, se resalta el espíritu perdonador del apóstol. Si Pablo actuara en la carne, podría afirmar que sí, lo habían agraviado.

2. ¿Cuál es la opinión más generalizada sobre la condición física del apóstol Pablo?

Que su apariencia física no era muy agradable y además sufría de una enfermedad en los ojos.

3. ¿Cuál es la estrategia de los falsos profetas y maestros para hacer proselitismo?

Mostrarse muy amorosos y preocupados por los demás, pero en el fondo buscan satisfacer sus egos.

4. ¿Cómo se puede manifestar la inconsistencia y la hipocresía en la vida de la iglesia?

Cuando en la iglesia pueden reunirse para adorar a Dios, pero fuera de ella hablan mal los unos de los otros.

5. ¿Qué quiere decir la expresión: "Hijitos míos, por quienes vuelvo a sufrir dolores de parto"?

Que ganar un alma para Cristo, es un proceso que implica dolor, y una vez ganada hay que seguir luchando por ella.

PARA LA PRÓXIMA SEMANA

La próxima semana estudiaremos: "Los creyentes pertenecen a un pacto nuevo", basado en Gálatas 4:21-31. Estudie el tema durante la semana.

LOS CREYENTES PERTENECEN A UN PACTO NUEVO

ESTUDIO BÍBLICO 10

Base bíblica

Gálatas 4:21-31

Objetivos

El presente estudio permitirá al participante:

1. Entender bien el pasaje que se estará estudiando.
2. Comprender que el pacto que Dios hizo con Israel en el Sinaí, ratificado con la sangre de animales, caducó con la muerte de Cristo.
3. Reafirmar que el cristiano pertenece al nuevo pacto ratificado con la sangre de Cristo y que alcanza a todo el mundo.

Fecha sugerida: 9/04/16

Pensamiento central

El pacto sinaítico de Dios con Israel caducó con la muerte de Cristo, dando principio a un nuevo pacto basado en la sangre de Cristo y que beneficia a todo el mundo.

Texto áureo

Así que, por eso es mediador de un nuevo pacto, para que interviniendo muerte para la remisión de las transgresiones que había bajo el primer pacto, los llamados reciban la promesa de la herencia eterna (Hebreos 9:14).

LECTURA ANTIFONAL

Gálatas 4:21 Decidme, los que queréis estar bajo la ley: ¿no habéis oído la ley?

22 Porque está escrito que Abraham tuvo dos hijos; uno de la esclava, el otro de la libre.

23 Pero el de la esclava nació según la carne; mas el de la libre, por la promesa.

24 Lo cual es una alegoría, pues estas mujeres son los dos pactos; el uno proviene del monte Sinaí, el cual da hijos para esclavitud; éste es Agar.

25 Porque Agar es el monte Sinaí en Arabia, y corresponde a la Jerusalén actual, pues ésta, junto con sus hijos, está en esclavitud.

26 Mas la Jerusalén de arriba, la cual es madre de todos nosotros, es libre.

27 Porque está escrito: Regocíjate, oh estéril, tú que no das a luz; prorrumpe en júbilo y clama, tú que no tienes dolores de parto; porque más son los hijos de la desolada, que de la que tiene marido.

28 Así que, hermanos, nosotros, como Isaac, somos hijos de la promesa.

29 Pero como entonces el que había nacido según la carne perseguía al que había nacido según el Espíritu, así también ahora.

30 Mas ¿qué dice la Escritura? Echa fuera a la esclava y a su hijo, porque no heredará el hijo de la esclava con el hijo de la libre.

31 De manera, hermanos, que no somos hijos de la esclava, sino de la libre.

DATOS GENERALES ACERCA DEL TEMA

- **Enseñanza:** No se puede vivir en libertad y en esclavitud a la vez; como tampoco se puede vivir según los valores del mundo y pretender ser ciudadanos de la Jerusalén celestial.
- **Autor:** La carta a los Gálatas fue escrita por el apóstol Pablo.
- **Fecha:** Alrededor de los años 55-57 d.C.
- **Lugar:** Probablemente en Éfeso, en la costa occidental de Asia, o en la ciudad griega de Corinto según otras opiniones.
- **Destinatario:** Las iglesia del sur de Galacia.
- **Personajes:** El apóstol Pablo, Abraham, Sara, Agar, Isaac, Ismael, hermanos de las iglesias de Galacia, y los judaizantes (falsos hermanos).

BOSQUEJO DEL ESTUDIO

I. El apóstol se vale de una alegoría (Gálatas 4:21-23)
  A. Se dirige a aquellos que deseaban guardar la ley (4:21,22)
  B. El hijo en la carne y el hijo de la promesa (4:23)
II. Lo que simbolizaban Agar y Sara (Gálatas 4:24-28)
  A. La relación entre Agar y el monte Sinaí (4:24,25)
  B. Isaac representa a los creyente en Cristo (4:26-28)
III. La animosidad de los judíos contra los cristianos (4:29-31)
  A. Es una animosidad de la carne contra el Espíritu (4:29)
  B. Pablo recurre a las Escrituras (4:30,31)

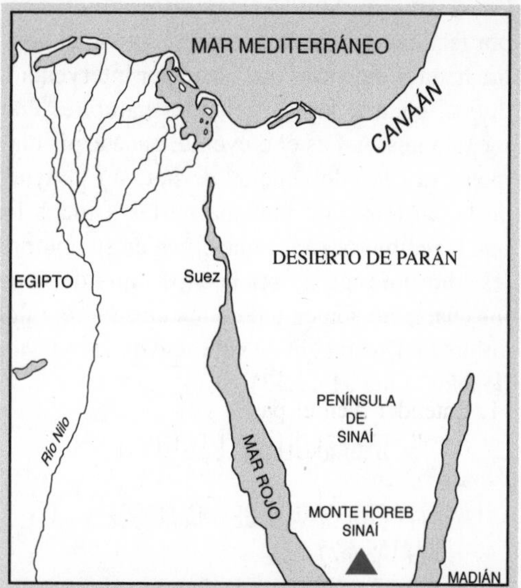

Ubicación del Monte Sinaí en Arabia, del cual hace referencia el apóstol Pablo en su carta a los gálatas.

LECTURAS DEVOCIONALES DIARIAS

Lunes: Sara se impacienta por no tener el hijo deseado (Génesis 16).
Martes: Sara duda de la promesa divina (Génesis 18:1-15).
Miércoles: Nacimiento de Isaac; expulsión de Agar e Ismael (Génesis 21).
Jueves: Dios reitera su promesa (Génesis 22:15-24).
Viernes: Pablo es perseguido por los judíos en Tesalónica (Hechos 17:1-15).
Sábado: Los judíos apresan a Pablo en el templo (Hechos 21:27-40).

INTRODUCCIÓN

Al leer el v.20 pensaría que el apóstol ha concluido su argumentación en defensa del Evangelio y de su apostolado; sin embargo, con el v. 21 reanuda sus argumentos utilizando alegorías que nadie, desde el tiempo de Abraham hasta los días del apóstol había utilizado. No se conoce ningún documento del tiempo de Pablo y antes de él, en el cual alguien haya visto en Agar, Ismael, Sara, Abraham, Sinaí y Jerusalén las figuras prominentes que el apóstol contempló. Algunos comentaristas bíblicos consideran que estas alegorías fueron creadas por el apóstol valiéndose de la mentalidad tan perspicaz que le caracterizó. Otros, que sostienen la inspiración divina de las Sagradas Escrituras, afirman con firmeza que estas alegorías contienen verdades que se cumplieron en el Nuevo Testamento y que le fueron, indiscutiblemente, inspiradas por el Espíritu Santo al apóstol. Es obvio comprender que la sana doctrina para el apóstol era fundamental y que deseaba utilizar la mayor información disponible para hacerles comprender a los gálatas el error en que habían caído. Indudablemente que muchos de los gálatas eran sinceros al aceptar las falsas doctrinas de los judaizantes como lo había sido el apóstol antes de su conversión cuando perseguía a los cristianos, incluso causando a algunos de ellos la muerte. Pero la sinceridad no es una garantía de que uno se encuentra en lo correcto y que agrada a Dios. Para agradar a Dios se necesita mucho más que la sinceridad. Con las alegorías de las cuales el apóstol se vale procura demostrar que entre la ley y la gracia existen dos situaciones distintas: la ley, era temporal; la gracia eterna; la ley era para demostrarle al hombre que es pecador; la gracia, para redimir al hombre de la esclavitud del pecado; mientras que Ismael nació por iniciativa de la carne, ya que fue una idea de Sara en su impaciencia; Isaac nació por causa de una promesa hecha por Dios. Ismael nació por facultades humanas, representando al hombre natural, mientras que Isaac por intervención divina, cuando las capacidades naturales eran inoperantes. Así es el creyente: nace espiritualmente por la intervención divina, sin la ayuda de la participación humana: "Mas a todos los que le recibieron, a los que creen en su nombre, les dio potestad de ser hechos hijos de Dios, los cuales no son engendrados de sangre, ni de voluntad de carne, ni de voluntad de varón, sino de Dios" (Juan 1:12,13).

DESARROLLO DEL ESTUDIO

I. EL APÓSTOL SE VALE DE UNA ALEGORÍA (GÁLATAS 4:21-23)

Ideas para el maestro o líder

(1) Lea durante la semana Génesis 16-22.

(2) Muestre a la clase en un mapa la ubicación geográfica del monte Sinaí.

Definiciones y etimología

* *"Según la carne"*. El nacimiento de Ismael fue motivado por la falta de fe de Abraham y Sara a la promesa de Dios, y el empleo de medios humanos y pecaminosos.

* *"Por la promesa"*. De forma milagrosa, Dios capacitó a Abraham y Sara para que tuvieran a Isaac a pesar de que Sara había pasado hacía mucho tiempo la edad propicia para tener hijos, además que había sido estéril toda la vida.

A. Se dirige a aquellos que deseaban guardar la ley (4:21,22)

"Decidme, los que queréis estar bajo la ley: ¿no habéis oído la ley?" (v.21). Antes de comentar este versículo conviene hace una corrección: la traducción correcta de la pregunta que hace el apóstol, debe ser: "¿No *oís* la ley?" ya que el verbo oír se encuentra en el tiempo presente. "Oír" aquí tiene la connotación de "entender". Por lo tanto, la idea fundamental del texto es: "Díganme aquellos de ustedes que desean estar bajo el sistema de la ley, ¿no entienden lo que la ley dice?" Después de haberse dirigido con mucha ternura a sus destinatarios en los cuatro versículos previos, el apóstol, parece haber hecho una pausa y después de ella retomar el hilo de su argumentación recurriendo a sucesos registrados en el Antiguo Testamento de donde se desprenden valiosas alegorías que ilustran con fuerza las verdades del Evangelio. Ya, en 3:23-29, les había explicado que encontrándose ellos en la fe no necesitaban de la ley; que la ley tuvo una función temporal. El resultado era que por causa de la fe eran hijos de Dios por haber creído en Cristo Jesús; que al haberse bautizado depositando su confianza redentora en los méritos de Cristo, habían sido revestidos de Cristo. Esto es, para quien pasa por esa experiencia, le es irrelevante ser judío o gentil, esclavo o libre, hombre o mujer, porque esas distinciones espirituales no existen dentro del Evangelio. Por lo tanto, el que es de Cristo es descendiente de Abraham por la línea de Isaac porque fue el hijo de la promesa, esto es, el hijo del milagro, ya que Sara concibió milagrosamente. Abraham vivió muchos años antes que la ley fuera dada, y fue constituido el padre de los creyentes sin haber observado la ley. Si todo esto era una realidad que había ocurrido en sus vidas, ¿cómo era posible que ahora desearan guardar los preceptos rigurosos de la ley para complementar su salvación? ¿Cómo podía ser posible que el padre de la fe, Abraham, y su hijo de la promesa, el hijo del milagro, hubieran sido hijos de Dios, sin seguir el ritualismo levítico, y ahora los judaizantes se lo exigieran a los que eran hijos espirituales de los venerables patriarcas?

"Porque está escrito que Abraham tuvo dos hijos: uno de la esclava, el otro de la libre" (v.22). Esta historia se encuentra en Génesis 16. Sara sabía que Dios le había prometido a Abraham que sería progenitor de una nación grande (Génesis 12:2), pero, en lugar de esperar con fe que ella sería la madre de esa progenie, se impacientó y le pidió a Abraham que se uniera a Agar para lograr así ser el padre de una grande descendencia. ¡Esto no era lo que Dios deseaba! Enseñanza: ¡Cuán graves son los resultados cuando se alteran los planes de Dios! ¡Cuántos dolores de cabeza arrastra el modificar la Palabra de Dios!

B. El hijo en la carne y el hijo de la promesa (4:23)

Antes de considerar el v.23, es necesario señalar un dato que es muy relevante en el v.22:

el apóstol se refiere a Agar como "esclava", y a Sara, como "libre". En el Antiguo Testamento no hay ningún pasaje en que se hable de Sara como la "libre". Este término, junto con el de "esclava", los escoge intencionalmente el apóstol para fortalecer su argumentación: Agar representa a aquella que da hijos según la carne, y que, por lo tanto, heredan la condición de esclavos; Sara representa a aquella que da hijos según la promesa, esto es según el Espíritu (v.29).

"Pero el de la esclava nació según la carne; mas el de la libre, por la promesa" (v.23). El "pero" con que empieza el v.23 debe ser analizado según el texto griego. En el idioma griego hay dos conjunciones que en español se traducen "pero": una es δέ (pronúnciese, *de*). Esta conjunción no es enfática, y es por eso que también se traduce "mas", como es el caso en el v.23, donde dice: "*mas* el de la libre, por la promesa". La otra conjunción, que es adversativa, y que se traduce con un enfático "pero", es ἀλλά (pronúnciese, *alá*). Esta conjunción se usa para resaltar dos cosas opuestas, diferentes. Al empezar el apóstol con esta conjunción adversativa lo que es nuestro v.23, lo hace para reiterar que una de las madres era esclava, y la otra libre; que el hijo de la esclava fue según la carne, esto es, según los deseos humanos; el hijo de la libre, nació de acuerdo a una promesa que Dios le había hecho a Abraham, promesa tan importante que Pablo llama a Isaac, el hijo "nacido según el Espíritu" (v.29), como ya lo vimos arriba. Pero, el uso del sustantivo "carne" (griego σάρξ, pronúnciese, *sarx*) lo usa el apóstol numerosísimas veces en sus cartas para indicar la naturaleza pecaminosa del ser humano, por ejemplo: ""...y no satisfagáis los deseos de la *carne*" (Gálatas 5:16); "Porque el deseo de la *carne* es contra el Espíritu...." (Gálatas 5:17); "Y manifiestas son las obras de la *carne*..." (Gálatas 5:19); "Pero los que son de Cristo han crucificado la *carne* con sus pasiones y deseos" (Gálatas 5:24). Por lo tanto, además de tener en mente a aquellos que nacen sin ser hijos de la promesa y sin la intervención del Espíritu, el apóstol añade que los tales nacen con la naturaleza pecaminosa que requiere ser transformada por el Espíritu de Dios, que necesitan un nuevo nacimiento. Es lo que Santiago dice en su carta: "El, de su voluntad, nos hizo nacer por la palabra de verdad para que seamos primicias de sus criaturas" (1:18). Este nuevo nacimiento por la Palabra, equivale a la promesa dada por Dios a Abraham de que tendría un hijo, y que ese hijo sería también considerado nacido por el Espíritu. Por lo tanto, estos hijos espirituales que siguen la fe de Abraham son los cristianos que no necesitan guardar ritos ni ceremonias ni liturgias ni días específicos para ser salvos.

Afianzamiento y aplicación

(1) ¿Por qué Ismael nació según la carne?
(2) ¿Por qué Isaac nació según la promesa?
(3) ¿En qué sentido los creyentes son hijos de Abraham?

II. LO QUE SIMBOLIZABAN AGAR Y SARA (GÁLATAS 4:24-28)

Ideas para el maestro o líder

Designar a uno de los participantes para que realice la lectura en voz alta de Gálatas 4:25-28

Definiciones y etimología

* *"Alegoría"*. La palabra griega se usaba para aludir a una historia que transmitía un significado más allá del sentido literal de las palabras. En este pasaje, Pablo utiliza personajes y lugares históricos del Antiguo Testamento para ilustrar una verdad espiritual: El contraste entre la ley y la gracia.

A. La relación de Agar con el monte Sinaí (4:24,25)

"Lo cual es una alegoría, pues estas mujeres son los dos pactos; el uno proviene del monte Sinaí, el cual da hijos para esclavitud; este es Agar" (v.24). Como se ha venido indicando, el apóstol se vale de una alegoría en la cual los protagonistas son Agar y Sara, y después, Ismael e Isaac. Nuevamente, el propósito fundamental es mostrar el carácter transitorio de los ritos y sacrificios del sistema levítico, y el triunfo final de la libertad cristiana sobre todas las prácticas judaizantes. Al elaborar sus pruebas, el apóstol utiliza una serie de contrastes, a saber: Agar-Sara; esclavitud-libertad; Ismael-

Isaac; ley-Evangelio; carne-promesa; Jerusalén de abajo-Jerusalén de arriba; dos pactos, y se infiere, aunque no se menciona, el contraste entre el monte Sinaí y el monte Calvario. Se cree que Agar fue un obsequio del faraón egipcio a Sara, para que fuera su sirvienta, cuando estuvieron Abraham y Sara en dicho país. El nombre Agar significa "emigración" o "huída", que no deja de ser también simbólico. Posiblemente, el significado de su nombre anticipaba la separación entre Agar y Sara, cuando sería despedida por la rivalidad que había entre Ismael e Isaac. Ahora, el apóstol habla de dos pactos: el primero al cual hace referencia es el que ocurrió en el Sinaí, pacto que fue hecho entre Dios e Israel y que fue ratificado con sangre: "Entonces Moisés tomó la sangre y roció sobre el pueblo, y dijo: He aquí la sangre del pacto que Jehová ha hecho con vosotros sobre todas estas cosas" (Éxodo 24:8). ¿Por qué llama el apóstol este pacto, "el cual da hijos para esclavitud"? Por dos razones: 1) porque el pueblo nunca lo podría observar, y 2) porque estaba basado en ritos y ceremonias que tenían que estarse repitiendo y repitiendo hasta que se estableciese el nuevo en la sangre de Cristo que no necesita repetición. En la noche en que el Señor celebró con sus discípulos la Pascua y estableció lo que solemos llamar la "Santa Cena", dijo lo siguiente: "Esta copa es el *nuevo pacto* en mi sangre, que por vosotros se derrama" (Lucas 22:20).

"Porque Agar es el monte Sinaí en Arabia, y corresponde a la Jerusalén actual, pues esta, junto con sus hijos, está en esclavitud" (v.25). Por "Jerusalén" el apóstol se refiere no tanto a la ciudad, sino al sistema levítico que allí se practicaba por estar en esa localidad el templo, donde ministraban los sacerdotes sacrificando animales para la remisión de los pecados. ¿Por qué es que este sistema y sus practicantes están en esclavitud? La respuesta la da el apóstol en el siguiente pasaje: "Pero el entendimiento de ellos se embotó; porque hasta el día de hoy, cuando leen el antiguo pacto, les queda el mismo velo no descubierto, el cual por Cristo es quitado" (2 Corintios 3:14). ¡Quien no tiene a Cristo, no importa qué religión practique, se encuentra en esclavitud!

B. Isaac representa los creyentes en Cristo (4:26-28)

"Mas la Jerusalén de arriba, la cual es madre de todos nosotros, es libre" (v.26). Tanto los salmos como los libros proféticos dan testimonio de la entusiasta devoción que los israelitas tenían por la ciudad de Jerusalén. Ya que el templo y el palacio real se encontraban dentro de sus límites, representaba el centro religioso e imperial de la ciudad que ellos idealizaban (Véase el Salmo 48). Los eventos del cautiverio y la restauración subsiguiente de la ciudad hicieron de ella, en la mente entusiasta del pueblo hebreo, un sitio especial donde el Mesías reinaría y donde el centro espiritual del mundo se localizaría. Sus visiones futuristas la destinaban para ser el centro de una adoración mundial y donde el trono de un Rey, el Mesías, descendiente de David, que reinaría sobre todo el mundo con justicia, paz y prosperidad, se instalaría algún día. Ese sueño, indudablemente, estaba en la mente de los discípulos cuando le preguntaron al Señor: "Señor, ¿restaurarás el reino a Israel en este tiempo?" (Hechos 1:6). Pero las añoranzas judías, saturadas de un idealismo un tanto nacionalista y terreno, no se aproximaba a lo que Juan contempló, por revelación divina: la verdadera Jerusalén celestial, que al final de los tiempos descenderá del cielo. Esta maravillosa visión la registró en su Apocalipsis, capítulos 21 y 22. ¡Esa Jerusalén celestial, que descenderá del cielo, hecha de piedras preciosas, perlas y oro, donde no hay necesidad de sol ni de templo, es la que le espera a los creyentes!

"Porque está escrito: Regocíjate, oh estéril, tú que no das a luz; prorrumpe en júbilo y clama, tú que no tienes dolores de parto; porque más son los hijos de la desolada, que de la que tiene marido" (v.27). Esta es una cita de Isaías 54:1. Este capítulo tiene que ser estudiado como una continuación del 53 donde se habla del Siervo Sufriente de Jehová, esto es el Mesías. En el capítulo 53 se dice del Mesías que por haber expuesto su vida a muerte, "verá linaje, vivirá por largos días, y la voluntad de Jehová será en su mano prosperada" (v.10); "Verá el fruto de la aflicción de su alma, y quedará satisfecho; por su conocimiento justificará mi siervo justo a muchos, y llevará las iniquidades de ellos" (v.11). Por lo tanto, la que no daba a luz de la cual habla el apóstol en el v. 27, que es la misma de la cual habla el profeta Isaías en 54:1 es una referencia al pueblo nuevo de Dios, a aquellos que son beneficiados por la muerte del Siervo Sufriente de Jehová (Isaías 53), la Iglesia, que será la moradora de la Jerusalén celestial. Esta Jerusalén celestial fue a la que se refirió el Señor cuando les dijo a sus discípulos: "En la casa de mi Padre muchas moradas hay; si así no fuera, yo os lo hubiera dicho; voy, pues, a preparar lugar para vosotros. Y si me fuere y os preparare lugar, vendré otra vez, y os tomaré a mí mismo, para que donde yo estoy, vosotros también estéis" (Juan 14:2,3). El apóstol añade diciendo que los creyentes, así como Isaac, somos hijos de la promesa. Esto, por dos razones fundamentales: 1) porque somos hijos por la fe en lo que Dios afirma, y porque somos engendrados por el Espíritu Santo.

Afianzamiento y aplicación

(1) Explique los dos pactos de los cuales habla el apóstol.
(2) ¿En qué está basado el nuevo pacto, según Lucas 22?
(3) Describa la Jerusalén celestial.

III. LA ANIMOSIDAD DE LOS JUDÍOS CONTRA LOS CREYENTES (GÁLATAS 4:29-31)

Ideas para el maestro o líder

Un estudiante realizará la lectura en voz alta de Gálatas 4:29-31.

Definiciones y etimología

* *"Perseguía"*. En algunas traducciones griegas está como "jugaba" o "burlaba". Así como Ismael en la fiesta con la que se celebró el destete de Isaac, se burló de Isaac (Génesis 21:8, 9). Así también los judaizantes se burlaban de los creyentes que estaban bajo la "gracia". De la misma forma, los incrédulos siempre han perseguido a los creyentes.

A. Es una animosidad de la carne contra el Espíritu (4:29)

"Pero como entonces el que había nacido según la carne perseguía al que había nacido según el Espíritu, así también ahora" (v.29). El apóstol se remonta diecinueve siglos atrás al día cuando Isaac fue destetado (Génesis 21:9). Isaac tendría, entre dos o tres años de edad cuando esto sucedió. Antiguamente, los niños eran destetados entre los dos y tres años de edad. Esto significa que Ismael tendría entre dieciséis y diecisiete años. La palabra "perseguía" en algunas traducciones griegas antiguas se traduce "jugaba"; en otras se traduce "burlaba", que es como se traduce en Génesis 39:14: "Mirad, cómo nos ha traído un hebreo para que hiciese *burla* de nosotros". El apóstol vio en esa burla el intento de ridiculizar a Isaac y de hacer sentir mal a Sara por ser una mujer que todavía amamantaba siendo una anciana de edad avanzada. En todo esto se anticipaba la encarnizada persecución de los judíos inconversos en contra de los creyentes. No solamente en la muerte de Cristo, sino también por todo el libro de Los Hechos, se ve la manera tan furibunda en que los judíos no daban tregua a la persecución de los cristianos. El apóstol Pablo lo hizo antes de convertirse, pensando que estaba haciendo un servicio a Dios: "Yo ciertamente había creído hacer muchas cosas contra el nombre de Jesús de Nazaret" (Hechos 26:9).

Pero, hay una idea que se revela en el 29 en las palabras "carne" y "Espíritu"; "...nacido según la carne...nacido según el Espíritu", y es: la rivalidad que existe entre la carne y el Espíritu de la cual escribe tanto el apóstol en Romanos 7 y Gálatas 5. Por ejemplo: "Porque el deseo de la carne es contra el Espíritu, y el del Espíritu contra la carne; y éstos se oponen entre sí, para que no hagáis lo que quisiereis" (Gálatas 5:17). Así como el hijo de la carne no podía convivir con el Hijo del Espíritu, la carne y el Espíritu son irreconciliables y no pueden estar juntos. Quien vive en la carne vive bajo las acusaciones de la ley dada en el Sinaí, pero quien vive en el Espíritu se encuentra cobijado por la justificación que se encuentra por medio de la fe: "Justificados, pues, por la fe, tenemos paz para con Dios por medio de nuestro Señor Jesucristo" (Romano 5:1). En el Evangelio se integran la *promesa,* la *fe,* el *Espíritu,* la *justificación y* la *paz*; en la *carne*, la *acusación* de la ley *sinaítica*, la *expulsión*, y la ausencia de la *herencia* eterna. ¡Cuán glorioso es el contenido del Evangelio!

B. Pablo recurre a las Escrituras (4:30,31)

"Mas, ¿qué dice la Escritura? Echa fuera a la esclava y a su hijo, porque no heredará el hijo de la esclava con el hijo de la libre" (v.30). El "mas" con que empieza el v.30 es enfático (griego, ἀλλά; pronúnciese, *alá*). Hay comentaristas de la Biblia que traducen este "mas", "*y después de todo*, ¿qué dice la Escritura?". El apóstol se encuentra para finalizar la argumentación que le ha mantenido ocupado y para cerrar con broche de oro hace la pregunta: "Y después de todo ¿qué dice la Escritura?". En otras palabras, "la decisión final de lo que estamos discutiendo la tiene que dar la Palabra de Dios". El Señor Jesucristo, al igual que los apóstoles y los autores del Nuevo Testamento tenían como piedra de toque para todas sus conclusiones teológicas la Palabra de Dios, Las Santas Escrituras. En materia espiritual la última palabra las encontraban siempre en Las Sagradas Escrituras. Cristo les dijo a los judíos que discutían con Él: "Escudriñad las Escrituras; porque a vosotros os parece que en ellas tenéis la vida eterna; y ellas son las que dan testimonio de mí" (Juan 5:39). Cuando Judas se suicidó, el apóstol Pedro les dijo a los discípulos que se encontraban reunidos: "Varones hermanos, es necesario que se cumpliese la Escritura en que el Espíritu Santo habló…" (Hechos 1:16). Pasajes como este encontramos muchos en el Nuevo Testamento donde los escritos del Antiguo son llamados "santos" e inspirados por "el Espíritu Santo". Hay un pasaje escrito por el apóstol Pedro que revela el importantísimo lugar que tenían Las Escrituras en la iglesia primitiva: "Y nosotros oímos esta voz enviada del cielo, cuando estábamos con él en el monte santo. Tenemos también la palabra profética más segura, a la cual hacéis bien en estar atentos como a una antorcha que alumbre en lugar oscuro, hasta que el día esclarezca y el lucero de la mañana salga en vuestros corazones" (2 Pedro 1:18,19). En este pasaje el apóstol Pedro está narrando la experiencia sublime que tuvo cuando estuvo con Cristo en el monte de la transfiguración. Pero, para el apóstol, hay algo más seguro, más firme, que las experiencias personales que uno pueda tener, por más extraordinarias que sean, y es: "La palabra profética", esto es, Las Sagradas Escrituras. Ellas son una antorcha que alumbra en lugar oscuro, y seguirán alumbrando hasta que el día profético venga, y el lucero de la mañana, Cristo, aparezca en nuestros corazones, esto es, hasta Su Segunda Venida. ¡Que así sea!

Afianzamiento y aplicación

(1) ¿Qué idea se revela en el v.29?

(2) ¿Quién acusa al que vive en la carne?

(3) Explique la importancia que Las Escrituras tienen en la vida del cristiano.

RESUMEN GENERAL

En este estudio apreciamos, bajo diferentes figuras usadas por el apóstol Pablo, bajo personajes históricos del Antiguo Pacto, y localidades, asuntos que tienen que ver con el plan de redención. Primeramente se habla de la ley y de aquellos que deseaban estar bajo ella. Para el apóstol no se puede estar al mismo tiempo bajo la ley y bajo la gracia. Una desplaza automáticamente a la otra, ya que, como el mismo Señor lo dijo, "Nadie puede servir a dos señores". No se puede vivir en libertad y en esclavitud a la misma vez; tampoco en la carne y en el Espíritu, como tampoco se puede vivir según los valores del mundo y pretender ser ciudadanos de la Jerusalén celestial. En nuestro estudio hay dos temas que resaltan: *Primero,* la lucha encarnizada entre la carne y el Espíritu. Por "carne" se entiende la naturaleza humana que se mantiene inclinada hacia las pasiones pecaminosas. "Espíritu", es una referencia a la presencia de Dios en el creyente que lo hace vivir según el carácter divino; *Segundo,* el valor prioritario que tienen Las Sagradas Escrituras en todo aquello que se relaciona con la vida cristiana. Cualquier doctrina y cualquier práctica que se sostenga individual y colectivamente tienen que coincidir con lo que enseñan Las Sagradas Escrituras. Ninguna experiencia personal de índole que sea, puede tener supremacía sobre la Biblia. Si el Antiguo Testamento fue considerado sagrado por contener símbolos, figuras, tipos y profecías de carácter celestial, cuánto más el Nuevo Testamento que es el cumplimiento de las cosas mencionadas y por tener una descripción detallada de lo que es la verdad redentora. ¡Dios nos ayude a conocer a fondo Su Palabra y a implementarla en nuestra conducta diaria!

Ejercicio de clausura

Finalice la clase con la repetición del texto áureo al unísono y dirija una oración de agradecimiento a Dios.

PREGUNTAS Y RESPUESTAS

1. ¿Cuáles fueron los dos hijos que tuvo Abraham y qué representan?

Isaac el hijo según la promesa, representa los creyentes por la fe, e Ismael el nacido según la carne, representa los que siguen la ley.

2. Según al apóstol ¿qué representan Sara y Agar?

Agar representa, el pacto del Sinaí, el de la ley, que da hijos según la carne, en esclavitud, y Sara representa el pacto con Abraham, que da hijos según la promesa, esto es según el Espíritu.

3. ¿Por qué dice el apóstol Pablo que el pacto del Sinaí, "da hijos para esclavitud"?

(1) Porque el pueblo nunca lo podría observar. (2) porque estaba basado en ritos y ceremonias que tenían que estarse repitiendo hasta que se estableciese el nuevo en la sangre de Cristo que no necesita más repetición.

4. ¿Qué significa que él que "había nacido según la carne perseguía al que había nacido según el Espíritu"?

Se refiere a la permanente persecución y burla de los inconversos en contra de los creyentes.

5. ¿Cuál es la esperanza de los creyentes que se mantengan firmes en la promesa?

¡La Jerusalén celestial, que descenderá del cielo, hecha de piedras preciosas, perlas y oro, donde no hay necesidad de sol ni de templo, es la que le espera a los creyentes!

PARA LA PRÓXIMA SEMANA

La próxima semana realizaremos el estudio: "El peligro del legalismo", basado en Gálatas 5:1-12. Recomendamos estudiar el tema durante la semana; memorice el texto áureo.

EL PELIGRO DEL LEGALISMO

ESTUDIO BÍBLICO 11

Base bíblica

Gálatas 5:1-12

Objetivos

Al concluir el estudio los participantes estarán aptos para:

1. Entender bien el pasaje estudiado.
2. Comprender que el legalismo es uno de los peores enemigos de la fe cristiana.
3. Explicar por qué el legalismo hace a la persona religiosa, pero no cristiana.

Fecha sugerida: 9/11/16

Pensamiento central

La fe cristiana y el legalismo son incompatibles: el legalismo se basa en méritos personales, el cristianismo en los méritos de Cristo; el legalismo produce orgullo, el cristianismo humildad..

Texto áureo

Estad, pues, firmes en la libertad con que Cristo nos hizo libres, y no estéis otra vez sujetos al yugo de esclavitud (Gálatas 5:1).

LECTURA ANTIFONAL

Gálatas 5:1 Estad, pues, firmes en la libertad con que Cristo nos hizo libres, y no estéis otra vez sujetos al yugo de esclavitud.
2 He aquí, yo Pablo os digo que si os circuncidáis, de nada os aprovechará Cristo.
3 Y otra vez testifico a todo hombre que se circuncida, que está obligado a guardar toda la ley.
4 De Cristo os desligasteis, los que por la ley os justificáis; de la gracia habéis caído.
5 Pues nosotros por el Espíritu aguardamos por fe la esperanza de la justicia;
6 porque en Cristo Jesús ni la circuncisión vale algo, ni la incircuncisión, sino la fe que obra por el amor.
7 Vosotros corríais bien; ¿quién os estorbó para no obedecer a la verdad?
8 Esta persuasión no procede de aquel que os llama.
9 Un poco de levadura leuda toda la masa.
10 Yo confío respecto de vosotros en el Señor, que no pensaréis de otro modo; mas el que os perturba llevará la sentencia, quienquiera que sea.
11 Y yo, hermanos, si aún predico la circuncisión, ¿por qué padezco persecución todavía? En tal caso se ha quitado el tropiezo de la cruz.
12 ¡Ojalá se mutilasen los que os perturban!

DATOS GENERALES ACERCA DEL TEMA

- **Enseñanza:** El sacrificio expiatorio de Cristo no puede beneficiar a aquel que confía en la ley, en sus obras personales o en cualquier ritual religioso para su salvación.
- **Autor:** La carta a los Gálatas fue escrita por el apóstol Pablo.
- **Fecha:** Alrededor de los años 55-57 d.C.
- **Lugar:** Probablemente en Éfeso, en la costa occidental de Asia, o en la ciudad griega de Corinto según otras opiniones.
- **Destinatario:** Las iglesia del sur de Galacia, fundadas por el apóstol en su primer viaje misionero, alrededor de los años 45-48 d.C.
- **Personajes:** El apóstol Pablo, los creyentes de las iglesia de la provincia de Galacia, y los judaizantes (falsos hermanos).

BOSQUEJO DEL ESTUDIO

I. Las consecuencias del legalismo (Gálatas 5:1-4)
   A. Roba la libertad que se tiene en Cristo (5:1,2)
   B. Impone cargas ajenas al Evangelio (5:3,4)

II. Lo que importa en la vida cristiana (Gálatas 5:5-8)
   A. Ser guiados por el Espíritu (5:5,6)
   B. Obedecer la verdad (5:7,8)

III. El peligro de los falsos maestros (Gálatas 5:9-12)
   A. Sus daños son impredecibles (5:9,10)
   B. Recurren a la mentira (5:11,12)

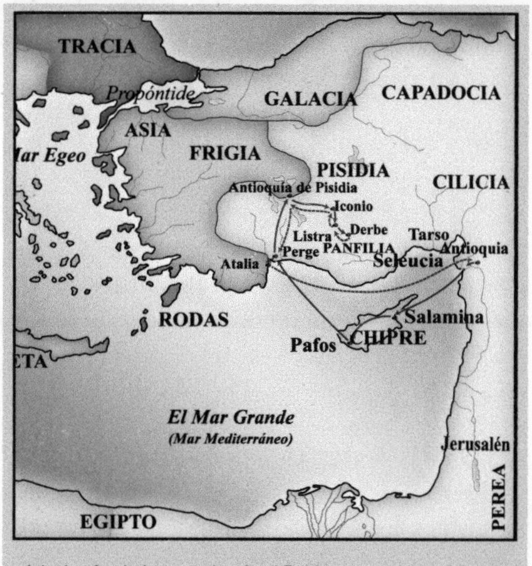

Iglesias fundadas por el apóstol Pablo en su primer viaje misionero, según Hechos 13:13-14:28.

LECTURAS DEVOCIONALES DIARIAS

Lunes: Toda persona necesita salvación (Romanos 3).
Martes: Un ejemplo de salvación por la fe (Romanos 4).
Miércoles: Los resultados de la fe salvadora (Romanos 5).
Jueves: La vida en Cristo demanda muerte al pecado (Romanos 6).
Viernes: La lucha que sostiene todo cristiano (Romanos 7).
Sábado: La vida en el Espíritu (Romanos 8).

INTRODUCCIÓN

Este estudio trata directamente del problema que había surgido en las iglesias de Galacia, pero visto desde otra perspectiva: ¡Del legalismo! El legalismo es parte integral de todas las religiones porque consiste en hacer cosas que le redituen a uno el favor, principalmente la salvación, de parte de la deidad. Por esta razón los teólogos conservadores se oponen enérgicamente, y con sobrada razón, a considerar la fe cristiana como una religión. La palabra "religión" proviene del latín *religare* que significa "unir de nuevo", pero por esfuerzos humanos. En esencia, viene siendo "el esfuerzo humano para estar en buenos términos con la deidad". Es lo opuesto de la fe cristiana, ya que esta es una revelación de parte de Dios; el de la iniciativa es Dios actuando sobre la base de Su soberanía y providencia. Es Dios el que provee, gratuitamente, en Su gracia y amor la fe necesaria para creer en el Redentor que Él proveyó. Para obtener la salvación se requiere la fe que Él brinda gratuitamente y que habilita a la persona arrepentirse de sus pecados y entregarse sin reservas y sin condiciones a Su bondad redentora. Las buenas obras que agradan a Dios son resultado del nuevo nacimiento, esto es, del cambio que Él origina en la persona por la razón de que el Espíritu Santo reside en ella desde el momento de la conversión. Ser salvo implica ser un canal por donde Dios manifiesta Sus obras para bendición de los necesitados: "Porque somos hechura suya, creados en Cristo Jesús para buenas obras, las cuales Dios preparó de antemano para que anduviésemos en ellas" (Efesios 2:10). De manera que las buenas obras no las produce el creyente: las produce Dios por medio del creyente cuando este vive una vida consagrada. Lo opuesto a estas buenas obras que provienen de Dios, es el legalismo, y este es lo que el hombre intenta agregarle al Evangelio por su iniciativa carnal. Consideremos, pues, una lección que nos ayudará a entender los grandes perjuicios del legalismo.

DESARROLLO DEL ESTUDIO

I. LAS CONSECUENCIAS DEL LEGALISMO (GÁLATAS 5:1-4)

Ideas para el maestro o líder

Motivar a los participantes para que alguno se disponga a realizar la lectura en voz alta de Gálatas 5:1-4.

Definiciones y etimología

* *"Desligarse"*. Del verbo griego *katarguéo,* que significa "separarse" o "cortarse de", "dejar sin fuerza sin valor". Pablo quiere dar a entender que todo el que intenta justificarse por la ley, está dejando sin fuerza su unión con Cristo. Ha perdido el agarre firme de la gracia por la fe y ha caído.

A. Roba la libertad que se tiene en Cristo (5:1,2)

"Estad, pues, firmes en la libertad con que Cristo nos hizo libres, y no estéis otra vez sujetos al yugo de esclavitud" (v.1). Así es como tiene RV1960 que sigue el Texto Recibido. Hay variantes textuales que se remontan a manuscritos antiguos griegos que se han venido encontrando, siendo una de ellas, la siguiente: "Para la libertad nos liberó Cristo, así que manteneos firmes, y no os dejéis sujetar nuevamente al yugo de la esclavitud". Esta variante tiene su explicación, que no hay necesidad de hacerla, ya que en nada cambia el sentido esencial del texto. Analicemos el texto por partes: "Estad...". El verbo está en el modo imperativo indicando no una recomendación o sugerencia sino una orden terminante, no tanto de parte el apóstol, sino del Señor mismo. Por estar el verbo en el tiempo presente, indica una acción continua, ininterrumpida. Es por eso que en la variante que citamos dice: "...manteneos firmes...". La firmeza en la fe no debe ser intermitente, sino constante. Ahora, la firmeza debe ser en "la libertad con que Cristo nos hizo libres". La libertad espiritual es uno de los temas más sobresalientes del Nuevo Testamento. Esta libertad es consecuencia de la salvación que Dios ofrece en Cristo. El sustantivo "libertad" ocurre en el Nuevo Testamento once veces; el verbo "libertar", siete, y el adjetivo "libre", veintitrés, la mayoría de ellos en las cartas paulinas. Esta libertad es por los méritos de Cristo (Colosenses 1:13,14; Gálatas 4:3-5). Consiste en una liberación de las tinieblas espirituales (Colosenses 1:13); del poder del pecado (Romanos 6:18); de la maldición de la ley (Gálatas 3:13); del miedo a la muerte (Hebreos 2:15), y de la esclavitud de los ritos ceremoniales (Gálatas 5:1), entre otras cosas.

"He aquí, yo Pablo os digo que si os circuncidáis, de nada os aprovechará Cristo" (v.2). El apóstol se identifica, diciendo: "He aquí, yo Pablo". ¿Por qué? *Primero,* porque él era el padre espiritual de todos ellos, y un padre desea lo mejor para sus hijos. *Segundo,* porque a él directamente Dios le había revelado el Evangelio, y, sabía, como consecuencia lógica, que lo que predicaba provenía de Dios (Gálatas 1:11,12), y, *tercero,* porque Dios lo había constituido en "predicador, apóstol y maestro de los gentiles" (1 Timoteo 2:7). El apóstol añade una razón fundamental para que los gálatas no procedieran a practicar lo que los judaizantes querían que hicieran: ¡Porque desplazarían a Cristo de sus vidas: "...de nada os aprovechará Cristo"! ¡Cristo no comparte sus méritos con nadie; la gracia de Dios no admite ayudantes, y la fe se margina cuando las obras desean compartir la gloria con ella!

B. Impone cargas ajenas al Evangelio (5:3,4).

"Y otra vez testifico a todo hombre que se circuncida, que está obligado a guardar toda la ley" (v.3). Las palabras, "Y otra vez testifico" pueden traducirse de otras dos maneras, a saber: "Protesto nuevamente", "Hablo en la presencia de un testigo". Tres son las ideas que tiene el apóstol en mente al escribir estas palabras: *Primera,* que está repitiendo algo que ha venido diciendo porque el caso es serio; *Segunda,* que sus palabras son una enérgica protesta en contra de lo que sucedía en las iglesias de Galacia, y *tres,* que hablaba en presencia de un Testigo, y ese Testigo era el Señor Jesucristo. Una idea parecida sería: "Y otra vez doy testimonio enérgicamente, y el Señor es testigo de lo que digo". Las palabras tienen parecido a lo que el mismo apóstol dice en Efesios 4:17: "Esto, pues, digo, y requiero en el Señor...". Las palabras que siguen demuestran que la exhortación aplica a toda persona, sin diferencia: "...a todo hombre...". Sin duda alguna que, principalmente, los de ascendencia o convicciones judías, pensaban que acumulaban más méritos ante Dios siguiendo los ritos que habían caducado en el Calvario. Por otro lado, las palabras "...a todo hombre..." son dirigidas en nuestros días a todo el que piensa que imponiéndose legalismos le da más valor al sacrificio de Cristo, cuando es precisamente lo opuesto. Agregarle prácticas legalistas al Evangelio hace nulo el sacrificio de Cristo, porque este no puede ser mezclado con nada. Las palabras "...que se circuncida..." deben ser traducidas "...que permite que lo circunciden..." ya que "circuncida" es un participio en la voz pasiva.

De manera que el caso se complicaba más para los gálatas porque dejaban que los judaizantes hicieran en sus cuerpos lo que ellos deseaban hacer. Indirectamente era una sumisión incondicional a las pretensiones de los falsos maestros que estaban controlando las voluntades de los creyentes gálatas. Aquí hay una gran verdad que se ve con frecuencia en las iglesias: muchos creyentes que se dejan engañar por los falsos ministros de Dios se convierten en siervos incondicionales suyos al punto que hacen todo lo que ellos les dicen, especialmente en el área del dinero. Un punto más en el caso de los gálatas: Si intencionalmente guardaban un punto de la ley, entonces, se comprometían a guardarla toda, de lo contrario sería inconsistencia de parte de ellos. Así es el legalismo: los legalistas practican lo que les conviene, pero lo que no les conviene lo pasan por alto. El Señor fustigó severamente a los fariseos en sus prácticas legalistas porque en todo legalismo hay hipocresía.

Afianzamiento y aplicación

(1) ¿Qué fuerza tienen las palabras, "He aquí, yo Pablo"?
(2) ¿Qué problema surge cuando al Evangelio se le añaden prácticas ajenas a él?
(3) Explique en sus propias palabras el significado de, "Y otra vez testifico..."

II. LO QUE IMPORTA EN LA VIDA CRISTIANA (GÁLATAS 5:5-8)

Ideas para el maestro o líder

Solicitar a uno de los participantes que lea en voz alta Gálatas 5:5-8.

Definiciones y etimología

* *"Aguardar"*. Del verbo griego ἀπεκδέχομαι (pronúnciese, *apekdéjomai*). "Esperar asidua y pacientemente". Este verbo debe traducirse "aguardamos con ansias". El cristiano aguarda con ansias la justicia completa y perfecta que recibirán en su glorificación.

A. Ser guiados por el Espíritu (5:5,6)

"Porque nosotros por el Espíritu aguardamos por la fe la esperanza de la justicia" (v.5). "Porque nosotros...", es una referencia a los creyentes, aquellos que han recibido de parte de Dios Su Santo Espíritu. Aunque no parezca así, el v.5 es un poderoso argumento del apóstol para avalar su enseñanza. Dentro del legalismo todo es producto del esfuerzo humano, pero en el Evangelio de Cristo lo que existe es obra del Espíritu de Dios. "Nosotros" está en oposición a "ellos", los judaizantes. Lo utiliza el apóstol para demarcar territorios: el territorio de la fe versus el territorio de las obras; el territorio de Cristo versus el territorio de la circuncisión; el territorio del Espíritu versus el territorio de la carne. Estos territorios se desplazan mutuamente porque es imposible que coexistan en el mismo espacio: la fe desplaza los méritos personales de las obras; Cristo, las prácticas del pacto antiguo, y el Espíritu desplaza a la vida carnal. El legalismo no trae consigo al Espíritu Santo. El apóstol lo declaró con firmeza al escribir: "Mas vosotros no vivís según la carne, sino según el Espíritu, si es que el Espíritu de Dios mora en vosotros. Y si alguno no tiene el Espíritu de Cristo, no es de él" (Romanos 8:9). Es el Espíritu en el creyente el que le hace "aguardar" la esperanza de la justicia. El verbo "aguardar" debe traducirse "aguardamos con ansias". El verbo griego que RV1960 traduce "aguardar", que los diccionarios traducen, "esperar asidua y pacientemente". Ahora, esta esperanza del cristiano no es un deseo incierto, sino una realidad futura: el creyente tiene algo seguro que le está esperando.

"Porque en Cristo Jesús ni la circuncisión vale algo, ni la incircuncisión, sino la fe que obra por el amor" (v.6). La expresión "en Cristo" y otras similares, como "en Cristo Jesús", "en nuestro Señor Jesucristo", ocurren en los escritos del apóstol Pablo unas ciento sesenta y cuatro veces, aproximadamente. Con ellas, el apóstol afirma que el Evangelio consiste en una relación íntima con nuestro Señor Jesucristo. Un dato que es interesante y muy sugestivo es que el apóstol en ninguna parte utiliza la expresión "en Jesús" solamente. ¿Por qué? Porque el apóstol une al creyente con el Cristo celestial, el Verbo eterno y divino, y no meramente con el Jesús humano, terrenal. Al decir el apóstol "sino la fe que obra por el amor", declara que la fe que proviene de Dios se manifiesta en actos de amor. Por lo tanto, el trabajo de los judaizantes no era un trabajo de fe ya que carecía de amor. ¡Toda persona que ha recibido la fe de Dios la manifiesta en acciones amorosas! ¡Si no hay amor es que no hay fe!

A. Obedecer la verdad (5:7,8)

"Vosotros corríais bien; ¿quién os estorbó para no obedecer a la verdad? Esta persuasión no procede de aquel que os llama" (vv.7, 8). El apóstol utiliza una de sus figuras preferidas para describir la vida cristiana: la de una carrera. Las carreras eran parte de los deportes griegos. Fue en Grecia donde se originaron los juegos olímpicos y las carreras maratónicas, que después se extendieron por todo el imperio romano. Pablo comparaba la vida cristiana y la vida ministerial a una carrera. De los muchos pasajes que se pudieran citar de sus cartas donde compara la vida cristiana a una carrera, citemos los siguientes: "Pero subí según una revelación, y para no *correr* o haber *corrido* en vano, expuse en privado a los que tenían cierta reputación el evangelio que predico entre los gentiles" (Gálatas 2:2); "He peleado la buena batalla, he acabado la *carrera*, he guardado la fe" (2 Timoteo 4:7). A los corintios les escribió: "¿No sabéis que los que *corren* en el estadio todos a la verdad *corren*, pero uno solo se lleva el premio? *Corred* de tal manera que lo obtengáis" (1 Corintios 9:24); "Prosigo a la *meta*, al premio del supremo llamamiento de Dios en Cristo Jesús" (Filipenses 3:14). ¿Por qué es que el apóstol usa la figura de un *corredor*?

En *primer*, porque la vida cristiana no es estacionaria: debe estar siempre en movimiento. Nadie se puede quedar en el mismo lugar donde Cristo lo encontró. "Marchar" significa que uno avanza, que abandona lo pasado y se aproxima a lo que Cristo tiene para su vida. Además, porque la vida cristiana implica un constante crecimiento en aquello que es bueno. Todo cristiano debe ser mejor hoy que el día de ayer, pero inferior al día de mañana. En *segundo* lugar, porque la vida cristiana es como el éxodo del pueblo hebreo desde la esclavitud de Egipto a la tierra prometida. Solamente en ese éxodo uno ve los milagros del Señor: las aguas se abren, los enemigos son derrotados, las aguas amargas se endulzan, la Roca que es Cristo sacia la sed espiritual, uno es alimentado con el Pan de vida que es Cristo, la presencia de Cristo nos protege bajo su sombra, y Su luz disipa nuestras oscuridades. Además, uno no camina con incertidumbre, sino que sabe muy bien que se dirige a la tierra de promisión. En *tercer* lugar, porque uno desea recibir la corona de la vida que Dios tiene preparada para los triunfadores: "Por lo demás, me está aguardada la corona de justicia, la cual me dará el Señor, juez justo, en aquel día; y no sólo a mí, sino también a todos los que aman su venida" (2 Timoteo 4:8). ¿Estamos corriendo bien esta carrera?

Afianzamiento y aplicación

(1) ¿Pueden congeniar el legalismo y la vida en el Espíritu? Explique.
(2) ¿De qué manera se manifiesta la fe bíblica?
(3) ¿En qué sentido el cristiano es un "corredor"?

III. EL PELIGRO DE LOS FALSOS MAESTROS (GÁLATAS 5:9-12)

Ideas para el maestro o líder

Pida a uno de los estudiantes que realice la lectura en voz alta Gálatas 5:9-12

Definiciones y etimología

* *"Mutilasen",* es la traducción del verbo ἀποκόπτω (pronúnciese, *apokopto*), que además de "mutilar", "cortar" y "amputar", significa "castrar", "cortarse las partes privadas".

A. Sus daños son impredecibles (5:9,10)

"Un poco de levadura leuda toda la masa" (v.9). Este proverbio lo cita exactamente el apóstol cuando les escribió a los corintios su primera carta: "No es buena vuestra jactancia. ¿No sabéis que un poco de levadura leuda toda la masa?" (1 Corintios 5:6). En el caso de los corintios la levadura perniciosa era un miembro de la iglesia que estaba cometiendo un grave pecado de fornicación "cual ni aun se nombra entre los gentiles" (1 Corintios 5:1). A pesar de la gravedad del pecado que esta persona cometía, seguía siendo miembro activo de la iglesia. El apóstol reprendió a los corintios llamándolos "envanecidos ('inflados')" (v.2) y "jactanciosos" (v.6) por la probable actitud que la mayoría de los miembros había asumido ante el caso, actitud que incluso les había cauterizado la conciencia para no tomar acción (v.2) contra la persona en referencia. En este caso, el apóstol dio la orden de que la iglesia se reuniera y entregara a Satanás a dicha persona para "destrucción" ('castigo') de la carne a fin de que el espíritu fuera salvo en el día del Señor (v.5). Es probable que a esta persona se refiera en 2 Corintios 2:5-11, y si ese es el caso, la disciplina impuesta por el apóstol y la iglesia, obligó al fornicario a arrepentirse y abandonar su estilo de vida. En la situación de los gálatas, la levadura a la cual se refiere el apóstol puede tener una doble aplicación: 1) los maestros judaizantes que se habían infiltrado en las iglesias y 2) las falsas doctrinas que promovían. Ambos eran una mala levadura que podía fermentar entre los creyentes y producir 1) creencias equivocadas (herejías) junto 2) con las conductas pecaminosas. El Señor se valió de la levadura para referirse a las doctrinas perniciosas de los fariseos y saduceos (Mateo 16:6,12), pero también en sentido positivo, esto, para enfatizar el poder fermentador que posee el Evangelio (Mateo 13:33): Puede tener un principio pequeño, modesto, imperceptible, pero con el tiempo se convierte en una poderosa obra.

"Yo confío respecto de vosotros en el Señor, que no pensaréis de otro modo; mas el que os perturba llevará la sentencia, quienquiera que sea" (v.10). En estas palabras hay un doble mensaje: Uno de esperanza: Pablo tenía la seguridad de que por sus oraciones al Señor, acatarían sus exhortaciones, y cambiarían para bien. Pero, por otro lado, sabía que el que había hecho el daño se aferraría en su postura, olvidando que acarrearía sobre su vida el castigo de Dios que había provocado, ya que, "Dios no puede ser burlado: pues todo lo que el hombre sembrare, eso también segará. Porque el que siembra para su carne, de la carne segará corrupción; mas el que siembra para el Espíritu, del Espíritu segará vida eterna" (Gálatas 6:7,8).

B. Recurren a la mentira (5:11,12)

"Y yo, hermanos, si aún predico la circuncisión, ¿por qué padezco persecución todavía?" (v.11). El colmo de los males, en el caso de los maestros judaizantes, era que, algunos de ellos, para persuadir a los gálatas a que se circuncidaran, decían que el mismo Pablo enseñaba que los gentiles necesitaban circuncidarse para ser verdaderamente salvos. Este fue otro golpe inicuo en contra del ministerio del apóstol. La idea de la primera parte del v.11 es: "Y yo, hermanos, si como algunos de ellos dicen que yo sigo predicando la circuncisión… Si eso es así, "¿por qué padezco persecución todavía?" Esto es, "si yo predico lo que ellos enseñan de que es necesario conservar los ritos del Antiguo Pacto, ¿por qué me persiguen?". Con esto el apóstol prueba que la razón por la cual lo perseguían los judíos era porque predicaba la suficiencia del sacrificio de Cristo para ser salvos, sin la necesidad de guardar los ritos y ceremonias de la ley. ¿Conclusión? Los judaizantes, además de enseñar falsas doctrinas, mentían.

"En tal caso se ha quitado el tropiezo de la cruz" (v.11). Para los judíos era difícil aceptar que la salvación, como la predicaban los cristianos, se obtenía creyendo en un hombre que había sido crucificado, ya que únicamente los malhechores morían así. Fue por esta creencia de los judíos que Pablo escribió a los corintios: "Porque los judíos piden señales, y los griegos buscan sabiduría; pero nosotros predicamos a Cristo crucificado, para los judíos ciertamente tropezadero, y para los gentiles locura" (1 Corintios 2:22,23). Pues bien, si Pablo predicaba –como falsamente decían algunos judaizantes– la necesidad de guardar los ritos, ceremonias y fiestas del sistema levítico, más un hombre que había sido crucificado, a Cristo se le podía considerar como una buena persona que murió simplemente por sus creencias excéntricas que no hacían daño. Para el apóstol esto era una blasfemia porque la salvación se encuentra única y exclusivamente en la persona de Cristo.

"¡Ojalá se mutilasen los que os perturban!" (v.12). "Cortarse las partes privadas". Por esta razón, Cantera Burgos–Iglesias González, correctamente traducen Gálatas 5:12: "¡Deberían incluso castrarse los que os perturban!" Es así como La Septuaginta traduce este verbo en Deuteronomio 23:1 (véase). En el culto de Cibeles en Pesino, una de las principales ciudades de Galacia, se tenía esta práctica. En su indignación, el apóstol está diciendo: "Si creen que para la salvación es necesaria cierta mutilación corporal, entonces, imiten a los devotos de Cibeles que piensan que de esa manera complacen a la deidad. ¡Lenguaje extremadamente fuerte que provocó el legalismo de los judaizantes!

Afianzamiento y aplicación

(1) ¿A qué se refirió el apóstol con "levadura" en el v.9?

(2) ¿Qué mentira habían inventado los judaizantes acerca de Pablo?

(3) Si la salvación era observando los ritos del Antiguo Pacto, ¿qué venía siendo Cristo?

RESUMEN GENERAL

Consideramos en nuestro estudio uno de los grandes enemigos de la fe cristiana: el legalismo. El legalismo es típico de todas las religiones del mundo (recuérdese que ya hemos dicho que el cristianismo no es religión) por el hecho de que las religiones se basan en lo que el hombre hace a fin de agradar a la deidad. Las religiones son antropocéntricas porque dependen en la iniciativa humana, no así la fe cristiana. En las religiones resalta el temor, el esfuerzo por apaciguar una deidad indignada, la mortificación corporal, la penitencia, el auto disciplina, el acumulamiento de méritos, la abstinencia de varias cosas, el uso de determinadas vestimentas, etc. porque se piensa que así uno es mejor devoto. Estas prácticas riñen con el Evangelio. Las religiones generan soberbia porque le hacen creer al que las practica que se encuentra por encima de los demás en materia del espíritu. Se ha dicho, con mucha razón, que no hay peor soberbia que la de los religiosos. Mucho de esto que hemos mencionado estaba sucediendo en las iglesias de Galacia por causa de las enseñanzas falsas de los judaizantes. En el pasaje que se estudió vimos cómo el apóstol les dice a los gálatas todos los daños que se estaban cometiendo a sí mismos, a saber: estaban 1) perdiendo su libertad espiritual en Cristo y volviéndose a la esclavitud de las exigencias de un sistema que había concluido en Cristo (v.1); 2) anulando la obra de Cristo en sus vidas (v.2); 3) imponiéndose la obligación de guardar toda la ley levítica (v.3); 4) perdiendo la esperanza de la vida eterna, que les había sido dada por el Espíritu (v.5); 5) haciendo de su experiencia religiosa un ejercicio de obras y no una experiencia de fe (v.6); 6) estropeando su carrera cristiana que les conducía a la patria prometida (v.7); 7) permitiendo que falsas enseñanzas y falsos maestros arruinaran la iglesia (v.9); 8) colocándose bajo el castigo de Dios (v.10), y 9) convirtiendo a uno de los más grandes siervos de Dios que ha habido –el apóstol Pablo– en un mentiroso (v.11). Enseñanza: ¡No debemos movernos de la simplicidad de la Palabra de Dios que nos enseña que somos salvos por la fe, provista por la gracia de Dios en virtud al sacrificio de Cristo!

Ejercicio de clausura

Repitan de memoria al unísono el texto áureo y despidan la clase con una oración de agradecimiento al Señor.

PREGUNTAS Y RESPUESTAS

1. ¿Qué es el legalismo?

Es hacer cosas que le merezca el favor de parte de la deidad. Cualquier intento humano de agregarle condiciones a la salvación aparte de Cristo es legalismo.

2. ¿Qué sucede cuando le añadimos condiciones (prácticas legalistas) a la salvación?

Agregarle prácticas legalistas al Evangelio hace nulo el sacrificio de Cristo, porque este no puede ser mezclado con nada.

3. ¿En qué consistía la levadura que se había infiltrado en las iglesias de Galacia?

Consistían en las falsas doctrinas legalistas que promovían los maestros judaizantes que se habían infiltrado en las iglesias.

4. ¿Qué es lo que hace que muchos no puedan creer en la salvación por pura gracia?

Porque el ser humano siempre ha tenido la idea de que tiene que hacer algo para obtener la salvación.

5. Mencione algunos daños que se estaban cometiendo a sí mismos los que seguían prácticas legalistas.

Estaban (1) perdiendo su libertad en Cristo; (2) anulando la obra de Cristo; (3) imponiéndose obligaciones innecesarias; (4) perdiendo la esperanza de la vida eterna, otros.

PARA LA PRÓXIMA SEMANA

La próxima semana estudiaremos: “El conflicto entre la carne y el Espíritu”, basado en Gálatas 5:13-26. Recomendamos estudiar el tema. No olvide valerse del expositor, la Biblia, diccionarios y comentarios bíblicos.

EL CONFLICTO ENTRE LA CARNE Y EL ESPÍRITU

ESTUDIO BÍBLICO 12

Base bíblica
Gálatas 5:13-16

Objetivos
Al concluir la enseñanza los participantes estarán capacitados para:

1. Entender bien el pasaje que se ha estudiado.
2. Comprender que la erradicación definitiva de su naturaleza pecaminosa ocurrirá en la Segunda Venida de Cristo.
3. Permitir que el Espíritu Santo controle su vida para andar en victoria sobre el pecado y consagrado a Dios..

Fecha sugerida:___/____/____

Pensamiento central
Todo creyente mantiene una lucha constante entre su naturaleza pecaminosa y las intenciones del Espíritu Santo y obtiene la victoria cuando se rinde sin reservas a Él.

Texto áureo
Porque los que son de Cristo han crucificado la carne con sus pasiones y deseos (Gálatas 5:24).

LECTURA ANTIFONAL

Gálatas 5:13 Porque vosotros, hermanos, a libertad fuisteis llamados; solamente que no uséis la libertad como ocasión para la carne, sino servíos por amor los unos a los otros.
14 Porque toda la ley en esta sola palabra se cumple: Amarás a tu prójimo como a ti mismo.
15 Pero si os mordéis y os coméis unos a otros, mirad que también no os consumáis unos a otros.
16 Digo, pues: Andad en el Espíritu, y no satisfagáis los deseos de la carne.
17 Porque el deseo de la carne, es contra el Espíritu, y el del Espíritu es contra la carne; y éstos se oponen entre sí, para que no hagáis lo que quisiereis.
18 Pero si sois guiados por el Espíritu, no estáis bajo la ley.
19 Y manifiestas son las obras de la carne, que son: adulterio, fornicación, inmundicia, lascivia,
20 idolatría, hechicerías, enemistades, pleitos, celos, iras, contiendas, disensiones, herejías,
21 envidias, homicidios, borracheras, orgías, y cosas semejantes a estas; acerca de las cuales os amonesto, como ya os lo he dicho antes, que los que practican tales cosas no heredarán el reino de Dios.
22 Mas el fruto del Espíritu es amor, gozo, paz, paciencia, benignidad, bondad, fe,
23 mansedumbre, templanza; contra tales cosas no hay ley.
24 Porque los que son de Cristo han crucificado la carne con sus pasiones y deseos.
25 Si vivimos por el Espíritu, andemos también por el Espíritu.
26 No nos hagamos vanagloriosos, irritándonos unos a otros, envidiándonos unos a otros.

DATOS GENERALES ACERCA DEL TEMA

- **Enseñanza:** El cristiano puede escoger en vivir por el poder del Espíritu, lo cual da como resultado una experiencia de gozo y paz o vivir conforme a la carne y cosechar frustración y muerte.
- **Autor:** La carta a los Gálatas fue escrita por el apóstol Pablo.
- **Fecha:** Alrededor de los años 55-57 d.C.
- **Lugar:** Probablemente en Éfeso, en la costa occidental de Asia, o en la ciudad griega de Corinto según otras opiniones.
- **Destinatario:** Las iglesia del sur de Galacia fundadas por el apóstol en su primer viaje misionero alrededor de los años 45-48 d.C.
- **Personajes:** El apóstol Pablo, los creyentes de las iglesia de la provincia de Galacia, y los judaizantes (falsos hermanos).

BOSQUEJO DEL ESTUDIO

I. El cristiano y su libertad espiritual (Gálatas 5:13-15)
  A. Dios lo ha llamado a libertad (5:13)
  B. El amor es el cumplimiento de la ley divina (5:14,15)
II. El conflicto entre la carne y el Espíritu (Gálatas 5:16-18)
  A. La carne y el Espíritu son irreconciliables (5:16,17)
  B. El Espíritu trae libertad (5:18)
III. La diferencia entre las obras de la carne y el fruto del Espíritu (Gálatas 5:19-26)
  A. Los que andan en la carne no heredarán el reino de Dios (5:19-21)
  B. Las características del fruto del Espíritu (5:22-26)

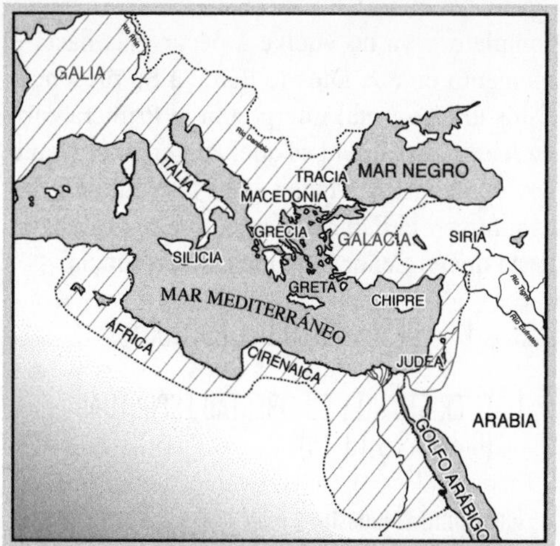

Galacia era la región central de Asia menor, habitada por migrantes galos, venidos desde Europa en el siglo III a.C.

LECTURAS DEVOCIONALES DIARIAS

Lunes: El Espíritu del Señor produce libertad (Lucas 4:14-30).
Martes: Jesús liberta a una mujer que el diablo había mantenido atada (Lucas 13:10-17).
Miércoles: La conducta del cristiano debe ser una de amor (1 Corintios 13).
Jueves: El cristiano debe ser un ejemplo en el mundo (Mateo 5:1-16).
Viernes: El destino final de los carnales y de los espirituales será diferente (Mateo 25:31-46).
Sábado: El cristiano debe ser santo e irreprensible (Efesios 5:21-33).

INTRODUCCIÓN

Nuestro estudio tratará el conflicto que existe en todo creyente entre la carne y el Espíritu. Por carne se entiende la naturaleza pecaminosa de todo ser humano. Esta naturaleza pecaminosa es una herencia que recibió la humanidad por la desobediencia inicial de Eva y Adán: "Por tanto, como el pecado entró en el mundo por un hombre, y por el pecado la muerte, así la muerte pasó a todos los hombres" (Romanos 5:12); "Por cuanto todos pecaron, y están destituidos de la gloria de Dios" (Romanos 3:23). Esta lucha entre el bien y el mal, entre la naturaleza caída del ser humano, y el bien originado por la presencia del Espíritu, es descrita por el apóstol Pablo en Romanos 7. Hay quienes niegan esta realidad, que está claramente expuesta en la Biblia. La Ciencia Cristiana enseña que el mal no existe, ni el pecado, ni las enfermedades, ni fuerzas espirituales malignas que hostigan al ser humano. Su posición es que todo es una simple imaginación, un espejismo que carece de realidad. Pero, la vida diría nos prueba todo lo contrario. El mal controla el ser humano. Hay grandes organizaciones cristianas que enseñan que no hay tal cosa como pecado original; que el ser humano es bueno por naturaleza, pero que se echa a perder por el mal ambiente que le rodea. Quienes así creen olvidan que el mal ambiente no surge solo: lo produce el mismo hombre, precisamente, por su naturaleza pecaminosa. Hay, incluso, predicadores liberales que enseñan que, "El peor error que ha cometido la Iglesia es enseñar que el hombre es pecador". Otros han prometido, al ser instalados como pastores, que nunca usarán la palabra "pecado" en sus sermones, ya que, según ellos, el hombre no es malo, no es pecador: es eminentemente bueno. No es esto lo que enseña la Palabra de Dios. La Biblia enseña que el ser humano posee una naturaleza estropeada por el pecado: "Engañoso es el corazón más que todas las cosas y perverso; ¿quién lo conocerá?" (Jeremías 17:9). Por otro lado, hay hermanos radicales que piensan que al convertirse la persona, el pecado original es erradicado de su vida por completo y ya no vuelve a pecar más hasta el momento en que Dios lo llame a Su presencia. Estos últimos, mal interpretan la Primera carta de Juan. La realidad es que, aun en el creyente, hay una constante lucha entre la naturaleza pecaminosa y el Espíritu Santo, que se prolongará hasta que el Señor lo llame a su presencia.

DESARROLLO DEL ESTUDIO

I. EL CRISTIANO Y SU LIBERTAD ESPIRITUAL (GÁLATAS 5:13-15)

Ideas para el maestro o líder
Solicitar uno de los participantes que lea en voz alta Gálatas 5:13-15.

Definiciones y etimología

* *"Ocasión para la carne"*. El vocablo que se traduce aquí por "ocasión", es *aphormé* que, en su sentido original, indica una "base de operaciones o de abastecimiento militar". Pablo amonesta a no usar de nuestra libertad como una plataforma desde la cual se puede pecar sin impedimentos, ni consecuencias.

A. Dios lo ha llamado a libertad (5:13)

"Porque vosotros, hermanos, a libertad fuisteis llamados; solamente que no uséis la libertad como ocasión para la carne, sino servíos por amor los unos a los otros" (v.13). Hay un contraste evidente en el tono del v.13 con el anterior. El apóstol continúa con su argumentación pero ahora en un tono más moderado. En el v.12 habla de los judaizantes, deseando que pasaran por una cirugía radical, todo por conocer él los daños que estaban causando a las iglesias. Ahora, habiendo recobrado su calma, se dirige a los creyentes llamándolos "hermanos", término que en la teología cristiana contiene un significado especial. Ya no se dirige a los judaizantes, esto es, a "*esos* que os andan trastornando la fe", sino a "*vosotros*, hermanos". Hay una dulzura que destila su gran preocupación por sus hijos en la fe. Pero, la pregunta es: "Porque vosotros, hermanos", ¿qué? Respuesta: "...a libertad fuisteis llamados...". Este es el punto vital que el apóstol se proponía enfatizar. Fuisteis llamados por Cristo a libertad de las demandas de la ley, de las acusaciones de la ley, del pecado, del mundo, del diablo y de la condenación eterna. La libertad cristiana es uno de los temas más relevantes del Evangelio de Juan y de los escritos del apóstol Pablo. Para el apóstol, en donde está el Espíritu del Señor, allí la libertad: "Porque el Señor es el Espíritu; y donde está el Espíritu del Señor, allí hay libertad" (2 Corintios 3:17). Toda forma de esclavitud del diablo fue deshecha en la cruz de Cristo. Pero, debe haber sabiduría para vivir en la verdadera libertad, como se ve a continuación.

"...solamente que no uséis la libertad como ocasión de la carne...". La libertad mal entendida y mal usada se convierte en libertinaje, y éste es una forma de esclavitud. Ese fue uno de errores que se vieron en ciertos sectores de la iglesia primitiva. Por ejemplo, en el área de Roma, surgió un grupo que fue conocido como los antinomianistas. Enseñaban que entre más pecaban más se manifestaba en ellos la gracia de Dios. Por eso el apóstol les escribió: "¿Qué, pues, diremos? ¿Perseveraremos en el pecado para que la gracia abunde?" (Romanos 6:1). La respuesta del apóstol fue un rotundo no: "¡En ninguna manera!" (v.2).

".....sino servíos por amor los unos a los otros". Aquí se encuentra uno de los conceptos más grandes que el apóstol tenía acerca de la libertad cristiana. La liberación cristiana no es solamente "de" sino además "para". Dios no da libertad para que el creyente viva una vida pasiva: el creyente es libertado para que haga lo bueno que no se puede hacer mientras se está en la esclavitud del pecado. Si una persona confiesa ser cristiana, pero no hace nada bueno, su profesión se cuestiona seriamente. El salvado ahora cuenta con el amor de Dios que lo motiva servir al prójimo de una manera desinteresada. Ningún creyente puede vivir una vida indiferente hacia Dios, hacia las necesidades de sus hermanos en la fe, y la condición de los perdidos.

B. El amor es el cumplimiento de la ley divina (5:14,15)

"Porque toda la ley en esta sola palabra se cumple: Amarás a tu prójimo como a ti mismo" (v.14). Estas palabras están dirigidas tanto a los miembros de las iglesias de Galacia como a los judaizantes. Con ellas, el apóstol procura hacerles saber cuál es la médula de la ley, y también de la vida cristiana. Si un judaizante observa todos los preceptos de la ley, pero carece de amor, de nada le sirve; si un creyente observa las prácticas peculiares del cristianismo como el Bautismo en Agua y la Cena del Señor, pero carece de amor, sencillamente se descalifica como cristiano. Pero, ¿por qué es tan fundamental el amor en la vida del cristiano? *Primero, porque Dios es amor* (1 Juan 4:8). Amar, es poseer el carácter de Dios. Nótese que Juan no dice "Dios *tiene* amor". Lo esencial en la vida cristiana, y por sobre todas las cosas, es poseer el carácter de Dios, y cuando se posee el carácter de Dios se posee amor; *Segundo, porque al recibir el Espíritu de Dios, se recibe el amor de Dios*: "Y la esperanza no avergüenza, porque el amor de Dios ha sido derramado en nuestros corazones por el Espíritu Santo que nos fue dado" (Romanos 5:5); *Tercero, porque solamente amando al prójimo es aceptable ante Dios el cumplir el resto de los mandamientos*: "No debáis a nadie nada, sino el amaros unos a otros; porque el que ama al prójimo, ha cumplido la ley. Porque: No adulterarás, no matarás, no hurtarás, no dirás falso testimonio, no codiciarás, y cualquier otro mandamiento, en esta sentencia se resume: Amarás a tu prójimo como a ti mismo. El amor no hace mal al prójimo; así que el cumplimiento de la ley es el amor" (Romanos 13:8-10). El amor al prójimo como a uno mismo es un mandamiento que Dios dio a los hijos de Israel, y que se encuentra en Levítico 19:18: "No te vengarás, ni guardarás rencor a los hijos de tu pueblo, sino amarás a tu prójimo como a ti mismo. Yo Jehová". ***Cuarto****, porque el amor es la virtud más grande que el creyente puede poseer:* "Y ahora permanecen la fe, la esperanza y el amor, estos tres, pero el mayor de ellos es el amor" (1 Corintios 13:13. Léase todo el capítulo).

"Pero si os mordéis y os coméis unos a otros, mirad que también no os consumáis unos a otros" (v.15). Es obvio que el apóstol usa aquí un lenguaje metafórico al usar las palabras "mordéis", "coméis" y "consumáis". Un lenguaje parecido usó el apóstol al escribirles a los corintios: "Pues toleráis si alguno os esclaviza, si alguno os devora (misma palabra que usa en Gálatas 5:15), si alguno toma lo vuestro, si alguno se enaltece, si alguno os da de bofetadas" (2 Corintios 11:20). Posiblemente, por causa de los judaizantes, habían surgido fuertes rivalidades que mantenían en discordia a los gálatas al punto que muchos se encontraban a punto de abandonar la fe, lo que se deduce de las palabras "no os consumáis unos a otros". La gran lección es que cuando se descuida la sana doctrina, se introduce el legalismo, y este ausenta el amor de Dios provocándose así las discordias entre los hermanos.

Afianzamiento y aplicación

(1) Explique qué significa "que la libertad cristiana no es pasiva".
(2) Mencione cuatro razones por las cuales el amor es tan fundamental.

II. EL CONFLICTO ENTRE LA CARNE Y EL ESPÍRITU (GÁLATAS 5:16-18)

Ideas para el maestro o líder

Invitar a uno de los estudiantes para que realice la lectura en voz alta de Gálatas 5:16-18.

Definiciones y etimología

* *"Andad".* La forma del verbo griego que se traduce *"andad",* indica una acci6n continua o un estilo de vida habitual. Andar también implica progreso, pues a medida que el creyente se somete al control del Espíritu y en obediencia responde a los mandatos básicos de las Escrituras, crece en su vida espiritual.

* *"Carne".* No solo se trata del cuerpo físico, sino que incluye la mente, la voluntad y las emociones porque todas están sujetas por igual al pecado. Se refiere en general a nuestra condici6n humana no redimida.

A. La carne y el Espíritu son irreconciliables (5:16,17)

"Digo, pues: Andad en el Espíritu y no satisfagáis los deseos de la carne" (v.16). Empezando con el v.16 el apóstol trata con el conflicto que existe en todo creyente entre la carne y el

Espíritu. En este versículo el apóstol les dice a los gálatas –y a todos los creyentes de todos los tiempos y lugares– que andemos en el Espíritu a fin de evitar la satisfacción de los deseos de la carne. Aparentemente hay dos imperativos en este texto: "Andad" y "no satisfagáis". Pero, "no satisfagáis", en el idioma griego, puede ser imperativo o subjuntivo porque la forma del verbo es la misma. Si se traduce en el imperativo, entonces, la lectura es: "y *no satisfagáis* los deseos de la carne"; si se traduce en el subjuntivo, la lectura es: "y *no satisfaréis* los deseos de la carne". Ambas traducciones, gramaticalmente, son correctas, pero uno tiene que decidir por el contexto cuál es la que el apóstol tiene en mente. RV1960 traduce "y no satisfagáis los deseos de la carne". La Versión Moderna de Pratt traduce: "Digo pues: Andad según el Espíritu, y *no cumpliréis* los deseos de la carne". L. Bonnet y A. Schroeder traducen: "Mas os digo: andad en el Espíritu y de cierto *no cumpliréis* la concupiscencia de la carne". Los que optan por estas dos últimas traducciones, opinan que es raro que el apóstol utilice dos imperativos cuando el primero puede suplir el objetivo que tiene en mente. Si se anda en el Espíritu, el problema de la carne está resuelto. Aquellos que optan por la segunda traducción insisten, y con razón, que cuando se anda en el Espíritu ya no hay que preocuparse por los deseos de la carne porque quedan controlados por la influencia superior del Espíritu. En otras palabras, la consecuencia inevitable de vivir en el Espíritu es la anulación de los deseos de la carne.

"Porque el deseo de la carne es contra el Espíritu, y el del Espíritu es contra la carne; y éstos se oponen entre sí, para que no hagáis lo que quisiereis" (v.17). La palabra "carne" tiene un sentido ético y denota "la naturaleza humana, la naturaleza terrenal del hombre aparte de la influencia divina, y por lo tanto presta a pecar y opuesta a Dios" (Thayer). "De la carne" incluye cualquier cosa en el alma que es débil, baja, degradada, con tendencias a impureza y vicios. De los autores del Nuevo Testamento, el apóstol Pablo es quien más usa la "palabra "carne": la usa noventa y dos veces, sin contar la carta a los Hebreos. El ser humano es un todo y en su totalidad es *carne* mientras se retira a sí mismo de Dios. Como carne intenta ser él mismo, satisfacer su propio ego a pesar de las demandas de Dios y el bienestar de sus semejantes. Cuando el apóstol habla de la carne, tiene en mente algo mucho más que el cuerpo físico o los apetitos sexuales. Por eso habla de "mentes carnales", por ejemplo: "Nadie os prive de vuestro premio, afectando humildad y culto a los ángeles, entremetiéndose en lo que no ha visto, vanamente hinchado por su propia *mente carnal*" (Colosenses 2:18). Veamos, cuál es la solución para esta lucha entre la carne y el Espíritu.

B. El Espíritu trae libertad (5:18)

"Pero si sois guiados por el Espíritu..." (5:18). El apóstol hace referencia al Espíritu dieciocho veces en su carta a los gálatas, demostrando así el lugar tan importante que tiene en la vida cristiana. Algo sumamente sugestivo es que utiliza la expresión "ser guiados por el Espíritu" en varios pasajes, entre ellos, Romanos 8:14: "Porque todos los que son guiados por el Espíritu de Dios, éstos son hijos de Dios". La expresión "ser guiados por", en el idioma griego el verbo está en la voz pasiva, indicando que el que realiza la acción es el Espíritu Santo, y el que recibe la acción del verbo es el creyente. En los textos mencionados, el verbo que se usa es el mismo que Lucas utiliza para indicar la acción que el Espíritu Santo ejerció sobre Cristo cuando lo condujo al desierto: "Jesús, lleno del Espíritu Santo, volvió del Jordán y *fue llevado por el Espíritu* al desierto" (Lucas 4:1). Es el Espíritu Santo, entonces, el que produce en el creyente todas las acciones que son agradables a Dios y para la edificación del creyente; pero, para que esto suceda debe haber la auto sumisión del creyente a las acciones del Espíritu. Todos los aspectos de la vida cristiana están condicionados a la disposición voluntaria del creyente a obedecer la dirección del Señor. Para que Cristo sea Señor, el creyente debe estar dispuesto a ser Su siervo; para que sea Maestro, debe existir la voluntad de ser discípulo; para que sea Rey, el creyente debe ser súbdito. Tan importante es la obra del Espíritu Santo en el creyente que en Romanos 8, el apóstol menciona veintiuna veces al Espíritu Santo y sus obras (léase el capítulo).

"...no estáis bajo la ley". Con estas palabras el apóstol explica dos cosas: 1) Que el creyente no se encuentra bajo las acusaciones de la ley, y 2) que ser guiado por el Espíritu es superior a la sujeción de cualquier precepto legal. Vivir, o sea, andar en el Espíritu, es lo máximo de la vida cristiana ya que el Espíritu es la presencia de Dios en el creyente. No solamente es la presencia de Dios en el creyente, sino además el fruto (Gálatas 5:22-24) que solamente Él puede producir: "amor, gozo, paz, paciencia, benignidad, bondad, fidelidad, mansedumbre, templanza (dominio propio)". San Agustín dijo algo que hay que entenderlo con mucho cuidado para no cometer un error: "Haya amor en tu vida, y haz lo que quieras", sugiriendo que donde está el amor de Dios, que es parte del fruto del Espíritu, es imposible que haya acciones malas. ¡Es inconcebible que uno que es "guiado por el Espíritu", que "anda en el Espíritu", que "piensa según el Espíritu", que se "ocupa en las cosas del Espíritu", en quien el "Espíritu Santo reside" (Romanos 8), practique cosas que son contrarias al carácter de Dios! Aún más: "...si alguno no tiene el Espíritu de Cristo (que Cristo envía, que Cristo prometió), no es de él" (Romanos 8:9).

Afianzamiento y aplicación

(1) Explique las dos posibles traducciones de "y no satisfagáis los deseos de la carne".

(2) ¿A qué se refiere Pablo cuando habla de la "carne"?

(3) ¿Qué se requiere para ser "guiado por el Espíritu"?

III. LA DIFERENCIA ENTRE LAS OBRAS DE LA CARNE Y EL FRUTO DEL ESPÍRITU (GÁLATAS 5:19-26)

Ideas para el maestro o líder

Un estudiante realizará la lectura en voz alta de Gálatas 5:19-26.

Definiciones y etimología

* *"Amor"*. La palabra que en nuestras versiones se traduce "amor" es ἀγάπη (pronúnciese, *agapei*), no existía en el griego secular. Fue una palabra nacida en el seno de la fe cristiana. Una palabra nueva para describir una nueva calidad humana, una nueva actitud hacia los demás e imposible sin la dinámica de la fe, la gracia, el sacrificio de Cristo, y la presencia del Espíritu Santo.

A. Los que andan en la carne no heredarán el reino de Dios (5:19-21)

"Y manifiestas son las obras de la carne...." (v.19). El apóstol se ha esforzado en probarles a los gálatas que sus deseos de integrar el legalismo con la fe cristiana es resultado de su carnalidad. Si vivieran en el Espíritu no tendrían tal deseo. Pero, para probarles las consecuencias perjudiciales de vivir en la carne les hace una larga lista de obras que produce la carne. Estas son típicas del no creyente ya que el no creyente es uno que "vive en la carne". Es así que describe su vida anterior a su conversión como un estado de carnalidad: "Porque mientras estábamos en la carne, las pasiones pecaminosas que eran por la ley obraban en nuestros miembros llevando fruto para muerte" (Romanos 7:5). Esta muerte espiritual es equivalente a la corrupción que es el resultado inevitable de andar en la carne. Por eso, más adelante en su carta les dice: "Porque el que siembra para su carne, de la carne segará corrupción..." (6:8). Es importante notar en este texto que el apóstol habla de la carne como "su carne" ("...el que siembra para *su* carne...") distinción que no hace cuando, en el mismo versículo, habla del Espíritu. Así que, uno que vive en la carne piensa primordialmente en las cosas que son de la carne; su mente está orientada a las cosas que pertenecen a la naturaleza pecaminosa: "Porque los que son de la carne piensan en las cosas de la carne..." (Romanos 8:5). Por causa de esta mente carnal que satisface las pasiones pecaminosas que están en contra de la naturaleza santa de Dios, hay una constante lucha entre el hombre y Dios: "Por cuanto la mente carnal es enemistad contra Dios; porque no se sujeta a la ley de Dios, ni tampoco puede; y los que viven según la carne no pueden agradar a Dios" (Romanos 8:7,8). Este antagonismo entre el hombre y Dios se manifiesta en un choque entre dos fuerzas diferentes que tienden hacia direcciones diferentes: Dios reclama una dirección vertical que levanta al hombre hacia un nivel superior; la carne obliga al hombre a un nivel horizontal de auto-satisfacción. Estos dos niveles son totalmente contrarios y se oponen mutuamente. Esto queda claro en el v.17: "Porque el deseo de la carne, es contra el Espíritu, y el del Espíritu es contra la carne; y éstos se oponen entre sí...". Por lo tanto, el fin de estas dos direcciones es totalmente opuesto: seguir el camino de la carne es muerte; seguir el camino del Espíritu es vida: "Porque el ocuparse de la carne es muerte, pero el ocuparse del Espíritu es vida y paz" (Romanos 8:6); "Porque el que siembra para su carne, de la carne segará corrupción; mas el que siembra para el Espíritu, del Espíritu segará vida eterna" (Gálatas 6:8). Ahora, para llegar al ámbito del Espíritu se hace necesaria una experiencia fundamental: la crucifixión de la carne: "Porque los que son de Cristo han crucificado la carne con sus pasiones y deseos" (Gálatas 5:24). Pasemos ahora de las obras de la carne al fruto del Espíritu.

B. Las características el fruto del Espíritu (5:22-26)

"Mas el fruto del Espíritu es..." (v.22). Con el v.22 el apóstol continúa su argumento de la mutua contrariedad entre la carne y el Espíritu. Nótese que cuando escribió acerca de las manifestaciones de la carne usó la palabra "obras" ("Y manifiestas son las *obras* de la carne..."), pero el referirse a las cualidades éticas del Espíritu usa la palabra *fruto*: la primera en plural, la segunda en singular. La razón por la cual utiliza la palabra "obras" para los vicios de la carne es por la relación que existe entre "obras" y la ley, o sea, lo que el hombre procura hacer por sí mismo, aparte de la gracia de Dios. La otra razón es que "fruto" sugiere que el amor, el gozo, la paz, etc. son el resultado natural y espontáneo de una relación vital entre el creyente y el Espíritu. "Fruto" nos recuerda la relación que existe entre el creyente y Cristo, de la cual habló en Juan 15. Cristo es la vid, los creyentes son los pámpanos, y por medio de ellos es que la vid da su fruto. Si un pámpano no da fruto, es arrancado ya que su misión es producir fruto. El fruto lo origina la vid, de manera que el pámpano es un medio por el cual el fruto surge. Para ello, tiene que estar íntimamente unido a la vid: al desligarse de ella, pierde su fuente de vida. Así el creyente: es el instrumento por el cual el Espíritu manifiesta sus características. Existe algo muy importante en que el apóstol diga "...el fruto *del Espíritu*...". No es el fruto *del* creyente. Por más espiritual que sea al creyente no puede producir por sí mismo lo que es de Dios. Esa es la razón por la cual el apóstol no dijo, "Mas el fruto del *creyente*". Aquí se encuentra una gran enseñanza: todo lo que el creyente hace por su cuenta, sin que sea Dios el que origine la acción, es obra de la carne. La iglesia puede estar ocupada en muchas cosas humanamente buenas, pero si no son inspiradas y provocadas por el Espíritu Santo, no son agradables a Dios. El creyente debe producir únicamente aquellas obras que Dios preparó de antemano: "Porque somos hechura suya, creados en Cristo Jesús para buenas obras, las cuales Dios preparó de antemano para que anduviésemos en ellas" (Efesios 2:10).

Ahora, ¿Por qué para las "obras de la carne" el apóstol usa el plural ("obras") y el singular ("fruto") para el fruto del Espíritu? ¿Por qué no dice: "Mas *los frutos* del Espíritu"? Porque el fruto del Espíritu es como un racimo con nueve uvas, como un diamante con nueve lados, como una naranja con nueve gajos. Todos los ejemplos mencionados forman parte de un todo, y este todo no se puede fragmentar. Es imposible que un creyente lleno del Espíritu tenga amor, pero carezca de gozo; que sea paciente, pero no benigno; que sea manso, pero no tenga dominio propio. Las características del fruto del Espíritu no vienen al creyente por episodios ni por partes: le llegan como un todo porque en Dios existen como una unidad. ¡Qué tan importante es, entonces, que todos los creyentes vivamos rendidos al Espíritu Santo!

Afianzamiento y aplicación

(1) ¿De qué es resultado el legalismo?
(2) ¿Por qué el apóstol usa el singular para las manifestaciones del Espíritu?
(3) ¿Cree usted que un creyente puede ser carnal y espiritual a la mismas vez? Explique.

RESUMEN GENERAL

Hemos dejado intencionalmente para el final de nuestro estudio el tema del amor con el cual el apóstol inicia su lista de las manifestaciones del fruto del Espíritu. Martín Lutero dijo: "Hubiera sido suficiente haber dicho 'amor', y nada más, porque el amor se extiende a todos los frutos del Espíritu". Cuando uno recuerda 1 Corintios 13, que es la mejor exposición que uno puede encontrar de lo que es el amor, tendería darle la razón a Lutero por su afirmación. Era inevitable que el apóstol Pablo empezara la lista del fruto del Espíritu con el amor considerando la importancia que nuestro Señor Jesucristo y los autores del Nuevo Testamento le dieron a esta cualidad cristiana. *En primer lugar*, el amor es un atributo de Dios porque "Dios es amor" (1 Juan 4:8). *En segundo lugar*, el amor es el mayor en el terno de la fe, la esperanza y el amor: "Y ahora permanecen la fe, la esperanza y el amor, estos tres; pero el mayor de ellos es el amor" (1 Corintios 13:13). *En tercer lugar*, según Colosenses 3:14, el amor es la virtud que "une todas las cosas en perfección", o como traducen algunas versiones: "el amor es el vínculo de la perfección". *En cuarto lugar*, según el mismo apóstol Pablo, el amor es el cumplimiento de la ley: "Así que el cumplimiento de la ley es el amor" (Romanos 13:10).

Ahora, la palabra "amor". Es una palabra nacida en el seno de la fe cristiana. Fue una palabra nueva para describir una nueva calidad humana, una palabra para describir una nueva actitud hacia los demás, que describe una actitud nacida dentro de la comunidad cristiana e imposible sin la dinámica de la fe, la gracia, el sacrificio de Cristo, y la presencia del Espíritu Santo. ¿Cómo se podría describir esta magistral palabra? Es una benevolencia inconquistable, una buena voluntad que no se puede conquistar; es el Espíritu de Dios en el corazón que nunca procurará ninguna cosa que no sea el bien de sus semejantes. Esto nos obliga a decir que si en todas las iglesias la tónica dominante fuera el amor, el cristianismo sería otro; si en cada matrimonio, la tónica dominante fuera el amor, los hogares serían otros, y si cada habitante del mundo tuviera el coraje de rendirse a Cristo y dejarse controlar por el Espíritu de Dios, el mundo se convertiría en una preciosa extensión del cielo.

Ejercicio de clausura

Lean todos al unísonos Gálatas 5:22,23. Pedir a Dios a través de la oración que manifieste en su iglesia el fruto del Espíritu.

PREGUNTAS Y RESPUESTAS

1. ¿De qué cosas liberta Cristo cuando las personas deciden creer en Él?

De las demandas y acusaciones de la ley, del pecado, del mundo, del diablo y de la condenación eterna.

2. ¿Qué era lo que ciertos sectores de la iglesia primitiva enseñaban respecto al pecado?

Que entre más pecaban más se manifestaba la gracia de Dios. Pero el apóstol respondió: "Los que han muerto al pecado, ¿Cómo vivirán aun en él?

3. ¿Cuáles son las palabras que constituyen la médula de la ley y de la vida cristiana?

"Amarás a tu prójimo como a ti mismo".

4. Según el apóstol Pablo ¿Cómo logra el creyente la victoria sobre la carne?

Si se anda en el Espíritu ya no hay que preocuparse por los deseos de la carne porque quedan controlados por la influencia superior del Espíritu.

5. ¿Cómo puede lograr el creyente ser guiado por el Espíritu de Dios?

Debe someterse incondicionalmente a las acciones del Espíritu Santo, para que Cristo sea Señor, el creyente debe estar dispuesto a ser su siervo.

PARA LA PRÓXIMA SEMANA

La próxima semana estudiaremos "La vida cristiana puesta en acción", basada en Gálatas 6:1-10. Estudie el tema durante la semana, y ore para que sea de bendición para sus alumnos.

LA VIDA CRISTIANA PUESTA EN ACCIÓN

ESTUDIO BÍBLICO 13

Base bíblica
Gálatas 6:1-10

Objetivos
Al finalizar el estudio los participantes estarán capacitados para:

1. Reflexionar acerca del pasaje estudiado.
2. Comprender que la vida cristiana no es teórica: es práctica.
3. Recordar que el deber del cristiano no es criticar al débil, sino ayudarlo.

Pensamiento central
La vida cristiana no consiste únicamente en hacer profesión de fe, ya que la fe se expresa en acciones buenas que bendicen al prójimo y honran a Dios.

Texto áureo
No nos cansemos, pues, de hacer el bien, porque a su tiempo segaremos, si no desmayamos (Gálatas 6:9).

Fecha sugerida: 9 / 25 / 16

LECTURA ANTIFONAL

Gálatas 6:1 Hermanos, si alguno fuere sorprendido en alguna falta, vosotros que sois espirituales, restauradle con espíritu de mansedumbre, considerándote a ti mismo, no sea que tú también seas tentado.

2 Sobrellevad los unos las cargas de los otros, y cumplid así la ley de Cristo.

3 Porque el que se cree ser algo, no siendo nada, a sí mismo se engaña.

4 Así que, cada uno someta a prueba su propia obra, y entonces tendrá motivo de gloriarse sólo respecto de sí mismo, y no en otro;

5 porque cada uno llevará sus propia carga.

6 El que es enseñado en la palabra, haga partícipe de toda cosa buena al que lo instruye.

7 No os engañéis, Dios no puede ser burlado: pues todo lo que el hombre sembrare, eso también segará.

8 Porque el que siembra para su carne, de la carne segará corrupción, mas el que siembra para el Espíritu, del Espíritu segará vida eterna.

9 No nos cansemos, pues, de hacer bien; porque a su tiempo segaremos, si no desmayamos.

10 Así que, según tengamos oportunidad, hagamos bien a todos, y mayormente a los de la familia de la fe.

DATOS GENERALES ACERCA DEL TEMA

- **Enseñanza:** No hay tal cosa como un cristianismo teórico, simbólico ni mucho menos ritualista. La vida cristiana es eminentemente práctica.
- **Autor:** La carta a los Gálatas fue escrita por el apóstol Pablo.
- **Fecha:** Alrededor de los años 55-57 d.C.
- **Lugar:** Probablemente en Éfeso, en la costa occidental de Asia, o en la ciudad griega de Corinto según otras opiniones.
- **Destinatario:** Las iglesia del sur de Galacia, fundadas por el apóstol en su primer viaje misionero, alrededor de los años 45-48 d.C.
- **Personajes:** El apóstol Pablo, los creyentes de las iglesia de la provincia de Galacia, y los judaizantes (falsos hermanos).

BOSQUEJO DEL ESTUDIO

I. La actitud hacia el hermano que comete una falta (Gálatas 6:1-3)
   A. Restaurarle con un espíritu de mansedumbre (6:1)
   B. Sobrellevar su carga (6:2,3)

II. Deberes personales (Gálatas 6:4-6)
   A. Examinarse a sí mismo (6:4)
   B. Cada uno tiene sus propias luchas y deberes (6:5,6)

III. El deber de hacer el bien (6:7-10)
   A. Lo que uno siembra, eso cosecha (6:7,8)
   B. Hacer el bien es una tarea diaria (6:9,10)

Galacia y otras provincias romanas en Asia y Europa donde el apóstol Pablo estableció iglesias.

LECTURAS DEVOCIONALES DIARIAS

Lunes: Jesús salva a una mujer sorprendida en adulterio (Juan 8:1-11).

Martes: Un samaritano se compadece de un herido (Lucas 10:25-37).

Miércoles: Jesús se compadece de una multitud hambrienta (Lucas 9:10-17).

Jueves: Deberes cristianos (Romanos 12:9-21).

Viernes: Jesús se compadece de los enfermos y los que sufren (Mateo 9:18-38).

Sábado: Jesús se compadece de las que habían perdido un ser querido (Juan 11:1-44).

INTRODUCCIÓN

El apóstol concluyó en el capítulo 5, diciendo: "Si vivimos por el Espíritu, andemos también por el Espíritu. No nos hagamos vanagloriosos, irritándonos unos a otros, envidiándonos unos a otros" (5:25,26). ¿Qué significa, por lo tanto, vivir en el Espíritu? ¿Habrá alguna constancia de que el creyente anda en el Espíritu? La respuesta viene en lo que es nuestro pasaje de estudio. Vivir en el Espíritu es mantener una relación tan íntima con él que lo convierte en un canal por medio del cual las obras de Dios son transmitidas al mundo. Quien vive en el Espíritu no practicará los vicios de la "vanagloria", la "irritación" y la "envidia" que menciona en 5:26 sino lo que es para el bien de sus hermanos en la fe. Eso será posible porque la presencia del Espíritu comunicará a su vida virtudes que fueron típicas en la persona de Cristo, tales como: la "mansedumbre" (v.1), la disposición de ser un medio para que su hermano descanse de sus cargas (v.2), la determinación de obedecer la ley divina (v.2), la "humildad" que le evita a uno la pretensión de creerse importante (v.3), y el constante esfuerzo de bendecir a otros haciendo con entusiasmo lo que es bueno (v.9). Insistimos, estas actitudes y acciones son las expresiones objetivas de la presencia del Espíritu. Observaremos en nuestro pasaje bíblico que hay cosas que el creyente debe evitar, y otras que debe tener, y que las mismas no pueden coexistir. Esto prueba que el bien no se puede hacer mientras exista el mal; que no se puede hacer cosas buenas, cuando se hacen aquellas que son malas; que es imposible ser virtuoso si se es vicioso. El rendimiento total a la dirección del Espíritu, desplazará el mal, abriendo el espacio para que el bien surja con libertad. Consideremos, pues, nuestro pasaje de estudio.

DESARROLLO DEL ESTUDIO

I. LA ACTITUD HACIA EL HERMANO QUE COMETE UNA FALTA (GÁLATAS 6:1-3)

Ideas para el maestro o líder

Uno de los estudiantes realizará la lectura en voz alta de Gálatas 6:1-3

Definiciones y etimología

* *"Sorprendido"*, es la traducción del verbo

προλαμβάνω (pronúnciese, *prolambano*), ocurre tres veces en el Nuevo Testamento: Marcos 14:8 "...se ha *anticipado*...; 1 Corintios 11:21...cada uno se *adelanta*..., y Gálatas 6:1. Además de los significados de "sorprender", "anticipar", "adelantar", tiene el de "sobrecoger".

A. Restaurarle con un espíritu de mansedumbre (6:1)

"Hermanos, si alguno fuere sorprendido en alguna falta, vosotros que sois espirituales, restauradle con espíritu de mansedumbre, considerándote a ti mismo, no sea que tú también seas tentado" (v.1). El hecho de que la oración empiece con "hermanos" no significa que sea un párrafo nuevo. Debe leerse como una continuación directa del v.26. Uniendo el v.1 con el anterior (5:26), la idea es que el hecho de que alguien en la iglesia haya caído en una falta no es una razón para que alguien se sienta superior y se "vanaglorie" de que no le haya sucedido a él tal pecado. Debe ser una oportunidad para evidenciar el fruto del Espíritu (5:23), esto es, la "mansedumbre", y no convertirse en fiscal o juez. El legalismo –que es una combinación de soberbia e hipocresía– tenderá al creyente a juzgarlo, ponerlo en disciplina o buscar su expulsión de la iglesia; pero el que vive en el Espíritu y manifiesta Su fruto, procurará su restauración.

"...si alguno fuere sorprendido en alguna falta...". Cómo anotamos en definiciones y etimología la palabra "sorprendido" tiene el significado de "sobrecoger". Por esta razón la Versión Moderna de Pratt traduce: "Hermanos, si alguno fuere *sobrecogido* en cualquiera transgresión...". Esta última es la traducción que consideramos es la correcta. El apóstol no está suponiendo el caso de un hermano que haya sido tomado por sorpresa haciendo algo indebido, como el caso de la mujer de la cual le dijeron al Señor los escribas y fariseos: "Maestro, esta mujer ha sido *sorprendida* en el acto mismo de adulterio" (Juan 8:3). En el caso de que se traduzca "sorprendido" la idea sería: "Hermanos, si alguno fuere sorprendido *por* alguna falta...". La idea no es que fue *sorprendido* por alguien, sino *sobrecogido* por algún pecado por causa de su debilidad espiritual.

"...vosotros que sois espirituales...". La idea es, "vosotros, los que sois espirituales". No todos los gálatas eran espirituales, y aquellos que no eran espirituales le causarían más daño al que incurrió en la falta. Los creyentes carnales lo que quieren es castigo; los espirituales, restauración. ¡Cuánta verdad y sabiduría demuestra el apóstol! Pero, ¿y cómo debían de restaurarlo? ¡"Con espíritu de mansedumbre!" Ya el apóstol ha señalado que una de las características del fruto del Espíritu es la mansedumbre. Por lo tanto, la restauración debe ser hecha bajo la dirección del Espíritu Santo, y no bajo la acusación de la ley. De no hacerlo así, se corre el peligro de que el que lo acusa cometa la misma falta o alguna peor que la del acusado.

B. Sobrellevar su carga (6:2,3)

"Sobrellevad los unos las cargas de los otros, y cumplid así la ley de Cristo" (v.2). En el texto griego, el orden de la oración es: "Los unos de los otros las cargas sobrellevad...". Los comentaristas bíblicos ven en este orden una razón intencional de parte del apóstol Pablo: coloca a "los otros", "a los demás", con sus necesidades, como prioritarios a uno mismo. Es un nuevo ataque a la "vanagloria", "la actitud irritante", y la "envidia" que ya atacó en 5:26. En lugar de ser "vanagloriosos", "irritándonos unos a otros" y de "envidiándonos unos a otros" (v.26), debemos "los unos a los otros las cargas sobrellevar". Esta exhortación coincide con aquello que les escribió a los filipenses: "No mirando cada uno por lo suyo propio, sino cada cual también por lo de los otros" (Filipenses 2:4). La palabra "cargas" es la traducción del sustantivo griego βάρος (pronúnciese, *baros*) que indica una "carga pesada". Ocurre en seis pasajes del Nuevo Testamento (Mateo 20:12; Hechos 15:28; 2 Corintios 4:17; Gálatas 6:2; 1 Tesalonicenses 2:6, y Apocalipsis 2:24). Dos son las enseñanzas que están implícitas en el texto: *Primera*, en la vida cristiana no hay espacio para el egoísmo, el egocentrismo, ni para el narcisismo. El ejemplo máximo de esta cualidad cristiana es nuestro Señor Jesucristo, "el cual, siendo en forma de Dios, no estimó el ser igual a Dios como cosa a que aferrarse" (Filipenses 2:6).

Segunda, debemos ayudar a nuestros hermanos con sus problemas ligeros, pero también con sus cargas pesadas. Las palabras, "...y cumplid así la ley de Cristo". Por "la ley de Cristo" algunos piensan que es una referencia a Juan 13:35: "En esto conocerán todos que sois mis discípulos, si tuviereis amor los unos con los otros". Pero, es preferible entender que se refiere, no a un pasaje en particular, sino a todas las enseñanzas del Señor al respecto. Cuando se practican todas las enseñanzas de Cristo, es imposible que el creyente sea un egoísta que no se preocupa por el bienestar de su hermano en Cristo.

"Porque el que cree ser algo, no siendo nada, a sí mismo se engaña" (v.3). Una vez más el apóstol procura desligar a los creyentes de su egoísmo, porque donde quiera que hay egoísmo la persona se cree mejor de lo que realmente es. Pero, el apóstol dirige a los creyentes al punto más extremo: ¡"No siendo *nada*!" ¿Es este lenguaje hiperbólico? ¡No! ¿Por qué? ¡Porque delante de Dios un egoísta es nada y nadie! El verdadero creyente, aquel que ha nacido de nuevo, que ha sido llenado del Espíritu Santo, ha muerto a los vicios, vanidades y aberraciones de la carne, porque en su conversión decidió ser crucificado con Cristo: "Con Cristo estoy juntamente crucificado, y ya no vivo yo, mas vive Cristo en mí; y lo que ahora vivo en la carne, lo vivo en la fe del Hijo de Dios, el cual me amó y se entregó a sí mismo por mí" (Gálatas 2:20). Solamente así, "se sobrellevan los unos las cargas de los otros".

Afianzamiento y aplicación

(1) Explique, de acuerdo al comentario, las palabras: "si alguno fuere sorprendido en alguna falta".

(2) ¿Puede un creyente carnal "restaurar con mansedumbre" a uno que ha caído?

(3) Explique por qué el creyente no puede ser egoísta.

II. DEBERES PERSONALES (GÁLATAS 6:4-6)

Ideas para el maestro o líder

Invitar a un estudiante a realizar la lectura en voz alta de Gálatas 6:4-6.

Definiciones y etimología

* *"Gloriarse",* es la traducción del griego καύχημα (pronúnciese, *kaújeima*). Esta palabra ocurre en el Nuevo Testamento once veces y se traduce "jactarse", "gloriarse" "regocijarse" y "gozo".

A. Examinarse a sí mismo (6:4)

"Así que, cada uno someta a prueba su propia obra, y entonces tendrá motivo de gloriarse sólo respecto de sí mismo, y no en otro" (v.4). En el texto griego, tanto la palabra "obra" como "su propia" son enfáticas. El v.4 es una exhortación directa para aquellos que tenían el hábito de andar juzgado a los demás, principalmente aquellos que habían sido víctimas de las enseñanzas de los judaizantes. Como se acentuó arriba, el legalismo y la soberbia siempre van juntos ya que son producto del egocentrismo. La carnalidad, el legalismo y la soberbia hacen que uno se considere superior a los demás y que se compare con aquellos que adolecen de fallas que son notorias. Si uno se compara con un drogadicto, esclavo del licor, sin empleo, y que vive deambulando por las calles, se considerará superior a él; pero si se compara con Cristo, hallará que le falta mucho para sentirse satisfecho de sí mismo. Un ejemplo lo encontramos en la visión del profeta Isaías: nunca había exclamado, "¡Ay de mí! Que soy muerto; porque siendo hombre inmundo de labios, y habitando en medio de pueblo que tiene labios inmundos, han visto mis ojos al Rey, Jehová de los ejércitos" (Isaías 6:5), hasta que tuvo un encuentro directo con Dios. Antes de ese encuentro, nunca se había considerado un hombre pecador. Por lo tanto, la exhortación del apóstol es un llamado a cada cristiano para que se introduzca en el laboratorio de Dios y de su examen a fin de que le muestre quién y cómo realmente es. La idea de someter a prueba su propia obra significa dejar que Dios sea el que lo examine a uno. Cuando uno se examina a sí mismo en la carne, encontrará virtudes; cuando examina a los demás, hallará defectos, pero cuando Dios lo examina a uno, se invierten los resultados. Por eso el salmista oró a Dios, diciéndole: "Examíname, oh Jehová, y pruébame; examina mis íntimos pensamientos y mi corazón" (Salmo 26:2);

"Examíname, oh Dios, y conoce mi corazón; pruébame y conoce mis pensamientos; y ve si hay en mí camino de perversidad, y guíame por el camino eterno" (Salmo 139:24). ¡Qué importante es dejarse examinar por el Señor!

"...y entonces tendrá motivo de gloriarse sólo respecto de sí mismo, y no en otro" (v.4). La palabra "gloriarse" como dijimos en definiciones, se traduce "jactarse", "gloriarse", "regocijarse" y "gozo". En Filipenses 1:26, debe traducirse "gozo": "Para que abunde vuestro *gozo* (no "gloria", como tiene RV1960) de mí en Cristo Jesús por mi presencia otra vez entre vosotros". De manera que la última parte del v.4 debe traducirse: "...y entonces tendrá motivo de *gozo* sólo respecto de sí mismo, y no en otro". Cuando el Señor lo saca a uno del engaño personal indicándole cómo uno realmente es, debe ser motivo de gozo porque sabe qué ajustes necesita hacer en su vida.

B. Cada uno tiene sus propias luchas y deberes (6:5,6)

"Porque cada uno llevará su propia carga (6:5). La responsabilidad primaría del creyente es su propia carga. La palabra para "carga" que el apóstol utiliza aquí es φορτίον (pronúnciese, *fortíon*). Ocurre en el Nuevo Testamento seis veces (Mateo 11:30; 23:4; Lucas 11:46 [dos veces]; Hechos 27:10 y Gálatas 6:5). En Mateo 11:30 se usa en referencia a lo ligera que es la carga de Cristo; en Mateo 23:4 en referencia a las cargas pesadas que ataban sobre las gentes los escribas y fariseos; Lucas 11:46 es el paralelo de Mateo 23:4; Hechos 27:10 en referencia al cargamento del barco. El contexto indica que la "carga" a la cual se refiere el apóstol aquí es aquella que acompaña a la vida cristiana, la cual es muy distinta a las que mundo y el pecado le imponen al creyente. Cristo habló de esta carga cuando dijo: "Llevad mi *yugo* sobre vosotros, y aprended de mí, que soy manso y humilde de corazón; y hallaréis descanso para vuestras almas; porque mi *yugo* es fácil, y ligera mi *carga*" (Mateo 11:29,30). Habló de ella también cuando dijo: "Si alguno quiere venir en pos de mí, niéguese a sí mismo, tome su *cruz* cada día, y sígame" (Lucas 9:23). Hay varias enseñanzas que se desprenden del v.5, las cuales enumeraremos: 1) El apóstol habló de llevar ("cargar") su propia carga, y no de "arrastrar" su carga. "Llevar la carga" significa que uno está viviendo fielmente la vida cristiana porque lleva la carga de Cristo, esto es, los deberes que conlleva ser creyente. Si no cargamos lo que Cristo ha puesto sobre nosotros: deberes, responsabilidades, trabajos, ministerios, dones, entonces no tendremos una vida victoriosa sino una de derrota que lo obliga a "arrastrar" su carga; 2) Las palabras "su propia", significa que cada uno tiene su carga y no tiene que ser igual a la de otros. El creyente no debe decir: "Me gustaría tener el ministerio, talentos, y dones que fulano de tal tiene". No, cada quien tiene su propia carga de acuerdo a lo que puede llevar; 3) La palabra "carga" se puede interpretar como los pertrechos de guerra que llevan los soldados, significando así que la carga que el Señor nos asigna es para la guerra, para luchar contra el enemigo. ¡No despreciemos la carga que el Señor nos da!

"El que es enseñado en la palabra, haga partícipe de toda cosa buena al que lo instruye" (v.6). Aquí el apóstol está amonestando a los gálatas a que se responsabilicen en el sostenimiento económico de sus pastores, como lo hizo en 1 Timoteo 5:17,18: "Los ancianos (pastores) que gobiernan (dirigen) bien, sean tenidos por dignos de doble honor, mayormente los que trabajan en predicar y enseñar. Pues la Escritura dice: No pondrás bozal al buey que trilla; y: Digno es el obrero de su salario". ¡Todo miembro de la iglesia debe preocuparse por el bienestar de su pastor y su familia!

Afianzamiento y aplicación

(1) Mencione lo que usted considera "examinarse a sí mismo" y su importancia.
(2) ¿Qué producen en uno la carnalidad, el legalismo y la soberbia?
(3) ¿Qué diferencia hay entre "cargar" y "arrastrar" la carga que el Señor nos da?

III. EL DEBER DE HACER EL BIEN (GÁLATAS 6:7-10)

Ideas para el maestro o líder

Solicitar a un alumno que lea en voz alta Gálatas 6:7-10.

Definiciones y etimología

* *"Engañar"*. Este verbo en el griego se encuentra en el tiempo presente, voz pasiva, modo imperativo: Μή πλανᾶσθε (pronúnciese, *mei planasthe*), por lo tanto, debe traducirse: "Paren de estar siendo extraviados". Literalmente significa "desviar", "extraviar". Por supuesto, tiene también la connotación de "dejarse engañar".

A. Lo que uno siembra, eso cosecha (6:7,8)

"No os engañéis...". Los gálatas no se estaban engañando solos, a sí mismos, si no que dejaban que otros los engañaran y en ese engaño los llevaran al extravío. La acción ya estaba sucediendo; por lo tanto, el apóstol usa el modo imperativo para decirles: "Ya paren lo que están haciendo los judaizantes con ustedes". Este es el gran peligro que han corrido los cristianos todo el tiempo: ¡Dejarse engañar! El engaño es el resultado primario de dos causas: 1) la ignorancia de la Palabra de Dios, y 2) la falta de consagración. Quien conoce debidamente la Palabra de Dios y se mantiene en íntima comunión con Dios, no puede ser engañado.

"...Dios no puede ser burlado...". El verbo que se traduce "burlar" proviene de una raíz que significa "voltear la nariz". Este gesto, entre los antiguos griegos, era fuertemente ofensivo: era una burla combinada con mofa y desprecio. Este imperativo es una fuerte advertencia en contra del falso cristianismo: un cristianismo de apariencia pero no de hechos. El permitir las enseñanzas de los maestros judaizantes creaba un pseudo cristianismo que era una burla a la gracia de Dios; era un fingimiento religioso con fuertes matices de hipocresía, aquella que tanto condenó el Señor en los escribas, fariseos y saduceos. Fue el tipo de religión que practicaba el pueblo judío en tiempo del profeta Isaías y que el Señor condenó por su intermedio: "Porque este pueblo se acerca a mí con su boca, y con sus labios me honra, pero su corazón lejos está de mí, y su temor en mí no es más que un mandamiento de hombres que les ha sido enseñado" (Isaías 29:13).

"...pues todo lo que el hombre sembrare, eso también segará". ¡Cuánto habla la Biblia acerca de esto! "Mas el que siembra justicia tendrá galardón" (Proverbios 11:17); "El que siembra iniquidad, iniquidad segará" (Proverbios 22:8); "Porque sembraron viento, y torbellino segarán..." (Oseas 8:7). El v.8 es una prueba de lo que dice el v.7: el que siembra en la carne, cosechará lo que la carne produce: el que lo hace en el Espíritu, cosechará lo que el Espíritu produce: ¡Los resultados no pueden ser intercambiables!

B. Hacer el bien es una tarea diaria (6:9,10)

"No nos cansemos, pues, de hacer bien; porque a su tiempo segaremos, si no desmayamos" (v.9). La forma como se encuentra en el griego se presta para traducir el texto: "*Y* no nos cansemos, pues, de hacer el bien...". Así, hay una continuidad más estrecha entre el v.9 con el v.8. El mensaje del v.9, de esta manera, es mucho más fuerte. El "bien" al cual se refiere el apóstol es aquel que procede del amor cristiano, y no una simple parodia. La presencia del amor en el cristiano es una constancia de poseer el Espíritu de Dios. De manera que todo va encadenado: Espíritu Santo... amor... buenas obras. Hacer el bien no debe ser intermitente, ocasional, resultado de una exhortación, de una apelación fervorosa: debe ser un estilo de vida que identifica al creyente. Nuestro Señor Jesucristo ha sido el ejemplo máximo de lo que es el hacer el bien. Por eso, el apóstol Pedro dijo de Él: "Cómo Dios ungió con el Espíritu Santo y con poder a Jesús de Nazaret, y cómo este anduvo haciendo bienes y sanando a todos los oprimidos por el diablo, porque Dios estaba con Él" (Hechos 10:38). El autor de la carta a los hebreos, escribió: "Y de hacer bien y de la ayuda mutua no os olvidéis; porque de tales sacrificios se agrada Dios" (Hebreos 13:16). Las palabras "porque a su tiempo segaremos" es un complemento de las palabras "el que siembra para el Espíritu, del Espíritu segará vida eterna" (v.8). Aunque el creyente debe hacer el bien teniendo en mente la ayuda que provee a uno que está en necesidad, tiene su recompensa, y esta recompensa viene de diferentes maneras y en el tiempo cuando Dios estime prudente.

"Así que, mientras tengamos oportunidad, hagamos bien a todos, y mayormente a los de la familia de la fe" (v.10). Las oportunidades las presenta Dios a través de aquellos que están en necesidad, y estos son una representación de nuestro Señor Jesucristo. Hacer el bien al prójimo es como presentarle a Cristo una ofrenda. ¿Necesitamos pruebas? Nuestro Señor Jesucristo enseñó que en el día final le dirá a los que estén a la derecha: "Venid, benditos de mi Padre, heredad el reino preparado para vosotros desde la fundación del mundo. Porque tuve hambre, y me disteis de comer; tuve sed, y me disteis de beber; fui forastero, y me recogisteis, estuve desnudo, y me cubristeis; enfermo, y me visitasteis; en la cárcel, y vinisteis a mí. Entonces los justos le responderán, diciendo: Señor, ¿cuándo te vimos hambriento, y te sustentamos, o sediento, y te dimos de beber? ¿Y cuándo te vimos forastero, y te recogimos, o desnudo y te cubrimos? ¿O cuándo te vimos enfermo, o en la cárcel, y vinimos a ti? Y respondiendo el Rey les dirá: De cierto os digo que en cuanto lo hicisteis a uno de estos mis hermanos más pequeños, a mí lo hicisteis" (Mateo 25:34-40). Pregunta: ¿Estamos expresando nuestra fe cristiana haciendo el bien, o solamente asistiendo a la iglesia?

Afianzamiento y aplicación

(1) ¿Qué causa el engaño en el cristiano?
(2) ¿Cómo qué se puede considerar el vivir un falso cristianismo?
(3) Cuando uno hace un bien, ¿a quién realmente se lo hace?

RESUMEN GENERAL

Nuestro estudio es eminentemente práctico porque así es la vida cristiana: ¡Práctica! No hay tal cosa como un cristianismo teórico, ni simbólico ni mucho menos ritual. En nuestro pasaje estudiado vimos que si un creyente se descuida puede incurrir en algún pecado que lo tome por sorpresa. La Biblia nos exhorta mucho a velar y orar para que no seamos presa del enemigo. Entre los muchos pasajes que podemos citar que hablan al respecto está 1 Pedro 5:8,9: "Sed sobrios, y velad; porque vuestro adversario el diablo, como león rugiente, anda alrededor buscando a quien devorar; al cual resistid firmes en la fe…". Si desgraciadamente alguien cae en pecado, la responsabilidad de sus hermanos en la fe es restaurarlo. Esto solamente lo hacen los que son espirituales. Las carnales buscan enjuiciarlo. Pero uno no tiene que esperar que alguien cometa una falta para ayudarlo, ya que es deber de todo creyente sobrellevar las cargas de los otros. Pero para poder ayudar a otros se necesita que uno se examine constantemente, con toda honestidad, para ver si hay áreas en su vida que necesitan corrección. Entre los deberes de todo creyente está el de ver por el bienestar de su pastor, "porque ellos velan por *nuestras* almas" (Hebreos 13:17). Un punto muy importante que trata nuestro pasaje es el no intentar vivir un simulacro de vida cristiana ya que ante los ojos de Dios es una burla porque es una ofensa a la gracia redentora y un desprecio al sacrificio de Cristo. Para cerrar de una manera excelente esta parte de su carta, el apóstol exhorta a los creyentes a que hagamos constantemente el bien, principalmente, a nuestros hermanos en Cristo. Quien hace bien al necesitado, se lo hace a nuestro Señor Jesucristo, y esto contará mucho cuando estemos delante de Cristo en el día final. ¡Dios nos ayude a poner en práctica lo que hemos estudiado!

Ejercicio de clausura

Repitan todos al unísono el texto áureo y despida la clase con una oración de agradecimiento al Señor.

PREGUNTAS Y RESPUESTAS

1. ¿Cuál sería la reacción de un creyente espiritual y de uno que es legalista, ante aquel que ha caído en una falta?

El legalista que es una combinación de soberbia e hipocresía tenderá a juzgarlo, ponerlo en disciplina o buscar su expulsión de la iglesia; pero el que vive en el Espíritu y manifiesta su fruto, procurará su restauración.

2. ¿Cómo interpretar lo dicho por el apóstol: "Sobrellevad los unos las cargas de los otros", y "cada uno llevará sus propia carga"?

La primera se refiere a apoyar al hermano en sus problemas y dificultades; la segunda a las responsabilidades y obligaciones que cada uno debe asumir.

3. ¿Con qué podemos comparar la "carga", que cada uno debe llevar, de acuerdo a la explicación del estudio?

La palabra "carga" se puede interpretar como los pertrechos de guerra que llevan los soldados, así que, la carga que el Señor nos asigna es el equipamiento para la guerra contra el enemigo.

4. ¿Por qué causas primarias podría el creyente ser engañado?

Por la ignorancia de la Palabra de Dios, y por la falta de consagración.

5. ¿A quiénes mayormente debe el cristiano hacer el bien?

A los de la familia de la fe, es decir, a los hermanos de la iglesia.

PARA LA PRÓXIMA SEMANA

La próxima semana se estará comenzando una nueva temática sobre: "El mandato a evangelizar", el cual es la misión más importante de la iglesia. Se comenzará con el ministerio de Juan el Bautista como "El precursor de la evangelización", basado en Mateo 3:1-12. Motive la clase a participar.

INTRODUCCIÓN AL CUARTO TRIMESTRE

Recibimos con gozo el presente trimestre y su temática *"El mandato a evangelizar"*. La evangelización es sobre todo la obra de Dios en la vida de hombres y mujeres y Él ha querido delegar el mensaje de redención de la humanidad, iniciado por Jesús hace dos mil años, a gente que esté dispuesta a continuar esta misión.

Los estudios que desarrollaremos nos permitirán caminar y vivir los momentos iniciales de la fe cristiana; consideraremos desde sus raíces cuál fue la fuerza, el poder y la naturaleza de este mensaje transformador y cuya proclamación nunca fue tarea limitada a un grupo particular de "profesionales de la evangelización", sino la prerrogativa y la tarea de cada miembro del recién nacido cuerpo de Cristo, la iglesia. Estos primeros evangelistas fueron hombres y mujeres escogidos, llamados y enviados por Dios como agentes de su reino e investidos del poder de su Espíritu para cumplir con eficacia la misión para la cual fueron elegidos. Todos respondieron con entusiasmo en esta primera asignación encomendada por Cristo a su iglesia, ellos vieron la evangelización como su mayor tarea, la fe cristiana era la respuesta a un mundo sumido en el paganismo y la oscuridad espiritual, había una carga genuina por la situación de los incrédulos cuya vida sin Cristo tendría un fin irreparable si no se les presentaba el evangelio. Seguir la instrucción de su Señor de ir por todo el mundo y predicar las buenas nuevas a toda criatura era la labor urgente que debían cumplir sus seguidores y la responsabilidad por la cual tendrían que dar cuenta ante Dios.

Gente de todas las edades, de diferentes estratos sociales y culturales, trabajaron y vivieron unidos por el mensaje Cristocéntrico. El contenido de su proclamación no era otro que la persona de Cristo, su consigna era hablar de su Señorío y su misión era presentarlo como el Camino, la Verdad y la Vida. La rápida expansión y alcance de la iglesia fue el resultado de que el mundo viera en los cristianos una calidad de vida llena del gozo del Señor y la disposición de morir como testigos de Aquel que había dado su vida por ellos. Ese gozo y esa esperanza no existían en un lugar fuera de la verdadera iglesia.

El reto de hoy es fomentar, practicar e impulsar ese entusiasmo contagioso que caracterizó a nuestros hermanos de la primera iglesia. Hombres como Juan el Bautista, el precursor de la evangelización, los discípulos de Jesús, Esteban el primer mártir, Pablo, el apóstol de los gentiles y todos los protagonistas bíblicos de la sagrada misión de la evangelización; creyentes que han impactado a la humanidad por su profunda lealtad a Dios, su preocupación por alcanzar a los que no tenían a Cristo, y su pasión y entrega al Evangelio.

Estamos seguros que estos temas serán de bendición para sus vidas.

EL PRECURSOR DE LA EVANGELIZACIÓN

ESTUDIO BÍBLICO 14

Base bíblica
Mateo 3:1-12

Objetivos
Al concluir el estudio los participantes estarán en capacidad de:

1. Entender que el plan de salvación del hombre primeramente nació en el corazón de Dios y fue ideado por su mente divina.
2. Comprender que la misión de Juan el Bautista fue dar a conocer a Jesús como el enviado de Dios para dar las buenas nuevas de salvación.
3. Obedecer al mandato de Jesús en la predicación del evangelio a toda criatura.

Fecha sugerida:___/____/____

Pensamiento central
Dios siempre se anticipa a cada evento en el plan salvífico del hombre.

Texto áureo
Yo a la verdad os bautizo en agua para arrepentimiento; pero el que viene tras mí, cuyo calzado yo no soy digno de llevar, es más poderoso que yo; él os bautizará en Espíritu Santo y fuego (Mateo 3:11).

LECTURA ANTIFONAL

Mateo 3:1 En aquellos días vino Juan el Bautista predicando en el desierto de Judea,
2 y diciendo: Arrepentíos, porque el reino de los cielos se ha acercado.
3 Pues éste es aquel de quien habló el profeta Isaías, cuando dijo: Voz del que clama en el desierto: Preparad el camino del Señor, Enderezad sus sendas.
4 Y Juan estaba vestido de pelo de camello, y tenía un cinto de cuero alrededor de sus lomos; y su comida era langostas y miel silvestre.
5 Y salía a él Jerusalén, y toda Judea, y toda la provincia de alrededor del Jordán,
6 y eran bautizados por él en el Jordán, confesando sus pecados.
7 Al ver él que muchos de los fariseos y de los saduceos venían a su bautismo, les decía: ¡Generación de víboras! ¿Quién os enseñó a huir de la ira venidera?
8 Haced, pues, frutos dignos de arrepentimiento,
9 y no penséis decir dentro de vosotros mismos: A Abraham tenemos por padre; porque yo os digo que Dios puede levantar hijos a Abraham aun de estas piedras.
10 Y ya también el hacha está puesta a la raíz de los árboles; por tanto, todo árbol que no da buen fruto es cortado y echado en el fuego.
11 Yo a la verdad os bautizo en agua para arrepentimiento; pero el que viene tras mí, cuyo calzado yo no soy digno de llevar, es más poderoso que yo; él os bautizará en Espíritu Santo y fuego.
12 Su aventador está en su mano, y limpiará su era; y recogerá su trigo en el granero, y quemará la paja en fuego que nunca se apagará.

DATOS GENERALES ACERCA DEL TEMA

- **Enseñanza:** El plan de salvación de Dios no es improvisado, fue diseñado en su mente divina, ante de la fundación del mundo.
- **Autor:** Mateo, probablemente en Palestina.
- **Fecha:** La tradición lo coloca entre los años 50 y 60 d.C.
- **Destinatario:** El pueblo judío y todos los creyentes.
- **Lugar:** Desierto de Judea y alrededores del río Jordán, año 27 d.C.
- **Personajes:** Juan el Bautista, fariseos y saduceos y habitantes de toda Judea.

BOSQUEJO DEL ESTUDIO

I. Juan el Bautista el predicador (Mateo 3:1-5)
  A. El tema de su predicación (3:1,2)
  B. El argumento de su mensaje (3:3,4)
II. La respuesta al mensaje (Mateo 3:5-9)
  A. El bautismo y la confesión (3:5,6)
  B. El desafío del mensaje (3:7-9)
III. El bautismo en el Espíritu y fuego (Mateo3:10-12)
  A. El tiempo del cumplimiento (3:10)
  B. El bautismo del Espíritu (3:11-12)

Jerusalén, el desierto de Judea y alrededores del río Jordán donde Juan bautizaba.

LECTURAS DEVOCIONALES DIARIAS

Lunes: Predicación de Juan el Bautista (Marcos 1:4-11).
Martes: Jesús es ungido en Betania (Marcos 14:3,4).
Miércoles: Los mensajeros de Juan el Bautista (Mateo 11:1-6).
Jueves: Juan el mensajero enviado por Dios (Mateo 11:7-15).
Viernes: La profecía de Isaías el profeta (Lucas 3:1-18).
Sábado: Muerte de Juan el Bautista (Mateo 14:6-12).

INTRODUCCIÓN

Entre todos los personajes bíblicos tanto del Antiguo como del Nuevo Testamento, una de las figuras más sobresalientes es Juan el Bautista, y las palabras de Jesús lo corroboran: (Lucas 7:28). Descubramos por qué Juan fue alguien tan excepcional. En primer lugar, los cuatro evangelios canónicos describen que el ministerio de Juan el Bautista se llevó a cabo antes que Jesús comenzara su proclamación del reino en Galilea; él fue quien preparó el camino para que el Señor empezara su poderoso ministerio. El Evangelio de Juan declara: "Hubo un hombre enviado de Dios, el cual se llamaba Juan" (Juan 1:6), él es el último de los profetas veterotestamentarios e integra así una galería de vidas guiadas por Dios de una manera especial y providencial. Juan fue un elegido, llamado y enviado por Dios, destinado desde la eternidad y preparado desde el vientre de su madre para cumplir una misión extraordinaria. Desde el principio Juan supo quién era (Juan 3:28), quién lo había enviado (Juan 1:6) y para qué había sido enviado (Juan 1:23). Ese fue el gran secreto de su eficacia espiritual y ministerial para el cumplimiento de la misión que Dios le había designado. A esto podemos añadir que su nacimiento fue profetizado por un ángel cuando Zacarías, su padre, se encontraba en el templo: "...pero el ángel le dijo: Zacarías, no temas; porque tu oración ha sido oída, y tu mujer Elizabeth te dará a luz un hijo, y llamarás su nombre Juan" (Lucas 1:13). ¡Su nacimiento y su nombre fueron designados por Dios! Ya adulto vivió como un asceta, su predicación fue escuchada no en las sinagogas en Jerusalén, sino en las montañas, el desierto de Judea y en las riberas del Jordán. El punto clave su ministerio fue el bautismo de arrepentimiento (Marcos 1:4), y esa fue la manera simbólica de destacar la conversión genuina a Dios y el perdón de los pecados.

El mensaje de Juan era vigoroso, agresivo y valiente (Lucas 3:7,8), seguía la línea de los profetas de Israel y por eso era desafiante, destacando la importancia de la justicia, la responsabilidad social y los valores éticos y morales. En un medio de tanta injusticia y desigualdades el mensaje del Bautista se tornó muy atractivo. Por eso acudían a escucharlo religiosos, publicanos, soldados y gente de todos los alrededores. Juan era la "voz del que clama en el desierto" para proclamar que el reino de los cielos se había acercado, que el Rey de reyes estaba presente en el mundo y había que allanarle el camino y enderezar las veredas. Las tradiciones y la falsa moralidad de la sociedad judía, carente de las verdaderas prácticas de la ley y la obediencia a la palabra de Dios fueron desafiadas. Juan el Bautista, sin complejos ni reservas proclamó su mensaje de arrepentimiento a un mundo religioso con fachada de piedad, cuyas ofrendas, holocaustos y demás ritos no hacían sino empeorar la condición moral de dirigentes políticos y religiosos que en nada resolvían las necesidades espirituales del pueblo. El mensaje de Juan el Bautista fue novedoso, llamando al pueblo al arrepentimiento y a demostrar su conversión a través del bautismo en agua.

DESARROLLO DEL ESTUDIO

I. JUAN EL BAUTISTA EL PREDICADOR (3:1-5)

Ideas para el maestro

(1) Haga mención de la vida ascética de Juan el Bautista.
(2) Explique brevemente acerca de la profecía de Isaías.
(3) Describa cuál era la indumentaria de Juan el Bautista.

Definiciones y etimología

* *"Arrepentíos, porque el reino de los cielos se ha acercado"* (v.2). Es obvio que el mensaje de presentación que Juan el Bautista estaba dando al pueblo judío, acerca de Jesús, era de procedencia divina al mencionar "cielo" y al Mesías como Rey.

* *"Preparad el camino"*. Era costumbre al recibir la visita de un rey allanar el camino por donde pasaría; se corregía cualquier desnivel para que el rey se desplazara sin obstáculos. El corazón de los israelitas tenía que prepararse por medio del arrepentimiento, para recibir a Jesús, el Rey de reyes y Señor de señores.

A. El tema de su predicación (3:1,2)

Es inobjetable que el mensaje de Juan el Bautista sobre el arrepentimiento fue relevante y pertinente, lo fue en su tiempo y tiene aplicación para cualquier época. La razón es muy sencilla, el pecado tiene características universales y ha estado presente en el mundo desde que el hombre pecó por primera vez. Todas las generaciones desde Adán han arrastrado la maldición del pecado. Según el Antiguo Testamento: "Ciertamente no hay hombre justo en la tierra, que haga bien y nunca peque" (Eclesiastés 7:20); "Porque no hay hombre que no peque" (1 Reyes. 8:46); "Jah, si mirares a los pecados, ¿quién oh, Señor podrá mantenerse" (Salmo 130:3). El Nuevo Testamento también corrobora esta realidad cuando dice: "Si decimos que no tenemos pecado, nos engañamos a nosotros mismos y la verdad no está en nosotros" (1 Juan 1:8); "Si decimos que no hemos pecado, le hacemos a él mentiroso, y su palabra no está en nosotros" (1 Juan 1:10).Tanto en el Antiguo como en el Nuevo Testamento, el pecado está descrito como una condición o estado del hombre: "Por tanto, como el pecado entró en el mundo por un hombre, y por el pecado la muerte, así la muerte pasó a todos los hombres, por cuanto todos pecaron" (Romanos 5:12), y el único medio para librarse de él es el arrepentimiento, la conversión del pecador a Dios por la fe en nuestro Señor y Salvador Jesucristo.

En los tiempos de Juan el Bautista las manifestaciones del pecado eran visibles en todos los ámbitos de la nación. Todas las instituciones gubernamentales, religiosas y laborales se habían corrompido. Desde la corte de Herodes, con todos sus lujos, despilfarros y ostentaciones, hasta los publicanos (cobradores al servicio del Imperio Romano), todas padecían del mismo mal. Las autoridades del templo no eran la excepción, estaban en la misma condición que los demás y habían convertido la casa del Señor en cueva de ladrones. En fin, el panorama era desalentador para un pueblo sufrido y casi abandonado a su suerte. Así que Juan el Bautista no tuvo reparos en denunciar esta conducta reprobada y vil con lo incisivo de su mensaje: Vuélvase a Dios, decía, arrepiéntanse, exhortaba, porque muy pronto su reinado será establecido, afirmaba. Urgencia e inminencia, esos elementos fueron notas claves en su mensaje y la gente así lo entendió.

B. El argumento del mensaje (3:3,4)

No debemos olvidar que todos los detalles concernientes a la vida de Jesús relatados en los evangelios, son el cumplimiento de las profecías bíblicas con respecto a su venida a la tierra. Por eso, de acuerdo al evangelio de Mateo, en la presentación de su mensaje Juan reclama ser la persona de quien

Isaías dijo: "Voz que clama en el desierto: preparad el camino a Jehová; enderezad calzada en la soledad a nuestro Dios" (Isaías 40:3). En el Evangelio de Juan, el autor es aun más específico, pues cuando los sacerdotes y levitas enviados desde Jerusalén por los judíos a preguntar a Juan quién era él, sin titubeos Dijo: "Yo soy la voz de uno que clama en el desierto". Así que para Juan el tiempo de esta profecía había llegado, Jesús estaba a las puertas para hacer cumplir los propósitos del Padre: redimir a la humanidad a través del sacrificio de Jesús en la cruz del calvario. La misión de Juan el Bautista encajó perfectamente en el programa de la voluntad de Dios, en el tiempo, en el espacio, en la historia y los protagonistas. Lo poderoso de su mensaje y el reconocimiento público de que él era un profeta, provocó que todos los que vivían en la región de Judea y en Jerusalén fueran al desierto a escucharlo. Muchos confesaban sus pecados y él los bautizaba en el río Jordán. Pero hay una característica teológica en el bautismo de Juan que debemos mencionar, porque es un eslabón indispensable para entender la urgencia y la pasión en su proclamación: el elemento escatológico. Para Juan, el fin del mundo se acercaba y el juicio final era inminente. Por eso, no dudaba en gritar a viva voz a las multitudes: ¡Oh generación de víboras! ¿Quién os enseñó a huir de la ira venidera? El juicio de Dios estaba por llegar, no había tiempo que perder: el hacha estaba puesta a la raíz de los árboles y todo árbol que no diera buen fruto se cortaría y echaría al fuego. Cuando la gente se acercó a preguntarle qué debían hacer, Juan les respondió que debían de cubrir al desnudo y dar comida al hambriento. A otros los exhortó a no estafar a sus semejantes y a otros les demandó que no amenazaran ni sobornaran a nadie y que debían sentirse satisfechos con lo que ganaban. Para cada uno tenía una respuesta, era tan sabio y tan firme que muchos se preguntaban si Juan sería el Cristo. Él no tardó en responder: "Yo a la verdad os bautizo en agua; pero viene uno más poderoso que yo, de quien no soy digno de desatar la correa de su calzado; él os bautizará en Espíritu Santo y fuego" (Lucas 3:16). El mensaje del precursor del ministerio de Jesucristo sigue vigente, hasta ahora, nuestra proclamación del evangelio debe ser exaltar a Jesucristo y darlo a conocer como el único camino al Padre.

Afianzamiento y aplicación

(1) Pregunte: ¿Qué importancia tiene el mensaje de Juan el Bautista para el ministerio cristiano?

(2) Comente la razón del por qué Juan el Bautista tenía una indumentaria no común a su tiempo.

(3) Reflexione sobre el impacto que causó en el pueblo judío el mensaje que hacía énfasis en el arrepentimiento.

II. LA RESPUESTA AL MENSAJE (MATEO 3:5-9)

Ideas para el maestro

(1) Ubique en su mapa bíblico el lugar aproximado en donde Juan el Bautista estaba predicando.

(2) Por qué razón se amotinaba el pueblo para oír el mensaje del arrepentimiento.

(3) ¿Cuál era la reacción de la gente que escuchaba el mensaje o predicación de Juan?

Definición y etimología

* *"Fariseo"* (V.7). (Del Hebreo, *Pharush*; del griego, *Pharisaios;* del latín, *Pharisaeu*) Partidario de una de las principales sectas rabínicas de los tiempos de Cristo.

* *"Saduceo"* (Del hebreo *Zedukin*). Se deriva de *sadoc*, sumo sacerdote en tiempo de David (2 Samuel 8:17), cuya familia según Ezequiel, fue escogida como digna de encargarse de los asuntos del templo (Ezequiel 40:46).

* *"Abraham"*. Hijo de Taré, semita, que vino a ser padre de los patriarcas que iniciaron el pueblo israelita. Originalmente su nombre era Abram pero Dios se lo cambio por Abraham, que quiere decir "Padre de multitudes".

A. El bautismo y la confesión (3:5,6)

No cabe duda de que el mensaje de Juan el Bautista fue tan impactante que el evangelista Mateo no exageró al describir que "Jerusalén y todo Judea y toda la provincia de alrededor del Jordán", salía para oír el mensaje de un hombre que predicaba una doctrina diferente a la que se enseñaba en las sinagogas. Con respecto a la actividad bautismal que realizaba Juan, parece que el pueblo de Israel tenía noción de lo que era el "bautismo". Por un lado, por la costumbre judía de bautizar a los prosélitos, es decir, a los gentiles que por medio de la conversión al judaísmo aceptaban la ley de Moisés, la absoluta devoción a Jehová y a formar parte de una comunidad judía. También podían asociarlo con las prácticas de purificación realizadas por la secta de los esenios, especialmente, la comunidad que vivía en Qumrán. Aclaramos esto porque Juan bautizaba en el Jordán a aquellos que al escuchar su exhortación al arrepentimiento, se bautizaban como testimonio público de su conversión a Dios, comprometiéndose a dar frutos dignos de arrepentimiento. La gente confesaba sus pecados y Juan los exhortaba a que creyeran en Aquel vendría detrás de él, Cristo Jesús, de quien también daba testimonio. De modo que el pueblo judío que acudió al llamado del Bautista veía en el bautismo, no un rito de iniciación a una nueva secta, sino el símbolo de una nueva vida. Posteriormente, Jesús lo instituyó como una ordenanza y debía hacerse en el nombre del Padre, del Hijo y del Espíritu Santo. El gran significado del bautismo cristiano, a diferencia del bautismo de Juan, es que el primero implica la confesión de Cristo como Señor y la identificación con Su muerte. Más tarde el apóstol Pablo ampliaría el sentido del bautismo y le daría su explicación teológica: "¿O no sabéis que todos los que hemos sido bautizados en Cristo Jesús, hemos sido bautizados en su muerte? Porque somos sepultados juntamente con él para muerte por el bautismo, a fin de que como Cristo resucitó de los muertos por la gloria del padre, así también nosotros andemos en vida nueva. Porque si fuimos plantados juntamente con él en la semejanza de su muerte, así también lo seremos en la de su resurrección" (Romanos 6:3-5). La confesión del penitente muestra su aceptación de la gran verdad de su pecado y como señal de esta aceptación obedece al acto bautismal, después de aceptar plenamente la verdad de la encarnación de Jesucristo como Hijo de Dios, su muerte expiatoria y su victoriosa resurrección de entre los muertos. Hay denominaciones evangélicas que practican el bautismo por "aspersión", o sea, el rociamiento de agua en la cabeza del penitente. Sin embargo, la historia de la iglesia y la etimología del verbo griego, *baptizo* indican claramente que la inmersión, o sea, sumergir en agua al penitente, es la forma bíblica del bautismo, tal como la practicó Juan el Bautista y los primeros cristianos. Está claro que el bautismo en agua es un acto de obediencia y previo a ello debe cumplir con los siguientes requisitos (1) arrepentimiento de los pecados; (2) confesar los méritos de Cristo para el perdón de pecados y (3) confesar a Jesucristo como Salvador Personal.

B. El desafío del mensaje (3:7-9)

El público que escuchaba los mensajes de Juan era diverso, había gente de todos los estratos sociales y eran multitudes las que acudían para que él las bautizara. Su proclamación no tenía nada que ver con aspectos litúrgicos ni experiencias religiosas superficiales. Su mensaje de justicia social atraía a muchos que sufrían los abusos de los gobernantes y de los poderosos y también causaba gran preocupación entre aquellos a quienes señalaba especialmente a las autoridades romanas y a sus cómplices judíos. La proclamación de Juan alcanzó también a la secta de los fariseos. Estos se caracterizaban por mantener una férrea oposición a los demás sectas o partidos políticos y demás corrientes religiosas o políticas. Se consideraban una gente especial que no podía ni debía contaminarse con los que no eran de su clase. Para ellos, la Ley debía regir todas las dimensiones de la vida y llegaron a creer que sus interpretaciones teológicas tenían la fuerza y el valor de la ley divina. Esto provocó que se rompiera toda la comunicación con otros grupos judíos de la época. También se diferenciaban de los demás por sus creencias doctrinales, tales como: la existencia de los ángeles, la vida después de la muerte y creían que las personas recibirían una recompensa de Dios después de un juicio, conforme a las obras realizadas en la vida. Mantenían la esperanza en la llegada de un Mesías de la casa de David que traería liberación y paz a Israel y aceptaban la llamada "Ley oral", en adición a la Torá, como fundamento de su fe. Su meta en la vida era exhibir una vida piadosa a través de una estricta observancia de la ley y por eso eran respetados y apreciados por la comunidad judía en general. Jesús conocía muy bien a este grupo, tanto así, que recomendó a sus oyentes *aceptar sus enseñanzas*, con la observación de: "...mas no hagáis conforme a sus obras, porque, dicen y no hacen" (Mateo 23:2,3). No obstante, muchos fariseos de los que se acercaron a Juan, aceptaron su mensaje y lo manifestaron a través del bautismo. Otra parte del público de Juan era de la secta conocida como los saduceos, quienes por lo general provenían de los sectores políticos y económicos más privilegiados de la sociedad judía y seguían la antigua línea de los asmoneos por su buena relación con las autoridades romanas y las fuerzas de ocupación. En la práctica, eran los representantes de los judíos ante el Imperio Romano. Los saduceos se diferenciaban de las demás corrientes religiosas porque fijaban una postura muy rígida en relación a la Ley (Pentateuco), y no aceptaban las tradiciones orales. Sin embargo, quizás la mayor diferencia con los fariseos era la no creencia en la resurrección de los muertos, tema en torno al cual se formaban fuertes discusiones. El mensaje del Bautista golpeó de manera contundente a estas dos sectas religiosas, calificándolas como: "Generación de víboras" (V.7), como sigue golpeando a los que sustentan argumentos religiosos vanos, a los que promueven teologías que manejan la moralidad al compás de la cultura y a los que practican ritos y tradiciones religiosas distantes al mensaje transformador del evangelio.

Afianzamiento y aplicación

(1) Comente con el grupo acerca de la religiosidad del tiempo del Señor Jesús.

(2) ¿Puede compararse la condición de los hombres de ese tiempo, con los tiempos de ahora en materia de religión?

(3) ¿Puede ser vigente el mensaje de Juan el Bautista para nuestros días? Explique.

III. EL BAUTISMO EN EL ESPÍRITU SANTO Y FUEGO (MATEO 3:10-12)

Ideas para el maestro

(1) Haga algún comentario acerca de los árboles tanto buenos como malos.

(2) ¿Qué piensa de la humanidad de Juan el Bautista que no era digno de desatar las correas del calzado del Señor?

(3) ¿Por qué Juan presenta a Jesús como el que tiene un aventador en su mano?

Definiciones y etimología

* *"Hacha"* (v.10). Herramienta que consiste en una pieza de hierro, con filo cortante, unido a un palo, llamado cabo. Se usaba para cortar leña y talar árboles. Se menciona como arma de guerra, especialmente en la destrucción de fortificaciones (Jeremías 33:4).

* *"Aventador"*. Instrumento agrícola en forma de una larga horquilla. Se usaba para sacudir la paja para separarla del grano de trigo. Ese acto de separar grano y paja se utiliza como figura de juicio (Jeremías 15:7).

A. El tiempo del cumplimiento (3:10)

El plan de Salvación de la humanidad siempre ha estado en el corazón de Dios. Desde la misma creación y en todas las épocas, su gracia salvadora se ha manifestado y para ello ha utilizado muchos medios a través del tiempo. El escritor de la Epístola a los Hebreos lo describe de esta manera: "Dios habiendo hablado muchas veces y de muchas maneras en otro tiempo a los Padres por los profetas, en estos postreros días nos ha hablado por el hijo, a quien constituyó heredero de todo, y por quien asimismo hizo el universo" (Hebreos 1:1,2). El tiempo del cumplimiento de todas las profecías acerca del Mesías había llegado; Jesús estaba a las puertas y Juan usa la metáfora del hacha puesta a la raíz de los árboles, para dar a entender que la promesa del Antiguo Testamento se había cumplido; pero esa promesa también traía juicio. El pueblo de Israel iba a ser evaluado en cuanto al cumplimiento de los dos aspectos que resumían la ley y los profetas, el amor a Dios y el amor al prójimo, es decir, la devoción absoluta a Jehová y la justicia social. El entorno social en la vida de Juan fue el mismo en que vivió Jesús. La nación atravesaba por una grave decadencia moral en medio de un ambiente general cargado de desesperanza, inestabilidad social, opresión política, ocupación militar, serias dificultades económicas y una terrible desorientación espiritual. Las profundas divisiones sociales en la comunidad estaban a la orden del día y las actitudes despóticas y abusivas de los gobernantes fomentaban el resentimiento. En ese entorno fue que la proclamación de Juan empezó a sacudir y conmover los corazones de la gente, era el momento propicio para un nuevo acercamiento al Dios del que habían hablado los profetas, era el tiempo para una nueva forma de enseñanza y la ocasión de poner en su lugar la importancia de los valores éticos, morales y espirituales. Había llegado la hora de cortar toda tradición y toda práctica religiosa obsoleta. A Jeremías se le ordenó: "Mira te he puesto en este día sobre naciones y sobre reinos, para arrancar y para destruir, para arruinar y para derribar, para edificar y para plantar" (Jeremías 1:10). Juan el Bautista estaba en la misma línea de Jeremías, no fue ninguna de las instituciones existentes la que lo promovió como profeta, fue Dios mismo quien lo formó, lo escogió, lo consagró y lo envió. A Dios era a quien único Juan tenía que rendirle cuentas, y el profeta estaba claro que su misión conllevaba un juicio de la realidad y a la vez la creación de lo nuevo. Sí, tenía que cumplir con la difícil tarea de sembrar la destrucción en todo aquello que se oponía a Jehová, pero al mismo tiempo promover lo nuevo en armonía con los propósitos de Dios. Jesús fue quien dio a todo esto su correcto y final significado, Él vino para enderezar lo torcido y mostrarse como el verdadero Camino al Padre y por eso dijo: *Yo soy el camino y la verdad, y la vida; nadie viene al padre sino por mi* (Juan 14:6). "El pueblo asentado en tinieblas vio gran luz; y a los asentados en región de sombra de muerte, luz les resplandeció" (Mateo 4:16). Jesús había venido para eso, para señalar el camino correcto y para deshacer las obras de las tinieblas que esclavizaban a su pueblo.

B. El bautismo del Espíritu (3:11,12)

Juan dice en su discurso que el bautismo con que Jesús bautizaría, sería de fuego. El comentario al Nuevo Testamento de William Barclay presenta tres ideas cuando comenta este pasaje con las tres cualidades que tiene el fuego: (1) La iluminación. Todo fuego emite destellos que rompen la oscuridad. En este caso Jesús es la luz que ilumina las tinieblas del alma a través de su Espíritu Santo. La luz de Jesús es el faro que guía a la humanidad a la verdad y la dirige a su hogar con Dios. (2) El calor. Cuando llega Jesús al corazón del hombre, enciende su corazón con el calor del amor de Dios y con el fuego ardiente del Espíritu Santo. Según Barclay, el cristianismo es la religión del corazón ardiente. (3) La purificación. En este sentido la llama del fuego del Espíritu, tiene un poder destructor que deshace toda la escoria existente en el corazón humano, es el crisol que aparta la escoria y deja el oro en su estado de pureza. Cuando Jesucristo llega a la vida de una persona, no es sino para purificarla, librándola de toda especie de mal y convirtiéndolo en una vida pura y limpia.

Juan al usar la figura del "aventador" está haciendo alusión al Juicio final, cuando el Señor apartará las ovejas de las cabritas: "Cuando el hijo del hombre venga en su gloria, y todos los santos ángeles con él, entonces se sentará en su trono de gloria y serán reunidos delante de él todas las naciones; y apartará los unos de los otros, como aparta el pastor las ovejas de los cabritos y pondrá las ovejas a su derecha y los cabritos a su izquierda" (Mateo 25:31-33). Existe el concepto de que, siendo Dios lleno de misericordia, al final se compadecerá de los cabritos y los pasará a su derecha para no sufrir el castigo eterno; a esto diremos que Dios es firme en su palabra "El cielo y la tierra pasaran, pero mis palabras no pasarán" (Lucas 21:33). Jesús recomienda: "velad pues en todo tiempo orando que seáis tenidos dignos de escapar de todas estas cosas que vendrán y estar de pie delante del Hijo del Hombre" (Lucas 21:36).

Afianzamiento y aplicación

(1) ¿Qué piensa acerca de los árboles que no dan frutos? Explique.
(2) ¿Cuál debe ser la reacción de nosotros como Iglesia de Cristo ante el juicio venidero?

RESUMEN GENERAL

El pasaje que hemos considerado contiene implicaciones que tienen que ver con la iglesia contemporánea, así como lo tuvo para el pueblo judío en los tiempos de Juan el Bautista. Fue un personaje de grandes cualidades y mensaje poderoso, agresivo y desafiante; las palabras de Jesús lo corroboran: Os digo que entre los nacidos de mujeres, no hay mayor profeta que Juan el Bautista (Lucas 7:28). Juan fue el precursor de Jesús, sobre sus hombros tendría la difícil y enorme responsabilidad de preparar el camino para que el Mesías se introdujera en la historia como el Salvador del mundo. Juan recurre a la profecía del Antiguo Testamento y se apropia de ella, demostrando así que él había sido formado, elegido, consagrado y enviado por Dios para su cumplimiento. Un pueblo educado en la ley de Dios y en las profecías dichas por los profetas no podía ignorar el discurso que Juan estaba proclamando; las multitudes sabían que el mensaje era pertinente y necesario debido a la condición en que el pueblo de Dios se encontraba. Reconocieron que Juan el Bautista era un enviado de Dios como profeta: "Y si decimos, de los hombres, todo el pueblo nos apedreará, porque están persuadidos de que Juan era profeta" (Lucas 20:6). La gente respondió al mensaje incluyendo a miembros de las sectas de los fariseos y saduceos quienes en un acto de obediencia, recibieron el bautismo y de esta manera abrieron el camino para recibir al Mesías.

El mensaje de Juan no solo fue el arrepentimiento y de bautismo, sino que tocó también los temas del bautismo en el Espíritu Santo y el juicio final. Con respecto a estos temas, también el pueblo conocía lo que las Escrituras decían al respecto. La profecía hablaba de la promesa que el Padre había hecho a través del profeta Joel: "Y después de esto derramaré mi Espíritu sobre toda carne, y profetizarán vuestros hijos y vuestras hijas; vuestros ancianos soñarán sueños, y vuestros jóvenes verán visiones. Y también sobre los siervos y sobre las siervas derramaré mi Espíritu en aquellos días" (Joel 2:28,29). El pueblo no podía ignorar una profecía de esta magnitud, sino reconocer que la promesa estaba a las puertas con la presencia maravillosa del Mesías.

Con respecto al juicio, Juan es muy gráfico al usar la figura del "aventador" que está en las manos del Señor. No cabe duda que el pueblo entendió muy bien esta analogía y por eso Juan la usó para indicar que en aquel gran día, el Señor separará el trigo de la paja. Los primeros se destinarán al granero (reino de Dios) y la paja al fuego eterno (condenación). Las condiciones del mundo actual son similares a la sociedad del primer siglo, por lo tanto, urge que cada ser humano proceda a un genuino arrepentimiento para que el reino de Dios sea plantado en cada corazón.

Ejercicios de clausura

(1) Qué opinión le merece un mensaje al estilo de Juan el Bautista para el día de hoy.

(2) Comente la vigencia del bautismo en el Espíritu Santo en nuestra iglesia actual.

(3) Reflexione sobre el gran día en que el Señor llevará a cabo su juicio a todas las naciones.

PREGUNTAS Y RESPUESTAS

1. ¿Por qué era necesario un mensaje de arrepentimiento para el pueblo judío?

Porque el pueblo se había desviado de la ley de Dios y fueron proclives a las tradiciones religiosas y dieron más mérito a su religiosidad apartándose de la fe y de las buenas obras.

2. ¿Por qué Juan trató de llevar una vida apartada del mundo, viviendo en el Desierto?

Para dar cumplimiento a la profecía que señalaba a una "Voz que clama en el desierto" y porque como Elías, siempre se mantuvo distante de los que se consideraban grandes.

3. ¿Por qué Juan trató al pueblo de "generación de víboras?

Porque la actitud del pueblo y de los guías religiosos rehuían al juicio que Juan estaba proclamando. Las serpientes siempre huyen del fuego.

4. ¿Será necesario para el día de hoy un bautismo con el Espíritu Santo?

El Espíritu Santo tiene la misión de investir a los cristianos de poder para proclamar el evangelio con la misma autoridad con que los apóstoles lo hicieron.

5. ¿Cuál debe ser nuestra preparación para el juicio final?

Tener la expectativa que ese gran día está por venir; entre tanto, hay que vivir en obediencia a la voluntad de Dios para que ese día no nos sorprenda.

PARA LA PRÓXIMA SEMANA

Nuestro estudio tendrá como base bíblica el pasaje de Mateo 3:13-17; 4:16-20. Y el tema: "La evangelización una misión divina", versará sobre la tarea que cada creyente tiene de evangelizar al mundo, como obediencia al mandato de Jesucristo.

LA EVANGELIZACIÓN UNA MISIÓN DIVINA

ESTUDIO BÍBLICO 15

Base bíblica
Mateo 3:13-17; 4:16-20

Objetivos
Al concluir este estudio los participantes podrán:

1. Conocer que el plan de salvación fue establecido desde el principio, antes de la creación del hombre.
2. Reconocer que Jesucristo es el único que puede redimir al hombre de sus pecados.
3. Proclamar el evangelio a toda criatura.

Fecha sugerida:___/____/____

Pensamiento central
Jesús el Hijo de Dios, fue escogido desde antes de la fundación del mundo, para llevar a cabo el plan de salvación de la humanidad.

Texto áureo
El pueblo asentado en tinieblas vio gran luz; y a los asentados en región de sombra de muerte, luz les resplandeció
(Mateo. 4:16).

LECTURA ANTIFONAL

Mateo 3:13 Entonces Jesús vino de Galilea a Juan al Jordán, para ser bautizado por él.
14 Mas Juan se le oponía, diciendo: Yo necesito ser bautizado por ti, ¿y tú vienes a mí?
15 Pero Jesús le respondió: Deja ahora, porque así conviene que cumplamos toda justicia. Entonces le dejó.
16 Y Jesús, después que fue bautizado, subió luego del agua; y he aquí cielos le fueron abiertos, y vio al Espíritu de Dios que descendía como paloma, y venía sobre él.
17 Y hubo una voz de los cielos, que decía: Este es mi Hijo amado, en quien tengo complacencia.
4:16 El pueblo asentado en tinieblas vio gran luz; Y a los asentados en región de sombra de muerte, Luz les resplandeció.
17 Desde entonces comenzó Jesús a predicar, y a decir: Arrepentíos, porque el reino de los cielos se ha acercado.
18 Andando Jesús junto al mar de Galilea, vio a dos hermanos, Simón, llamado Pedro, y Andrés su hermano, que echaban la red en el mar; porque eran pescadores.
19 Y les dijo: Venid en pos de mí, y os haré pescadores de hombres.
20 Ellos entonces, dejando al instante las redes, le siguieron.

DATOS GENERALES ACERCA DEL TEMA

Enseñanza: El único medio para salvar al hombre es por medio del sacrificio de Cristo.
Autor: El evangelista Mateo, probablemente en Palestina,
Fecha: Aproximadamente en los años 50-60 d.C.
Destinatario: El pueblo judío y todos los creyentes
Lugar: Rio Jordán en Judea, y cercanías del mar de Galilea, año 27 d.C.
Personajes: Jesús, Juan el Bautista, Pedro y Andrés.

BOSQUEJO DEL ESTUDIO

I. El bautismo de Jesús (Mateo. 3:13-15)
  A. El reconocimiento de Juan (3:13,14)
  B. El acto de obediencia de Jesús (3:15)
II. El reconocimiento del Padre (Mateo 3:16,17)
  A. El descenso del Espíritu Santo (3:16)
  B. La voz del cielo (3:17)
III. Jesús inicia su ministerio (Mateo 4:16-20)
  A. El mensaje de Jesús (4:16,17)
  B. Los primeros discípulos (4:18-20)

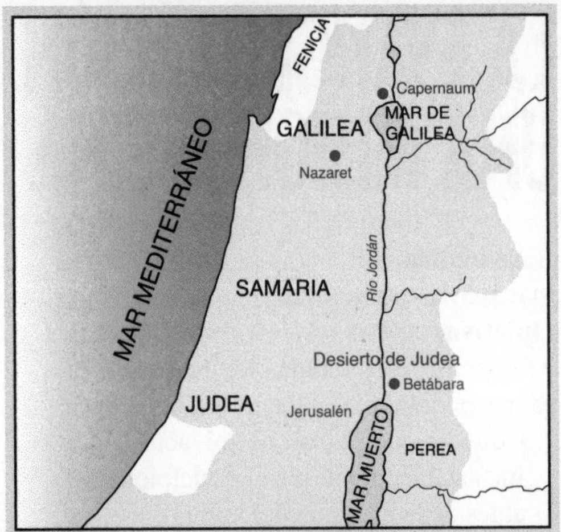

Río Jordán, lugar donde Jesús fue bautizado y la provincia de Galilea donde Él llamó a sus discípulos.

LECTURAS DEVOCIONALES DIARIAS

Lunes: La tentación de Jesús (Mateo 4:1-11)
Martes: Capernaum, sede del ministerio de Jesús (Mateo 4:12-15)
Miércoles: Llamamiento de otros discípulos (Mateo 4:21-25)
Jueves: Las multitudes siguen a Jesús (Marcos 3:7-12)
Viernes: El endemoniado gadareno (Lucas 8:23-39)
Sábado: Jesús predica en el templo (Juan 7:25-31)

INTRODUCCIÓN

En los evangelios, particularmente en el de Juan, la idea de "misión" se expresa a través del verbo "enviar" y en griego hay dos verbos que expresan esta acción: *apostéllein* y *pémpein.*

El verbo *Pémpein* aparece setenta y nueve veces en el Nuevo testamento y enfatiza la iniciativa y el origen de la misión. Por su parte, el verbo *apostéllein* aparece ciento treinta y dos veces en el Nuevo Testamento con el sentido de encargo o encomienda que se le da a un enviado y que éste debe cumplir para lograr el propósito de su misión. En repetidas ocasiones Jesús hace alusión a esta misión: "Y esta es la vida eterna, que te conozcan a ti, el único Dios verdadero, y a Jesucristo a quien has enviado" (Juan 17:3). "De cierto, de cierto os digo: El que recibe al que yo enviare, me recibe a mí; y el que me recibe a mí, recibe al que me envió" (Juan 13:20). El interés de Jesús fue ser reconocido por el mundo como el "enviado" del Padre para la misión más importante de la historia, redimir a la humanidad de sus pecados y restaurar la relación entre Dios el Creador y sus criaturas. Jesús pagó el precio de esa redención: "Porque habéis sido comprados por precio; glorificad, pues, a Dios en vuestro cuerpo y en vuestro espíritu, los cuales son de Dios" (1 Corintios 6:20). "Y él es la propiciación por nuestros pecados; y no solamente por los nuestros, sino también por los de todo el mundo" (1 Juan 2:2). Dios ama al mundo y la evidencia más grande de su amor es que envió y dio a su único Hijo para salvar al mundo. Así que Jesús no vino al mundo de manera improvisada, y como el Hijo del Hombre tuvo que pasar por un proceso desde su encarnación, hasta su ascensión al Padre. Un evento relevante ocurrió al iniciar su ministerio, Jesús cumplió con un acto de obediencia y humildad al ser bautizado por Juan en el Jordán. Este es un momento crucial, Juan lo presenta como el Cordero de Dios que quita el pecado del mundo, se escucha la voz del Padre que lo reconoce y testifica que es Su Hijo amado y recibe la investidura del poder del Espíritu Santo. Si Juan es quien bautiza en agua, Jesús es el bautista del Espíritu. El ministerio de Jesús, el Cristo, inauguró la era del Espíritu. La predicación del reino de Dios fue central en el mensaje y ministerio de Jesús, llevar la buena noticia por todos los lugares fue su urgencia y preparar a sus discípulos para que continuaran la tarea evangelística fue su prioridad.

DESARROLLO DEL ESTUDIO

I. EL BAUTISMO DE JESÚS (MATEO. 3:13-15

Ideas para el maestro

(1) Consulte en su mapa bíblico de "Senda de Vida" los lugares donde están localizados: Galilea, el río Jordán y el desierto de Judea.
(2) Investigue el lugar donde Jesús bajó al Jordán para recibir su bautismo en agua.
(3) Pregunte por qué Juan el Bautista no quería bautizar a Jesús.

Definiciones y etimología

* *"Justicia"*. Es la correcta aplicación de la ley de Dios. La regeneración hace que adquiramos nuevamente la justicia original y pasemos a vivir bajo el mandato de la justicia de Cristo (Efesios. 4:24; Romanos. 8:29; 2 Corintios. 3:18).

* *"Arrepentimiento"*. Del hebreo *"Naham"* que significa sentir pena por algo con tal fuerza que conduzca a un cambio de actitud.

* *"Paloma"*. En la tradición judía se dice de la paloma que fue escogida para ser usada en sacrificios en vista a que es la más perseguida de las aves (Salmo 56:1).

A. El reconocimiento de Juan (3:13,14)

En casi todas las religiones del mundo se ha utilizado el agua como una señal de lavamiento o de purificación. En el Antiguo Testamento se menciona la práctica de lavamientos según lo prueba la existencia de una fuente frente al tabernáculo de reunión donde los sacerdotes tenían que lavarse las manos y los pies antes de prestar sus servicios (Hebreos 9:10). Algunos son de la idea de que los judíos tenían la práctica de bautizar a los prosélitos o sea a los gentiles que se convertían al judaísmo y que también lo practicaban los escenios que vivían en Qumrán.

Si bien es cierto que el bautismo de Juan no variaba mucho en su modalidad de bautizar en un río, también es cierto que al presentarse Jesús para ser bautizado estaba marcando una pauta que seguiría como práctica cristiana, pues el mismo Señor y sus discípulos bautizaban a la par que lo hacía Juan (aunque en realidad eran sus discípulos y no Jesús quien bautizaba Juan 4:2). "Después de esto, vino Jesús con sus discípulos a la tierra de Judea, y estuvo allí con ellos y bautizaba. Juan bautizaba también en Enón, junto a Salim, porque había allí muchas aguas; y venían, y eran bautizados" (Juan 3:22,23). Esto indica que tanto el bautismo de Juan como el que realizaban los discípulos de Jesús, eran bautismos de penitencia y un testimonio público de arrepentimiento.

El Señor Jesús fue bautizado por Juan y en su caso, no fue una confesión de pecados ni un acto penitente sino un acto de obediencia, el reconocimiento de que era algo exigido por Dios (Lucas 7:29,30). Los cuatro evangelios narran esta escena y vale la pena recrearla con los datos que tenemos. Era un día como de costumbre, Juan predicaba en la orilla del Jordán y muchos de los que lo habían escuchado le pidieron que los bautizara; hasta los cobradores de impuestos hicieron lo mismo obedeciendo así lo que Dios había mandado. De pronto, dentro de la multitud se adelantó un hombre, y caminando entró al Jordán para ser bautizado por Juan. Cuando el Bautista lo vio, lo reconoció y le dijo a toda la gente: (a) ¡Aquí viene el Cordero de Dios que quita el pecado del mundo! (b) Por medio de él, Dios les perdonará a ustedes todos sus pecados. (c) Él es a quien yo me refería cuando dije: "Después de mí viene uno que es más importante que yo, porque existe desde antes de que yo naciera". (d) Yo no sabía quién era, pero Dios me mandó a bautizar con agua para que todos puedan conocerlo. Sin duda, fue un momento extraordinario, el precursor y el Mesías están frente a frente, la profecía y la Gracia se dan la mano. Juan reconoce su indignidad: "Yo necesito ser bautizado por ti, ¿y tú vienes a mí?" (v.14). Todos necesitamos ese encuentro con el Salvador Jesucristo, no solo en el bautismo y el arrepentimiento sino en nuestro diario vivir para reflejar en nuestros pensamientos, palabras y acciones el carácter de Jesús.

B. El acto de obediencia de Jesús (3:15)

Juan se resistía a bautizar a Jesús. Juan mismo había dicho que detrás venía el que bautizaría en Espíritu Santo y fuego y su misión era encaminar a sus discípulos hacia el Señor, que por ser el más grande era a quien debían seguir. Juan sabía perfectamente que es el ser humano quien necesita de Dios y no a la inversa, ese era un motivo suficiente para oponerse a bautizar al Señor. Ante esa resistencia, Jesús le explica a Juan la razón que tenía para ser bautizado. "Deja ahora, porque así conviene que cumplamos toda justicia" (v.15). Este bautismo era parte de la preparación para la era mesiánica y para satisfacer la justicia salvífica de Dios que precede al plan de salvación.

De acuerdo con el Evangelio de Juan habría señales que debían cumplirse en el momento del bautismo de Jesús. (1) Sería la manifestación del Cordero de Dios; (2) era el momento en que el bautista declararía que era Jesús a quien había estado anunciando; (3) Juan el bautista diría que la razón del bautismo en agua era para que Jesús fuera manifestado a Israel; (4) declaró que el Espíritu descendería como paloma y permanecería sobre Jesús. (5) Él sería el que bautizaría con el Espíritu Santo. (6) Juan daría testimonio que Él era el Hijo de Dios. El tiempo del Señor había llegado y debía comenzar su ministerio, y así como los sacerdotes eran lavados con agua antes de iniciar su oficio, de la misma manera Jesús debía ser consagrado para la misión encomendada por el Padre. Esta escena tiene ecos del pasado: "Y llevarás a Aarón y a sus hijos a la puerta del Tabernáculo de reunión, y los lavaras con agua... Luego tomarás el aceite de la unción y lo derramarás sobre su cabeza, y le ungirás" (Éxodo 29:4,7). Jesús había asumido la naturaleza humana, una plena identificación con la humanidad, aunque sin pecado, a fin de condenar al pecado: "... Dios enviando a su hijo en semejanza de carne de pecado y a causa del pecado, condenó al pecado en la carne; para que la justicia de la ley se cumpliese en nosotros, que no andemos conforme a la carne, sino conforme al Espíritu" (Romano 8:36).

El bautismo de Jesús puede verse desde la perspectiva de su identificación con la humanidad que debía redimir, con su humillación, obediencia, sumisión, sacrificio y fidelidad a la misión que debía cumplir: "Y estando en la condición de hombre, se humilló a sí mismo, haciéndose obediente hasta la muerte y muerte de cruz" (Filipenses 2:8). Jesús al disponerse para ser bautizado estaba dando una lección de humildad y de obediencia. Al decir Jesús a Juan, "conviene que cumplamos toda justicia", es porque la justicia es una prioridad divina. El salmista lo cantó diciendo: "Alégrense los cielos, y gócese la tierra; Brame el mar y su plenitud. Regocíjese el campo, y todo lo que en él está; Entonces todos los árboles del bosque rebosarán de contento, Delante de Jehová que vino; Porque vino a juzgar la tierra. Juzgará al mundo con justicia, Y a los pueblos con su verdad" (Salmo 96:11-13). Jesús dice "cumplamos", y aquí se hace solidario con el hombre a fin de lograr la justicia de Dios para todos: "Al que no conoció pecado, por nosotros lo hizo pecado, para que nosotros fuésemos hechos justicia de Dios en él" (2 Corintios 5:21).

Afianzamiento y aplicación

(1) ¿Por qué se bautizó Jesús?

(2) Haga un breve comentario acerca de la oposición de Juan el Bautista en relación al bautismo de Jesús.

II. EL RECONOCIMIENTO DEL PADRE (MATEO 3:16,17)

Ideas para el maestro

Comente con los estudiantes como fue el inicio del ministerio del Señor Jesús y cómo fue ungido para esa misión divina.

Definiciones y etimología

* *"Espíritu de Dios"*. Del hebreo, *Ruah Elohim,* nombre dado al Espíritu Santo en el Antiguo Testamento (Joel 2:29). Es la tercera persona de la Trinidad. Es un ser dotado de personalidad y voluntad propias. Posee los mismos atributos morales y espirituales que el Padre y el Hijo. En el Nuevo Testamento se identifica al Espíritu Santo como el Espíritu de Cristo, y tiene como función principal glorificar al Señor.

A. El descenso del Espíritu Santo (3:16)

Hagamos un breve recorrido a través de la Biblia y veamos la participación importantísima del Espíritu Santo en algunos acontecimientos en que jugó un papel trascendental. En el Antiguo Testamento: (1) Su participación en la creación (Génesis 1:2); (2) es Él quien da aliento a hombres y animales (Génesis 2:7); (3) Capacita a algunos para una tarea especial (Éxodo 31:3); (4) es anunciado por los profetas que será derramado sobre toda carne (Isaías 44:3; Ezequiel 36:27; Joel 2:28,29). La obra del Espíritu en el Nuevo Testamento es extraordinaria. La vida y ministerio de Jesús estuvo asistida por el Espíritu en todo momento: (1) Su concepción; (2) unción; (3) fue sellado; (4) llenado; (5) revestido de poder; (6) dirigido; (7) resucitado.

"Y Jesús, después que fue bautizado, subió luego del agua; y he aquí los cielos le fueron abiertos, y vio al Espíritu de Dios que descendía como paloma, y venía sobre él" (Mateo 3:16). La hermosísima descripción que hace Mateo del momento del bautismo de Jesús y el descenso del Espíritu Santo nos permite apreciar la centralidad del ministerio de la tercera persona de la Trinidad en la vida de Jesús. La manifestación gloriosa, visible y encarnada de Dios que había sido profetizada, pero que había permanecida oculta, ahora estaba presente en Jesús. Los cielos se abrieron y el Espíritu Santo descendió, el poder mismo de Dios se manifestó consagrando con su presencia ese momento como la inauguración del ministerio de Jesús, lleno de gracia y de poder.

La lectura de Lucas y de Hechos nos da excelente información para entender la fundación, la misión y la expansión de la iglesia. En todas las ocasiones está presente el Espíritu Santo. Él estuvo involucrado en todo porque Él movió, llenó, dio poder a los discípulos de Jesús, demostrando que toda esa obra misionera no era un proyecto de hombres, sino un plan de Dios que se llevaría a cabo por el poder del Espíritu Santo: "...pero recibiréis poder, cuando haya venido sobre vosotros el Espíritu Santo, y me seréis testigos en Jerusalén, en toda Judea, en Samaria, y hasta lo último de la tierra" (Hechos 1:8).

Aquí, el Espíritu Santo inicia y universaliza la misión y por eso los discípulos serán testigos; el Espíritu vivifica la Palabra de Cristo y por eso convence y atrae; el Espíritu redarguye y por eso trae arrepentimiento y fe; el Espíritu mora en el creyente y da dones para edificar a la iglesia y es por su poder que la unidad y el testimonio del cuerpo de Cristo se mantiene. Sin embargo, el don supremo del Espíritu no es el poder espectacular, sino el amor humilde que se niega a sí mismo, por el cual se constituye el cuerpo y se mantiene entretejido. La señal decisiva de la presencia del Espíritu es una tierna preocupación por la unidad del cuerpo y el desmantelamiento de todo aquello que pretenda tomar el lugar que sólo corresponde a Jesucristo.

Estas referencias acerca del Espíritu de Dios y su intervención son suficientes para demostrar que el Espíritu siempre ha intervenido y seguirá interviniendo hasta la consumación del plan de redención del hombre. En el bautismo de Jesús no podía faltar la presencia del Espíritu, pues de su investidura dependía el poder que el Señor necesitaba para cumplir su misión de principio a fin, desde su bautismo hasta su resurrección.

B. La voz del cielo (3:17)

En un momento tan crucial en la vida de Jesús no podía faltar el reconocimiento de Dios Padre acerca de su Hijo. En el Antiguo Testamento hay menciones como: "Mi hijo eres tú; yo te engendre hoy" (Salmo 2:7). Dios anticipaba haciendo referencias al Hijo que sería Él quien vendría a salvar al mundo, su Hijo amado en quien tendría contentamiento. Lamentablemente no fueron muchos los testigos de ese momento cumbre en la historia de la redención del ser humano. La multitud quizá no se había dado cuenta de que el personaje que bajó al río para ser bautizado era el mismo "Cordero de Dios que quita el pecado del mundo". Fue hasta que oyeron la voz que venía del cielo, con una declaración que no dejaba dudas acerca de Jesús el Hijo de Dios: Este es mi Hijo amado, en quien tengo complacencia. Quien habla es el Padre, pues ama al Hijo, tiene puesta en Él toda su predilección; y este es mi Hijo, este señalamiento es una indicación para todos los que oían: que Aquel mismo era el Hijo de Dios. Jesús, el Hijo Amado por excelencia, Aquel por quien el Padre siente una ternura especial; es el gozo del Padre en su Hijo encarnado, en su Mesías, en el Enviado. Y hay muchas razones para que el Padre muestre su gozo. El Padre está en la eternidad y el Hijo realizará su misión histórica. El Padre es invisible, intangible, incorpóreo; es el propietario de la doctrina que Jesús enseña y es El Hijo amado quien lo dará a conocer, es quien humildemente reconocerá que fue el Padre quien lo envió y que al final de la misión volverá a Él. El Padre se deleita en el Hijo y el Hijo en el Padre. En su oración sacerdotal Jesús, el Hijo, declara la singular y asombrosa unidad que tiene con el Padre, y allí mismo ruega a su Padre que sus seguidores sean perfectos en unidad, para que el mundo conozca que Él lo envió. La unidad del Padre con el Hijo y con sus discípulos será una bendición extraordinaria para el mundo.

Jesús no dudó en reconocer, afirmar y declarar ese vínculo filial que lo unía con el Padre. No tuvo dudas al respecto al decir "Yo soy la luz del mundo", utilizando la misma fórmula con la que Dios se dio a conocer a Moisés como el "Yo soy" (Éxodo 3:14) y no tuvo ningún temor en decir: "Yo y el Padre uno somos" (Juan 10:30). "Por esto los judíos aún más procuraban matarle, porque no solo quebrantaba el día de reposo, sino que también decía que Dios era su propio Padre, haciéndose igual a Dios" (Juan 5:18). Ningún ser humano vino a este mundo como Jesús el Cristo, por la intervención del Espíritu Santo: "Y aquel verbo fue hecho carne, y habitó entre nosotros (Y vimos su gloria, gloria como del unigénito del Padre), lleno de gracia y de verdad" (Juan 1:14). Fue a través de la encarnación que Dios se reveló a los hombres en toda su plenitud: "Jesús le dijo a Felipe" ¿Tanto tiempo hace que estoy con nosotros, y no me habéis conocido, Felipe? El que me ha visto a mí, ha visto al Padre; ¿Cómo pues, dices tú, muéstranos el Padre?" (Juan 14:9). Cuando Dios Padre hace la declaración de reconocimiento, estaba mostrando su complacencia y manifestando su afecto por la obediencia de su Hijo amado.

Afianzamiento y aplicación

(1) Comente con el grupo como Jesús, siendo Hijo de Dios tuvo que pasar por el acto bautismal. ¿Necesitaba él ser bautizado?

(2) Reflexione sobre el empoderamiento que el Espíritu Santo dio al Señor Jesús. ¿Con qué propósito fue empoderado?

III. JESÚS INICIA SU MINISTERIO (MATEO 4:16-20)

Ideas técnicas para el maestro

(3) Relate en forma breve sobre el estado pecaminoso en que se encontraban los pueblos, a pesar de que conocían la ley de Dios.

(4) Reflexione sobre el significado que tenía para el pueblo "El reino de Dios".

Definiciones y etimología

* *"Reino de los cielos"*. El reino de Dios no se puede limitar ni por el espacio ni por el tiempo. Es el plan de Dios en acción, obrando en favor de los que han de heredar la vida eterna.

* *"Mar de Galilea"*. Lago de agua dulce. Se ubica a unos 98 km. Al norte de Jerusalén. Se le relaciona con el ministerio de Jesús, en virtud de que en sus alrededores obró la mayoría de sus milagros.

A. El mensaje de Jesús (4:16,17)

El evangelista Mateo pone de relieve a Jesús como predicador, Él mensajero que venía a proclamar las buenas nuevas de salvación a un mundo perdido. El reino de los cielos era el tema central de su mensaje y lo hacía con autoridad y con poder porque tenía la seguridad de que su proclamación se fundamentaba en la doctrina que había recibido del Padre: "Porque las palabras que me diste, les he dado; y ellos los recibieron, y han conocido verdaderamente que salía de ti, y han creído que tú me enviaste" (Juan 17:8). Jesús, en este sentido, era el Heraldo del Rey, del Ser Supremo, que demostraba a los hombres su gracia a través de la predicación. Dios el Padre determinó en su sola potestad que la predicación era el medio por el cual los hombres llegarían al conocimiento de la verdad: "Pues ya que, en la sabiduría de Dios, el mundo no conoció a Dios mediante la sabiduría, agradó a Dios salvar a los creyentes por la locura de la predicación (1 Corintios. 1:21). La teología define a la predicación como la correcta aplicación de la autoridad profética a la situación presente. Jesús no se apartó de este principio pues todo su discurso se centró en la palabra profética: "Y comenzando desde Moisés, y siguiendo por todos los profetas, les declaraba en todas las Escrituras lo que de él decían" (Lucas 24:27). Así que, Jesús dio cumplimiento a todo lo que los profetas anunciaron de Él a través de su predicación.

La iniciativa de Jesús al proclamar ¡arrepentíos! era hacer volver al pueblo a caminar de nuevo por las sendas olvidadas: "Así dijo Jehová: Paraos en los caminos, y mirad, y preguntad por las sendas antiguas, cual sea el buen camino, y andad por él, y hallareis descanso para vuestra alma. Más dijeron: no andaremos" (Jeremías 6:16). En otras palabras, el pueblo tenía que levantar la mirada al cielo, cambiar el rumbo y empezar a caminar por la senda correcta. El mensaje del evangelio es que Jesús es la buena noticia de redención para la humanidad; el objetivo es que la gente lo crea y el fin es que los corazones se vuelvan a Dios. Mediante el arrepentimiento el hombre puede y llega a ser parte del reino de Dios, reino que Jesús vino a establecer para que todos los que lo reciban a Él y crean en su nombre, tengan la potestad de ser hechos hijos de Dios (Juan 1:12).

B. Los primeros discípulos (4:18-20)

Jesús conocía todos los alrededores del mar de Galilea debido a que se había criado en la ciudad de Nazareth. Así que después de haber sido bautizado volvió a la provincia de Galilea y convirtió la ciudad de Capernaum en su sede o centro de operaciones. Esa ciudad estaba ubicada en las riberas del lago de Galilea y allí comenzó Jesús a predicar: Arrepentíos, porque el reino de los cielos se ha acercado. Y al pasar por la orilla del Lago vio a Simón Pedro y Andrés, dos hermanos que eran pescadores, mientras pescaban con sus redes. Jesús les dijo: Venid en pos de mí y os haré pescadores de hombres. Ellos dejaron las redes y lo siguieron. Desde el principio de su ministerio Jesús decidió invertir y dedicar intensamente su tiempo en un grupo reducido de discípulos, estaba seguro que eso produciría un fruto perdurable. "Os haré pescadores de hombres". Notemos algunos elementos en este llamamiento. (1) Lo primero y fundamental es que Jesús como discipulador pudo ver a esas personas, no como lo que eran en ese momento sino como lo que llegarían a ser; en cada uno de ellos vio un modelo terminado. (2) Los primeros hombres que Jesús llamó (Pedro y Andrés) estaban ocupados en un trabajo digno como era la pesca, pero sin duda también eran personas rudas y sin educación formal. Jesús, no reparó en sus limitaciones intelectuales. (3) No eran hombres de la "categoría" de los escribas y fariseos. A Jesús no le interesó su condición social. (4) Eran hermanos de una misma familia galilea, región caracterizada por mezclas raciales y paso de caravanas. A Jesús, jamás lo desanimaron las características personales ni los temperamentos de estos hombres. Los trató como pescadores de hombres.

Simón y Andrés eran persona ocupadas en un trabajo no solo digno sino también lícito, y Jesús los llamó para involucrarlos en un nuevo oficio que requería disposición, entrega y sacrificio. El Señor vio en ellos estas cualidades pues: "Ninguno que poniendo su mano en el arado mira hacia atrás, es apto para el reino de Dios" (Lucas 9:62).

La tarea de expandir el evangelio por todo el Imperio Romano requería de perseverancia, paciencia y coraje, cualidades que no deben faltar en todo predicador del evangelio hoy. Todos los servidores del Reino deben tener claro que Jesús es el que llama, discipula y envía y que su llamado es ante todo de gracia. Es la gracia y la misericordia de Dios lo que valida todo llamado. Tener esa convicción es el secreto que permite que todo discípulo y predicador del evangelio sea eficaz y victorioso en el cumplimiento de su misión.

Los discípulos aceptaron cambiar su estilo de vida al modelo de Jesús, entendieron que la escuela del maestro no tiene horario ni tiempo límite, es para toda la vida. Fueron llenos del Espíritu Santo en el día de Pentecostés, esparcieron el evangelio por todos los países, pueblos y culturas del mundo conocido y como Jesús llevaron las buenas noticias a los pobres, anunciaron libertad a los cautivos, devolvieron la vista a los ciegos, del cuerpo y del alma, rescataron a los que estaban prisioneros del diablo, resucitaron muertos y proclamaron el día de la salvación. Esa sigue siendo nuestra tarea el día de hoy.

Afianzamiento y aplicación

(1) Establecer con el grupo de alumnos si la responsabilidad de evangelizar al mundo le corresponde a cada cristiano, o está restringido a un segmento de la población evangélica.
(2) El llamamiento que Jesús hizo a los primeros discípulos a "Seguirle" también corresponde a los creyentes de hoy.

RESUMEN GENERAL

La misión divina que el Padre celestial encomendó a su Hijo Jesucristo, al encarnarse y vivir entre los hombres "Y aquel verbo fue hecho carne, y habitó entre nosotros…" (Juan. 1:14). Y cumplir con todo lo establecido acerca de él, en los sagradas Escrituras, es decir, su bautismo y la unción del Espíritu Santo; el ministerio de tres años y medio de predicación, enseñanza de la palabra, sus milagros y por último, subir a la cuesta del calvario para que por su sacrificio, se obrase la redención de la humanidad. Todo lo realizado por el Señor estuvo de acuerdo el plan establecido por el Padre "Yo te he glorificado en la tierra; he acabado la obra que me diste que hiciese" (Juan 17:4). Nada quedó sin cumplirse. A partir de allí, la obra de evangelización del mundo, corría a cargo de cuantos Él llamó en su tiempo y de cuántos llamaría en el futuro.

La obra de evangelización no se ha terminado y es la iglesia la llamada a terminar esta buena obra hasta cuando Cristo venga en su santa gloria.

Ejercicios de clausura

(1) Haga una lista de responsabilidades que la iglesia cristiana tiene para cumplir la gran comisión.
(2) Analice en qué se distinguen los verdaderos discípulos de Jesús.

PREGUNTAS Y RESPUESTAS

1. ¿Por qué Jesús se presentó a Juan el Bautista para ser bautizado?

Porque de esta manera Jesús estaba cumpliendo con todo lo que se decía de él en las Santas Escrituras y como una señal de obediencia y humillación.

2. ¿Qué papel le correspondió al Espíritu Santo en el Bautismo de Jesús?

La participación del Espíritu Santo en la vida ministerio y muerte del Señor, fue asistirlo en todos los momentos críticos que Jesús tuvo que pasar.

3. ¿En dónde inicio el Señor su ministerio?

En Galilea de los gentiles, debido a que esa gente era la más necesitada y la que habitaba en sombra de muerte.

4. ¿Por qué Jesús llamó a hombres pecadores, para el servicio cristiano, en vez de llamar a personas más preparadas intelectualmente?

Porque el Señor siempre llama a persona ocupadas y que tengan la disposición y la voluntad de llevar a cabo la gran comisión.

5. ¿A quiénes les corresponde cumplir con la evangelización del mundo actual?

Le corresponde a todos los llamados por nuestro Señor, sin distinción de ninguna naturaleza.

PARA LA PRÓXIMA SEMANA

El próximo estudio tratará acerca de: "La unción para la evangelización", la cual es necesaria para cumplir con la "Gran Comisión". Motive a los participantes a leer Lucas 14:1-15 y las lecturas devocionales diarias.

LA UNCIÓN PARA LA EVANGELIZACIÓN

ESTUDIO BÍBLICO 16

Base bíblica

Lucas: 4:1-15

Objetivos

Al finalizar el estudio los participantes estarán capacitados para:

1. Analizar el empoderamiento que proporciona la unción del Espíritu Santo.
2. Reconocer que el Espíritu de Dios es el que guía al cristiano en la tarea de la evangelización.
3. Anhelar la unción espiritual para salir siempre victoriosos sobre el mal.

Pensamiento central

La unción del Espíritu Santo es vital en la evangelización del mundo de hoy como lo fue en el ministerio del Señor.

Texto áureo

Jesús volvió en el Poder del Espíritu a Galilea, y se difundió su forma por toda la tierra de alrededor (Lucas 4:14).

Fecha sugerida:___/____/____

LECTURA ANTIFONAL

Lucas 4:1 Jesús, lleno del Espíritu Santo, volvió del Jordán, y fue llevado por el Espíritu al desierto

2 por cuarenta días, y era tentado por el diablo. Y no comió nada en aquellos días, pasados los cuales, tuvo hambre

3 Entonces el diablo le dijo: Si eres Hijo de Dios, dí a esta piedra que se convierta en pan.

4 Jesús, respondiéndole, dijo: Escrito está: No sólo de pan vivirá el hombre, sino de toda palabra de Dios.

5 Y le llevó el diablo a un alto monte, y le mostró en un momento todos los reinos de la tierra.

6 Y le dijo el diablo: A ti te daré toda esta potestad, y la gloria de ellos; porque a mí me ha sido entregada, y a quien quiero la doy.

7 Si tú postrado me adorares, todos serán tuyos.

8 Respondiendo Jesús, le dijo: Vete de mí, Satanás, porque escrito está: Al Señor tu Dios adorarás, y a él solo servirás.

9 Y le llevó a Jerusalén, y le puso sobre el pináculo del templo, y le dijo: Si eres Hijo de Dios, échate de aquí abajo;

10 porque escrito está: A sus ángeles mandará acerca de ti, que te guarden;

11 y, En las manos te sostendrán, Para que no tropieces con tu pie en piedra.

12 Respondiendo Jesús, le dijo: Dicho está: No tentarás al Señor tu Dios.

13 Y cuando el diablo hubo acabado toda tentación, se apartó de él por un tiempo.

14 Y Jesús volvió en el poder del Espíritu a Galilea, y se difundió su fama por toda la tierra de alrededor.

15 Y enseñaba en las sinagogas de ellos, y era glorificado por todos.

DATOS GENERALES ACERCA DEL TEMA

Enseñanza: hay que comprender que, sin la unción del Espíritu Santo, no se puede hacer la tarea evangelística.

Autor: El evangelista Lucas, probablemente en la ciudad de Cesarea.

Fecha: Aproximadamente en el año 59 d.C.

Destinatario: Creyentes de origen griego.

Lugar: Desierto de Judea y la provincia de Galilea, año 27 d. C.

Personajes: Jesús y el diablo.

BOSQUEJO DEL ESTUDIO

I. Jesús lleno del Espíritu (Lucas. 4:1,2)
   A. Jesús en el desierto (4:1)
   B. El ayuno de Jesús (4:2)
II. La tentación de Jesús (Lucas. 4:3-12)
   A. El reconocimiento del diablo (4:3)
   B. Las ofertas y la derrota del diablo (4:3-12)
III. La unción de Jesús (Lucas. 4:14,15)
   A. La fama de Jesús (4:14)
   B. La glorificación de Jesús (4:15)

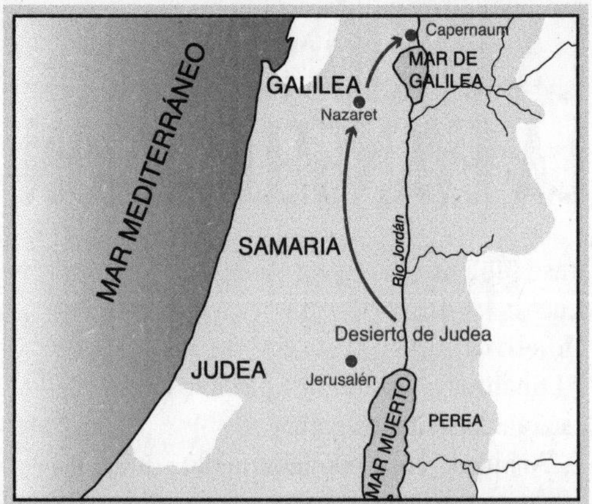

Desierto de Judea donde Jesús fue tentado, para luego volver victorioso a Galilea.

LECTURAS DEVOCIONALES DIARIAS

Lunes: Cántico de alabanza y adoración (Salmo 95).
Martes: Falsos profetas y falsos maestros (2 Pedro 2:1-10).
Miércoles: Soportando las pruebas (Santiago. 1:12-18).
Jueves: Jesús el gran sumo Sacerdote (Hebreos 4:14-16).
Viernes: Jesús llama a los primeros discípulos (Mateo 4:18-25).
Sábado: ¡Nunca ha hablado hombre así! (Juan 7:45-52).

INTRODUCCIÓN

El Evangelio de Lucas es el primer tomo de una obra de dos, el segundo, es el libro de los Hechos de los Apóstoles. En realidad son dos partes de la misma historia escritas por un mismo autor. En la que la primera, habla de la vida de Jesús y la segunda, sobre la vida de la iglesia. Con respecto a Lucas, la opinión general es que este evangelio es un trabajo literario con un estilo en que se hace evidente que el autor era una persona culta y conocedora de los métodos que en ese entonces se utilizaban para contar y escribir historias. Lucas, sin duda, fue un cristiano fervoroso y deseoso de contar la historia que lo había impactado profundamente. Su minuciosa investigación de los acontecimientos de la vida y ministerio de Jesús la resume de la siguiente manera: "… me ha parecido también a mí, después de haber investigado con diligencia todas las cosas desde su origen, escribírtelas por orden, oh excelentísimo Teófilo" (Lucas 1:3). Lucas es entre todos los evangelistas el que trata más detalladamente el tema del Espíritu. Lo vemos involucrado desde el inicio en la historia de la salvación, se nos dice que Juan fue lleno del Espíritu Santo aun desde el vientre de su madre (1:15); y aparece además como el agente de la encarnación (1:35). En el ministerio de Jesús la influencia del Espíritu es continua: "Jesús lleno del Espíritu Santo"; "Y Jesús volvió en el poder del Espíritu a Galilea"; "El Espíritu del Señor está sobre mí". Declaraciones como estas son la evidencia de que el Espíritu Santo acompañó a Jesús en todo momento asistiéndole en situaciones cruciales.

El evangelista Lucas relata que fue el Espíritu quien llevó a Jesús al desierto, no solo para ayunar cuarenta días, sino también para ser tentado por el diablo en tres ocasiones. El Señor demostró su poder sobre el mal, gracias al poder del Espíritu quien lo había preparado para tales situaciones y a la formación de un carácter cultivado y desarrollado de acuerdo a los más altos valores de la Palabra que le permitieron responder a las más grandes exigencias morales y espirituales en el momento necesario. Jesús, investido de esa unción gloriosa, volvió a la provincia de Galilea, precisamente, a la ciudad de Nazareth donde se había criado. Entró en la Sinagoga, se le dio el libro de Isaías y al abrirlo halló el lugar donde estaba escrito: "Espíritu del Señor está sobre mí, por cuanto me ha ungido para dar buenas nuevas a los pobres; me ha enviado a sanar a los quebrantados de corazón; a pregonar libertad a los cautivos, y vista a los ciegos; a poner en libertad a los oprimidos; a predicar el año agradable del Señor" (4:18,19). Jesús, lleno del Espíritu dijo: "Hoy se ha cumplido esta Escritura delante de vosotros" (4:21).

DESARROLLO DEL ESTUDIO

I. JESÚS LLENO DEL ESPÍRITU (LUCAS. 4:1,2)

Ideas para el maestro

(1) Lea el contexto del pasaje central y tome en cuenta desde cuando el Espíritu Santo comienza a operar en la vida de Jesús.

(2) ¿Por qué la fama de Jesús se difundió tan rápidamente?

Definiciones y etimología

* *"Desierto"*. Una región con poca vegetación, escasa precipitación pluvial, arena en las llanuras y candente sol. Se utiliza para ilustrar el estado de los pueblos y personas sin la presencia de Dios.

* *"Ayuno"*. Abstinencia total o parcial de alimentación. Es un sacrificio vivo y agradable a Dios.

A. Jesús en el desierto (4:1)

El desierto es un lugar que los escritores del Antiguo Testamento mencionan a menudo y denominan con distintos nombres de acuerdo al lugar en donde se localizan. Quizás el desierto más famoso es el Sinaí porque es parte importante en el relato de la huida de Israel de Egipto. Fue allí donde Dios le entregó la Ley a Moisés y donde Elías se refugió huyendo de Jezabel después de matar a los sacerdotes de Baal y de Asera. Otro desierto muy importante es el de Judea, allí Juan el Bautista predicó acerca del reino de Dios, multitudes lo escucharon haciendo un llamado a una conversión radical y allí también anunció y preparó la venida del Señor. El desierto también tiene una connotación simbólica y representa un lugar de gran desolación y prueba. La Escritura dice lo siguiente: "Cuidaréis de poner por obra todo mandamiento que yo os ordeno hoy, para que viváis, y seáis multiplicados, y entréis y poseáis la tierra que Jehová prometió con juramento a vuestros padres. Y te acordarás de todo el camino por donde te ha traído Jehová tu Dios estos cuarenta años en el desierto, para afligirte, para probarte, para saber lo que había en tu corazón, si habías de guardar o no sus mandamientos" (Deuteronomio 8:1,2). El escritor sagrado hace el contraste entre Canaán y el desierto, Canaán, la tierra que fluye leche y miel, el desierto, un lugar de prueba y aflicción para saber lo que hay en el corazón, reconocer si hemos aprendido a confiar en el Señor y a esperar pacientemente en la gracia divina. Otros personajes bíblicos tuvieron grandes experiencias en el desierto y Jesús no fue la excepción. Él también fue llevado por el Espíritu al desierto donde tuvo grandes experiencias. Jesús debía estar bien preparado para el inicio de su ministerio y por eso, sabiendo lo que le esperaba siguió la inspiración del Espíritu que lo condujo al desierto, un lugar solitario, alejado del bullicio, sin duda, para entregarse a la meditación y a la comunión con Dios el Padre.

Cuántas veces necesitamos pasar un buen tiempo a solas con Dios, como lo exclamaba el salmista diciendo: "De madrugada te buscaré; mi alma tiene sed de ti, mi carne te anhela, en tierra seca y árida donde no hay aguas, para ver tu poder y tu gloria, así como te he mirado en el santuario" (Salmo 63:1,2). Jesús solía retirarse a lugares apartados a orar, y una ocasión muy especial fue cuando escogió a los que habían de acompañarlo siempre en su ministerio terrenal. La Escritura dice: "En aquellos días él fue al monte a orar, y pasó la noche orando a Dios. Y cuando era de día, llamó a sus discípulos, y escogió a doce de ellos, a los cuales también llamó apóstoles" (Lucas 6:12,13). El Evangelio de Lucas acentúa de una manera muy especial que Jesús era un hombre de oración. Jesús sabía que su vida de fidelidad y de entrega total dependía de su comunión con su Padre. Esa comunión era vital para recibir del Padre el poder necesario para llevar a cabo su misión y para dar ejemplo a sus discípulos que la vida de ellos debía ser una vida de oración.

B. El ayuno de Jesús (4:2)

El ayuno es tan solo una de las disciplinas o hábitos espirituales. Entre los cristianos podemos identificar unos cuantos y entre ellos mencionar la lectura de la Biblia, la oración, el ayuno, la memorización de las Escrituras, el evangelismo, el servicio, la mayordomía, la sumisión, el dominio propio, la meditación, los retiros individuales, etcétera. En realidad no son muchos los que tienen la disciplina, la perseverancia, el interés o el conocimiento de cuán importante es para el cristiano poseer estas capacidades para vivir o experimentar vidas realmente transformadas. Toda profesión, deporte o arte requieren de una gran inversión de tiempo para poder desarrollarse, mantenerse y perfeccionarse. En la vida cristiana ocurre lo mismo, por ejemplo, las disciplinas espirituales desarrollan los hábitos del corazón y contribuyen a nutrir, desarrollar y fortalecer nuestro carácter de acuerdo a nuestro modelo que es Jesús. Esto nos ayudará a ser eficaces en todo aquello que el Señor ha puesto bajo nuestra responsabilidad. La disciplina o el hábito espiritual equivalen a un ejercicio físico, pero en este caso, es un ejercicio del espíritu que desarrollará nuestro carácter y nos mantendrá bien preparados para toda buena obra. Por supuesto, debemos entender que todo lo que hacemos, pensamos o hablamos es para la gloria de Dios y para la edificación del cuerpo de Cristo. Así que no puede haber orgullo, arrogancia o autosuficiencia pues de lo contrario cualquier hábito o disciplina espiritual se convertirá en algo inútil y destructivo. Observemos lo que dice la Palabra de Dios: "¿No es más bien el ayuno que yo escogí, desatar las ligaduras de impiedad, soltar las cargas de opresión, y dejar ir libres a los quebrantados, y que rompáis todo yugo? ¿No es que partas tu pan con el hambriento, y a los pobres errantes albergues en casa; que cuando veas al desnudo, lo cubras, y no te escondas de tu hermano? Entonces nacerá tu luz como el alba, y tu salvación se dejará ver pronto; e irá tu justicia delante de ti, y la gloria de Jehová será tu retaguardia" (Isaías 58:6-8).

Ahora entendemos una razón más de por qué Jesús fue al desierto para dedicarse al ayuno como parte de su disciplina espiritual. El Señor sabía la gran tarea que tenía por delante, reconocía los enormes desafíos que debía enfrentar y es por eso que nos dio el ejemplo de una vida de sumisión, sacrificio, obediencia, humildad y fidelidad. Todos estos valores eran parte de su carácter y serían probados de distintas maneras y en diferentes circunstancias. Jesús asumió nuestra humanidad totalmente. Sus discípulos pudieron verlo tal cual era. Lo vieron caminar sobre las aguas, multiplicar los panes y los peces, pero también lo vieron cansado, enojado sacando a los mercaderes del templo y llorando frente a la tumba de Lázaro. Un hombre en todo el sentido de la palabra. Jesús obedeció a la voz del Espíritu, fue al desierto dando un gran ejemplo de consagración, se retiró a un lugar solitario para orar, para intimar con Su Padre, para enseñarnos que no hay otra manera de experimentar la vida verdadera que cuando usamos nuestra libertad para obedecer la voluntad de Dios.

Afianzamiento y aplicación

(1) Comente acerca de lo necesario para el cristiano tener retiros para estar a solas con Dios.
(2) Pregunte por qué Jesús escogía lugares solitarios para orar.

II. LA TENTACIÓN DE JESÚS. (LUCAS 4:3-12)

Ideas para el maestro

(1) Reflexione sobre las situaciones adversas que se enfrentan en la vida del cristiano y cómo podemos superarlas, al igual que nuestro Señor salió triunfante en su prueba.
(2) En qué tiempo nosotros los cristianos debemos ayunar o cuando menos tener un buen tiempo de oración.

Definiciones y etimología

* *"Tentación"*. del griego *Ekpirazo*. Estímulo que puede llevar a la práctica del pecado. Aunque la tentación en si no constituya pecado, el atender a sus reclamos caracteriza la transgresión de las leyes divinas.

* *"Tentador"*. El que induce a las prácticas que son contrarias a las leyes de Dios. En las Sagradas Escrituras, es Satanás el tentador por antonomasia. O sea, es el agente y estimulador de la tentación.

A. El reconocimiento del diablo (4:3)

Según los Evangelios, muchas personas seguían a Jesús. Algunos lo hacían por curiosidad, otros porque el mensaje de Jesús los cautivaba y los retaba a ver la vida de una manera diferente. Otros lo hacían porque de alguna manera Jesús había satisfecho una necesidad física, por ejemplo, cuando alimentó a una gran multitud con la multiplicación de los panes y los peces. Muchas de estas personas siguieron a Jesús porque habían recibido ese tipo de beneficio. Pero hubo otros que renunciaron a todo lo que tenían por seguir al Maestro de Nazaret. Estos fueron instruidos y capacitados por Jesús para continuar la obra que él realizó durante su ministerio. Ellos se identificaron con su maestro, compartieron el camino, pero comprendieron que la sola transmisión de sus enseñanzas no era suficiente. Ellos vieron su carácter, sus valores, sus convicciones, su firmeza, y por eso cuando Jesús les preguntó quién decían ellos que era Él, respondieron categóricamente que Él era el Cristo el Hijo del Dios viviente.

En el pasaje que estamos estudiando encontramos los elementos necesarios para recrear la escena del encuentro entre Jesús y Satanás. Por un lado, el tentador, el destructor y enemigo que anda como león rugiente viendo a quien devorar. Listo, atento a cualquier momento de debilidad, conocedor de las limitaciones, las necesidades y los apetitos humanos. Por otro lado Jesús, después de un largo período de preparación espiritual, cuarenta días y cuarenta noches de ayuno, hambriento y físicamente vulnerable. *Si eres Hijo de Dios, di que estas piedras se conviertan en pan*, le dijo el tentador. La tentación aquí consiste en determinar quién puede más, el apetito físico que es parte de nuestras necesidades cotidianas, parte de nuestra humanidad, o nuestro apetito espiritual, el deseo por honrar a Dios por encima de nuestras propias necesidades y deseos. Mencionamos antes que una de las disciplinas espirituales que debemos cultivar es la lectura y memorización de la Palabra de Dios. El salmista dijo: *"En mi corazón he guardado tus dichos, para no pecar contra ti" (*Salmo 119:11). "De tus mandamientos he adquirido inteligencia; por tanto, he aborrecido todo camino de mentira. Lámpara es a mis pies tu palabra, y lumbrera a mi camino" (Salmo 119: 104,105). Guardar tus dichos, atesorarlos en el corazón, esa es la clave para tener la respuesta apropiada en el momento de la prueba o de la tentación. Del corazón surgirá esa Palabra de autoridad, poderosa e invencible, esa Palabra que nos da la inteligencia, la sabiduría, el discernimiento para distinguir entre lo bueno y lo malo, entre la verdad y la mentira, entre lo que agrada a Dios y lo que lo ofende. Es la Palabra que nos alumbrará el camino en el momento de penumbra, en las noches oscuras de nuestra alma y de nuestro espíritu angustiado, o cuando el tentador de manera tenebrosa nos tienda la red para hacernos caer. Esa es la manera que Jesús nos enseñó, Él, la máxima expresión de la gracia de Dios, Él, la encarnación en carne y hueso de la Palabra divina, respondió con la Palabra, ejerció su libertad obedeciendo la Palabra y eso es lo que espera de su iglesia, de sus discípulos y de sus seguidores.

B. Las ofertas y la derrota del diablo (4:3-11)

En este punto, es necesario hacer un breve comentario sobre el uso del poder. En una época en que muchos líderes, organizaciones y naciones han desarrollado un concepto del poder y de su uso para sus propios intereses, debemos aclarar que el poder del que habla la Escritura, el poder que Dios concede a sus siervos es un poder para el servicio, es poder para cumplir con las demandas del Reino, es poder para hacer la voluntad de Dios. Jesús jamás utilizó su poder para su propio beneficio, para satisfacer sus necesidades sino para hacer la voluntad de Dios. Por eso el tentador no pudo vencerlo, tuvo que dejarlo, porque el alimento, el poder y la protección de Jesús venían de la misma fuente de toda gracia, de Dios mismo.

La primera tentación consistió en convertir las piedras en pan. La intención del tentador no era tanto que este milagro supliera el hambre del Señor, más bien era desafiarlo en su punto más vulnerable en ese momento, una necesidad del cuerpo. Jesús no respondió que la comida no era necesaria, ni que el ser humano no debe alimentarse, Su respuesta fue que *no solo de pan vivirá el hombre sino de toda Palabra de Dios*. Jesús se resistió a disfrutar de algo que aunque necesario era mucho menos que el banquete suculento de hacer la voluntad del Padre. Jesús probó la profundidad de su carácter, de sus valores y de sus convicciones. Jesús demostró que de su dependencia y unidad con el Padre dependía la victoria frente a cualquier enemigo, en cualquier batalla y en cualquier terreno.

En la segunda tentación el diablo llevó al Señor a la cima de una montaña y le mostró los pueblos y las grandes urbes. El tentador le dijo: "Adórame" y todos los reinos e imperios de la tierra serán tuyos. El enemigo sabía perfectamente bien que la intención de Jesús era establecer su reino en la tierra, pero este es un reino no a la manera humana (Lucas 22:25,26) sino en el corazón de los hombres. Dos cosas para el hombre son una enorme tentación, que se le reconozca y rinda pleitesía y tener poder para controlar. Jesús sabía que: "Antes del quebrantamiento es la soberbia, y antes de la caída la altivez de espíritu" (Proverbios 16:18). Por eso ante semejante oferta Jesús le respondió: *Vete de mí Satanás, porque escrito está: Al Señor tu Dios adorarás, y a él solo servirás* (v.8). En la tercera ocasión la provocación del tentador es a que Jesús dé una muestra de poder, otra tentación ante la cual claudica mucha gente por el deseo de satisfacer su ego. Ahora el demonio lleva a Jesús al pináculo del templo y lo insta a que se lance desde allí. Satanás también conoce la Escritura y junto con la tentación menciona una promesa: *Pues a sus ángeles mandará acerca de ti, que te guarden en todos tus caminos. En las manos te llevarán, para que tu pie no tropiece en piedra* (Salmo 91:11,12). La tergiversación de la Escritura por parte del enemigo es tan antigua como el mismo diálogo que sostuvo la serpiente con Eva en el Edén. Jesús no cayó en ninguna de las trampas del tentador y por eso pudo experimentar el sabor de la victoria. Dos enseñanzas hay aquí: "Someteos, pues, a Dios; resistid al diablo, y huirá de vosotros" (Santiago 4:7), y: "Bienaventurado el varón que soporta la tentación; porque cuando haya resistido la prueba, recibirá la corona de vida, que Dios ha prometido a los que le aman" (Santiago 1:12).

Afianzamiento y aplicación

(1) Analice por qué algunos cristianos son vencidos por el mal y no salen victoriosos como salió el Señor ante las asechanzas del tentador.

(2) Comente que clases de tentación tienen los creyentes hoy en día y cómo pueden salir victoriosos.

III. LA UNCIÓN DE JESÚS (LUCAS 4:14,15)

Ideas para el maestro

(1) Haga un comentario sobre la unción que cada creyente debe tener sobre las tentaciones.

(2) Por qué el Señor necesitaba la llenura del Espíritu Santo para desarrollar su ministerio en Galilea.

Definiciones y etimología

* *"Sinagoga":* En los tiempos de Jesús proliferaban en Jerusalén, Samaria y Galilea las Sinagogas. Comúnmente eran lugares de reunión, donde se estudiaba la ley o sea la Tora. Posiblemente tuvieron su origen en Babilonia durante el exilio del pueblo judío.

A. La fama de Jesús (4:14)

Jesús sale vencedor de una prueba decisiva, derrotó al enemigo y ahora con el poder del Espíritu se dirige a Galilea. Este detalle es importantísimo y vale la pena recalcarlo, la seguridad, la confianza y la firmeza de Jesús radican en que el Espíritu Santo es el motor de su misión. El Espíritu va estar involucrado en todas las actividades, en cada decisión y tomará parte en cada detalle de la vida y ministerio de Jesús. El Espíritu Santo será el responsable de que la agenda del Señor se cumpla al pie de la letra. Así que Galilea aparece en el escenario como la región donde él iniciará su ministerio. Volver a la tierra donde se había criado sin duda era un gran desafío, todos lo conocían como el hijo del carpintero como lo describe el evangelista Mateo: "¿No es éste el Hijo del carpintero? ¿No se llama su madre María y sus hermanos Jacobo, José, Simón y Judas?" (Mateo 13:55). Esto significa que Jesús era un personaje común y corriente para la gente de Galilea. Pero Jesús en su plan salvífico quería, primeramente, alcanzar a los suyos: "A lo suyo vino, y los suyos no le recibieron" (Juan 1:11). Sin embargo, hubo mucha gente que sí le recibió. Su fama se extendió porque su mensaje, sus milagros, su acercamiento a los necesitados, sus muestras de romper con tradiciones del pasado que esclavizaban a la gente y su invitación al arrepentimiento y a volverse a Dios abría un nuevo camino de esperanza y de luz en medio de la oscuridad. Debemos destacar que Jesús nunca ocupó su tiempo y energía en promover una imagen atractiva, ni mucho menos algo que provocara veneración de parte de sus seguidores. La autoridad y el poder con que hablaba y actuaba era algo que surgía de su propia esencia. La gente admiraba su sabiduría, el pueblo estaba cansado de escuchar maestros y doctores de la ley que hablaban sin poder y sin amor. Decían muchas cosas buenas pero con sus hechos las negaban. En Jesús no había discrepancias, sus palabras y sus acciones eran coherentes. En este sentido Jesús hizo la diferencia pues no solo enseñaba con palabras llenas de sabiduría, sino que también su ejemplo era evidente. En segundo lugar Jesús mostraba el poder del Espíritu Santo de tal manera que por su mano se hacían muchos milagros. El evangelista Marcos lo escribe de esta manera: "Y llegado el día de reposo, comenzó a enseñar en la sinagoga; y muchos, oyéndolo, y se admiraban, y decían: ¿De dónde tiene éste estas cosas? ¿Y qué sabiduría es esta que le es dada, y estos milagros que por sus manos son hechos?" (Marcos 6:2). Jesús se distinguió en esos dos aspectos, la sabiduría que le fue dada por el Padre, de manera que enseñaba no como lo hacían los escribas y fariseos, y el poder del Espíritu Santo para hacer los milagros y maravillas entre la gente.

B. La glorificación de Jesús (4:15)

Los evangelios relatan que el mensaje de Jesús fue una buena noticia para muchos y una mala noticia para otros, especialmente para aquellos que se vieron desafiados por la palabra del Maestro que iban en contra de sus propios intereses y de sus tradiciones. Desde muy temprano en los evangelios es notorio que personas como los fariseos y los herodianos, que eran enemigos acérrimos, se unieron para conspirar y planear cómo liquidar a Jesús. Pero también hay otros casos. En la sinagoga de Nazaret, después de presentar su plataforma mesiánica (Lucas 4:18,19), todos los presentes se quedaron admirados por las palabras que decía. Sin embargo, poco más adelante, en el mismo lugar y después de haber pronunciado aquellas hermosísimas palabras, Jesús les mencionó que sin duda todos habían escuchado lo que había hecho en Capernaum y esperaban que lo hiciera también en Nazaret. El Señor les dijo que nadie es profeta en su propia tierra, y enseguida recordó un par de historias relacionadas con los profetas Elías y Eliseo. En la primera mencionó que los días de Elías había muchas viudas en Israel; sin embargo, Dios no envió a Elías para ayudarlas a todas sino solamente a la viuda de Sarepta. También dijo, que en el tiempo de Eliseo había en Israel muchas personas que sufrían de lepra, sin embargo, ninguno de ellos fue sanado por Eliseo sino sólo Naamán el sirio. Los presentes se enardecieron, no podían concebir que el amor de Dios también pudiera alcanzar a los gentiles y sacaron a Jesús de la sinagoga, lo llevaron a lo alto de una colina y lo querían arrojar al precipicio. Jesús pasó en medio de ellos y se fue de Nazaret, los suyos lo rechazaron y perdieron la oportunidad de recibir el mensaje salvador. En Lucas se entiende claramente la universalidad del amor de Dios. Sin embargo, y a pesar de la tremenda oposición de parte de la clase religiosa, mucha gente reconoció a Jesús como el Mesías prometido, pues Lucas consigna y dice: "Y todos daban buen testimonio de él, y estaban maravillados de las palabras de gracia que salían de su boca..." (Lucas 4:22). Las palabras de Jesús convencían a la gente de su mal proceder y a la vez les transmitían vida como Pedro dijo más tarde: ... *Señor ¿a quién iremos? Tú tienes palabras de vida eterna* (Juan 6.68). Así que las multitudes comenzaron a seguirle por la gracia que salía de su boca y por las obras que realizaba, como las sanidades de los enfermos, paralíticos, leprosos, endemoniados, etc. Muchos quedaban libres de su azote por el poder de la palabra del Señor. El texto termina diciéndonos que Jesús era glorificado por todos los que de una u otra manera recibían un beneficio del Señor. Las multitudes reconocían esos atributos con que el Padre le había dotado. El apóstol Pablo escribiendo a los Efesios les dice: "A él sea la gloria en la Iglesia en Cristo Jesús por todas las edades, por los siglos de los siglos, Amen" (Efesios 3:21). El libro de Apocalipsis también reconoce que solo al Señor pertenece la gloria cuando dice: "Señor, digno eres de recibir la gloria y la honra y el poder, porque tu creaste todas las cosas, y por voluntad existen y fueron hechos" (Apocalipsis 4:11).

Afianzamiento y aplicación

(1) Comente que solo al Señor corresponde toda gloria, honra y alabanza, no importa que otros no lo hagan, lo importante es que Él recibe la adoración del corazón

agradecido.

(2) Dios Padre también exaltará a su Hijo cuando sea el día del Señor, donde toda lengua confiese que Jesucristo es el Señor, para gloria de Dios Padre (Filipenses 2:10,11).

RESUMEN GENERAL

Hemos hecho un breve estudio acerca de la unción del Espíritu Santo en la vida del Señor Jesús. El énfasis que se ha dado al Espíritu Santo en tan sublime ministerio nos da a conocer su papel preponderante para la vida y ministerio de todo seguidor de Jesús. La obra y la participación del Espíritu Santo deben ser reconocidas y anheladas por todos los que han sido llamados a desempeñar la obra divina de la evangelización del mundo. Hemos aprendido que el poder para vencer las tentaciones en la vida depende de cómo el Espíritu de Dios ha formado el carácter de Cristo en nosotros.

Este poder es el recurso de lo alto para que todo ministerio de la iglesia pueda ejercitarse con efectividad en el cumplimiento de la evangelización y el discipulado que representan la vida de la iglesia de todos los tiempos. Si no hay evangelismo y discipulado, todo lo que la iglesia haga, sean programas o estrategias, es una pérdida de tiempo.

El cristiano debe presentar su vida en sacrificio vivo, santo y agradable al Señor para recibir ese poder y usarlo responsablemente. Jesús se apartó del bullicio de la ciudad y se retiró al desierto y durante cuarenta días pasó a solas en su Padre en plena meditación, oración y comunión. La disciplina espiritual del ayuno y oración contribuirán a que el cristiano sea fortalecido en su ser interior, en el desarrollo de su carácter y estar preparado para vivir una vida victoriosa y triunfante sobre el enemigo o cualquier prueba que encuentre en el camino. Está claro que el diablo siempre estará opuesto a que el evangelio sea proclamado y por eso quiere obstruir la obra del Señor, tentando y poniendo obstáculos para que la misión no sea cumplida. El Espíritu Santo es el que capacita al creyente para ser un fiel testigo de Jesucristo llevando la Palabra de Dios que es luz y vida a los que viven en las tinieblas o que están muertos en sus delitos y pecados. Jesús venció a Satanás, lo hizo huir por el poder del Espíritu y la autoridad de la Palabra cuando esta radica en el corazón.

Ejercicios de clausura

(1) Reflexione si el cristiano de hoy día está capacitado para vencer las tentaciones que el enemigo a diario o a menudo tiende, con el fin de entorpecer cuando menos su vida espiritual.

(2) Pregunte: si la iglesia tiene el poder necesario para ser una agencia evangelizadora para el mundo, y que noción tiene de la "Gran Comisión".

PREGUNTAS Y RESPUESTAS

1. ¿Por qué el Espíritu Santo lleva al Señor Jesús al desierto?

No había mejor lugar que la soledad del desierto para pasar un buen tiempo en contemplación, en oración y en plena comunión con el Padre.

2. ¿Qué es ayuno?

Es la abstinencia completa de tomar alimentos y de abstenerse de cualquier otra actividad, para consagrar el tiempo que se requiera en la presencia de Dios.

3. ¿Cómo se puede vencer las tentaciones que el enemigo sugiere?

Solo se pueden vencer por el poder del Espíritu Santo y aplicando correctamente la Palabra de Dios.

4. ¿Por qué Jesús escogió Galilea como su primera misión evangelizadora?

Porque Galilea era la tierra donde se había criado y donde todos lo conocían y porque era un pueblo muy necesitado que la luz llegara a iluminarlos.

5. ¿Qué lugar representaba el punto de contacto con la gente?

El lugar que Jesús visitaba primero era la sinagoga, porque era donde se le invitaba a leer las Escrituras y explicarlas.

PARA LA PRÓXIMA SEMANA.

El próximo estudio bíblico versará sobre el "Llamado a la evangelización", que el Señor hace a los creyentes no solo para seguirle, sino también para llevar a cabo la "Gran Comisión". Pida a los participantes leer Marcos 1:14-39 y estudiar el tema.

EL LLAMADO A LA EVANGELIZACIÓN

ESTUDIO BÍBLICO 17

Base bíblica

Marcos 1:14-20; 35-39

Objetivos

Al finalizar el estudio los participantes estarán capacitados para:

1. Saber que el llamado de Dios es imprescindible para cumplir con la obra de evangelización.
2. Distinguir entre el llamamiento divino y el deseo humano del servicio a Dios.
3. Responder al llamado de Dios y cumplir la misión en el lugar y el tiempo que Él determine.

Fecha sugerida:___/____/____

Pensamiento central

El llamado para la evangelización del mundo es asunto de gracia. Dios es el que llama y el que envía.

Texto áureo

Él les dijo: vamos a los lugares vecinos, para que predique también allí; porque para esto he venido (Marcos 1:38).

LECTURA ANTIFONAL

Marcos. 1:14 Después que Juan fue encarcelado, Jesús vino a Galilea predicando el evangelio del reino de Dios,

15 diciendo: El tiempo se ha cumplido, y el reino de Dios se ha acercado; arrepentíos, y creed en el evangelio

16 Andando junto al mar de Galilea, vio a Simón y a Andrés su hermano, que echaban la red en el mar; porque eran pescadores.

17 Y les dijo Jesús: Venid en pos de mí, y haré que seáis pescadores de hombres.

18 Y dejando luego sus redes, le siguieron.

19 Pasando de allí un poco más adelante, vio a Jacobo hijo de Zebedeo, y a Juan su hermano, también ellos en la barca, que remendaban las redes.

20 Y luego los llamó; y dejando a su padre Zebedeo en la barca con los jornaleros, le siguieron.

35 Levantándose muy de mañana, siendo aún muy oscuro, salió y se fue a un lugar desierto, y allí oraba.

36 Y le buscó Simón, y los que con él estaban;

37 y hallándole, le dijeron: Todos te buscan.

38 Él les dijo: Vamos a los lugares vecinos, para que predique también allí; porque para esto he venido.

39 Y predicaba en las sinagogas de ellos en toda Galilea, y echaba fuera los demonios.

DATOS GENERALES ACERCA DEL TEMA

Enseñanza: Los cristianos deben estar dispuestos a realizar la obra evangelística como obediencia al llamamiento divino.

Autor: Marcos, probablemente desde Roma.

Fecha: Entre los años 55 y 65 d.C.

Destinatario: Escrito principalmente para la comunidad romana.

Lugar: Riberas del mar de Galilea, año 27 d. C.

Personajes: Jesús, Pedro, Andrés, Juan y Jacobo.

BOSQUEJO DEL ESTUDIO

I. La predicación del reino de Dios (Marcos 1:14,15)
   A. El principio del ministerio de Jesús (1:14)
   B. El cumplimiento del tiempo (1:15)

II. La obediencia al llamamiento (Marcos 1:16-20)
   A. Dejando las redes (1:16-18)
   B. Dejando al Padre (1:19,20)

III. El recorrido evangelístico del Señor (Marcos 1:35-39)
   A. La prioridad de Jesús (1:35-37)
   B. Una misión abarcadora (1:38,39)

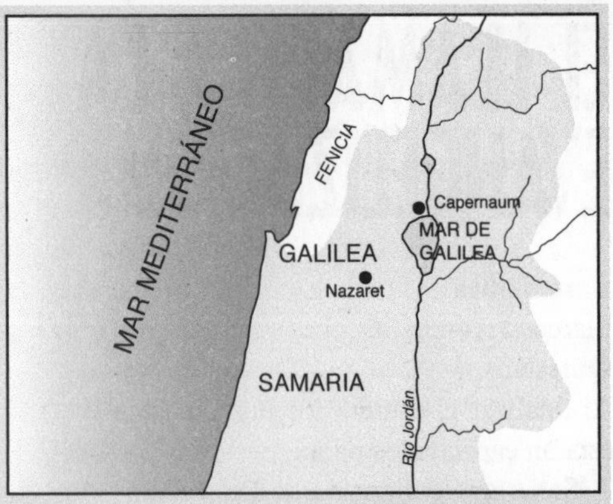

Mar de Galilea, lugar donde Jesús encontró y llamó a sus primeros discípulos.

LECTURAS DEVOCIONALES DIARIAS

Lunes: Jehová llama a Samuel (1ªSamuel 3:1-10).
Martes: Seguridad en el llamamiento (Isaías 41:1-10).
Miércoles: El llamamiento de Jeremías (Jeremías1:1-19).
Jueves: El llamamiento de Saulo de Tarso (Hechos 9:1-19).
Viernes: El llamamiento de Isaías (Isaías 6:1-13).
Sábado: Elección de los doce discípulos (Mateo 10:1-4).

INTRODUCCIÓN

El llamamiento que Dios hace a las personas que Él desea que sirvan en su obra tiene características muy peculiares y distintas al mundo de los negocios humanos. De todos es sabido, que el propósito de un negocio es obtener ganancias y que sin esto nada es posible. Sin embargo, cuando hablamos de la empresa divina de la evangelización, a la que el Señor nos llama, tocamos una tecla muy distinta, pues nos estamos refiriendo a la misión de Dios de redimir a la humanidad de sus pecados. Esta misión nace en el mismo corazón de Dios y de Él es que provienen la guianza, el poder, la sabiduría, la palabra, el mensaje y el respaldo; esto excluye la participación de otro poder ajeno al de Dios para realizarla.

El ser humano necesita a Dios, y El requiere de su participación para cumplir su misión histórica. En la Escritura, aprendemos que: "Él mismo constituyó a unos, apóstoles; a otros, profetas; a otros, evangelistas; a otros, pastores y maestros" (Efesios. 4:11). De acuerdo a este texto, es el mismo Señor quien reparte estos ministerios y capacidades para que todos los que somos parte de su cuerpo, es decir, la iglesia, estemos capacitados para servir e instruir a los demás creyentes. La finalidad de todo esto es mantener la unidad, tener lo necesario para nuestra edificación y una prueba del carácter de Cristo que se ha formado en nosotros. Aunque reconocemos que hay personas a quien el Señor ha dado el ministerio del evangelismo, debemos señalar que todo cristiano tiene la responsabilidad y el deber de evangelizar, es decir, compartir la buena noticia de la salvación. Todo corazón sin Cristo es nuestro campo de misión. Jesús dijo a sus discípulos: "pero recibiréis poder, cuando haya venido sobre vosotros el Espíritu Santo, y me seréis testigos en Jerusalén, en toda Judea, en Samaria, y hasta lo último de la tierra" (Hechos1:8). A través de la historia, en el pasado y en la actualidad, Dios ha llamado y usado a hombres y mujeres de manera extraordinaria para predicar el evangelio en sus comunidades o en otras naciones. Millones de personas han recibido la proclamación de la buena noticia, se han arrepentido y sus vidas han sido transformadas. En nuestro caso, la primera responsabilidad empieza en casa, con la familia, con nuestros amigos, los vecinos, en nuestro centro de trabajo, y así sucesivamente. El llamamiento que Jesús hizo a los hombres que estaban pescando en las riberas del mar de Galilea, así como a los otros que llamó después, fue claro y categórico. El evangelista Marcos lo describe así: "Después subió al monte, y llamó a sí a los que él quiso; y vinieron a él, y estableció a doce, para que estuviesen con él, y para enviarlos a predicar, y que tuviesen autoridad para sanar enfermedades y para echar fuera demonios" (Marcos. 3:13, 14,15). Lo que aquí reconocemos es que: (1) el llamado es ante todo gracia. No es por nuestra inteligencia, capacidades, talentos o títulos, es por la gracia de Dios. Jesús llamó a los que él quiso. (2) Para que estuviesen con él; (3) Para enviarlos a predicar el evangelio; y (4) Para tener potestad sobre las enfermedades y los demonios. Esa es la misión de la iglesia de ahora y de siempre.

DESARROLLO DEL ESTUDIO

I. LA PREDICACIÓN DEL REINO DE DIOS (MARCOS 1:14,15)

Ideas para el maestro

(1) Discuta con la clase en qué consiste el evangelio que Jesús comenzó a predicar en Galilea.

(2) Reflexione con la clase por qué el tiempo se había cumplido.

Definiciones y Etimología.

* *"Evangelio".* Se puede explicar de tres maneras: (1) Anuncio de la Salvación ofrecida gratuitamente por Dios por medio de Jesucristo. (2) Doctrina de Cristo como se encuentra descrita en los cuatro evangelios. (3) Vida, ministerio, pasión, resurrección y ascensión de Cristo, registrado en los cuatro evangelios.

A. El principio del ministerio de Jesús (1:14)

Juan el Bautista había reprendido a Herodes porque este le había quitado la esposa a su hermano Felipe para casarse con ella. Herodes se disgustó con Juan y ordenó que lo arrestaran, lo encadenaran y lo pusieran en la cárcel (Mateo 14:1-3). Según el evangelista Marcos, es después que Juan fue encarcelado que Jesús comenzó su ministerio de predicación del reino de Dios en los alrededores del lago de Galilea. El anuncio de las buenas noticias acerca de Dios era algo novedoso, extraordinario y por mucho tiempo esperado. Ese era el reino que la gente necesitaba, que fuera Dios quien reinara y no los religiosos, ni los gobernantes, ni el imperio. Ese mensaje llegaba como un bálsamo para los corazones doloridos y como agua viva para mitigar la sed de Dios. Esto nos recuerda el clamor del salmista: "Como el siervo brama por las corrientes de aguas, así clama por ti, oh Dios, el alma mía. Mi alma tiene sed de Dios, del Dios vivo" (Salmo 42:1,2). La multitud que empezó a seguir a Jesús era gente piadosa, acostumbrada a asistir a las sinagogas para oír a los maestros, pero su necesidad no había sido suplida porque las enseñanzas recibidas no eran respaldadas por la conducta ni el ejemplo de los sacerdotes, los fariseos y los doctores de la ley. El evangelio de Jesús vino a caer en buena tierra, como la buena noticia que tanto habían esperado los corazones necesitados de los galileos. Jesús, el rabino de Nazaret, manifestaba una sensibilidad particular por los marginados y las clases sociales más sufridas; rompió paradigmas, quebró tradiciones, desenmascaró a los hipócritas y tomó en cuenta a las mujeres y a los niños que eran vistos como ciudadanos de segunda clase. Ninguna persona fue rechazada por el Señor y se acercó a aquellos que para la sociedad o para la religión eran inmundos. Para Jesús lo importante era la persona y lo demostró en las tentaciones y las trampas que le tendió Satanás. El Maestro reconoció que aunque el alimento material es necesario, la Palabra de Dios es lo que realmente da vida. Cuando se le ofrecieron todas las riquezas y los reinos de este mundo, Jesús enseñó que el reino de Dios no es asunto de cosas sino de personas. Lo que verdaderamente cuenta delante del Señor no son los bienes que poseemos, la fama, el prestigio o todo lo material que podamos construir. Jesús mismo dijo: "Porque ¿qué aprovechará al hombre, si ganare todo el mundo, y perdiere su alma? ¿O qué recompensa dará el hombre por su alma?" Mateo 16:26). Lo que Él anhela es el corazón arrepentido de hombres y mujeres que han creído que Él es el único que puede perdonar, salvar y dar vida eterna. Jesús nunca definió lo que es el reino de Dios pero sí estableció cuáles son los requisitos indispensables y los elementos fundamentales de ese reino y Él es ejemplo de conducta que todos debemos imitar.

B. El cumplimiento del tiempo (1:15)

El tiempo que las Sagradas Escrituras habían señalado, que el mesías prometido vendría, ya había llegado. La palabra de Dios se cumple fielmente en el programa divino. El profeta Isaías, unos700 años antes de Cristo, había profetizado que el príncipe de paz vendría trayendo el mensaje que el pueblo necesitaba aun al costo de un gran sufrimiento: "Con todo eso, Jehová quiso quebrantarlo, sujetándole a padecimiento. Cuando haya puesto su vida en expiación por el pecado, verá linaje, vivirá por largos días, y la voluntad de Jehová será en su mano prosperada" (Isaías 53:10). Jesús venía no solo a predicar el evangelio, sino que también a poner su vida en expiación por el pecado del mundo. El tiempo se había cumplido, Cristo sería despreciado por los religiosos y los poderosos de su tiempo, porque su mensaje de salvación y redención de la humanidad chocaba frontalmente contra las tradiciones, legalismos e intereses de las clases dominantes de la época. Después de tres años y medio de ministerio, Jesús reconoce esta misma situación diciéndole al Padre "… Padre la hora ha llegado…" (Juan 17:1). Esta es la "hora" que Jesús le había anunciado a la samaritana "la hora viene cuando ni en este monte ni en Jerusalén adoraréis al Padre … Mas la hora viene, y ahora es, cuando los verdaderos adoradores adorarán al Padre en espíritu y en verdad…» (4:21, 2:3). En el Evangelio de Juan la hora de Jesús es la cruz, y es la hora de su gloria y de nuestra segura esperanza.

El tiempo se había cumplido, en el reloj de Dios había llegado la hora de la verdad. La exhortación era sencilla y directa, vuélvanse a Dios, arrepiéntanse, y el camino era creer en la buena noticia. Creer es obedecer que Jesús era esa buena noticia. Él cambió el rumbo de esta gente ofreciéndole una esperanza de vida y no de muerte, de bendición y no de maldición; aquellos que estaban lejos de las promesas de Dios fueron hechos cercanos. "En aquel tiempo estabais sin Cristo, alejados de la ciudadanía de Israel y ajenos a los pactos de la promesa, sin esperanza y sin Dios en el mundo. Pero ahora en Cristo Jesús, vosotros que en otro tiempo estabais lejos, habéis sido hechos cercanos por la sangre de Cristo" (Efesios 2:12,13). El mundo de hoy, como el de la época de Jesús, está sumido en la más absoluta ignorancia acerca del propósito salvífico de Dios. Debemos sentir la misma compasión que experimentó Jesús al ver las multitudes como ovejas sin pastor. Nuestra vista debe ser abierta para que miremos que los campos están listos para la cosecha, que la mies es mucha y los obreros pocos. Dice la Escritura: "¿Cómo, pues, invocarán a aquel en el cual no han creído? ¿Y cómo creerán en aquel de quien no han oído? ¿Y cómo oirán sin haber quién les predique? ¿Y cómo predicarán si no fueren enviados? Como está escrito: ¡Cuán hermosos son los pies de los que anuncian la paz, de los que anuncian buenas nuevas!" (Romanos 10:14,15).

Afianzamiento y Aplicación.

(1) Comente con los alumnos acerca de la misión que Jesús realizó en los alrededores del mar de Galilea.

(2) Según el evangelista Marcos, dice que el tiempo se había cumplido. ¿De qué tiempo estaba hablando?

II. LA OBEDIENCIA AL LLAMAMIENTO (MARCOS 1:16-20)

Ideas para el maestro.

(1) Explique en qué consiste el llamamiento que el Señor hace a los hombres.

(2) Reflexione acerca del precio que tiene que pagar el que es llamado por el Señor.

Definiciones y etimología.

* *"Red"*. Hilos tejidos en forma abierta que se utilizan para la pesca o la caza. El Señor hizo alusiones a la red, debido a que parte de su ministerio se desarrolló en las riberas del mar de Galilea.

* *"Barca"*. Pequeña embarcación que se usaba para la pesca, especialmente en el mar de Galilea en los tiempos del Señor. Era el recurso

principal para los pescadores.

A. Dejando las redes (1:16-18)

Jesús decidió iniciar su ministerio en el norte de Palestina, en la región de Galilea, lugar donde se había criado. Sin duda Jesús conocía muy bien ese lugar y sus comunidades, los caminos, las costumbres y los lagos. Era una región geográficamente pequeña, más o menos 80 km de norte a sur y 50 km de este a oeste. Las pequeñas comunidades de judíos que vivían en esa región desarrollaron sistemas efectivos de comunicación y apoyo mutuo, y aunque estaban rodeados de grupos de paganos, esperaban la llegada del Mesías. Muchos de esos escenarios sirvieron de trasfondo para las parábolas que Jesús contó quienes lo escucharon durante su ministerio.

Es obvio que en el lago de Galilea había muchos pescadores, su condición económica debe haber sido muy similar y con seguridad no eran ricos, pues la pesca no era un oficio que generara muchas ganancias. La cultura y la educación formal de estos pescadores no era la mejor, eran hombres rudos acostumbrados a las inclemencias del tiempo y no tenían un horario de trabajo fijo. Algunas veces trabajaban de noche y otras veces de día; había días de abundante pesca y otras veces escaseaba porque las condiciones del tiempo no eran favorables. Por lo general eran hombres de condición humilde pero muchos de ellos muy piadosos. Jesús se fijó en cuatro de ellos y les hizo una doble invitación: primero a seguirle y segundo a cambiar de oficio.

El evangelista Marcos pone especial cuidado en su narración indicando que aquellos pescadores (Simón y Andrés), al oír la voz del Señor: "dejando luego sus redes" le siguieron. El término "Luego" es indicativo de "al momento", "en ese mismo instante", de inmediato". No sabemos cuántos años habían laborado ni el capital que habían invertido en este oficio. De lo que sí tenemos testimonio es que a partir de "ese momento", renunciaron a lo que para ellos representaba seguridad económica, el sustento de la familia y la vida en su comunidad, todo quedaría atrás. Estos humildes hombres fueron invitados por el Señor a tomar otro derrotero, ya no serían más pescadores de peces, de ahora en adelante se convertirían en "pescadores de hombres"; el nuevo oficio sería aprender a ganar seguidores para Jesús. Ellos serían responsables de cambiar al mundo, de tirar la red de evangelio para salvar a los pecadores y establecer el reino de Dios en la tierra. Y allí ocurrió el primer milagro, le creyeron a Jesús y se dispusieron a dejarlo todo para seguir al joven Rabino galileo.

El llamamiento que Dios hace es siempre muy personal, así lo vemos cuando llamó a Abraham "... Vete de tu tierra y de tu parentela, y de la casa de tu Padre, a la tierra que te mostraré y haré de ti una nación grande y te bendeciré, y engrandeceré y engrandeceré tu nombre y serás bendición" (Gen. 12:1,2). El llamamiento de Abraham, al igual que los pescadores de Galilea era específico y representaba a la vez un desafío. Tendría que emprender una aventura de fe, andar como peregrino en obediencia al llamado que el Señor le había hecho. Dejaba a una familia pero Dios haría de Él una nación; dejaba una patria pero Dios le daría por herencia una tierra que fluye leche y miel. Los pecadores no tenían las mismas condiciones que Abraham, pero la invitación del Señor demandaba la renuncia, no solo del trabajo, sino también de su tierra, porque a partir de ese momento tendrían que seguir al maestro, estar con Él e imitarlo como sus discípulos.

B. Dejando al Padre (1:19,20)

Dios actúa en la historia humana. La Biblia registra en sus páginas relatos de cómo Dios, tanto en el Antiguo como en el Nuevo Testamento llamó a hombres y mujeres para cumplir una misión histórica. Estas fueron personas elegidas, llamadas y enviadas por Dios, preparadas y utilizadas por Él como agentes destinados para formar parte de la galería de vidas usadas por el Señor para cumplir Su propósito temporal y eterno. Algo que distinguió a estos siervos de Dios fue la certidumbre de su llamado y esta seguridad contribuyó a que cumplieran con eficacia la misión para la cual fueron elegidos. Todos los llamados tuvieron experiencias distintas pero siempre hubo un común denominador, la obediencia y la fidelidad, y en algunos casos el sacrificio. Veamos el ejemplo del llamamiento de Eliseo y cómo ocurrió este acontecimiento que cambió su vida. Eliseo estaba arando su tierra con doce pares de bueyes e iba guiando la última pareja de bueyes. El profeta Elías andaba por los alrededores y cuando Eliseo pasó por donde estaba el profeta, Elías le puso su manto indicándole con esto a Eliseo que él sería su sucesor.

Esa fue la manera que utilizó Dios para llamar a Eliseo al ministerio profético y él lo entendió así. "Entonces dejando él los bueyes, vino corriendo en pos de Elías y dijo: Te ruego que me dejes besar a mi padre y a mi madre y luego te seguiré…" (1 Reyes 19:20). La historia dice que sacrificó sus bueyes y con el arado hizo leña para cocerlos y repartió la carne entre sus vecinos. Al utilizar la madera del yugo y los bueyes para el sacrificio, Eliseo expresó su rompimiento y renuncia a su manera de vivir anterior. El llamamiento de Jacobo y Juan su hermano tiene el mismo valor y significado que el del profeta Eliseo, independientemente que las condiciones fueran distintas. Lo importante es que tanto el uno como los otros obedecieron al llamado de Dios sin poner condiciones de ninguna clase.

El apóstol Pablo es del criterio que el llamamiento que Dios hace tiene carácter irrevocable: "Porque irrevocables son los dones y el llamamiento de Dios" (Ro. 11:29). Esto quiere decir, que cuando Dios llama, Él no invalida su palabra, no la deja sin efecto, no se arrepiente de la elección que toma al escoger a un hombre para su servicio. Por otro lado por ser Dios quien llama, tiene carácter "supremo", así lo conceptúa Pablo cuando dice: "Prosigo a la meta, al premio del supremo llamamiento de Dios en Cristo Jesús" (Filipenses 3:14). No hay mejor ocupación que el servicio a Dios, no existe profesión u oficio que pueda compararsele. Si bien es cierto que los pescadores que Jesús llamó no recibirían un salario, entendieron y valoraron el llamamiento como algo superior a cualquier recompensa temporal o terrenal, el valor de su vocación tenía carácter eterno.

Jamás debemos olvidar que el llamado de Dios es ante todo gracia. "Porque por gracia sois salvos por medio de la fe; y esto no de vosotros, pues es don de Dios; no por obras, para que nadie se gloríe. Porque somos hechura suya, creados en Cristo Jesús para buenas obras, las cuales Dios preparó de antemano para que anduviésemos en ellas" (Efesios 2:8-10).

Al aceptar el llamado del Señor a seguirlo implica convertirnos en sus discípulos y siervos, dispuestos para proclamar Su Palabra y discipular a otros.

Afianzamiento y aplicación

(1) Reflexione sobre el hecho de que el Señor Jesús llamó para la obra evangelística a personas ocupadas en un trabajo.
(2) Haga énfasis en que el llamamiento del Señor tiene carácter divino y es irrevocable.

III. EL RECORRIDO EVANGELÍSTICO DEL SEÑOR (MARCOS 1:35-39)

Ideas para el Maestro.

(1) Haga un recorrido geográfico por los alrededores del mar de Galilea y localice los puntos que el Señor recorrió predicando el evangelio.
(2) Analice por qué los sectores sociales menos favorecidos fueron más sensibles a la voz de Dios.

Definiciones y etimología.

* *"Demonios"*. Seres espirituales que componen las huestes de Satanás (Efesios 6:12). Llamados también ángeles del mal, tienen como propósito perjudicar la obra del Señor, apoderarse de los seres humanos y fomentar el pecado (Hechos 16:16-18, Lucas 4:41; 1 Timoteo 4:1).

A. La prioridad de Jesús (1:35-37)

Entre las muchas cosas que hay que admirar y aprender de Jesús es su vida de oración. El Señor siempre apartó tiempo para orar porque sabía perfectamente bien que de la comunión con el Padre dependía el poder, la sabiduría y la guianza para llevar a cabo su obra. Jesús experimentó de modo peculiar el gozo que acompaña a la experiencia del encuentro íntimo con el Padre y el sustento que deriva de esta relación.

La oración para Jesús fue algo tan fundamental que reiteró su importancia en dos hermosas parábolas: el amigo que llega a medianoche, Lucas 11:5-13 y la viuda y el juez injusto, Lucas 18:1-8. El Evangelio de Lucas se esmera en demostrar el lugar que ocupó la oración en la vida de Jesús y cuál debe su sitio en nuestra vida personal. Esa mañana que relata Marcos, Jesús salió de madrugada y se apartó para entregarse a la oración. Cualquiera podría pensar que si Jesús era el Hijo de Dios para qué necesitaba orar, pero aquí podemos afirmar que precisamente, por ser el Hijo de Dios, Jesús necesitaba de esa intimidad y dependencia del Padre. Otros podrían sugerir que los cuarenta días de oración y ayuno que pasó Jesús en el desierto hubieran sido suficientes. Sin embargo, Jesús nos enseña que la oración debe ser constante en la vida de aquel que es llamado a un ministerio. Si Jesús fue el gran misionero e hizo de la oración su arma secreta, cuanto más el cristiano de hoy debe de pasar momentos íntimos con el Padre celestial para alimentar su alma y fortalecer su Espíritu. Está probado que los grandes movimientos misioneros y los ministerios más fructíferos tuvieron como cuna la oración.

Otro de los aspectos en la vida del Señor Jesús es que desde el mismo inicio de su ministerio mostró una sensibilidad muy especial por los sectores sociales menos favorecidos. Los que sufrían eran liberados, los pobres recibían atenciones, los marginados y los rechazados eran tratados dignamente y los enfermos eran sanados. Por eso su fama se difundió por toda la provincia de Galilea, la gente lo buscaba de día y de noche, Él se había identificado con el pueblo en sus diversos sufrimientos y necesidades y la gente sabía que podían encontrar en Jesús la solución de sus problemas. Dice la Palabra: "Pedid y se os dará buscad, y hallareis; llamad y se os abrirá" (Mateo 7:7). Esta Escritura se cumplió fielmente en todos los que de mañana buscaban al Señor, no fueron defraudados en su iniciativa y búsqueda de Aquel que tenía el poder para sanar todo enfermo y liberar a todos los atormentados por el enemigo. En los evangelios vemos claramente que desde el comienzo de su ministerio los menos favorecidos de la sociedad fueron los más sensibles a la voz del Señor. Jesús demostró que el amor de Dios es incluyente y abarcador, que cruza las fronteras culturales, sociales, religiosas, políticas y económicas. Dios no hace acepción de personas y eso lo prueban las palabras de Jesús cuando dijo: "Yo soy el pan de vida; el que a mí viene, nunca tendrá hambre; y el que en mí cree, no tendrá sed jamás. Todo lo que el Padre me da, vendrá a mí; y al que a mí viene, no le echo fuera" (Juan 6:35,37).

B. Una misión abarcadora (1:38,39)

De acuerdo a la narrativa de Marcos en este pasaje se entiende que Jesús ya tenía un grupo de seguidores que lo acompañaban. Al menos tenemos la información que cuatro pescadores habían renunciado a su antiguo oficio y habían decidido seguir a Jesús quien los llamó para ser pescadores de hombres. Las expectativas de este grupo acerca de las cosas que haría el Señor iban en aumento y a medida que pasaban los días aprendían cada vez más qué era eso a lo que Jesús llamaba reino de Dios. Lo habían visto en las sinagoga enseñando y cómo la gente se admiraba por la autoridad con que hablaba, y por si eso no fuera suficiente, el poder con que Jesús había liberado a un hombre poseído por un espíritu malo. La gente se había llenado de asombro y se decían unos a otros: ¿Qué es esto? ¿Qué nueva doctrina es esta, que con autoridad manda aun a los espíritus inmundos, y le obedecen? El Señor demostró y enseñó que el reino de Dios no es solo cuestión de palabras sino de poder. Ese mismo día, al salir de la sinagoga, Jesús y sus seguidores fueron a la casa de Pedro y encontraron que la suegra del pescador estaba acostada y con fiebre. En seguida le hablaron a Jesús de ella, el Señor se acercó, la tomó de la mano y la levantó. Dos cosas importantísimas ocurrieron, a la mujer la dejó la fiebre e inmediatamente se puso a servir a Jesús y a los que con Él estaban. La gran enseñanza que recibieron los seguidores de Jesús es que la manifestación del amor y del poder de Dios que sana y levanta produce una respuesta de gratitud manifestada en el servicio. Esa noche mucha gente se agolpó a la puerta de la casa llevando a todos los que tenían enfermedades y a los endemoniados y Jesús sanó a muchos y a otros los liberó.

A la mañana siguiente Jesús tenía programado un recorrido para visitar los lugares vecinos y así continuar su misión. La tarea sería ardua pues los pueblos y aldeas eran muchos y el viaje se tenía que hacer a pie. Jesús sabía que todas las poblaciones estaban necesitadas de las buenas nuevas de salvación, eran pueblos sumidos en la ignorancia y la oscuridad por el poder del pecado, y Él había venido para que se cumpliera lo dicho por el profeta Isaías: "Mas no habrá siempre oscuridad para la que está ahora en angustia… la tierra de Zabulón y a la tierra de Neftalí… Galilea de los gentiles. El pueblo que andaba en tinieblas vio gran luz; los que moraban en tierra de sombra de muerte, luz resplandeció sobre ellos" (Isaías 9:1,2). Así que la luz verdadera empezaba a brillar con todo su esplendor en estos pueblos, la misión que el Padre le había encomendado comenzaba a cumplirse entre la gente de Galilea. Jesús estaba revelando al Padre prodigando su amor hacia los perdidos. Como dice el salmista: "La misericordia y la verdad se encontraron; la justicia y la paz se besaron" (Salmo 85:10). La luz y la vida se abrazaron, el Hijo de Dios caminaba en carne y hueso entre los perdidos galileos para mostrar que Dios no los había olvidado.

El evangelio de Jesús es integral, abarca al ser humano en toda su realidad existencial, nada queda afuera del amor y del poder de Dios.

Afianzamiento y Aplicaciones.

(1) Comente con la clase acerca de la reacción de los pescadores al llamado de Jesús.

(2) Reflexione sobre el sacrificio que tiene que hacer aquel que es llamado al ministerio.

(3) Haga un comentario acerca de las visitas que Jesús hacía en las sinagogas.

RESUMEN GENERAL

En nuestro estudio se ha hecho énfasis en que Jesús comenzó su ministerio en las regiones de Galilea, especialmente en las riberas del hermoso lago que lleva el mismo nombre. Todas esas regiones estaban densamente pobladas y justamente andando junto al lago Jesús llamó a los primeros discípulos diciéndoles que los haría "pescadores de hombres". A partir de aquel momento los humildes pescadores cambiarían de oficio, dejarían sus barcas y redes para dedicarse a estar siempre con el Maestro para luego ser enviados a predicar el evangelio. El evangelista Marcos relata que la respuesta a este llamado fue inmediata y aquellos hombres se convirtieron en seguidores del divino Maestro.

Se señaló en nuestro estudio que la obediencia al llamamiento requirió la renuncia y el abandono de su vida habitual para iniciarse en una ocupación de la que no se esperaba ninguna remuneración económica. Muchos que han sido llamados al ministerio de la predicación del evangelio de alguna manera han renunciado ya sea a su profesión, negocio, trabajo u ocupación, porque han valorado el llamado del Señor por encima de cualquier valor, recompensa o posición temporal. Esto no quiere decir que el Señor no recompense a los que le sirven: "Pedro dijo: He aquí, nosotros hemos dejado nuestras posesiones y te hemos seguido. Y él les dijo: De cierto os digo, que no hay nadie que haya dejado casa, o padres, o hermanos, o mujer, o hijos, por el reino de Dios, que no haya de recibir mucho más en este tiempo, y en el siglo venidero la vida eterna (Lucas 18:28-30). Así que aquellos humildes pescadores fueron bendecidos pero no a la manera del mundo, pues atendieron primero a las cosas de valor eterno.

En nuestro estudio también vimos como el Señor dedicaba tiempo a la oración. En todo el tiempo que duró su ministerio Jesús dio ejemplo de llevar una vida devocional profunda. Siempre encontraba el espacio para la comunión con el Padre porque para Él orar era una necesidad. El asedio de la gente y sus muchas ocupaciones nunca le restaron tiempo para dedicarse a orar. Mencionamos antes que los grandes movimientos misioneros y los ministerios más fructíferos tuvieron como cuna la oración. En la actualidad hay predicadores del evangelio que están tan ocupados en sus actividades ministeriales que no tienen tiempo para dedicarse a la oración. Jesús atendía a toda la gente que venía a él y suplía sus necesidades y sus demandas sin dejar de atender su vida devocional.

Otro de los aspectos del ministerio de Jesús

fue su estrategia de trabajo. Cuando Jesús les dijo a sus discípulos "vamos a los lugares vecinos" es porque tomó en cuenta a aquellos pueblos y todas esas multitudes que andaban como ovejas sin pastor. El evangelista Marcos dice: "Y salió Jesús y vio una gran multitud y tuvo compasión de ellos porque eran como ovejas que no tienen pastor; y comenzó a enseñarles muchas cosas" (Marcos 6:34). Jesús dijo que para esto había venido y eso fue lo que le enseñó a sus discípulos. Les dio poder y autoridad como sigue haciéndolo hoy día en su iglesia. La tarea evangelizadora de ir por todos lados y predicar el evangelio es lo que mueve a la iglesia, la convierte en un organismo dinámico, militante, lleno del poder del Espíritu Santo y con la autoridad de la Palabra de vida eterna.

Ejercicios de clausura.

(1) Motive a los de la clase a sentir la necesidad de predicar el evangelio con el compromiso y la intensidad con que Cristo predicó.

(2) Dios siempre quiere la salvación de los pecadores y los alcanza donde se encuentren.

PREGUNTAS Y RESPUESTAS

1. ¿Quiénes fueron los primeros discípulos que el Señor llamó?

Fueron Jacobo y Juan que eran hermanos. Andrés y Simón que también eran hermanos hijos de Zebedeo.

2. ¿Por qué el Señor dijo que serían pescadores de hombres?

Porque a partir del llamamiento, ellos serían predicadores del reino de Dios y por medio del mensaje del evangelio se salvarían los hombres.

3. ¿Por qué la gente buscaba al Señor a toda hora?

Porque sabían que él podía suplir sus necesidades cualesquiera que fueran estas.

4. Cuándo Jesús dijo vamos a los lugares vecinos, ¿a qué lugares se refería?

A los pueblos y aldeas de la provincia de Galilea, especialmente, a los que estaban ubicados en las riveras del mar de Galilea.

5. ¿Por qué Jesús predicaba en las sinagogas?

Porque también allí había personas con necesidades espirituales y físicas.

PARA LA PRÓXIMA SEMANA.

La próxima semana se tratará el tema sobre: "La evangelización, la misión más poderosa de la tierra". Se analizarán varios de los poderosos milagros que Jesús realizó en favor de los más necesitados, los cuales ilustran la misión de la iglesia hoy.

LA EVANGELIZACIÓN, LA MISIÓN MÁS PODEROSA DE LA TIERRA

ESTUDIO BÍBLICO 18

Base bíblica
Marcos 2:1-12; 3:1-6; 10:46-52

Objetivos
Al finalizar este estudio los participantes podrán:

1. Saber que la fe se ve y manifiesta a través de acciones concretas.
2. Valorar lo que queremos recibir de Dios por encima de los bienes temporales de este mundo.
3. Escuchar en vez de silenciar a los que gritan pidiendo la ayuda del Señor.

Fecha sugerida:___/____/____

Pensamiento central
La evangelización es una misión que lleva en su seno perdón, salud, vida y liberación.

Texto áureo
El Espíritu del Señor está sobre mí, por cuanto me ha ungido para dar buenas nuevas a los pobres; me ha enviado a sanar a los quebrantados de corazón; a pregonar libertad a los cautivos, y vista a los ciegos; a poner en libertad a los oprimidos; a predicar el año agradable del Señor (Lucas 4:18,19).

LECTURA ANTIFONAL

Marcos 2:9 ¿Qué es más fácil, decir al paralítico: Tus pecados te son perdonados, o decirle: Levántate, toma tu lecho y anda?
10 Pues para que sepáis que el Hijo del Hombre tiene potestad en la tierra para perdonar pecados (dijo al paralítico):
11 A ti te digo: Levántate, toma tu lecho, y vete a tu casa.
12 Entonces él se levantó en seguida, y tomando su lecho, salió delante de todos, de manera que todos se asombraron, y glorificaron a Dios, diciendo: Nunca hemos visto tal cosa.
3:1 Otra vez entró Jesús en la sinagoga; y había allí un hombre que tenía seca una mano.
2 Y le acechaban para ver si en el día de reposo le sanaría, a fin de poder acusarle.
3 Entonces dijo al hombre que tenía la mano seca: Levántate y ponte en medio.
4 Y les dijo: ¿Es lícito en los días de reposo hacer bien, o hacer mal; salvar la vida, o quitarla? Pero ellos callaban.
5 Entonces, mirándolos alrededor con enojo, entristecido por la dureza de sus corazones, dijo al hombre: Extiende tu mano. Y él la extendió, y la mano le fue restaurada sana.
6 Y salidos los fariseos, tomaron consejo con los herodianos contra él para destruirle.
10:46 Entonces vinieron a Jericó; y al salir de Jericó él y sus discípulos y una gran multitud, Bartimeo el ciego, hijo de Timeo, estaba sentado junto al camino mendigando.
47 Y oyendo que era Jesús nazareno, comenzó a dar voces y a decir: ¡Jesús, Hijo de David, ten misericordia de mí!
49 Entonces Jesús, deteniéndose, mandó llamarle; y llamaron al ciego, diciéndole: Ten confianza; levántate, te llama.
51 Respondiendo Jesús, le dijo: ¿Qué quieres que te haga? Y el ciego le dijo: Maestro, que recobre la vista.
52 Y Jesús le dijo: Vete, tu fe te ha salvado. Y en seguida recobró la vista, y seguía a Jesús en el camino.

DATOS GENERALES ACERCA DEL TEMA

Enseñanza: La obra del Señor está respaldada por las señales y las grandes enseñanzas que están detrás de ellas.
Autor: Juan Marcos, probablemente desde Roma.
Fecha: Entre los años 55 y 65 d.C.
Destinatario: Comunidades provenientes del paganismo que no conocían las costumbres judías.
Lugar: Ciudad de Capernaum en Galilea y Jericó en Judea, entre años 27-30 d.C.
Personajes: Jesús, los apóstoles, personas sanadas y religiosos.

BOSQUEJO DEL ESTUDIO

I. La enseñanza detrás del milagro (Marcos 2:1-12)
   A. La fe se expresa por medio de acciones (2:1-5)
   B. El perdón trae consigo salud y alabanza (2:6-12)
II. El poder del evangelio supera las tradiciones (Marcos 3:1-6)
   A. La opinión que tengamos de Jesús determina nuestra fe (3:1-3)
   B. El amor al prójimo es un reflejo del amor a Dios (3:4-6)
III. Lecciones en el camino (Marcos 10:46-52)
   A. La multitud no impide que Jesús escuche (Marcos 10:46-48)
   B. Deja lo temporal para ganar lo eterno (10:49-52)

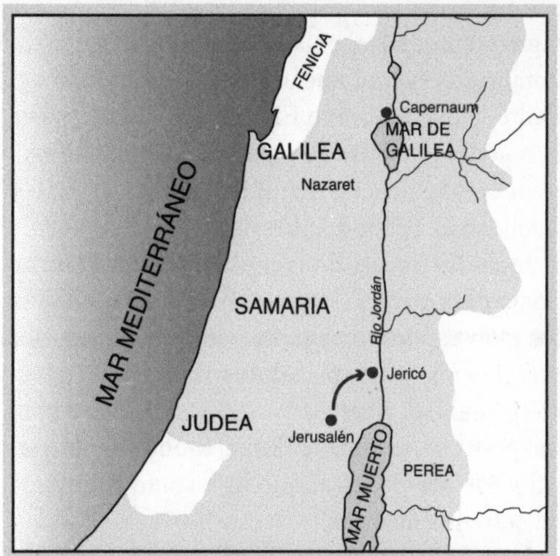

Capernaum, lugar donde Jesús sanó a un paralítico y el camino de Jerusalén a Jericó, donde sanó al ciego Bartimeo.

LECTURAS DEVOCIONALES DIARIAS

Lunes: La fe se expresa en acciones (Marcos 2:1-12).
Martes: Jesús Señor del sábado (Marcos 2:23-27).
Miércoles: La misericordia anula los prejuicios (Marcos 3:1-6).
Jueves: Una oportunidad perdida (Marcos 10:17-34).
Viernes: En el reino de Dios el mayor es el que sirve (Marcos 10:35-45).
Sábado: Dios siempre escucha el clamor del necesitado (Marcos 10:46-52).

INTRODUCCIÓN

En el mundo de hoy cuando hablamos de misiones podemos referirnos a misiones diplomáticas, de salud, científicas, económicas, industriales, etc., y cada una tendrá un propósito que cumplir. Cada misión tiene su propia agenda, estrategias, valores, objetivos, metas y por supuesto, los recursos indispensables para su ejecución. Es obvio que mientras mayor sea el alcance y los objetivos de la misión más complejos serán los factores que determinen su éxito o su fracaso. El título de este estudio es muy sugestivo: *La evangelización, la misión más poderosa de la tierra.* Debido a este título tan abarcador, podríamos pensar que esta "misión" demanda grandes estrategias, métodos y modelos para alcanzar el fin que se propone: "Ir por todo el mundo y predicar el evangelio a toda criatura" (Marcos16:15). Sin embargo, es todo lo contrario, porque a diferencia de cualquier modelo de misión, la evangelización lo que requiere es de hombres y mujeres que han tenido un encuentro personal con Jesucristo, que han creído en Él como único y suficiente Salvador, y ese momento clave los ha llevado a considerar de poco o ningún valor todo lo que caracterizaba su vida anterior, ante la grandeza del llamamiento celestial (2 Corintios 5:17). La revolución espiritual que ha producido en los auténticos seguidores el encuentro con el Señor les ha permitido comprender las palabras del Maestro que dice: "Si alguno quiere venir en pos de mí, niéguese a sí mismo, y tome su cruz, y sígame. Porque todo el que quiera salvar su vida, la perderá; y todo el que pierda su vida por causa de mí, la hallará" (Mateo 16:24,25).

Desde el principio de su ministerio Jesús dejó muy claro cuál era su misión, el propósito con el cual había sido enviado y por qué era importante llamar a un grupo de seguidores para convertirlos en discípulos. Jesús los llamó para que estuvieran siempre con Él. A través de su relación cotidiana irían progresando en el conocimiento de su Maestro pues cada actividad, milagro o enseñanza tenía el objetivo de que estos hombres creyeran que Jesús era el enviado del Padre, y que así como Él obedeció a Dios hasta la muerte, y muerte de cruz, ellos aprenderían a vivir en obediencia, humildad, amor, servicio y fidelidad al Señor que los llamó.

Jesús fue investido con el poder del Espíritu Santo para que en el cumplimiento de su misión los pobres, los oprimidos, los enfermos, los marginados y los pecadores recibieran salvación, sanidad, libertad y vida eterna. Este mismo poder lo acompañó durante todo su ministerio y fue ese poder el que lo levantó triunfante de entre los muertos.

La evangelización es la misión más poderosa de la tierra porque la iglesia de Cristo cuenta con el mismo poder del Espíritu Santo para continuar la misión que empezó Jesús hace dos mil años: establecer el reino de Dios y predicar el Evangelio hasta los confines del mundo.

Las tres historias que vamos a estudiar tienen el propósito de enseñarnos a ver con los ojos de Jesús, a tener la sensibilidad de nuestro Señor, escuchar con los oídos del Maestro y valorar lo que queremos, como Jesús valoró el sacrificarse por nosotros para reconciliarnos con el Padre y darnos vida eterna.

DESARROLLO DEL ESTUDIO

I. LA ENSEÑANZA DETRÁS DEL MILAGRO (MARCOS 2:1-12)

Ideas para el maestro

(1) Explique que las casas del primer siglo eran bien sencillas, generalmente las paredes eran de adobe y el techo se construía con vigas de madera que alcanzaban de pared a pared, se ponía una capa de pasto, o quizás de ramas y sobre esta una capa de tierra o arcilla. Después se regaba arena o gravilla y luego se apisonaba con un rodillo de piedra.

(2) Comente que Lucas 4:16-20, es conocido como "el manifiesto de Nazaret" y resume la perspectiva de la misión de Jesús y se presenta su ministerio en términos de liberación integral.

Definiciones y etimología

* *"Perdonar"*. Los dos verbos hebreos más comunes para perdonar son *nâsâ* (literalmente "levantar" (quitar) la culpa y *sâlaj*. También se usa el verbo *kâfar*, (cubrir), "ocultar", que implica la idea de expiar.

* *"Levantar"*, del griego *anistemi* (levantar o hacer estar de pie).

A. La fe se expresa por medio de acciones (2:1-5)

Juan el Bautista lo había anunciado: "Yo a la verdad os he bautizado con agua; pero él os bautizará con Espíritu Santo". Antes que iniciar su ministerio por ciudades y aldeas, Jesús fue ungido por el Espíritu. La buena nueva del evangelio iba a ser sembrada en toda Palestina por el mensaje poderoso y transformador de Jesús y necesitaba la compañía y la asistencia del Espíritu para cumplir su misión. A todos los lugares que llegaba Jesús iba lleno del poder del Espíritu, su fama aumentaba por la autoridad que emanaba de su propia esencia y toda la gente se admiraba de su sabiduría y enseñanzas. Jesús al definir su "agenda ministerial" en la sinagoga de Nazaret (Lucas 4:18,19), lo primero que mencionó fue la presencia del Espíritu de Jehová sobre Él, señaló quién lo ungió y para qué había sido enviado. A continuación describe la razón de su ministerio: "me ha enviado a predicar buenas nuevas a los abatidos, a vendar a los quebrantados de corazón, a publicar libertad a los cautivos, y a los presos apertura de la cárcel". Y concluyó su lectura diciendo: "Hoy se ha cumplido esta Escritura delante de vosotros" (Lucas 4:21).

Marcos 2 narra que después de varios días Jesús regresó a Capernaum e iba acompañado por sus discípulos. Tengamos presente que uno de los intereses primordiales de Jesús era invertir tiempo en informar, formar y transformar a sus discípulos. La formación de cada uno de ellos era un proceso continuo y dinámico. Para Jesús el discipulado no se limitaba a enseñar solo con palabras, era vivir esas enseñanzas para que a través de su ejemplo, sus seguidores desearan con todo su corazón vivir a la manera de su Maestro.

Cuando el pueblo se enteró que Jesús estaba en casa muchos fueron a verlo. En poco tiempo se reunió tanta gente que la casa se llenó y ya no cabía nadie más frente a la entrada. Como era su costumbre Jesús comenzó a anunciar el evangelio, un mensaje de esperanza, de perdón y salvación. De pronto llegaron a la casa cuatro personas que llevaban a un hombre que nunca había podido caminar. La casa estaba abarrotada, no había manera de llegar a donde estaba Jesús, pero los hombres no se dieron por vencidos. Ellos tenían la seguridad de que el Señor tenía el poder para sanar a su amigo e ingeniaron la forma de hacerlo llegar a donde estaba Jesús. Subieron al paralítico al techo, abrieron un agujero y por allí bajaron al enfermo en la camilla en la que estaba acostado. La escena fue dramática, el enfermo quedó frente al Señor. Cuando *Jesús vio la fe que aquellos hombres tenían en Él* dijo al paralítico: "Hijo, tus pecados te son perdonados" (2:5). La expectación aumentó, Jesús no dijo nada sobre sanidad, solo mencionó el perdón. No era a eso a lo que los amigos habían llevado al paralítico, lo querían ver sano, pero de nada sirve recibir sanidad si primero no hay perdón de pecados (Salmo 103:3).

B. El perdón trae consigo salud y alabanza (2:6-12)

A Jesús lo seguía toda clase de personas. Algunos por curiosidad, otros porque habían recibido algún beneficio de parte del Señor. Unos lo recibieron porque realmente habían sido impactados por el mensaje de Jesús y algunos porque querían sorprenderlo en alguna falta o tenderle una trampa para tener de qué acusarlo. Ese día no fue la excepción, entre la concurrencia había maestros de la ley que al oír que Jesús había dicho al paralítico: "tus pecados te son perdonados" pensaron, ¿Cómo se atreve éste a hablar así? Lo que está diciendo es una ofensa contra Dios porque solo Dios puede perdonar pecados. Jesús se dio cuenta de lo que estaban pensando, el Señor podía "leer" los gestos y saber lo que la gente tenía en el corazón (Isaías 11:2-4); y de la misma manera que había visto la fe de los amigos del paralítico, ahora conocía los pensamientos de aquellos que lo acusaban de blasfemo por perdonar pecados. Desde el punto de vista del judaísmo el criterio de aquellos hombres era correcto, porque solo Dios puede perdonar pecados. Lo que no sabían es que quien estaba perdonando era el Hijo de Dios, reconocido y ungido por el Padre con el poder del Espíritu y la autoridad de la Palabra para cumplir su obra liberadora y redentora. Entonces, Jesús preguntó: ¿Por qué piensan así?, díganme, ¿qué es más fácil?, ¿perdonar a este enfermo o sanarlo? Lo primero que debe haber sorprendido a los maestros de la ley fue darse cuenta que Jesús sabía lo que estaban pensando. En el contexto de la religión judía era más fácil sanar, pues perdonar pecados era una atribución que solo corresponde a Dios. Jesús no esperó respuesta. Su misión era hacer conocer al Padre y que las obras hechas por Él serían la evidencia de que Dios lo había enviado. En el Evangelio de Juan Nicodemo lo diría de esta manera: "Rabí, sabemos que has venido de Dios como maestro; porque nadie puede hacer estas señales que tú haces, si no está Dios con él" (Juan 3:2). La situación llega al clímax cuando Jesús, investido del poder de Dios, les demuestra que el Hijo del Hombre tiene la autoridad para perdonar pecados. El desenlace es espectacular, Jesús de Nazaret se dirige al paralítico, que hasta ese momento había sido un simple espectador y le dice: "Levántate, toma tu camilla y vete a tu casa". Qué extraordinario, ante la mirada y el asombro de todos, aquel hombre que siempre había dependido del favor ajeno para ir de un lado a otro, al instante, por sus propias piernas y levantado por el poder de Dios tomó su camilla, y perdonado y sanado salió de aquel lugar. El cierre es tan intenso como todo el resto de la historia, los que habían pensado equivocadamente salieron reprendidos y regañados por Jesús, los que valoraron lo hecho por Jesús quedaron admirados y comenzaron a alabar a Dios. Nunca habíamos visto algo así decían. Ese es el poder del mensaje del evangelio, Jesús, la buena noticia del cielo perdona, sana, restaura, resucita la esperanza y da vida en abundancia. La iglesia debe utilizar el poder y la autoridad que el Señor ha puesto a su disposición para el servicio del reino, la iglesia debe creer que el mensaje que predica, salva al pecador y levanta a los enfermos del cuerpo y del espíritu en el nombre de Jesús.

Afianzamiento y aplicación

(1) Anime a los estudiantes a compartir su experiencia de ser perdonados por Dios.
(2) Que reflexionen acerca de la labor de la iglesia basada en Lucas 4.18.
(3) Qué acciones tuvieron que realizar, que demostraran el "levantarse" de su condición pasada para experimentar un nuevo estilo de vida.

II. EL PODER DEL EVANGELIO SUPERA LAS TRADICIONES (MARCOS 3:1-6)

Ideas para el maestro de clase

(1) Revisar las tradiciones que Jesús tuvo que enfrentar en su ministerio
(2) Revisar nuestras tradiciones religiosas a la luz de la enseñanza bíblica

Definiciones y etimología

* *"Sinagoga"*. El término griego "sinagoga" traduce el concepto hebreo de *beit ha knesset* o "casa de la reunión". Para los rabinos era el lugar designado para satisfacer todas las necesidades de la comunidad.

* *"El Shemá"*. "Escucha, oh Israel, el Señor es nuestro Dios, el Señor es Uno". (*Shemá Israel, Adonai Eloheinu, Adonai Ejad*) (Deuteronomio 6:4). La palabra *Shemá* significa escucha, oye, y constituye el centro o el corazón de la fe bíblica, es la expresión fundamental de la creencia judía monoteísta.

A. La opinión que tengamos de Jesús determina nuestra fe (Marcos 3:1-3)

En cierta ocasión Jesús se puso a dialogar con sus discípulos con el interés de conocer cuál era la opinión que tenían ellos acerca de Él. También eran muchos los comentarios que corrían entre la gente sobre aquel joven predicador galileo que había surgido con un mensaje poderoso de arrepentimiento y muchas señales nunca vistas por esas regiones. La respuesta de los discípulos sobre las opiniones de la gente fue variada. Para algunos Jesús era un profeta, para otros era un revoltoso y había quienes aseguraban que estaba endemoniado. Unos pensaban que era un rabí, cuyas enseñanzas invitaban a una evaluación crítica de la vida y además tenía un estilo pedagógico que le permitía comunicar de manera muy sencilla verdades que la mayoría podían entender y valorar. Había otros para quienes Jesús era un curandero, un hacedor de milagros y no faltó quien pensara que era el líder que necesitaba el pueblo para proclamarlo rey. Otro sector, el de los líderes religiosos y políticos veían a Jesús como una amenaza, un enemigo declarado, el predicador que rompía tradiciones y quebraba estructuras y prácticas religiosas opresoras e inhumanas y condenaba abiertamente la hipocresía y la injusticia.

Después de esto Jesús les dijo: Y vosotros, ¿quién decís que soy yo? Pedro, en representación de los demás le dijo: "Tú eres el Cristo, el Hijo del Dios viviente" (Mateo 16:16).Para el Señor esta confesión fue muy importante, pues se lo reconoce como el Mesías y es sobre esa verdad o fundamento que establecerá su "iglesia", la comunidad de los que creen en Él. También fue importante porque si había diferentes opiniones sobre su persona, así también serían los retos que tendría que enfrentar durante el recorrido itinerante de su ministerio. Un lugar donde Jesús tuvo variadas experiencias fue en las sinagogas y la historia que relata Marcos, que conocemos como "la sanidad del hombre de la mano seca" ocurrió en una de ellas. La sinagoga fue importante en la vida de Jesús y en la de todo israelita. Era el centro de reunión y de oración del pueblo judío y según la tradición rabínica estaba "para satisfacer todas las necesidades de la comunidad". En tiempos de Jesús existían sinagogas en numerosas poblaciones de Palestina, a las que acudían regularmente los fieles los sábados. De allí que en los evangelios aparezca en varias ocasiones que el Señor iba a la sinagoga el día sábado.

La reunión se iniciaba con la recitación del *Shemá* (Deuteronomio 6:4) y de algunas oraciones, seguida de la lectura de algunos pasajes de la Ley y los Profetas y una plática para explicar lo expuesto. Todo finalizaba con la bendición sacerdotal (*Birkat Kohanim*): "Jehová te bendiga, y te guarde; Jehová haga resplandecer su rostro sobre ti, y tenga de ti misericordia; Jehová alce sobre ti su rostro, y ponga en ti paz" (Números 6:24-26).

Era un día sábado y Jesús como acostumbraba

entró en la sinagoga. Había entre los asistentes fariseos y herodianos, enemigos políticos, y además un hombre que tenía una mano tullida. La mirada de los fariseos se clavó en Jesús para ver si sanaba al enfermo y así acusarlo de trabajar en ese día de descanso. Jesús, que vino a buscar y a salvar al que estaba perdido, a sanar a los enfermos y restaurar a los quebrantados de corazón le dijo al tullido: Levántate y ponte en medio de todos.

B. El amor al prójimo es un reflejo del amor a Dios (Marcos 3:4-6)

No debemos olvidar que todo este drama está ocurriendo en la sinagoga un día sábado y para entender el desenlace, debemos volver por un momento al final del capítulo 2 de Marcos que termina con Jesús diciendo: "El día de reposo fue hecho por causa del hombre, y no el hombre por causa del día de reposo". Los fariseos habían criticado a Jesús porque sus discípulos cortaban espigas en sábado y eso estaba prohibido en su tradición. En respuesta a esa acusación, Jesús les recordó una enseñanza bíblica citando al rey más ilustre de Israel, David, que en un momento tuvo hambre, él y los que lo acompañaban. David entró a la casa del Señor y con el consentimiento de Abiatar, el sumo sacerdote, comió del pan de la proposición. El propósito de esta historia fue que todos entendieran que en ese instante se había suspendido la obligación de la ley para satisfacer el apetito de unos hombres hambrientos, de seres humanos que atravesaban una gran necesidad. El propósito de Jesús con este ejemplo fue señalar que así como el sábado era sagrado, era un tiempo consagrado a Dios, también eran sagrados los panes ofrecidos al Señor. Lo que Jesús exige es un cambio de vida, rechaza la fidelidad a la Ley mal comprendida y desestima toda ostentación y arrogancia religiosa. Jesús pone bajo su autoridad el sábado porque Él es Señor del día de reposo.

Jesús se había percatado de la mala intención de los fariseos y ya había dicho al hombre de la mano seca que pasara al frente. Entonces le quitó a la escena todo el peso legal puesto por los fariseos y la elevó al plano ético: "¿Es lícito en los días de reposo hacer bien, o hacer mal; salvar la vida, o quitarla?" (Marcos 3:4). Quien respondiera debía tomar una decisión entre el bien y el mal, la vida o la muerte (Deuteronomio 30:15). La respuesta que procede es la que irá a favor y ayuda del prójimo, del necesitado. No se puede sacrificar el bienestar de un ser humano por mantener una tradición que niega la bondad o la vida. Nadie respondió y ese silencio tuvo más efecto que mil palabras. Jesús se indignó, se entristeció y enojó, la terquedad, la falta de amor y el peso de una interpretación incorrecta pudo más que la compasión y la misericordia. El silencio de los fariseos a la enseñanza de Jesús puso en evidencia su obstinación y dureza de corazón. Jesús le dijo al enfermo: "Extiende la mano". El hombre obedeció y la mano quedó sana.

Marcos concluye la historia señalando que dos grupos enemigos, los fariseos y los herodianos, se reunieron e hicieron una alianza para planear cómo matar a Jesús. Qué lecciones recibimos aquí. (1) No existe lugar por santo que parezca donde no haya envidia, falta de compasión y ceguera frente al dolor ajeno. (2) Nuestros conceptos o conocimientos religiosos pueden impedirnos ver la manifestación de Dios. (3) Los que son enemigos en la vida cotidiana pueden volverse aliados para tratar de impedir que la buena nueva llegue a los perdidos. (4) Jesús hizo del amor a Dios y el amor al prójimo el deber fundamental y supremo de sus seguidores. (5) Los discípulos de Jesús estamos expuestos a situaciones como estas. Debemos estar preparados para enfrentarlas y responder como Jesús lo hizo.

Afianzamiento y Aplicación

(1) Lo que significa Dios para nosotros determina la profundidad de nuestra fe y de nuestro compromiso con Él.
(2) El valor que tiene Jesús para nosotros debe superar infinitamente el peso de cualquier tradición o criterio humano.

III. LECCIONES EN EL CAMINO (MARCOS 10:46-48)

Ideas para el maestro

(1) Insistir en que no hay pretextos para escuchar a los necesitados.

(2) Analizar los métodos de enseñanza de Jesús.
(3) Aceptar que el camino del seguimiento verdadero nunca es fácil.

Definiciones y etimología

* *"Jericó en la Biblia"*. Jericó fue una ciudad muy importante en el valle del Jordán, y como ciudad fortificada le daba dominio del bajo Jordán y de los pasos que llevaban a los montes occidentales. Fue la primera ciudad conquistada por los israelitas en su entrada a la tierra prometida. Elías atravesó el Jordán antes de ser arrebatado. Durante el ministerio de Eliseo había una comunidad de profetas y en el ministerio de Jesús fue la antesala de su viaje a Jerusalén para entregar su vida por la humanidad.

* *"La capa"*. La capa representaba la dignidad y prestigio de una persona. La capa real distinguía al rey; la capa del profeta su autoridad (Elías transfiere a Eliseo su ministerio profético). En el caso del mendigo la capa era tan importante para su bienestar (equivalía a su medio de subsistencia) como una barca para el pescador. Tirar la capa simbolizaba dejar todo lo pasado por una vida nueva.

A. La multitud no impide que Jesús escuche (Marcos 10:46-48)

Marcos narra que Jesús va saliendo de Jericó acompañado por sus discípulos y por mucha gente que lo sigue, con rumbo a Jerusalén. Él sabe que el final está cerca. Unos pasajes atrás (Marcos 10:32-34), Jesús ha hecho el tercer anuncio de su Pasión, la Ciudad Santa es la meta final de su misión, pero va resuelto porque allí tendrá pleno cumplimiento el designio salvador de Dios. En este camino hay enseñanzas importantes y prácticas, por ejemplo, valorar lo que queremos más que lo que tenemos. El peligro de la riqueza y cómo el poner el corazón en ellas puede apartarnos del tesoro verdadero de la vida eterna. Otra enseñanza es estar resueltos a seguir a Jesús por el camino. El camino a Jerusalén es el camino de la cruz, del sacrificio, de la muerte, pero también de la resurrección. El discípulo no es mayor que su Señor, ir en pos de Él no es caminar en un lecho de rosas, habrá sufrimiento, lucha, dificultades pero nunca estaremos solos. Él siempre irá a nuestro lado.

En el relato de esta historia Jesús siguió caminando, enseñando como solía hacerlo, y ese día, sentado junto al camino y pidiendo limosna estaba Bartimeo, el ciego, el hijo de Timeo que al oír que pasaba mucha gente preguntó qué sucedía. Cuando le dijeron que era Jesús de Nazaret comenzó a gritar a voz en cuello: Jesús hijo de David ten compasión de mí. La gente comenzó a reprenderlo y a callarlo para que no interrumpiera al Maestro, pero él gritaba con más fuerza. ¡Jesús tú que eres el Mesías ten compasión de mí y ayúdame! Aquel hombre en su ceguera "pudo ver" lo que las multitudes no miraban. El ciego, condenado por su enfermedad y reprendido por la gente, percibió lo que no vieron los demás. Su fe fue un órgano más penetrante, pues "no teniendo ojos vio" (Hebreos 11:1), Bartimeo reconoció en Jesús al Hijo de David, al Mesías prometido que según la profecía liberaría a los cautivos y sanaría a los enfermos. Su grito fue una confesión mesiánica, Jesús era el descendiente legítimo de David, por tanto tiempo anunciado y esperado (Jeremías 23.5; 33.15; Zacarías 3.8).

Aquí hay una gran lección. Muchas veces decimos que estamos escuchando a Jesús pero somos incapaces de oír la voz de los necesitados. Somos insensibles al clamor de los que sufren y cerramos la puerta de la esperanza. Cuantas veces la iglesia se entretiene con programas, estrategias, campañas, novedades, métodos de "alcance", pero a la hora de la verdad desconoce cuál es el verdadero significado de su misión. Si la evangelización es poderosa es porque su mensaje es de esperanza y de resurrección. Si algo ha distinguido a la iglesia a través de su historia es que siempre llegó a donde estaban los olvidados de la tierra, el pecador, el enfermo, el perseguido. La iglesia del Señor no conoce límites, ni fronteras ni dificultades porque todo lo hace con el poder y la autoridad que da el Espíritu.

B. Deja lo temporal para ganar lo eterno (Marcos 10:49-52)

La escena continúa y ocurre algo inesperado, Jesús se detiene. Otra gran lección, Dios jamás sigue de largo ante el sufrimiento humano, Dios no es insensible al dolor y a la necesidad del que sufre. Aquellos que son llamados a la evangelización deben tener claro que en las orillas de los caminos siempre habrá mucha gente esperando el auxilio, el socorro y la ayuda de Dios. Jesús se detuvo y dijo llámenlo. La situación cambió, los que callaban al mendigo ahora van con él, le dicen que Jesús lo llama, que no tenga miedo, que tenga confianza. El ciego tiró su manto y de un salto se puso en pie y se acercó a Jesús.

Aquí nos detendremos para mencionar una historia que también está en este capítulo: "la historia del joven rico". En este caso Jesús también iba caminando y un hombre corrió hacia Él, y arrodillándose le dijo: Maestro bueno, ¿qué debo hacer para heredar la vida eterna? Jesús le respondió: No adulteres. No mates. No hurtes. No digas falso testimonio. No defraudes. Honra a tu padre y a tu madre. El joven le dijo: Todos esos mandamientos los he obedecido desde que era niño. Entonces, Jesús lo miró con amor y le dijo sólo te falta una cosa ve, vende lo que tienes y dalo a los pobres así tendrás un tesoro en el siglo. Después ven y sígueme. Al oír estas palabras el muchacho se entristeció y se fue triste porque poseía muchos bienes. Se fue de vuelta por el mismo camino que llegó, triste y apenado porque fue incapaz de renunciar a lo que tenía por lo que quería. A eso están condenados los que quieren seguir a Jesús pero prefieren seguir viviendo de acuerdo a sus intereses, aferrados "a los bienes que poseen", esclavizados por "cosas temporales" que les brindan satisfacciones pasajeras y echan por la borda aceptar andar por el único "Camino" que lleva a la vida eterna.

Pero ese no fue el caso de Bartimeo, todo su tesoro (la capa que tenía), que en el día le servía de abrigo y en la noche de cobija, en ese momento se convirtió en un estorbo, un peso que le impedía caminar con libertad para llegar a donde estaba Jesús. El ciego no dudo, lo llamaba el Único que podía sanarlo y tiró la capa que tenía, se levantó de un salto y caminó a donde estaba Jesús. Bartimeo dejó atrás lo que para él había significado un estilo de vida dependiente del favor ajeno, una vida de oscuridad y sufrimiento y quedó frente a Jesús. El resto de la historia es conmovedor. Jesús le preguntó: ¿Qué quieres que haga por ti? Es obvio que Jesús sabía la condición del indigente, la pregunta parecía fuera de lugar. Pero no fue así. Al Señor le gusta que le abramos nuestro corazón, que le digamos cuáles son nuestras necesidades y que no tengamos dudas ni temores en su presencia. Maestro, haz que pueda yo ver de nuevo, le dijo el ciego. Jesús le dijo: puedes irte, estás sano porque confiaste en Dios. El contrate con la historia del joven rico es que el ciego no volvió a la misma vida. Cuando recobró la vista, siguió a Jesús por el camino.

La gran lección es que debemos aprender a valorar lo que queremos, debemos renunciar a todo lo que tenemos para seguir a Jesús por el camino.

Afianzamiento y aplicación

(1) En este caminar de la vida, ¿cuál es tu ubicación? la del necesitado o del que provee ayuda. ¿Cuál es tu accionar diario a favor de los que sufren?

(2) Bartimeo tiró la capa, ¿qué tienes que "tirar" para alcanzar lo que anhelas del Maestro?

RESUMEN GENERAL

En este estudio hemos usado como base los relatos que hace Marcos sobre algunas de las experiencias de Jesús, sus discípulos y muchas de las personas que lo seguían. Debemos tener en cuenta que el libro de Marcos tiene pocos discursos y esto se debe a que su interés está puesto más en las acciones del Maestro que en sus palabras. De lo que sí podremos percatarnos es que los relatos están descritos con bastantes detalles y por eso instamos a los maestros a que estudien con detenimiento este Evangelio, seguramente extraerán muchos tesoros para compartir con sus alumnos. Otro énfasis de Marcos es destacar la humanidad de Jesús, sus reacciones propias de un ser humano pero al mismo tiempo nos lleva progresivamente a descubrir al Hijo de Dios. Es maravilloso percibir ese detalle, porque el autor, con toda intención, esconde detrás de la persona de Jesús un gran secreto (el secreto mesiánico) que se descubre y se revela plenamente en su muerte y resurrección.

Las tres historias que hemos estudiado nos han permitido ser testigos de la importancia que tiene el establecimiento del reino de Dios como tema central en la predicación de Jesús, y es que ese reino que irrumpe en este mundo está personificado en Él. Para entrar en ese reino se exige un cambio de vida, convertirse y creer que Jesús es la buena noticia. Cuando sus discípulos discuten sobre quién será el más importante en el reino, Jesús rompe el concepto humano de gobierno y se presenta Él como el ejemplo de servicio, entrega y sacrificio. Jesús nos enseña que la fe se puede ver, que no es un sentimiento ni una fuerza que está latente u oculta en la vida de aquel que la posee. La fe es poder de Dios, es un don divino y su manifestación se expresa en acciones transformadoras y la creación de nuevas realidades (un paralítico incapaz de trasladarse de un lugar a otro, o un indigente ciego condenado a mendigar desde la oscuridad de su deficiencia física o desde la penumbra de un alma atormentada y solitaria). Pero Jesús también encuentra oposición, especialmente de aquellos que ven en el mensaje del Rabí de Galilea un desafío frontal a sus propios intereses, a sus exageraciones religiosas y a su apego a tradiciones vacías e inútiles. El resultado de todo esto será una conspiración en donde diferentes fuerzas se reúnen bajo el poder del mal para liquidarlo, y lo logran, conduciéndolo a una muerte horrenda y humillante. Lo que el enemigo no sabía es que al tenebroso día de la crucifixión seguiría la mañana gloriosa de la resurrección. La muerte fue vencida, los poderes del mal fueron exhibidos y la iglesia tiene el poder de Dios para continuar la misión de proclamar el Evangelio hasta lo último de la tierra.

Ejercicios de clausura

(1) Invite a sus alumnos a reflexionar sobre la importancia de las obras como evidencia de una fe viva.

(2) Hagan una revisión sincera de las veces que han puesto un prejuicio como excusa para no actuar con misericordia.

(3) Ore con sus alumnos para que el Señor los ayude a ser sensibles a las necesidades de la gente.

PREGUNTAS Y RESPUESTAS

1. ¿Qué circunstancias podrían impedirnos llevar a una persona a los pies de Cristo.

(a) Falta de fe en que el Señor pueda hacer la obra. (b) Indiferencia por la condición espiritual de la gente.

2. ¿Qué papel activo juega mi fe para que otros vengan a los pies de Cristo?

El concepto de lo que es Cristo en mi vida determina la manera en que lo presento a los demás.

3. ¿Qué enseñanza hemos recibido de la historia de Jesús, los fariseos y el hombre de la mano seca?

Que el amor al prójimo y la compasión por los necesitados están por encima de cualquier prejuicio religioso o tradición.

4. ¿Por qué las tradiciones religiosas constituyen un obstáculo en el desarrollo de la obra del Señor?

Así como los fariseos les daban a las tradiciones el mismo valor que a la Ley, nosotros le damos más importancia a tradiciones o doctrinas inventadas porlos hombres que a lo que dice la Palabra de Dios.

5. Basados en nuestro conocimiento de Dios, ¿por qué podemos afirmar que Dios siempre escucha a los necesitados?

Porque Dios es misericordioso y nunca cierra sus oídos al clamor del que sufre.

PARA LA PRÓXIMA SEMANA

El próximo estudio tratará sobre: “La autoridad espiritual en el evangelismo”, la cual es la credencial que todo creyente debe tener para realizar la obra del Señor. Motive a estudiar el tema y las lecturas devocionales diarias.

LA AUTORIDAD ESPIRITUAL EN EL EVANGELISMO

ESTUDIO BÍBLICO 19

Base bíblica

Marcos 6:1-13

Objetivos

Al concluir este estudio los participantes podrán:

1. Reconocer que el único que puede dar la autoridad espiritual para el evangelismo es el Señor Jesús.
2. Conocer las diferencias existentes entre la obra evangelística y cualquier otra profesión.
3. Participar en el ministerio de la evangelización como responsabilidad permanente de la iglesia.

Fecha sugerida:___/____/____

Pensamiento central

La autoridad espiritual del evangelista depende de la aplicación de las enseñanzas que Jesús estableció para su obra.

Texto áureo

Después llamó a los doce, y empezó a enviarlos de dos en dos; y les dio autoridad sobre los espíritus inmundos (Marcos 6:7).

LECTURA ANTIFONAL

Marcos 6:1 Salió Jesús de allí y vino a su tierra, y le seguían sus discípulos.

2 Y llegado el día de reposo, comenzó a enseñar en la sinagoga; y muchos, oyéndole, se admiraban, y decían: ¿De dónde tiene éste estas cosas? ¿Y qué sabiduría es esta que le es dada, y estos milagros que por sus manos son hechos?

3 ¿No es éste el carpintero, hijo de María, hermano de Jacobo, de José, de Judas y de Simón? ¿No están también aquí con nosotros sus hermanas? Y se escandalizaban de él.

4 Mas Jesús les decía: No hay profeta sin honra sino en su propia tierra, y entre sus parientes, y en su casa.

5 Y no pudo hacer allí ningún milagro, salvo que sanó a unos pocos enfermos, poniendo sobre ellos las manos.

6 Y estaba asombrado de la incredulidad de ellos. Y recorría las aldeas de alrededor, enseñando.

7 Después llamó a los doce, y comenzó a enviarlos de dos en dos; y les dio autoridad sobre los espíritus inmundos.

8 Y les mandó que no llevasen nada para el camino, sino solamente bordón; ni alforja, ni pan, ni dinero en el cinto,

9 sino que calzasen sandalias, y no vistiesen dos túnicas.

10 Y les dijo: Dondequiera que entréis en una casa, posad en ella hasta que salgáis de aquel lugar.

11 Y si en algún lugar no os recibieren ni os oyeren, salid de allí, y sacudid el polvo que está debajo de vuestros pies, para testimonio a ellos. De cierto os digo que en el día del juicio, será más tolerable el castigo para los de Sodoma y Gomorra, que para aquella ciudad.

12 Y saliendo, predicaban que los hombres se arrepintiesen.

13 Y echaban fuera muchos demonios, y ungían con aceite a muchos enfermos, y los sanaban.

DATOS GENERALES ACERCA DEL TEMA

Enseñanza: Cada creyente en Cristo Jesús debe comprender que la evangelización del mundo debe hacerse bajo la autoridad del Señor.

Autor: El evangelista Marcos, probablemente desde Roma.

Fecha: Entre los años 55 y 65 d.C.

Destinatario: Escrito principalmente para la comunidad romana.

Lugar: Ciudad de Nazaret, donde Jesús se había criado, año 28 d. C.

Personajes: Jesús, sus discípulos y habitantes de Nazaret.

BOSQUEJO DEL ESTUDIO

I. El prejuicio de la incredulidad (Marcos 6:1-6)
   A. El concepto que tenían de Jesús (6:1-3)
   B. El concepto de Jesús de los Nazarenos (6:4-6)

II. Las instrucciones de Jesús (Marcos 6:7-9).
   A. La comisión de los discípulos (6:7,8)
   B. Recomendaciones pertinentes (6:9)

III. La autoridad en el evangelismo (Marcos 6:10-13)
   A. El testimonio de la predicación y la hospitalidad (6:10,11)
   B. El Evangelio práctico (6:12,13)

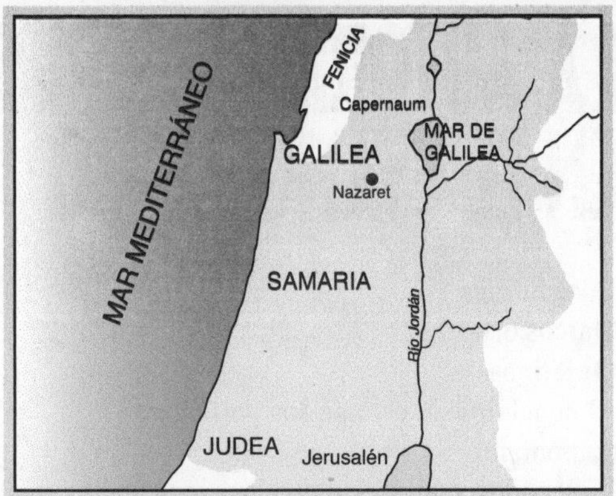

Ciudad de Nazaret, en la provincia de Galilea, donde Jesús creció y luego comisionó a sus discípulos.

LECTURAS DEVOCIONALES DIARIAS

Lunes: Jesús un profeta sin honra en su propia tierra (Mateo 13:53-58).
Martes: La autoridad de Jesús (Lucas 4:31-37).
Miércoles: La misión de los setenta (Lucas 10:1-12).
Jueves: Las señales que siguen a los creyentes (Marcos 16:9-18).
Viernes: La Gran Comisión (Mateo 28:16-20).
Sábado: El precio del evangelismo (Juan 15:18-27).

INTRODUCCIÓN

En todas las épocas de la historia de la iglesia siempre ha habido oposición a su labor evangelística, ha existido el rechazo al evangelio y se ha tratado de obstruir el mensaje que proclama la salvación del hombre. El enemigo siempre se ha valido de cualquier recurso que esté a su alcance para detener la obra de Jesucristo en la tierra. En los comienzos del ministerio de Jesús el diablo lo tentó ofreciéndole cosas, reinos y riquezas para tratar de seducirlo con el poder que da la fama y la fortuna e impedir que el Señor cumpliera su misión redentora. Ya en pleno desarrollo del ministerio de Jesús en Galilea, el enemigo desató una campaña para frenar el avance de la "buena noticia" entre los habitantes de la provincia de Galilea, especialmente en Nazaret la ciudad donde Jesús se había criado. Sembrar la incredulidad entre los nazarenos fue en esta ocasión la estrategia usada por Satanás para tratar de lograr su objetivo. No obstante, Jesús continuó su marcha incontenible y lo manifestó de dos maneras fehacientes. Primero, enseñaba en las sinagogas y toda la gente que le oía se maravillaba de su doctrina. Mateo lo narra así: "Y cuando terminó Jesús estas palabras, la gente se admiraba de su doctrina; porque les enseñaba como quien tiene autoridad, y no como los escribas" (Mateo 7:28,29). Segundo, muchas de sus enseñanzas iban respaldadas de milagros como muestra del poder del reino de Dios: "y le trajeron todos los que tenían dolencias, los afligidos por diversas enfermedades y tormentos, los endemoniados, lunáticos y paralíticos; y los sanó (Mateo 4:24). La gente de Nazaret había escuchado todo esto pero no creían que Jesús era el Mesías, Él pertenecía a una de las familias del lugar y también quizás porque en la pequeña aldea de Nazaret no había una escuela oficial con los niveles de enseñanza indicados por los rabinos: *bet sefer* (Casa del libro), *bet talmud* (Casa de la instrucción*) y bet midrash* (Casa de la interpretación). La comunidad nazarena conocía la procedencia de Jesús, a sus padres y a sus hermanos y la manera despectiva de referirse al Señor: "¿De dónde tiene éste estas cosas?" y ¿No es éste el carpintero …?, denota su confusión y la gran contrariedad que experimentaron en ese momento. La incredulidad de los nazarenos fue manifiesta a los ojos del Señor y no dejó de sorprenderse de que aquella gente no creyera en Él. El resultado fue que no hizo muchos milagros en ese lugar y les declaró "... No hay profeta sin honra sino en su propia tierra, y entre sus parientes, y en su casa" (6:4).

Después de esto Jesús siguió predicando las buenas nuevas del evangelio por todos los pueblos cercanos. Así que reunió a los doce apóstoles y los envió a predicar de dos en dos, les dio poder y autoridad sobre los demonios y sobre toda enfermedad.

DESARROLLO DEL ESTUDIO

I. EL PERJUICIO DE LA INCREDULIDAD (MARCOS 6:1-6)

Ideas para el maestro

(1) Haga un comentario sobre la reacción de los nazarenos contra Jesús.

(2) Explique cuanto se pierde a causa de la incredulidad y del rechazo al evangelio.

(3) Reflexione sobre los beneficios del evangelio cuando es aceptado con todo el corazón.

Definiciones y etimología

* *"Nazaret"*. Era una ciudad pequeña de la provincia de Galilea, quizá por ser un lugar apartado José se radicó allí para vivir con su familia.

* *"Carpintero"*. Un obrero o artesano que trabaja la madera. No solo construían muebles también construían casas; eran vistos como personas de segunda clase.

* *"Incredulidad"*. Falta de fe en las providencias y en la fuerza de los decretos de Dios. La mayor incredulidad se manifiesta cuando se rechaza el mensaje del evangelio.

A El concepto que tenían de Jesús (6:1-3)

Vale la pena considerar algunas de las actividades relacionadas con la vida comunitaria del primer siglo, particularmente en el entorno en que Jesús creció y se desarrolló, es decir en Nazaret. No cabe duda de que fue en el hogar y en la sinagoga en donde Jesús recibió la enseñanza cuyo contenido utilizó posteriormente para llamar, organizar e instruir a sus seguidores y discípulos. El testimonio que nos dan los evangelios sobre el ministerio de Jesús como maestro permite apreciar que era un hombre sabio, firme, decidido y entre los métodos de enseñanza que utilizaba uno de los principales fue las parábolas. Cuando Jesús tenía doce años la familia acudió a Jerusalén para celebrar la fiesta de la Pascua. En esa ocasión Jesús "se perdió" en el templo y no fue sino hasta tres días después que sus padres lo encontraron dialogando con los doctores de la ley que estaban asombrados por la sabiduría y el conocimiento del joven.

Así que la niñez y juventud de Jesús tuvieron como escenario la ciudad de Nazareth y algunos de los pueblos aledaños a la zona, tanto sus amistades de niño y de joven como sus relaciones como carpintero formaron parte de su círculo social. Nadie en el pueblo ignoraba quien era Jesús. Deben haberlo conocido como hombre bueno, trabajador, responsable y fiel en la sinagoga. ¿Qué fue lo que escandalizó a los nazarenos? Cuando Jesús comenzó a manifestarse como el Mesías prometido enseñando en la sinagoga con la sabiduría que ningún maestro antes de él había tenido, y luego de las señales y milagros que se hacían por su mano, la gente no se explicaba lo que estaba ocurriendo y se preguntaban maravillados ¿de dónde tiene este estas cosas? (6: 2). Los nazarenos tenían conocimiento del advenimiento del Mesías prometido en las profecías, pero nunca se imaginaron que un vecino, alguien que había convivido con ellos durante treinta años fuera la "Luz para revelación a los gentiles, y gloria de tu pueblo Israel" (Lucas 2:32). El maligno, que sabe aprovechar cualquier oportunidad para truncar la obra del Señor, supo valerse de la ocasión para sembrar la incredulidad haciéndole creer a la gente que de Galilea no saldría nada bueno, como era el concepto de los judíos. "¿Eres tú también galileo? Escudriña y ve que de Galilea nunca se ha levantado profeta" (Juan 7:52). Esta aseveración había penetrado tanto en la mente de los galileos que llegaron a creerlo ciegamente. Por eso, causó escándalo ver a Jesús hablando las maravillas de Dios y obrando milagros. La reacción fue negativa pues se resistieron a creer en él, cumpliéndose la palabra que dice: "A lo suyo vino, y los suyos no le recibieron" (Juan 1:11).

Si hay algo que Dios condena es la falta de

fe en su poder, en su gracia y en su amor. La Escritura dice: "Pero sin fe es imposible agradar a Dios; porque es necesario que el que se acerca a Dios crea que le hay, y que es galardonador de los que le buscan" (Hebreos 11:6).

B. El concepto de Jesús de los Nazarenos (6:4-6)

La narración que el evangelista Lucas nos hace de este mismo acontecimiento completará nuestra comprensión de esta situación, por cierto, muy incómoda, que se suscitó en la sinagoga de Nazaret. Y aquí vale la pena visualizar esa escena porque de lo contrario perderemos de vista la intensidad, la carga emocional y el drama que se vivió poco después que Jesús presentara lo que se conoce como la plataforma mesiánica o el "manifiesto de Nazaret": "El Espíritu del Señor está sobre mí…" (Lucas 4:18,19). Algunos se admiraban de las enseñanzas de Jesús, pero otros, contrariados decían: ¿No es éste el hijo de José? (4:22). Esta pregunta lleva una carga despectiva e hiriente, por eso, la respuesta de Jesús no se hizo esperar: "Sin duda me diréis este refrán: Médico, cúrate a ti mismo; de tantas cosas que hemos oído que se han hecho en Capernaum, haz también aquí en tu tierra. Y añadió: De cierto os digo, que ningún profeta es acepto en su propia tierra" (4:23,24). Y acto seguido Jesús puso dos ejemplos que disgustarían en grado sumo a sus interlocutores. La historia de Elías y la viuda de Sarepta de Sidón y la de Eliseo y Naamán el sirio. En la primera, Jesús mencionó que en los días de Elías hubo una gran hambruna en la tierra, y aunque había muchas viudas en Israel fue una extranjera, una gentil, la que recibió la provisión de Dios. En el caso de Eliseo había muchos leprosos en Israel y sin embargo, fue Naamán, un gentil, quien recibió la sanidad. La intención y el interés de Jesús fue que los nazarenos entendieran el carácter universal del amor de Dios, que Él extiende su amor a todos los seres humanos, culturas, pueblos y naciones y que no tiene favoritos o preferidos. Estos ejemplos puestos por Jesús fueron un golpe bajo a la mentalidad provinciana y el etnocentrismo de estos judíos; ellos no podían aceptar que el "hijo de José" reconociera a dos gentiles como seres humanos dignos del amor de Dios, como no estaban aceptando que un hombre de su comunidad, que había crecido y convivido con ellos por tanto tiempo fuera el Mesías, el cumplimiento de las profecías veterotestamentarias para la redención de Israel y de la humanidad. El texto deja ver muy claro que los judíos presentes en la sinagoga de Nazaret entendieron el mensaje de Jesús y por eso se enojaron muchísimo, lo sacaron de allí y lo llevaron a lo alto de una colina donde estaba asentado el pueblo para despeñarlo. El texto termina dando una gran lección que todos debemos aprender: "Mas él pasó por en medio de ellos, y se fue" (4:30). Qué trágico final y qué manera de rechazar y despreciar al Señor de la vida. Todos estamos expuestos a esto y debemos evitar que la dureza, la duda e incredulidad nos impidan abrir nuestro corazón y todo nuestro ser para que Jesús se quede con nosotros.

II. LAS INSTRUCCIONES DE JESÚS (MARCOS 6:7-9)

Ideas para el maestro

(1) Reflexiones sobre la comisión de los discípulos de dos en dos.

(2) Enfatice que el poder de Dios es siempre superior a las fuerzas del mal.

Definiciones y etimología

* *"Autoridad"*. Poder absoluto e incuestionable reclamando, demostrando y sustentado por la Biblia en materia de fe y práctica.

* *"Sandalia"*. Era el calzado corriente que usaban todos los hebreos, hombres y mujeres. Estas consistían en una suela simple, amarrada al pie con correas. (15: 5:27).

* *"Compañero"*. Viene del latín *companio* "el que come pan con", compartir el pan, comer del mismo pan.

A. La comisión de los discípulos (6:7,8)

El evangelista Marcos nos da un detalle muy importante en la comisión de los doce discípulos: el Señor los envía de "dos en dos". Era costumbre en el Oriente enviar heraldos o mensajeros de dos en dos y el Señor utilizó esta tradición. La Biblia en el libro de Eclesiastés nos da algunas razones de este principio cuando dice: "Mejores son dos que uno; porque tienen mejor paga de su trabajo" (Eclesiastés 4:9). Este pasaje detalla cuáles son las ventajas de este binomio. (1) porque si cayere, el uno levantará a su compañero. Debe entenderse esta recomendación con carácter de "auxilio". (2) Si dos durmieren juntos se calentarán. En la cultura judía la familia dormía quizá en una cama tendida sobre el piso, de esta manera no solo conservaban el calor humano, sino que era una muestra de unidad familiar. En el caso de los discípulos que fueron enviados debían demostrar su "compañerismo" del uno para con el otro. (3) Y si alguno prevaleciere contra uno, dos le resistirán. En caso de riña puede entenderse este otro principio en términos de "la unión hace la fuerza". Los discípulos tenían que ser una sola fuerza en actitud, pensamiento y propósito, de lo contrario la obra a la que fueron enviados no tendría éxito. Así que el envío de dos en dos para ir y predicar el evangelio tenía que ser una muestra de unidad y de acuerdo mutuo. Otro de los principios que Jesús quiso enseñar es que la obra evangelizadora no se hace en forma individual. No hay llaneros solitarios en el reino de Dios. Jesús mismo llamó a doce en el principio de su ministerio para que anduviesen con él, así aprenderían en el ejemplo cotidiano y también verían a su Maestro tal cual era, en las cosas extraordinarias que hacía, como liberar endemoniados o caminar sobre el agua, pero también lo vieron cansado, con hambre, enojado al sacar a los mercaderes del templo o llorar frente a la tumba de Lázaro. Los discípulos entendieron desde el principio que para la obra evangelística no se necesitan superhombres, sino hombres y mujeres comunes que pongan su vida al servicio de Dios.

Lo que el Señor les enseñó a sus discípulos fueron dos aspectos importantes en la evangelización: (1) Que el evangelista debe ser "enviado", nadie puede hacer la obra del Señor sin llamamiento y el llamado es fundamentalmente un acto de la gracia de Dios. El mismo Señor declaró que Él fue enviado por el Padre "Como tú me enviaste al mundo, así yo los he enviado al mundo "(Juan 17:18). (2) El segundo aspecto también importante, tiene que ver con la "autoridad". Ser enviado, según el pensamiento judío, es ser considerado como agente de quien envía. El que envía se identifica a sí mismo con aquel que es enviado por él y con ello le confiere autoridad. Jesús dio la autoridad sobre las fuerzas del mal cuando dice: "Y les dio autoridad sobre los espíritus inmundos" (V. 7) esto significa que los discípulos contaban con el respaldo total del Señor para el cumplimiento de la misión. El propósito de haber sido investidos con poder y autoridad, que eran señales de la llegada del reino de Dios, era para que a través de estas manifestaciones dieran a conocer a Aquel que los envió y pusieran en práctica todo lo que habían recibido de su Maestro.

B. Recomendaciones pertinentes (6:9)

La obra del Señor tiene aspectos peculiares que son contradictorios a la lógica humana. Por ejemplo, la doctrina del evangelio que Cristo enseñó, tiene algunas verdades que son una paradoja con respecto a los valores establecidos por el hombre. Para darle fin a una discusión que tuvieron los discípulos sobre quién de ellos sería el mayor en reino Jesús dijo: "Si alguno quiere ser el primero, será el postrero de todos, y el servidor de todos" (Marcos 9:35). Dos de sus discípulos le dijeron a Jesús: "Concédenos que en tu gloria nos sentemos el uno a tu derecha, y el otro a tu izquierda" (Marcos 10:37). Después de intercambiar algunas palabras con ellos el Señor terminó diciendo: "Sabéis que los que son tenidos por gobernantes de las naciones se enseñorean de ellas, y sus grandes ejercen sobre ellas potestad. Pero no será así entre vosotros, sino que el que quiera hacerse grande entre vosotros será vuestro servidor, y el que de vosotros quiera ser el primero, será siervo de todos" (Marcos 10:42-44). En uno de los momentos cruciales de su misión cuando Jesús declaró que iba a padecer por mano de las autoridades religiosas de los judíos, Pedro quiso persuadir al Señor para que evitara el sufrimiento. Jesús le dijo: "Porque todo el que quiera salvar su vida, la perderá; y todo el que pierda su vida por causa de mí, la hallará" (Mateo 16:25). Jesús envió a los doce diciéndoles que no llevasen nada para el camino sino solamente bordón; ni alforja, ni pan, ni dinero, ni dos túnicas. Llevar dos túnicas se consideraba un lujo. El salario se pagaba al día, el enviado era como un jornalero, no debía acumular dinero sino vivir al día dependiendo completamente de la provisión divina. Él se encargaría de suplir todas sus necesidades materiales mientras hacían su recorrido por las aldeas predicando el evangelio.

El principio de que la evangelización es y debe ser una empresa de fe, de total dependencia de Dios, el dueño de la obra, no ha cambiado y son abundantes las promesas para proveer de lo necesario a aquellos que proclaman Su reino. Desde el momento en que aquellos doce discípulos atendieron el llamado del Señor, Él estuvo a cargo del cuidado de ellos tanto en sus necesidades personales como en los asuntos espirituales. En su oración sacerdotal el Señor declara al Padre el cuidado que había tenido para sus discípulos cuando dice: "Cuando estaba con ellos en el mundo, yo los guardaba en tu nombre; a los que me diste, yo los guardé, y ninguno de ellos se perdió, sino el hijo de perdición, para la Escritura se cumpliese" (Juan 17:12). Esto significa que, si Él es el Señor de la obra, también es el proveedor para quienes trabajan en su viña. Por todas estas razones podemos afirmar que la obra evangelística es diferente a cualquier otra profesión o trabajo secular.

Afianzamiento y aplicación

(1) La comisión y la autoridad son dos aspectos inseparables. El Señor no da las cosas a medias.

(2) La obra evangelística está a cargo de personas que están dispuestas a trabajar en equipo.

(3) Los llamados a hacer la evangelización del mundo deben aprender a depender totalmente del Señor sin poner interés en las cosas materiales.

III. LA AUTORIDAD EN EL EVANGELISMO (MARCOS 6:10-13)

Ideas para el maestro

(1) Haga una reflexión acerca de lo que se entiende por "Autoridad" en materia del evangelismo.

(2) Consulte con los estudiantes de la clase, qué se entiende por "Hospitalidad."

(3) Haga un comentario acerca de los que rechazan el mensaje del evangelio en nuestros días.

Definiciones y etimología

* *"Juicio"*. Juicio al que serán sometidos los vivos y lo muertos resucitados, en la consumación de todas las cosas. Teniendo a Dios como juez supremo, el juicio final tendrá como objetivo retribuir a cada uno según sus obras (Apocalipsis 20:11,15)

* *"Ungimiento con aceite"*. Untar con aceite sagrado. En el Nuevo Testamento la unción comenzó a practicarse exclusivamente con los enfermos, acompañada de la oración de fe para recibir sanidad (Santiago 5:14,15).

* *"Hospitalidad"*. En el oriente se ha considerado desde siempre como un sagrado deber acoger, alimentar, alojar y proteger al todo viajero que se detenga delante de la tienda o del hogar. En el Nuevo Testamento la hospitalidad va acompañada de una maravillosa promesa (Mateo 10:40-42).

A. El testimonio de la predicación y la hospitalidad (6:10,11)

La orden del Señor dada a los discípulos de hospedarse en una sola casa tenía como objetivo hacer de la casa donde fueren recibidos, (1) el cuartel o centro de acción para desarrollar su ministerio. Los enviados llevan la paz del Mesías y los que aman la paz sabrán reconocerla. (2) Aprovechar la hospitalidad que en la cultura judía era muy apreciada. El extraño era tratado como un huésped, y los que de esta manera comían juntos quedaban atados por fuertes lazos de amistad. En las Sagradas Escrituras hay muchas referencias acerca de la hospitalidad, esta era una práctica de la vida social de cada judío y tenida como cumplimiento de la ley de Dios, y daba honor al anfitrión. Job declara: "El forastero no pasaba fuera la noche; mis puertas abría al caminante" (Job 31:32). (3) La hospitalidad también tenía su recompensa como en la historia de Rahab, quien por haber recibido a los espías israelitas no solo salvó su vida y la de su familia, sino que integra la galería de hombres y mujeres de fe: "Por la fe Rahab la ramera no pereció justamente con los desobedientes, habiendo recibido a los espías en paz" (Hebreos 11:31). (4) Se recuerda a los creyentes del Nuevo Testamento que: "No os olvidéis de la hospitalidad, porque por ella algunos sin saberlo, hospedaron ángeles" (Hebreos 13:2).

Cuando Jesús dio la orden a sus discípulos de posar en la casa que les abriera la puerta estaba inculcando en ellos la confianza en Dios y dándoles la oportunidad para que experimentaran la hospitalidad de la gente dispuesta a recibir la buena noticia. Estos enviados eran predicadores del evangelio, no simples extranjeros o caminantes, llevaban el mismo mensaje de Jesús y las obras que realizarían mostrarían lo mismo que había mostrado Jesús.

Por otro lado, Jesús también les dio instrucciones pertinentes en cuanto al comportamiento que debían guardar, ya sea, en casas o pueblos que no los recibieran. Si el mensaje de los apóstoles era buena noticia para los que lo recibieran también era juicio y condenación para quienes lo rechazaran. La orden de "salir" de ese lugar corresponde a lo que haría el apóstol Pablo tiempo después en la ciudad de Corinto cuando los judíos rechazaron el mensaje del evangelio: "Pero oponiéndose y blasfemando éstos, les dijo: sacudiendo sus vestidos: vuestra sangre sea sobre vuestra propia cabeza; yo, limpio; desde ahora me iré a los gentiles" (Hechos 18:6). La verdad del evangelio se basa en la voluntad y la disposición de aceptar la salvación como regalo de Dios, el hombre debe hacer uso de su libre albedrío para recibir o rechazar esa bendición. Jesús lo declaró enfáticamente cuando dijo: "El que creyese y fuere bautizado, será salvo; mas el que no creyere, será condenado" (Marcos 16:16). El amor de Dios es paciente, Él no quiere que "ninguno perezca, sino que todos procedan al arrepentimiento" (2 Pedro 3:9). De lo contrario, se rechaza la gracia salvadora y el resultado es la condenación.

La segunda orden fue "sacudirse el polvo". Los apóstoles serán testigos de cargo, es decir, del delito de que se acusa a aquellos que rechazan el evangelio de la paz. Absolutamente nada de la ciudad incrédula debe quedar pegado a sus pies. Según el Señor será más tolerable el castigo de las ciudades de Sodoma y Gomorra, ciudades que tuvieron en poco la hospitalidad, que para aquella ciudad hostil.

B. El Evangelio práctico (6:12,13)

El evangelista destaca en su relato que el Señor mandó a sus discípulos a predicar el mismo mensaje que él predicaba. Los discípulos no tenían que alterar el contenido del evangelio, lo que habían oído del Señor eso también predicaban; lo que habían visto eso también enseñaban. Más tarde el apóstol Juan reafirma este mismo mensaje cuando dice: "Porque la vida fue manifestada y la hemos visto, y testificamos y os anunciamos la vida eterna la cual estaba con el Padre y se nos manifestó" (1 Juan 1:2). Algo chocante a la mentalidad judía era reconocer que Jesús de Nazaret era el Hijo de Dios; sabían que el Mesías había de venir pero nunca pensaron que fuera el humilde carpintero de Nazaret. Así que los que escuchaban a los enviados por el Señor, necesariamente tenían que ver y oír en ellos al mismo Señor Jesús y reconocer que quien estaba con los discípulos era el Hijo de Dios. Los mensajeros eran testigos oculares de la misma gloria, el poder y la autoridad del que los había enviado a predicar, ellos habían tenido un encuentro personal con Cristo y con su poder Salvador, y ahora venían respaldados por las señales y milagros manifestados por Jesús.

Resumiendo este pasaje puede decirse que los discípulos que salieron a predicar el evangelio, cumplieron en cuatro aspectos ministeriales. (1) predicar el arrepentimiento a todos los galileos. La invitación fue a cambiar de mente, de corazón y de voluntad, confesando los pecados y reconociendo a Jesús como el Hijo de Dios. (2) Echar fuera demonios. Esta no era una tarea fácil, pero los discípulos habían recibido autoridad del mismo Señor para echar fuera a todas las fuerzas del mal que estuvieran destruyendo la vida de una persona. (3) Sanar enfermos. Esta fue otra de las tareas encomendadas a los discípulos. Uno de los grandes problemas del hombre moderno como el de todas las épocas, ha sido la enfermedad. Aunque la ciencia médica ha podido frenar en parte este azote de la humanidad, sin embargo, cada día aparecen nuevas enfermedades incurables, a pesar de los esfuerzos que se hacen para erradicarlos. En los tiempos del Señor no era la excepción, pues al igual que los diferentes males del hombre. También en ese tiempo proliferaban enfermedades que castigaban al ser humano. Los discípulos habían sido autorizados por el Señor para liberar a quienes estaban atormentados por diversas enfermedades. (4) El ungimiento con aceite. La unción es la aplicación de aceite a una persona u objeto. Desde tiempos del Antiguo Testamento la unción tenía un significado espiritual en Israel. Esta práctica se distingue por el uso de un aceite especial prohibido para otras funciones: "Habló más Jehová a Moisés, diciendo: Tomarás especias finas: de mirra excelente quinientos siclos, y de canela aromática la mitad, esto es, doscientos cincuenta, de cálamo aromático doscientos cincuenta, de casia quinientos, según el siclo del santuario y de aceite de oliva un hin. Y harás de ello el aceite de la santa unción; superior ungüento, según el arte del perfumador, será el aceite de la unción santa" (Éxodo 30:22-25). Según los hebreos el aceite penetra profundamente en el cuerpo y le da fuerza, salud y belleza"... y entró como agua en sus entrañas y como aceite en sus huesos" (Salmo 109:18). En el Nuevo Testamento algunas comunidades practicaron ungir con aceite a los enfermos mediante un acto sagrado y oficial (llamaban a los ancianos) y sin el uso de otros remedios humanos.

Afianzamiento y aplicación

(1) Evaluar la autoridad que el Señor da a quienes obedecen el comisionamiento para predicar el evangelio.
(2) Reflexionar sobre los requisitos e instrucciones que el Señor dio a los que él envió para predicar.
(3) Comentar de qué manera el Señor nos puede usar en la predicación del evangelio.

RESUMEN GENERAL

El Señor Jesús inicia su ministerio en su propia tierra con sus parientes y amigos, pero en lugar de recibirlo con alegría fue todo lo contrario, pues la misma ciudad donde se había criado no creyó en Él. En la mentalidad judía el Mesías no vendría de una familia humilde como la de José el carpintero, sino más bien sería un líder capaz de liberarlos de la opresión imperial de Roma. Para los judíos, este Mesías sería el encargado de restituir el reino de Israel, reivindicar sus derechos civiles y políticos y devolver el esplendor que en otros tiempos habían tenido los israelitas.

El contraste de la llegada de este "Rey" estuvo bien marcado. El anuncio de su venida fue hecho por un hombre rústico, Juan el Bautista, el último de los profetas veterotestamentarios y no al estilo de los heraldos que precedían a los grandes reyes. Su aparición proclamándose como el Hijo de Dios en su propia tierra fue objeto de rechazo. No obstante la incredulidad y el haber sido subestimado por los nazarenos, el Señor siguió con su plan evangelístico recorriendo las aldeas y todo lugar predicando el evangelio, sanando toda enfermedad y dolencia de la gente y liberando a los oprimidos por el diablo. Para darle continuidad y ensanchar su actividad, Jesús envió a sus discípulos de dos en dos revestidos de poder y autoridad para predicar, curar y expulsar demonios. También les enseñó a depender totalmente de Dios al decirles que no llevaran ninguna provisión. Las casas que abrieran sus puertas serían su centro de operaciones y en esas ciudades dejarían el mensaje de paz y salvación. Estos dos aspectos mostraron por un lado la sencillez y el desprendimiento de los discípulos y por el otro el apoyo de las comunidades a los mensajeros de las buenas nuevas.

En las ciudades donde fueran rechazados saldrían de allí sacudiendo sus sandalias como una acción simbólica que toma el polvo como signo, de que nada del terreno culpable quedaba pegado a los pies de los misioneros. Estas ciudades pagarían el precio por haber rechazado el mensaje de salvación " El que a vosotros recibe, a mí me recibe; y el que me recibe a mí, recibe al que me envió" (Mateo 10:40) . El reporte de esta primera actividad misionera que los discípulos entregaron al Señor fue positiva: "Entonces los apóstoles se juntaron con Jesús, y le contaron todo lo que habían hecho y lo que habían enseñado" (Marcos 6:39). Esta misión tuvo una función histórica en el tiempo de Jesús y es un ejemplo de la condición misionera de la iglesia de todos los tiempos. Siempre que el trabajo evangelístico se hace de conformidad a la voluntad de Dios, siguiendo sus instrucciones y utilizando el poder y la autoridad que el Señor otorga, la obra evangelística siempre cumplirá su cometido.

Ejercicios de Clausura

(1) Dé oportunidad a que los estudiantes expresen sus impresiones acerca del rechazo que Jesús sufrió de sus mismos paisanos y parientes.

(2) Haga mención de los resultados del trabajo realizado a la manera de Jesús.

PREGUNTAS Y RESPUESTAS

1. ¿Cómo comenzó Jesús su ministerio en Nazaret?

Enseñando en la sinagoga en el día de reposo.

2. ¿Cuál era la admiración de la gente?

Cuando la gente le oyó se admiraban de la sabiduría de la que Jesús estaba dotado y de los milagros que por su mano se hacían.

3. ¿Por qué rechazaron a Jesús?

Por el hecho de haberse criado en Nazaret, pertenecer a una familia humilde y ser de oficio carpintero.

4. ¿Cuál fue el asombro de Jesús?

Jesús se asombró porque la gente de Nazaret manifestó una incredulidad, a pesar de haber visto los milagros y haber oído la sabiduría de Jesús.

5. ¿Qué autoridad les dio Jesús a sus discípulos?

Él les dio autoridad para sanar a los enfermos y reprender a todo espíritu inmundo.

PARA LA PRÓXIMA SEMANA

Se estudiará “La iglesia como agencia evangelizadora”, donde analizaremos principios prácticos, que contribuirán al crecimiento y avance de la iglesia. Invite a leer Hechos 2:37-47, a estudiar el tema y hacer las lecturas devocionales diarias.

LA IGLESIA COMO AGENCIA EVANGELIZADORA

ESTUDIO BÍBLICO 20

Base bíblica
Hechos 2:37-47

Objetivos
Al concluir este estudio los participantes podrán:

1. Descubrir los principios prácticos que adoptó la iglesia primitiva para convertirse en una agencia evangelizadora.
2. Percibir la importancia que tuvo la acción social en la iglesia primitiva y los resultados positivos que lograron.
3. Aplicar los principios de koinonia, para obtener resultados que vengan en el crecimiento de la iglesia.

Fecha sugerida:___/____/____

Pensamiento central
La iglesia es un organismo de evangelización cuya misión es continuar la actividad iniciada por Jesús.

Texto áureo
¿Y cómo predicarán si no fueren enviados? Como está escrito: ¡Cuán hermosos son los pies de los que anuncian la paz, de los que anuncian buenas nuevas! (Romanos 10:15).

LECTURA ANTIFONAL

Hechos 2:37 Al oír esto, se compungieron de corazón, y dijeron a Pedro y a los otros apóstoles: Varones hermanos, ¿qué haremos?
38 Pedro les dijo: Arrepentíos, y bautícese cada uno de vosotros en el nombre de Jesucristo para perdón de los pecados; y recibiréis el don del Espíritu Santo.
39 Porque para vosotros es la promesa, y para vuestros hijos, y para todos los que están lejos; para cuantos el Señor nuestro Dios llamare.
40 Y con otras muchas palabras testificaba y les exhortaba, diciendo: Sed salvos de esta perversa generación.
41 Así que, los que recibieron su palabra fueron bautizados; y se añadieron aquel día como tres mil personas.
42 Y perseveraban en la doctrina de los apóstoles, en la comunión unos con otros, en el partimiento del pan y en las oraciones.
43 Y sobrevino temor a toda persona; y muchas maravillas y señales eran hechas por los apóstoles.
44 Todos los que habían creído estaban juntos, y tenían en común todas las cosas;
45 y vendían sus propiedades y sus bienes, y lo repartían a todos según la necesidad de cada uno.
46 Y perseverando unánimes cada día en el templo, y partiendo el pan en las casas, comían juntos con alegría y sencillez de corazón,
47 alabando a Dios, y teniendo favor con todo el pueblo. Y el Señor añadía cada día a la iglesia los que habían de ser salvos.

DATOS GENERALES ACERCA DEL TEMA

Enseñanza: El libro de los Hechos de los Apóstoles describe cuáles fueron los postulados bíblicos que rigieron a la primitiva iglesia.
Autor: Lucas, desde Roma, durante el primer encarcelamiento de Pablo.
Fecha: Entre los años 60 y 62 d.C.
Destinatario: Teófilo, ciudadano romano de origen griego y todos los creyentes.
Lugar: El día de Pentecostés, en la ciudad de Jerusalén, año 30 d.C.
Personajes: Pedro, los Apóstoles, la iglesia y habitantes de Jerusalén.

BOSQUEJO DEL ESTUDIO

I. El impacto de la predicación (Hechos 2:37-40)
   A. La interrogante ¿Qué haremos? (2:37)
   B. La fórmula bíblica (2:38-40)
II. Un nuevo estilo de vida (Hechos 2:41,42)
   A. El mandato bíblico (2:41)
   B. La comunidad eclesial (2:42)
III. Una iglesia con carácter social (Hechos 2:43-47)
   A. Una Iglesia solidaria (2:43-45)
   B. Una Iglesia adoradora (2:46,47)

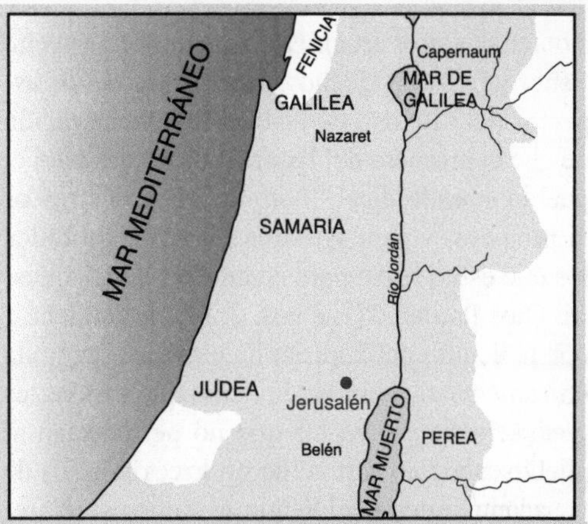

Ciudad de Jerusalén, donde los discípulos fueron llenos de Espíritu Santo y Pedro predicó su primer sermón.

LECTURAS DEVOCIONALES DIARIAS

Lunes: El Señor constituye su Iglesia (Mateo 16:13-20).
Martes: La locura de la predicación (1 Corintios 1:18-31).
Miércoles: La Iglesia de Tesalónica (1 Tesalonicenses 1:2-10).
Jueves: Pablo en Mileto (Hechos. 20:17-38).
Viernes: Pedro en el pórtico de Salomón (Hechos 3:11-26).
Sábado: La Iglesia de Antioquía (Hechos 11:19-30).

INTRODUCCIÓN

En el capítulo 16 del evangelio de Mateo se registra que el Señor Jesús establece su Iglesia con base en la declaración de Pedro: "Tú eres el Cristo, el Hijo del Dios viviente" (Mateo 16:16). La roca inconmovible que es Jesucristo mismo. A partir de ese momento, la Iglesia fue formándose e integrándose de manera granítica a pesar de la oposición de los religiosos de ese tiempo. Los apóstoles siguiendo las instrucciones del Maestro fueron escribiendo la historia de la iglesia narrada en el libro de los Hechos. En este libro sobresalen por lo menos dos personajes que tuvieron una incidencia fundamental en el desarrollo y crecimiento de la iglesia, como lo fueron los apóstoles Pedro y Pablo. El primero es protagonista de los inicios de la Iglesia en Jerusalén después de la partida del Señor y el segundo es comisionado para llevar el evangelio a las naciones del Imperio Romano. Pablo es conocido como el apóstol de los gentiles.

La iglesia comienza de manera pública con el derramamiento del Poder del Espíritu Santo, que vino a revolucionar y dinamizar a la iglesia en el cumplimiento de su misión, tanto así, que el libro de los Hechos describe algunas características importantes dignas que las conozcamos tales como: (1) El Espíritu Santo tomó la dirección pastoral de la iglesia, moviendo a los apóstoles y a la congregación entera a salir a las calles y plazas para dar testimonio del evangelio con poder para romper paradigmas que tanto daño le había hecho a la religión judía. (2) con el impulso del Espíritu Santo, Felipe el diácono es llevado a Samaria para predicar a Cristo y fue tan grande el impacto de su predicación que el libro de Hechos dice: "Así que había gran gozo en aquella ciudad" (Hechos. 8:8); después es llevado al desierto para evangelizar a un hombre etíope funcionario de Candace, reina de los etíopes y este hombre confesando a Cristo como el Hijo de Dios, pide que sea bautizado. (3) Todos los apóstoles y dirigentes de la iglesia eran varones llenos del Espíritu Santo, así que, el Espíritu era el común denominador de toda actividad de la iglesia. En este ambiente tan especial, el apóstol Pedro se levanta como un paladín y pronuncia su primer discurso y en tono desafiante acusa a los culpables de la muerte de nuestro Señor cuando dice: "Sepa, pues ciertísimamente toda la casa de Israel, que a este Jesús a quien vosotros crucificasteis, Dios le ha hecho Señor y Cristo" (Hechos. 2:36). Otro de los aspectos del discurso de Pedro fue la declaración de que la promesa del Espíritu Santo era para el pueblo cuando dice: "Porque para vosotros es la promesa, y para vuestros hijos y para todos los que están lejos; para cuantos el Señor nuestro Dios llamare "(Hechos. 2:39). Entendemos que la llenura del Espíritu no estaba restringida únicamente al pueblo judío, sino que a todas las generaciones y para los que no pertenecían al pueblo escogido. Estos fueron los principios de la naciente iglesia del Señor tal como estudiaremos en este tema.

DESARROLLO DEL ESTUDIO

I EL IMPACTO DE LA PREDICACIÓN (HECHOS 2:37-40)

Ideas para el maestro

(1) Analice con la clase cuáles fueron los temas que el Apóstol Pedro abordó en su primer discurso evangelístico.

(2) Reflexione con la clase el alcance que tiene la promesa de recibir el don del Espíritu Santo y si tiene aplicación para nuestros días.

Definición y etimología

* *"Se compungieron de corazón"*. Del latín *compcuntionem*. Sentimiento de tristeza. Pesar por haber cometido un acto que desagrada a la conciencia y a Dios mismo. La compunción es el paso inicial al arrepentimiento. Pero no siempre resulta en este. Tal es el caso de Judas Iscariote que, a pesar de haber sentido dolor, no hubo lugar para el arrepentimiento.

A. La interrogante ¿Qué haremos? (2:37)

El capítulo 2 de Hechos narra lo que sin duda alguna es el acontecimiento más importante de todo el relato de Lucas: la dádiva del Espíritu Santo en el día de Pentecostés. Y este es el hecho más relevante de todo el libro porque señala la venida del Espíritu Santo como un cumplimiento profético. Será el Espíritu el Guía de los discípulos de Jesús, los evangelistas de la iglesia, para que lleven el mensaje de salvación hasta el fin del mundo. Será el Espíritu Santo el motor que conducirá a los discípulos a la obra misionera que no habían planificado. Esta será una clara demostración de que la evangelización de las naciones no es un proyecto de hombres, sino un plan de Dios que se llevará a cabo por medio del Espíritu Santo.

Los discípulos estaban reunidos para celebrar la fiesta de Pentecostés, tal parece que nadie esperaba que ocurriera algo especial. De repente, ocurrieron cosas extraordinarias. Se escuchó un gran estruendo que llenó toda la casa donde estaban reunidos, y después de la sacudida aparecieron lenguas como de fuego que se posaron sobre cada uno de los que estaban allí. El milagro fue asombroso, no solo los apóstoles recibieron el Espíritu, también las mujeres, los ancianos, los jóvenes, todos recibieron el Espíritu por igual, todos hablaron lenguas y todos proclamaron el evangelio. En medio de todo este acontecimiento, gente de varias naciones y lenguas escuchaban lo que los discípulos estaban diciendo, y los escuchaban en sus propias lenguas hablar las maravillas de Dios. Pero había otros que se burlaban diciendo: esa gente está borracha.

Entonces, Pedro poniéndose en pie explicó que lo que estaba sucediendo era el cumplimiento de lo que había dicho el profeta Joel: "Y después de esto derramaré mi Espíritu sobre toda carne, y profetizarán vuestros hijos y vuestras hijas; vuestros ancianos soñarán sueños, y vuestros jóvenes verán visiones" (Joel 2:28). Y con autoridad y lleno del poder del Espíritu Santo exhortó al pueblo que se había aglomerado en los alrededores del aposento alto a que escucharan lo que tenía que decirles. El sermón de Pedro se puede resumir así: (1) Reconocer la persona de Jesús y cómo se desempeñó en su ministerio; Pedro señala a su Maestro como "Varón aprobado", con el respaldo del Padre con señales, milagros y prodigios. (2) Pedro afirma que los padecimientos de Cristo eran parte del plan divino de salvación desde antes de la fundación del mundo: "A éste, entregado por el determinado consejo y anticipado conocimiento de Dios" (2:23); (3) Acusa y responsabiliza al pueblo israelita de la crucifixión del Señor. (4) Pedro recita el Salmo 16:10 para enfatizar la resurrección de Cristo diciendo: "A este Jesús resucitó Dios, de lo cual todos nosotros somos testigos "(2:32).

Este mensaje caló tan hondo en el corazón de los israelitas que su reacción al mensaje del sacrificio de Cristo en la cruz del calvario fue de auténtica compunción, o sea con dolor y pesar por haber pecado contra Dios. El pueblo se sintió culpable de la muerte de Cristo, entonces "dijeron a Pedro y a los otros apóstoles: Varones hermanos, ¿qué haremos?". Esa misma convicción de pecado y de dolor es la que todo pecador debe experimentar al escuchar el mensaje del sacrificio de Cristo, y a la pregunta: ¿Qué haremos?, la Palabra de Dios tiene la respuesta.

B. La fórmula bíblica (2:38-40)

El público que escuchaba el sermón fue quebrantado y reconocieron su culpabilidad. Sin duda recordaron que días antes habían hecho públicamente la más terrible declaración: "Su sangre sea sobre nosotros, y sobre nuestros hijos" (Mateo 27:25). Este recuerdo estaba fresco en su mente y martillaba sus conciencias, de modo que cuando oyeron la denuncia de Pedro, no tuvieron otra opción que reconocer su pecado. Por eso se acercaron al apóstol y preguntaron: ¿Qué haremos? Pedro les respondió qué pasos debían dar para borrar la culpa: (1). El arrepentimiento era el primer paso para el perdón de los pecados. Varias veces Jesús proclamó: "El tiempo se ha cumplido, y el reino de Dios se ha acercado; arrepentíos y creed en el evangelio" (Marcos 1:15). La respuesta de Pedro fue de acuerdo a lo que él y los discípulos habían aprendido de Jesús, no hay perdón si no hay arrepentimiento. El salmista lo había dicho de esta forma: "Los sacrificios de Dios son el espíritu quebrantado; al corazón contrito y humillado no despreciarás tú, oh Dios" (Salmo 51:17). (2). El segundo paso era el bautismo en agua. La enseñanza bíblica nos dice que después de la confesión de fe en el Señor Jesús procede el bautismo para ser salvo: "El que creyere y fuere bautizado, será salvo; mas el que no creyere, será condenado" (Marcos 16:16). El bautismo en agua implica la confesión de Cristo como Señor, es un acto en el que el penitente muestra que ha muerto para el mundo y ha renacido para Cristo para vivir en novedad de vida: "De modo que si alguno está en Cristo, nueva criatura es; las cosas viejas pasaron; he aquí todas son hechas nuevas (2 Corintios 5:17). Existe la opinión generalizada de que el bautismo en agua es por inmersión y aunque hay algunas denominaciones que practican el bautismo por aspersión, es decir, mojando nada más la cabeza, la etimología del verbo griego *baptizo* demuestra claramente que la fórmula bíblica del bautismo es por inmersión, en el nombre del Padre, del Hijo y del Espíritu Santo. No cabe duda que aquella multitud de nuevos creyentes fueron bautizados conforme a la práctica apostólica. (3) El don del Espíritu Santo. La recepción del Espíritu Santo tenía que ser una realidad en los nuevos convertidos. Ellos pasaron a formar parte de la naciente iglesia y como tales tuvieron también que involucrarse en la tarea de la evangelización del mundo. Así que, después de haber creído en el Señor, se convirtieron en testigos de su gracia salvadora y necesitaban ser llenos del poder del Espíritu Santo. El apóstol Pedro proclamó que para ellos era la promesa, para los hijos de los hijos y para todos los que están lejos. Está naciente iglesia venía a constituirse en el pueblo del nuevo pacto, equipado para lograr su tarea como agencia evangelizadora, autorizado para proclamar la reconciliación del mundo con Dios y capacitado por el Espíritu Santo para cumplir su misión histórica en todos los pueblos de la tierra. Pedro, en una de sus cartas dice lo siguiente: "Mas vosotros sois linaje escogido, real sacerdocio, nación santa, pueblo adquirido por Dios, para que anunciéis las virtudes de aquel que os llamó de las tinieblas a su luz admirable (1 Pedro 2:9).

Estos nuevos creyentes se convirtieron en una fuerza evangelizadora. Al creer en Cristo adoptaron un nuevo estilo de vida y después de ser bautizados en agua y en el Espíritu Santo, se convirtieron en herederos de la promesa espiritual que Dios había designado para ellos desde el Antiguo Testamento.

Afianzamiento y aplicación

(1) Comente con el grupo, como los tres mil convertidos, cumplieron con la

respuesta de Pedro de arrepentirse, bautizarse y recibir el don del Espíritu Santo.
(2) Reflexione sobre el impacto que causó en los nuevos convertidos, el testimonio y la exhortación del Apóstol Pedro.

II. UN NUEVO ESTILO DE VIDA (2:41,42)

Ideas para el maestro

(1) Haga una breve relación de como el movimiento evangelístico en Jerusalén, se tornó tan grande que los religiosos de ese tiempo tuvieron temor de que su religión terminará en el fracaso.
(2) Haga un comentario que la iglesia sin tener un lugar o templo donde reunirse; sin embargo, los apóstoles mantenían un control del movimiento.

Definición y etimología

* *"Comunión"*. Vínculo espiritual y social establecido por el Espíritu Santo, entre los que reciben a Cristo como su único y suficiente Salvador. Basándose en el amor ese vínculo hace que los creyentes se sientan unidos en un solo cuerpo, del que Cristo es la cabeza.

A. El mandato bíblico (2:41)

Tenemos que hacer constar que la iglesia en sus comienzos fue vigorosa, no solo por el avivamiento espiritual de Pentecostés, sino que también el crecimiento numérico que la convertía en un movimiento popular. Las grandes masas acudían a los apóstoles para congregarse en la iglesia, poco a poco un gran segmento de la población se fue convirtiendo al evangelio de Jesucristo. El movimiento era grandioso, el Señor estaba confirmando su Palabra, Los discípulos del Señor estaban viendo como aquella declaración del Señor: "Venid en pos de mí, y haré que seáis pescadores de hombres" (Marcos 1:17), se hacía cada día una realidad en sus vidas, pues eran multitudes las que venían a los pies de Cristo.

La acción del Espíritu Santo va mucho más allá de lo que los seguidores de Jesús podían esperar. El miedo se convierte en valor, las personas sin educación formal hablan con elocuencia sorprendente, los que alguna vez pensaron en la derrota, la gracia de Dios la transformaba en victoria y los que en algún momento se acobardaron ahora testificaban con denuedo de la resurrección de Cristo. La promesa de Cristo se había cumplido y sorprendentemente peregrinos de todas partes del Imperio escuchaban en Jerusalén las buenas noticias en idiomas conocidos y conmovidos respondían con arrepentimiento y fe. El grupo inicial de ciento veinte creció con la adición de tres mil personas, y muy pronto más de cinco mil familias componían la iglesia en Jerusalén: "Pero muchos de los que había oído la palabra, creyeron; y el número de los varones era como cinco mil" (Hechos 4:4). El avance era tan grande y vertiginoso que Lucas solo describe simplemente que se añadieron un gran número así de hombres como mujeres (5:14). El Espíritu Santo mantenía una presencia permanente en la congregación que hacía que los creyentes gozaran de una armonía preciosa y una fraternidad saludable, que todos eran de un sentir, un pensamiento y un solo lenguaje. Desde el mismo inicio de la iglesia es el Espíritu el que le da vida. El Espíritu Santo viene a todos los creyentes: judíos y gentiles, esclavos y amos, hombres y mujeres, líderes y personas comunes, ricos y pobres, educados e ignorantes.

Cuando la iglesia vive esta experiencia tan singular todas las barreras se rompen y se destruyen los paradigmas religiosos. Tal como sucedió en Jerusalén, donde judíos, prosélitos, fariseos y principales de las sinagogas, se sentían como un solo cuerpo, en una dimensión de vida por demás saludable, con la presencia del Espíritu Santo.

Es este mismo Espíritu Santo el que inviste a todos los cristianos el poder y la fuerza para poder ser testigos de Jesús como Él lo dijo en Hechos 1:8: "pero recibiréis poder, cuando haya venido sobre vosotros el Espíritu Santo, y me seréis testigos en Jerusalén, en toda Judea, en Samaria, y hasta lo último de la tierra". Esa es la manera en que el Cristo exaltado y glorificado cumple su promesa de estar con todos nosotros, sus discípulos, su iglesia, "todos los días, hasta el fin del mundo" (Mateo 28:20).

B. La comunidad eclesial (2:42)

El versículo 42 del pasaje de nuestro estudio, además de describir los grandes principios del cristianismo, indica cuatro puntos fundamentales que siguen siendo las prácticas espirituales que sostienen y que son la vida de la iglesia. Consideremos uno por unos estos principios comenzando con (1) la doctrina apostólica. Los apóstoles no se apartaron de las grandes enseñanzas del evangelio de Jesucristo. La enseñanzas de estas verdades corrían a la par de la predicación apostólica: La Confesión de Jesús como Hijo de Dios, el Verbo encarnado. Los apóstoles eran testigos fidedignos de esta encarnación, como dice el evangelista Juan: "Y aquel Verbo fue hecho carne, y habitó entre nosotros (y vimos su gloria, gloria como del unigénito del Padre), lleno de gracia y de verdad (Juan 1:14). Esta verdad era irrefutable, donde quiera que los apóstoles se paraban para proclamar la verdad del evangelio lo primero que testificaban era esta verdad. Juan lo afirma en su primera carta cuando dice: "Lo que era desde el principio, lo que hemos oído, lo que hemos visto con nuestros ojos, lo que hemos contemplado, y palparon nuestras manos tocante al verbo de vida" (1 Juan 1:1). Esta verdad era trasmitida constantemente por los apóstoles como parte de la enseñanza e instrucción a toda la congregación, tanto que Lucas la califica como doctrina de los apóstoles. (2) En la comunión unos con otros. El apóstol Pablo toma muy en cuenta la comunión de los santos como un principio y mandamiento para toda la iglesia. En repetidas ocasiones Pablo escribe y hace rogativas para que los cristianos se distingan por sus buenas relaciones, como se lo dice a los filipenses: "siempre en todas mis oraciones rogando con gozo por todos vosotros, por vuestra comunión en el evangelio, desde el primer día hasta ahora" (Filipenses 1:3,5). Sin duda, que la comunión debe entenderse como vínculo de amor. La comunión cristiana desconoce distinciones sociales, culturales y económicas, etc. Esta comunión nos identifica de tal manera que el creyente pueda "Gozarse con los que se gozan y llorar con los que lloran" (Romanos 12:15). Él dio el mandamiento de amor cuando dijo: "Que os améis, los unos a los otros", y el apóstol Juan dice: "amados amémonos unos a otros: porque el amor es de Dios. Todo aquel que ama, es nacido de Dios, y conoce a Dios. Amados, si Dios nos ha amado así, debemos también nosotros amarnos unos a otros" (1 Juan 4:7,11). Un signo del amor de Dios es la comunión entre los creyentes. (3) En el partimiento del pan. Han sido muchas las interpretaciones acerca del versículo 42, pues hay quienes sostienen que Lucas se refería a una comida común, como era la costumbre que adoptaron los primeros cristianos de comer juntos como una señal de comunión o *Koinonía*. Sin embargo, los términos "Partir el pan", fue empleado por la Iglesia primitiva para describir la cena del Señor. El empleo más claro del término aparece en 1 Corintios cuando dice: "La copa de bendición que bendecimos, ¿no es la comunión de la sangre de Cristo? El pan que partimos ¿no es la comunión del cuerpo de Cristo? (1 Corintios 10:16) y confirmada por el apóstol en el capítulo 13 donde dice: "... Que el Señor Jesús, la noche que fue entregado, tomó pan; y habiendo dado gracias, lo partió y dijo: Tomad, comed; esto es mi cuerpo que por vosotros es partido; haced esto en memoria de mi" (1 Corintios 11:23,24), o sea, en memoria del sacrificio de Cristo.

Tenemos que afirmar que el partimiento del pan es el memorial en que se recuerda y proclama la muerte de Cristo hasta que él venga. (4) La oración. En la iglesia primitiva la oración, fue un ejercicio espiritual practicado con toda devoción por los miembros de la misma. Por medio de la oración se cumplían varios objetivos: (a) Una forma de adorar a Dios. (b) Pedir o rogar por el perdón de las faltas o pecados cometidos. (c) Una manifestación de gratitud por los favores recibidos. (d) Buscar una acercamiento con Dios y (e) Pedir la guianza y la fortaleza necesaria para la predicación del evangelio de Jesucristo.

Afianzamiento y aplicación.

(1) Reflexione sobre el crecimiento abrumador de la iglesia y cuál fue la fuerza que la mantuvo unida y en un mismo sentir.

(2) Pregunte a la clase, cuáles fueron los principios que mantuvieron firme a la iglesia según lo describe en 2:42.

III. UNA IGLESIA CON CARÁCTER SOCIAL (HECHOS 2: 43-47)

Ideas para el maestro

(3) Estudie cuales fueron los distintivos que hicieron posible que la iglesia fuera o se convirtiera en una comunidad de fe.

(4) Cómo la Iglesia logró el favor del pueblo, a pesar de tener una oposición de los religiosos judaicos de ese tiempo.

Definiciones y etimología

* *"Tenían en común todas las cosas"*. Esta práctica se refiere a la repartición de bienes observada por la Iglesia primitiva como una muestra de solidaridad con los desposeídos.

A. Una iglesia solidaria (2:43-45)

Enumeremos algunas características distintivas de la Iglesia tales como: (1) su devoción manifestada en las reuniones que se llevaban a cabo en el aposento alto o frente al pórtico de Salomón donde acostumbraban congregarse, o bien en las casas donde después de la adoración, comían juntos con sencillez de corazón. Los creyentes acudían con verdadero interés a estas reuniones no solo con el fin de adorar a Dios, sino también para ser edificados en la fe. (2) Era una Iglesia que practicaba la Koinonia. El Espíritu Santo propiciaba un ambiente de hermandad. A pesar de la multitud que se añadía cada día, reinaba en el ambiente ese calor humano donde no había discriminación ni preferencias o favoritismos entre los líderes que conducían a la Iglesia. (3) Era una iglesia que disfrutaba el "gozo cristiano". Si algo hace falta hoy, es esa característica que distingue a la verdadera Iglesia. Hay Iglesias que han convertido sus reuniones en un show o un exhibicionismo mal sano donde el culto es al hombre y no a Dios. Si algo tenemos que aprender de la Iglesia primitiva es hacer de nuestras reuniones una verdadera fiesta espiritual, en donde la presencia del Espíritu Santo provoque que el gozo del Señor sea el común denominador en la vida de los cristianos. (4) Una Iglesia con sentido social. Los discípulos habían aprendido muy bien la lección del Señor de socorrer al pobre y sentir compasión por los desvalidos, comprender la causa de los discriminados y extender una mano de amor y misericordia para ayudar a los necesitados. Jesús enseñó que uno de los propósitos esenciales de su ministerio era predicar el evangelio a los pobres. Como dice Lucas: "El Espíritu del Señor está sobre mí, por cuanto me ha ungido para dar buenas nuevas a los pobres" (Lucas 4:18). La actitud de la Iglesia en solidarizarse con los pobres la hizo grande y poderosa, porque demostraba con su proyección social, que el amor de Dios los había alcanzado para bendecir a los más vulnerables. La iglesia había aprendido muy bien lo expresado por el salmista David cuando dijo: "Bienaventurado el que piensa en el pobre; en el día malo lo librará Jehová" (Salmo 41:1). Una Iglesia que sabe dar es bienaventurada. El apóstol Pablo lo dijo de esta manera: "En todo os he enseñado que, trabajando así, se debe ayudar a los necesitados, y recordar las palabras del Señor Jesús, que dijo: Más bienaventurado es dar que recibir. (Hechos 20:35).

Si algo los líderes de la iglesia habían aprendido muy bien de su Maestro y Señor fue a hacer la diferencia entre dar ayuda y ser solidario. Ayudar es dar algo, solidarizarse es darse. El ejemplo más extraordinario lo encontramos en Juan 3:16: "Porque de tal manera amó Dios al mundo, que ha dado a su Hijo unigénito, para que todo aquel que en él cree, no se pierda, mas tenga vida eterna". La iglesia de Jesucristo aprendió a darse a una comunidad en el contexto de sus dolores, necesidades y esperanzas.

Si algo impactó a la sociedad judía del primer siglo fue la sensibilidad social manifestada en la Iglesia de Jerusalén en los albores de la historia del cristianismo.

B. Una iglesia adoradora (2:46,47)

El escritor Lucas describe las prácticas de la vida devocional de la iglesia primitiva que siguen vigentes hasta el día de hoy: (1). La Perseverancia. Esta manifestación de amor a Dios fue una costumbre notable. La fidelidad en acudir al templo era un signo de adoración, acompañada del espíritu de unanimidad con que se congregaban día a día a la hora de la oración. Esta no fue una práctica religiosa ni superficial, sino una manifestación de su perseverancia aunada al espíritu de unidad, dos elementos indispensables en el culto a Dios. (2) "Partiendo el pan en las casas, comían juntos con alegría y sencillez de corazón". A esta práctica cristiana se la llama *Koinonía.* Uno de los aspectos de la *Koinonía* consiste en que los cristianos participan mutuamente en su relación común con Dios. John Stott, resume la participación mutua de los creyentes en la gracia de Dios de la siguiente manera: (a) Engendrados por la voluntad y palabra del mismo Padre. (b) Redimidos por la sangre del mismo Hijo. (c) Con la presencia interna del mismo Espíritu. Esa es nuestra *Koinonía*, la salvación común de la que participamos los creyentes.

La Iglesia de Jerusalén tuvo como signo de su *Koinonía,* la alegría y sencillez de corazón. Sin duda al abrir las puertas de sus casas lo hacían con sencillez de corazón y esto creaba un ambiente sano que invitaba a que el grupo creciera, se fortaleciera y saliera renovado para compartir su fe con otros. Había confianza, humildad, sumisión y la gracia de Dios y el poder del Espíritu Santo abrazaban a todos los presentes. (3) Alabando a Dios. La alabanza es una manera de adorar a Dios. La adoración no tiene que estar asociada a la liturgia necesariamente. Puede ser espontánea y no ligada a formalismos. La verdadera adoración está asociada al amor que le mostramos al Señor, el reconocimiento de lo que Él es. Es un acto permanente en la vida del hijo de Dios y en todo lo que hagamos debe resaltar nuestra actitud de adoración. Alguien dijo estas hermosísimas palabras: No santificamos nuestras vidas mediante la concurrencia a un templo sino mediante la consagración de lo cotidiano, la transformación de lo habitual en extraordinario". Adorar a Dios es exaltar su nombre en cada una de nuestras acciones. (4) Teniendo favor con todo el pueblo. En toda la ciudad era notoria la acción evangelizadora de la iglesia. Primero, por la atención social que prestaba a los necesitados; segundo, por las sanidades y milagros que se hacían por mano de los apóstoles. Estas dos acciones eran evidencias de que Dios estaba con la iglesia, toda la ciudad entera estaba impactada y esto producía un cambio en la mentalidad de la sociedad judía. (5) El Señor añadía cada día a la iglesia los que habían de ser salvos. Era un verdadero avivamiento espiritual. La iglesia había revolucionado al pueblo. Toda la sociedad judía y especialmente la clase religiosa del judaísmo parecían sucumbir ante tan arrollador movimiento. Esto pasa cuando hay un mover del Espíritu Santo, aquello que los Tesalonicenses llamaron "trastorno": "...Estos que trastornan al mundo entero también han venido acá" (Hechos 17:6). Jerusalén estaba por así decirlo, trastornada por ese avivamiento espiritual.

Afianzamiento y aplicación

(1) Haga una comparación entre el avivamiento espiritual que la Iglesia de Jerusalén estaba experimentando, con los avivamientos actuales.

(2) ¿En qué difiere la acción social de la iglesia primitiva, con la de la iglesia de hoy?

RESUMEN GENERAL

Después de la muerte y resurrección del Mesías prometido y con el advenimiento del Espíritu Santo, el mensaje del arrepentimiento y perdón comenzó a difundirse por todas las naciones. Empezó por Jerusalén por medio de testigos que investidos del poder del Espíritu trastornaron la ciudad y sus alrededores cumpliendo lo dicho por el Señor Jesús quien había prometido edificar su iglesia. Jesús sigue respaldando esta promesa a través del poder del Espíritu Santo y con su presencia cumpliendo lo que prometió en Mateo cuando dijo: "... y he aquí yo estoy con vosotros todos los días, hasta el fin del mundo" (Mateo 28:20). Así que la presencia del Señor y del Espíritu Santo, estuvieron con el apóstol Pedro, cuando pronunció el primer discurso evangelístico en el día de Pentecostés y de allí los resultados maravillosos que se produjeron. Queda demostrado en este estudio que solo el Espíritu Santo pudo dar a Pedro el valor necesario para señalar con valentía y sin temor que el pueblo, los principales de las sinagogas, los fariseos y los sacerdotes, fueron los responsable de la crucifixión de Cristo. En respuesta a este señalamiento gran cantidad de judíos fueron compungidos de corazón, aceptaron su culpabilidad y creyeron en Jesús como su Salvador.

A partir de ese momento la historia de Jerusalén cambió porque un movimiento de gran magnitud se había iniciado. Surgió la iglesia con signos o señales de poder venido de lo alto; un organismo universal cuyo mensaje sigue vigente con toda su fuerza hasta el día de hoy. Todas las promesas del Señor se empezaban a cumplir en la vida y ministerio de los apóstoles que inflamados por el poder de pentecostés habían llenado a Jerusalén y lugares circunvecinos con el poderoso mensaje del evangelio. El mandato bíblico de ir y predicar el evangelio a toda criatura era una realidad, tanto así, que una ciudad "enemiga" de Jerusalén como lo era Samaria, también estaba bajo la influencia de un gran avivamiento espiritual. También allí se obraban grandes milagros por la mano de un diácono llamado Felipe. Pero no todo era gozo y alegría en estas ciudades y lugares cercanos, porque lo que era buena noticia para unos fue mala para otros. La oposición se dejó sentir desde el principio, el enemigo comenzó a gestar ataques contra los dirigentes de la naciente iglesia, pero el movimiento que se había iniciado no ha habido poder humano ni diabólico capaz de frenar su avance. Los discípulos de Cristo, lejos de pedir protección decían con valor: " Y ahora, Señor, mira sus amenazas, y concede a tus siervos que con todo denuedo hablen tu palabra" (Hechos 4:29). La iglesia crecía en número, se estaban echando los fundamentos doctrinales y organizacionales de la iglesia; los apóstoles no solo predicaban, también ocupaban tiempo en la enseñanza como Cristo les había ordenado cuando dijo: "Enseñándoles que guarden todas las cosas que os he mandado… "(Mateo 28:20). Así que la iglesia crecía en número y en el conocimiento de la doctrina cristiana.

Ejercicios de clausura

Haga una comparación entre el crecimiento numérico y los fundamentos doctrinales de la iglesia primitiva con la iglesia contemporánea.

PREGUNTAS Y RESPUESTAS

1. ¿Cuál fue la respuesta de Pedro a los judíos quebrantados por la Palabra de Dios?

Pedro les dijo: arrepentíos, y bautícese cada uno de vosotros en el nombre de Jesucristo para perdón de los pecados.

2. ¿Cuál es la promesa de Dios para todos aquellos que cumplen con el mandato de arrepentirse y bautizarse?

La promesa del Señor es empoderarlos con el Espíritu Santo, no solo para poder predicar la palabra, sino también tener la capacidad de vencer al enemigo.

3. ¿Cuáles fueron los primeros fundamentos de fe de la iglesia primitiva?

La doctrina que aprendieron de los apóstoles, la comunión que guardaban entre sí, la celebración de la cena del Señor y la práctica de las oraciones.

4. ¿Cuál fue la primera señal de unidad y de amor de la iglesia primitiva?

Que tenían todas las cosas en común y subsidiaban las necesidades materiales de los necesitados, que se agregaban cada día a la iglesia.

5. ¿Qué actividad realizaban cada vez que se reunían en las casas?

Celebraban un devocional de alabanza a Dios por los favores recibidos y después comían juntos con alegría y sencillez de corazón.

PARA LA PRÓXIMA SEMANA

El tema a analizar la próxima semana será: "Las bases bíblicas de la evangelización", para profundizar en el encargo que el Señor Jesús hizo a la iglesia. Motive a los participantes a estudiar el tema y a venir preparados para participar.

LAS BASES BÍBLICAS DE LA EVANGELIZACIÓN

ESTUDIO BÍBLICO 21

Base bíblica
Mateo 28:16-20; Juan 17:14-18; 1 Corintios 1:18, 21-24.

Objetivos
Al concluir este estudio el participante podrá:

1. Comprender que el Señor Jesús encargó y constituyó a la iglesia para la tarea de la predicación del evangelio.
2. Aceptar el desafío de ir en cumplimiento de la Gran Comisión, al campo de acción que es el mundo.
3. Echar mano de los recursos disponibles, para la comunicación del mensaje de salvación.

Pensamiento central
La Iglesia del Nuevo Testamento tomó muy en serio el comisionamiento acerca de la predicación del evangelio, y no se apartó de la doctrina básica de la salvación de la humanidad.

Texto áureo
Por tanto, id y haced discípulos a todas las naciones, bautizándolos en el nombre del Padre, y del Hijo, y del Espíritu Santo (Mateo. 28:19).

Fecha sugerida:___/____/____

LECTURA ANTIFONAL

Mateo 28:16 Pero los once discípulos se fueron a Galilea, al monte donde Jesús les había ordenado.
17 Y cuando le vieron, le adoraron; pero algunos dudaban.
18 Y Jesús se acercó y les habló diciendo: Toda potestad me es dada en el cielo y en la tierra.
19 Por tanto, id, y haced discípulos a todas las naciones, bautizándolos en el nombre del Padre, y del Hijo, y del Espíritu Santo;
20 enseñándoles que guarden todas las cosas que os he mandado; y he aquí yo estoy con vosotros todos los días, hasta el fin del mundo. Amén.
Juan 17:14 Yo les he dado tu palabra; y el mundo los aborreció, porque no son del mundo, como tampoco yo soy del mundo.
15 No ruego que los quites del mundo, sino que los guardes del mal.
16 No son del mundo, como tampoco yo soy del mundo.
17 Santifícalos en tu verdad; tu palabra es verdad.
18 Como tú me enviaste al mundo, así yo los he enviado al mundo.
1 Corintios 1:18 Porque la palabra de la cruz es locura a los que se pierden; pero a los que se salvan, esto es, a nosotros, es poder de Dios.
21 Pues ya que en la sabiduría de Dios, el mundo no conoció a Dios mediante la sabiduría, agradó a Dios salvar a los creyentes por la locura de la predicación.
22 Porque los judíos piden señales, y los griegos buscan sabiduría;

DATOS GENERALES ACERCA DEL TEMA

Enseñanza: La iglesia ha sido comisionada para la predicación del evangelio, dicho comisionamiento es ineludible, impostergable y pertinente para todos los tiempos.
Autor: Mateo en Palestina; Juan y 1 Corintios en Éfeso.
Fecha: Mateo año 50-60 d.C.; Juan año 90 d.C.: 1 Corintios año 56 d.C.
Destinatario: Los discípulos y creyentes de diferentes regiones.
Lugar: Provincias de Judea y Galilea, año 30 d.C.
Personajes: Jesús, los discípulos, creyentes de la ciudad de Corinto.

BOSQUEJO DEL ESTUDIO

I. El comisionamiento de "ir" (Mateo 28:16-20)
  A. La autoridad de Jesús (28:16-18)
  B. El imperativo de ir (28:19,20)
II. El campo de acción (Juan 17:14-18)
  A. La palabra como recurso divino (17:14)
  B. El mundo es el campo de acción (17:15-18)
III. El recurso de la predicación (1 Corintios 1:18, 21-24)
  A. La palabra de la cruz (1:18)
  B. La locura de la predicación (1:21-24)

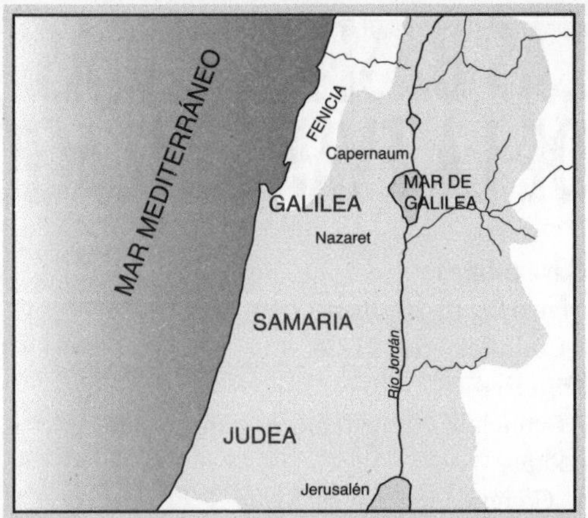

Provincias de Judea y Galilea lugares donde Jesús ministró durante su vida terrenal.

LECTURAS DEVOCIONALES DIARIAS

Lunes: Jonás huye de Jehová (Jonás 1:1-17).
Martes: El amor de Dios hacia su pueblo (Oseas 2:1-23).
Miércoles: Misión de los doce (Mateo 10:5-15).
Jueves: El verbo hecho carne (Juan 1:1-18).
Viernes: Bernabé y Saulo son comisionados (Hechos 13:1-12).
Sábado: Apolos un predicador elocuente (Hechos 18:24-28).

INTRODUCCIÓN

El comisionamiento de los primeros discípulos es descrito con fuerza y colorido en los evangelios (Mateo 4:12-17; Marcos 1:16-20; Lucas 4:14,15), y cómo estos respondieron al llamamiento de Cristo para predicar el evangelio y anunciar las buenas nuevas de salvación, a un mundo perdido, en tradiciones, ritos, y ceremonias que no hacían más que entorpecer la voluntad y la ley de Dios.

Pero el evangelio de Mateo es contundente al escribir la autoridad con que el Señor Jesús comisiona a los discípulos, diciendo: "Toda potestad me es dada en el cielo y en la tierra". El comisionamiento tiene valor, dependiendo de quién es el que envía; porque el que va, va en nombre del que lo ha enviado; y ¿Quién es él que envía? Para describirlo, veamos lo que dice el profeta Isaías: "Porque un niño nos es dado, hijo nos es dado, y el principado sobre su hombro; y se llamará su nombre admirable, consejero, Dios fuerte, Padre eterno, Príncipe de Paz. Lo dilatado de su imperio y la paz no tendrán límite, sobre el trono de David y sobre su reino" (Isaías. 9:6,7). Todas estas cualidades y atributos distinguen al Señor de manera que quien va en nombre de él, está bien respaldado y tiene un comisionamiento divino y la autoridad está siendo delegada al que es enviado en su nombre.

La comisión determina el campo de acción. Jesús fue designado por el Padre, especialmente para humanizarse entre los hombres y desde este entorno, hablar lo que el Padre la había encomendado. En San Juan 17 Jesús hace mención de dos aspectos muy importantes con respecto a su misión cuando dice: "Porque las palabras que me diste, les he dado; y ellos las recibieron, y han conocido verdaderamente que salí de ti, y han creído que tú me enviaste" (Juan 17:8). El primer aspecto que Jesús menciona es el mensaje que recibió del Padre y es bien claro cuando dice: "Las palabras que me diste," y siempre en el evangelio de Juan repite lo mismo diciendo a Felipe "¿No crees que yo soy en el Padre, y el Padre en mí? Las palabras que yo os hablo, no las hablo por mí propia cuenta, sino que el Padre que mora en mí, él hace las obras" (Juan. 14:10). Podríamos citar otros pasajes donde el Señor quiere dejar en la mente y corazón de los discípulos, que es el Padre quien le transmitió el mensaje para que

Jesús lo publicara a los hombres. El predicador del evangelio que cambie este principio no solo estará fuera de la verdad, sino que estará también fuera de la voluntad de Dios.

El segundo aspecto que Jesús recalca es su comisionamiento; Él es enviado por el Padre al mundo para cumplir la gran comisión "Como tú me enviaste al mundo, así yo los he enviado al mundo" (Juan. 17:18). Dos cosas son importantes en el cumplimiento de la misión evangelizadora: (1) Ser enviado y (2) llevar el mensaje. El que quiera ser predicador del evangelio no debe de soslayar estos dos aspectos fundamentales del ministerio.

DESARROLLO DEL ESTUDIO

I. EL COMISIONAMIENTO DE "IR" (MATEO. 28:16-20)

Ideas para el maestro

(1) Discuta con la clase acerca de la autoridad que el Señor dijo que le fue dada tanto en el cielo como en la tierra.

(2) Comente que la conversión a Jesucristo, no es solamente creer, sino que conlleva un proceso, como el bautismo y el aprendizaje de las enseñanzas de Jesús.

Definiciones y etimología

* *"Autoridad"*. Derecho o poder de hacerse obedecer, de tomar decisiones, de actuar, etc. Es relativa a dominio, jurisdicción, influencia, prestigio. Esta potestad la tenía el Señor Jesús.

* *"Naciones"*. Equivalente a pueblos que estaban fuera de la jurisdicción de la Palestina en los tiempos del Señor. San Pablo fue enviado a los gentiles (naciones) (Romanos. 11:13).

A. La autoridad de Jesús (Mateo. 28:16-18)

Entre el lapso que ocupa la resurrección y la ascensión del maestro ocurre lo que podríamos llamar el epílogo del ministerio terrenal de Jesús. Los últimos momentos de su presencia material con sus discípulos tenían que ser muy cruciales o determinantes tanto para el Señor como para aquellos hombres que él mismo había llamado. Estos habían obedecido la orden de reunirse en uno de los montes de Galilea, precisamente en la región donde él Señor los había encontrado y donde habían recibido el llamamiento a ser predicadores del evangelio. Como algunos de ellos no estaban bien convencidos de su resurrección, entonces, Jesús les hace un resumen acerca de su autoridad la que habían visto durante el tiempo de su ministerio.

El Señor manifestó su autoridad en varios aspectos durante su ministerio: (1) Su autoridad en la Palabra. Él marcó la diferencia entre aquellos que ostentaban ser maestros, como los escribas y fariseos; la misma gente supo hacer la diferencia entre Jesús y esos religiosos, "Y cuando terminó Jesús estas palabras, la gente se admiraba de su doctrina; Porque les enseñaba como quien tiene autoridad, y no como los escribas" (Mateo. 7:28,29). (2) Su autoridad sobre la naturaleza. Cuando los discípulos iban a perecer en medio de una tempestad en el mar, Jesús reprendió a los vientos y las olas y se hizo gran bonanza. Entonces, los discípulos dijeron: "¿Quién es este, que aun a los vientos y a las aguas manda, y le obedecen?" (Lucas. 8:25). Los discípulos eran hombres de mar; habían pasado muchas experiencias y aventuras sobres las aguas, pero nunca habían visto que alguien calmara las tempestades y vientos, como lo hizo Jesús aquel día. (3) La autoridad sobre la muerte. Jesús demostró su poder sobre la muerte, cuando resucitó a la hija de Jairo el principal de la sinagoga. Él llegó a la casa de este para levantar a la niña que había muerto, y sacando a todos los incrédulos, tomando la mano de la niña, la levantó y esta empezó a caminar con vida (Marcos 5:39-43). (4) Autoridad sobre el mundo espiritual. El apóstol Pablo describe la organización o jerarquía del reino demoníaco en su carta a los Efesios enumerando: (a) Principados. El término es plural, sin duda que son muchos, los que ejercen su influencia sobre los seres humanos; (b) Potestades. Es posibles que el apóstol está haciendo mención de poderes ocultos que operan para hacer daño o destruir la obra de Dios. (c) Gobernadores. Estos pueden ser demonios que ejercen control sobre los poderes del mal, orquestando los ataques contra la iglesia. (d) Huestes espirituales. Son los ejércitos que obedecen ciegamente las órdenes del diablo y que como siempre están al acecho contra los hijos de Dios. Toda esta organización por poderosa que sea, no podrá atentar contra la autoridad que le fue dada al Señor, no solo en su ministerio terrenal, sino que su poder será por todos los siglos. (5) Autoridad sobre la enfermedad. Esta se dio a conocer "sanando a todos los oprimidos por el diablo"; el evangelio de Mateo es explícito cuando describe la actividad de Jesús diciendo: "Recorría Jesús todas las ciudades y aldeas, enseñando en las sinagogas de ellos, y predicando el evangelio del reino, y sanando toda enfermedad y toda dolencia en el pueblo". (Mateo. 9:35). Se destaca en este pasaje que una de las actividades del Señor fue la de liberar a todos los oprimidos por diversas enfermedades y dolencias ejerciendo su autoridad como el Hijo de Dios, que traía la misión no solo de redimir al hombre, sino que también liberarlo de todo mal, sean estos males físicos, psicológicos, espirituales o demoníacos.

B. El imperativo de ir (28:19,20)

El pasaje que tenemos en consideración ha sido discutido en muchísimas ocasiones y casi siempre se concluye en que el mandato, incluye propósitos bien definidos tales como: (1) Hacer discípulos. El Señor al enunciar este imperativo, estaba pensando en el engrandecimiento de su reino, puesto que dice "...a todas las naciones"; la tarea apostólica consistía entonces en salir y conquistar los pueblos del mundo y convertirlos en discípulos de Cristo. Un discípulo es aquel que se pone bajo la tutela de un maestro, en este caso Jesucristo es el maestro y la comunidad de discípulos es la iglesia que tiene la Biblia como la única regla de fe y conducta. Tenemos que hacer la diferencia entre un discípulo y un creyente. El discípulo está comprometido con su maestro a seguir sus instrucciones y procurar hacer su voluntad, mientras que el creyente simplemente es un asistente a la iglesia y no asume ningún compromiso con Cristo. (2) La orden de ser bautizados. Todo discípulo debe iniciarse en obediencia a su maestro y esta iniciación se lleva a cabo a través del bautismo en agua; este acto debe ser oficiado por quienes recibieron el mandato, y con la fórmula trinitaria, es decir, en el nombre del Padre, del Hijo y del Espíritu Santo. Entre todas las bendiciones que trae el bautismo, se destacan la oportunidad y privilegio de ser participante de la iglesia, el cuerpo del Señor, como dice Hechos: "Así que, los que recibieron su palabra fueron bautizados; y se añadieron aquel día como tres mil personas" (Hechos 2:41) (3) Un periodo de aprendizaje. Los discípulos después del bautismo tienen que ser enlistados como nuevos alumnos de la escuela de Cristo, para aprender todas las cosas que el Señor enseñó. El discípulo cristiano tiene que ser enseñado y entrenado en la tarea que ha de desempeñar como seguidor de Cristo. Los apóstoles no descuidaron esta parte del comisionamiento, pues a la par de la predicación también enseñaban al pueblo, todo lo concerniente al reino de Dios; "Predicando el reino de Dios y enseñando acerca del Señor Jesucristo, abiertamente y sin impedimento" (Hechos. 28:31). (4) La promesa de su presencia. El Señor Jesús garantizó a sus discípulos que no estarían solos en la noble tarea de hacer discípulos a las naciones; Él condicionó su presencia en dos aspectos (a) "Yo estoy con vosotros", nótese que él habla en tiempo presente "Estoy," no dice estaré. Jesús sabía que su presencia física ya no estaría con los suyos y que esto no dejaría de afectar anímicamente a quienes le habían seguido y quienes se habían acostumbrado a tener con ellos al maestro. Él está ahora prometiendo estar con los suyos para respaldar la causa por la cual vino a la tierra; la salvación de los hombres. (b) Para que sus seguidores encomendados a esta gran tarea pudiesen salir adelante en las dificultades y problemas por las que tenían que pasar y para llevar mucho fruto como el Señor les declaró cuando dijo: "No me elegisteis vosotros a mí, sino que yo os elegí a vosotros, y os he puesto para que vayáis y llevéis fruto, y vuestro fruto permanezca; para que todo lo que pidiereis al Padre en mi nombre, él os lo de" (Juan 15:16). (c) Finalmente, Jesús garantizaba su presencia de manera continua al declarar "Todos los días," hasta el fin del mundo.

Afianzamiento y aplicación

(1) Reflexione con los alumnos acerca de la autoridad de Jesús y los alcances que la misma tiene, a fin de entender hasta donde los discípulos podían llegar.

(2) Repase la lección que Jesús dejó antes de ascender al cielo y que los discípulos tenían que llevar a cabo.

II. EL CAMPO DE ACCIÓN (JUAN 17:14-18)

Ideas sugeridas para el maestro

(1) Comente con la clase que Dios antes de enviar a los profetas del Antiguo Testamento, primero los llamó, luego los santificó, les dio el mensaje y después les envió.

(2) Haga un comentario acerca del comisionamiento del Señor y cuál es la tarea que Él encomendó a sus discípulos.

Definiciones y etimología

* *"Mundo"***.** Del griego *Kosmos*, (orden y belleza). Científicamente, es la tierra y el conjunto de todas las cosas creadas por Dios. Teológicamente es el sistema que se opone en forma persistente y sistemática al reino de Dios. "Conformarse con el mundo" significa perder toda identidad espiritual.

A. La palabra como recurso divino (17:14).

Jesús en la postrimería de su ministerio se presenta ante el Padre celestial y hace un recuento de la relación entre él y sus discípulos. Hace las peticiones correspondientes para que el Padre cumpla los ofrecimientos y promesas que Él dio mientras desarrollaba su ministerio terrenal. El capítulo 17 de Juan recoge fielmente los motivos que el Señor tuvo para pedir por los que el mismo Padre le había encomendado, cuando dice: "He manifestado tu nombre a los hombres que del mundo me diste, tuyos eran, y me los diste, y han guardado tu palabra" (Juan 17:6). La alusión que el Señor hace al Padre, acerca de sus discípulos, es que ellos recibieron la palabra, la misma palabra que el Señor recibió del Padre y que ellos tenían que comunicar al mundo.

Por principio Dios siempre que llama a alguien para un servicio, antes todo, les da su mensaje; este fue el proceder de Dios con los hombres del Antiguo Testamento. Los ejemplos clásicos son el llamamiento del profeta Isaías y Jeremías. Dios les llama en tiempos distintos y en circunstancias diferentes, pero en ambos profetas resalta el hecho de que a los dos Dios puso en ellos las "Palabras" que tenían que comunicar al pueblo. En Isaías se relata que uno de los serafines tomó con una tenaza un carbón encendido y tocó los labios del Profeta; después de este se oyó la voz del Señor que decía: "¿A quién enviaré, y quien irá por nosotros? Entonces respondí yo; Heme aquí, envíame a mí" (Isaías 6:8). Después de este acontecimiento el profeta estaba en condiciones de predicar la Palabra de Dios. Todo aquel que es enviado a cumplir la gran comisión, tiene que ser irremediablemente puro de labios, porque se convierte en un mensajero de una palabra santa.

En el caso del profeta Jeremías es más explícito cuando dice: "Y extendió Jehová su mano y tocó mi boca, y me dijo Jehová: He aquí he puesto mis palabras en tu boca": (Jeremías 1:9). Después de esta purificación de labios y colocación de la Palabra de Jehová, Jeremías fue comisionado a predicar a las naciones y reinos y el versículo 17 del mismo capítulo se reitera el hecho de que Dios es el que da el mensaje cuando dice: "Tu pues, ciñe tus lomos, levántate y háblales todo cuanto te mandé; no temas delante de ellos, para que no te haga yo quebrantar delante de ellos" (1:17). De la misma manera el Señor Jesús puso en el corazón de sus discípulos la Palabra que el Padre le había encomendado y que ellos la recibieron, habiendo aceptado el desafío de ir y hacer discípulos a todas las naciones, basados en la Palabra.

El apóstol Pablo es cuidadoso en este sentido y en repetidas veces en sus cartas hace mención de que la Palabra que él predicaba era con demostración del poder de Dios; "Así que, hermanos, cuando fui a vosotros para anunciarnos el testimonio de Dios, no fui con excelencia de palabras o de sabiduría" (1 Corintios 2:1). El apóstol establecía bien la diferencia entre un discurso filosófico o de humana sabiduría y el mensaje de Dios. Lo uno es terrenal producto de la sabiduría humana; lo otro tiene origen celestial y divino puesto en los labios de los santos.

B. El mundo es el campo de acción (17:15-18)

El Señor Jesús deja bien claro que el campo donde iban a laborar todos los llamados al ministerio es el mundo y también el precio o costo del ministerio de la predicación. Veamos algunos principios que sirven de base para la evangelización del mundo. (1) A Jesús el mundo lo aborreció y murió en manos de pecadores. Así que, todos los que quieren imitar a Cristo tendrán que aceptar esta condición, y la razón es que los discípulos no son pertenecientes al mundo; desde el momento en que aceptaron al Señor como su Mesías, dejaron de ser del mundo, ahora pertenecían al reino de Dios y entre el poder de las tinieblas y la luz de Dios no puede haber concordia, como bien dice la Biblia "No os unáis en yugo desigual con los incrédulos; porque ¿Qué compañerismo tiene la justicia con la injusticia? ¿Y qué comunión la luz con las tinieblas? ¿Y qué concordia Cristo con Belial? ¿O que parte el creyente con el incrédulo? (2 Corintios 6:14,15). Este texto nos demuestra que siempre habrá una pugna entre las fuerzas del mal que domina al mundo y el reino de Dios que es de origen divino. (2) La oración de Jesús es que el Padre debe guardar a sus discípulos y no quitarlos del mundo. La razón de la encarnación de Cristo, es que él tendría que tomar forma humana, vivir con los hombres y desde esta condición obrar la rendición del mundo, dicha obra no podía llevarse a feliz término si el Señor no hubiera bajado de su gloria al mundo. Los discípulos no podían ser abstraídos del mundo de otra manera ¿Cómo cumplirían con el imperativo de ir a las naciones para predicar el evangelio? Por eso Jesús ruega al Padre por los suyos, para que sean guardados del mundo, para no contaminarse, sino que fuesen como Jesucristo, como bien dice San Pablo: "Porque a los que antes conoció también los predestinó para que fuesen hechos conforme a la imagen de su Hijo, para que él sea el primogénito entre muchos hermanos" (Romanos 8:29). A partir del conocimiento de la verdad el hombre deja de ser del mundo y pasa a ser semejante a Cristo, y participante de su luz admirable y santificada en la verdad de la palabra.

(3) En el concurso divino de Dios Padre, Dios Hijo y Dios Espíritu Santo, Jesús fue el elegido para ser enviado al mundo; este mismo principio él lo aplica a sus discípulos. Él por la autoridad que el Padre le había dado, se toma la libertad para enviar a sus predicadores al campo que es el mundo, para construir el reino de Dios aquí en la tierra. Jesús se iba, regresaría a los cielos, volvería al Padre a tener aquella gloria que poseía con Él, antes de la fundación del mundo, pero posteriormente con la seguridad de que los que habían sido llamados por él, cumplieron su mandado de conquistar al mundo por la palabra que habían recibido y que, a partir de ahora, contarían con la presencia del Espíritu Santo para realizar esta obra. Jesús antes de partir prometió que no los dejaría huérfanos que Él rogaría al Padre para que el Eterno consolador, el Espíritu Santo, estaría presente para confirmar la Palabra que tendrían que publicar al mundo. El Espíritu vendría para enseñar todas las cosas y para recordar todo lo que el Señor les había hablado y enseñado.

Afianzamiento y aplicación

(1) Hacer énfasis que cualquier predicador del evangelio debe estar dentro del marco de la Biblia; fuera de esta regla su predicación será vacía y carente de la verdad.

(2) Para cumplir el imperativo del Señor, ¿En qué sentido tenemos que abstraernos del mundo, sabiendo que hemos sido enviados al mundo para cumplir la gran comisión?

III. EL RECURSO DE LA PREDICACIÓN (1 CORINTIOS 1:18-21)

Ideas para el maestro.

(1) Hacer la diferencia entre un discurso retórico que se acostumbra oír en los pódiums del mundo y una predicación de la Palabra de Dios.

(2) Analizar con el grupo, ¿Cuál será la razón, porque la predicación del evangelio, no es apetecida por los del mundo?

Definiciones y etimología

* *"Cruz"*. Del griego *Stauros;* del latín *Cruz*. Instrumento de ejecución capital. Consistía en dos maderos, uno atravesado en el otro, donde eran colgados los condenados a muerte. El sen-

tenciado era clavado y colocado de tal forma en la cruz, que acababa por morir asfixiado y por una infección generalizada.

* *"Locura"*. Privado de Juicio. Acción insensata y desacertada. Exaltación del ánimo producida por algún afecto.

A. La palabra de la Cruz (1:18)

El apóstol Pablo quiere dar una identidad a su predicación, diferenciándolo de los otros discursos religiosos o filosóficos de su tiempo, y toma la figura de la cruz como distintivo glorioso del evangelio. La palabra de la cruz contrastaba la fe religiosa del judaísmo y contradecía el pensamiento de los gentiles (romanos y judíos), por muy sabios que fueran. Primero; Los judíos pedían señales; esperaban un Mesías al estilo de los grandes conquistadores de este mundo, un hombre poderoso que los liberara de la bota romana y que les devolviera sus derechos políticos, no alguien que viniera con la maldición de morir en una cruz, un hombre manso y humilde de corazón, criado en una familia de artesanos de Nazaret. Los judíos no creyeron en Jesús porque era importante para ellos que primero bajara de la cruz; en el momento de su crucifixión decían. "El Cristo, Rey de Israel, descienda ahora de la cruz, para que veamos y creamos" (Marcos 15:32). Pero como esto no se dio, entonces, para ellos era una locura o una insensatez, tener a un Salvador que a otros salvó, pero que él no pudo salvarse. Segundo: los griegos eran amantes de la sabiduría y según el criterio religioso de ellos, los dioses bajaban a la tierra a disfrutar de los placeres con los humanos, estaban llenos de riquezas materiales y no eran ignorantes, por eso cuando oyeron la palabra de la Cruz, les pareció la más grande insensatez, creer en alguien que muere crucificado en medio de dos malhechores.

El apóstol Pablo contrasta tanto la religiosidad judía, como la filosofía de los griegos, proclamando que tanto los unos como los otros son destruidos por el poder de Dios, cuando escribe: "Pues está escrito: Destruiré la sabiduría de los sabios, y desecharé el entendimiento de los entendidos. ¿Dónde está el sabio? ¿Dónde está el escriba? ¿Dónde está el disputador de este siglo? ¿No ha enloquecido Dios la sabiduría de este mundo?" (vv. 19,20). Esto quiere decir que los judíos con sus preceptos y tradiciones religiosas no habían conocido a Dios, al igual que los griegos con su humana sabiduría, ambos estaban lejos de la bendición de Dios y de su salvación. Por el contrario, a los que se salvan, la Palabra de la cruz es la manifestación del gran poder de Dios. Así que la fe en Jesucristo, no se basa ni en el tradicionalismo religioso de los judíos, tampoco en la orgullosa sabiduría de los griegos, sino en el sacrificio de Cristo hecho en la cruz del calvario. El apóstol Pedro reconoce que el sacrificio de Cristo fue anunciado por los profetas del Antiguo Testamento en su discurso en el pórtico de Salomón cuando dice: "Pero Dios ha cumplido así lo que había antes anunciado por boca de todos sus profetas, que el Cristo había de padecer" (Hechos 3:18). El profeta Isaías se anticipó unos 700 años antes de Cristo diciendo: "Despreciado y desechado entere los hombres, varón de dolores, experimentado en quebrantos; Y como que escondimos de él el rostro, fue menospreciado y no lo estimamos" (Isaías 53:3). Si la profecía anunciaba la forma que Cristo el Mesías moriría, ¿Por qué los judíos hicieron caso omiso a este mensaje? La respuesta es sencilla; estaban ciegos como el mundo de hoy, que no quisieron obedecer a la voluntad de Dios, y prefieren sus prácticas religiosas carentes de la verdad y vacíos de espiritualidad.

B. La locura de la predicación (1:21-24).

Dios en su soberanía estableció la predicación como el medio para comunicarse con el hombre y desde el Antiguo Testamento, hasta los albores del Nuevo Testamento, Dios escogió a hombres para comunicar por medio de ellos su voluntad, sus estatutos y su mensaje de salvación. Los profetas hablaron la Palabra de Dios e instruyeron al pueblo acerca de cómo obedecer a los voz de Dios; los sacerdotes que eran los custodios de la ley de Jehová, también se dirigieron al pueblo en calidad de voceros de su voluntad; los sabios a quienes Dios dotó de sabiduría, ellos hicieron su parte en relación a la predicación de las verdades divinas como dice el Eclesiastés "Y cuanto más sabio fue el predicador, tanto más enseñó sabiduría al pueblo; e hizo escuchar, e hizo escudriñar, y compuso muchos proverbios" (Eclesiastés 12:9). Se puede decir, entonces, que la predicación no es más que la proclamación de las verdades de Dios a través de los hombres a quienes él llama para este ministerio.

Jesucristo se distinguió como predicador, él proclamó las verdades divinas a fin de que el pueblo entendiera cuál era la voluntad del Padre; habló desde las plazas, en las sinagogas, en las casas y por los caminos, etc. Cuando fue llevado ante Anás el sumo sacerdote, para ser interrogado por este, Él respondió que su doctrina la había proclamado en público y que no había hablado en lo oculto. Así pues, tanto los hombres del Antiguo Testamento, como el Señor Jesús se valieron del método de la predicación para anunciar la Palabra de Dios.

El apóstol Pablo enfatiza que Dios no podía valerse de la sabiduría de los hombres para comunicar su plan de salvación, le agradó salvar a los hombres a través de la predicación, pero como la proclamación del evangelio tenía como base el sacrifico de Cristo en la cruz del Calvario, fue considerada la predicación como locura especialmente para los que se pierden; sin embargo, el apóstol es enfático al declarar que su predicación; para los judíos tropezadero y para los gentiles locura, pero para Él la muerte de Cristo era la manifestación del poder de Dios y concluye diciendo que "lo insensato de Dios es más sabio que los hombres, y lo débil de Dios es más fuerte que los hombres". La iglesia de hoy no debe descansar en esta tarea de predicar el evangelio, y como dijo el apóstol Pablo aunque sea locura para el mundo, pero para nosotros los cristianos es poder de Dios.

Afianzamiento y aplicación.

(1) Comente con la clase que en los tiempos del Imperio Romano la crucifixión era la pena capital para los sentenciados a muerte.

(2) Pregunte a la clase si el mensaje para evangelizar en nuestros tiempos ha cambiado o sigue siendo el mensaje como lo enseña la Biblia.

RESUMEN GENERAL

Hemos comentado que el Señor encomendó a la iglesia desde los tiempos del Nuevo Testamento, cumplir la gran comisión; esta tarea del cuerpo de Cristo no debe ser una opción, sino que debe ser el mandato sagrado encomendado únicamente a la iglesia. Para que este imperativo se cumpliera Jesús garantizó su presencia de manera continua a modo de respaldar la obra evangelizadora; el hecho que el Señor les dijo a sus discípulos "Yo estoy con vosotros", indicaba que la obra de evangelización irremisiblemente estaría bajo su control, así que los discípulos no estarían solos ni huérfanos. Esta tarea no se puede llevar a feliz término si la presencia del Señor no está en medio; por más que se tengan los recursos materiales y humanos, seria infructuosa y carente de sentido.

Como todo plan divino, la evangelización debe estar bien definida y con propósitos establecidos; así que, el Señor señala el campo de acción que es el mundo y anticipa a sus discípulos las condiciones en que ellos deberían desempeñar el trabajo, y las adversidades que afrontarían. Jesús también les permitió que, en el desempeño de esta labor, estaría el Espíritu Santo, asistiéndoles a cada momento para recordarles las palabras que él les había hablado y para darles el denuedo necesario para tan digna misión.

Al profeta Jeremías Dios le dijo enfáticamente que él había puesto sus palabras en su boca. Esto quiere decir que el mensaje tenía que ser inalterable; lo mismo fue para los discípulos del Señor quienes recibieron la Palabra de Dios, para predicarla al mundo. Jeremías fue preparado para afrontar a sus enemigos y Dios lo capacitó de tal manera que el mal sería siempre vencido. Los discípulos también sufrirían en manos de los enemigos, pero tenían la victoria asegurada; Jesús les había advertido esto, cuando les dijo; en el mundo tendría aflicción, más confiad yo he venido al mundo.

Ejercicios de clausura.

Reflexione sobre el estilo del mensaje evangelístico que el mundo debe oír hoy por los que han sido llamados para esta tarea, en comparación con el mensaje apostólico.

PREGUNTAS Y RESPUESTAS.

1. ¿En qué campos de la vida puede manifestarse la autoridad de Jesús?

Jesús manifestó su autoridad en los campos del mundo espiritual reprendiendo a los demonios; sobre la enfermedad sanando a los enfermos; sobre la muerte, resucitando a los muertos.

2. ¿Cómo se puede sintetizar el mandato de ir y predicar el evangelio?

El mundo es el campo, donde hay que predicar, bautizar a los que creen y enseñarles la doctrina del evangelio.

3. ¿Por qué la predicación es la base bíblica para la evangelización?

Porque Dios en su soberana voluntad, dispuso que el mundo fuese salvo por la predicación del evangelio de Jesucristo.

4. ¿Qué significa la palabra de la cruz?

Significa predicar a Cristo que murió en la cruz para salvar a la humanidad.

5. ¿Por qué Pablo llamó locura o la predicación del evangelio?

En comparación en las tradiciones y ritualismos judaicos y la filosofía griega, el evangelio era ridículo, pero para los que se salvan es poder de Dios.

PARA LA PRÓXIMA SEMANA

Estudiaremos una de las disciplinas más importantes y necesarias para el avance de la iglesia: La oración. Procure motivar a los participantes en el estudio de este tema y a realizar las lecturas devocionales correspondientes.

UNA IGLESIA DE ORACIÓN

ESTUDIO BÍBLICO 22

Base bíblica
Lucas 18:1-8; Romanos 12:11,12; Colosenses 4:2,3.

Objetivos
Por medio de este estudio el participante podrá:

1. Saber el valor que tiene la oración en el engrandecimiento del reino de Dios.
2. Comprender que el Señor Jesús practicó la oración como una disciplina en su vida.
3. Aceptar que la oración debe ser parte importante en la vida del cristiano para tener la autoridad espiritual.

Pensamiento central
La oración es una de las bases sólidas para el engrandecimiento del reino de Dios y como una señal de comunión con Dios dentro de la comunidad de fe.

Texto áureo
Gozosos en la esperanza, sufridos en la tribulación; constantes en la oración (Romanos 12:12).

Fecha sugerida:___/____/____

LECTURA ANTIFONAL

Lucas 18:1 También les refirió Jesús una parábola sobre la necesidad de orar siempre, y no desmayar,
2 diciendo: Había en una ciudad un juez, que ni temía a Dios, ni respetaba a hombre.
3 Había también en aquella ciudad una viuda, la cual venía a él, diciendo: Hazme justicia de mi adversario.
4 Y él no quiso por algún tiempo; pero después de esto dijo dentro de sí: Aunque ni temo a Dios, ni tengo respeto a hombre,
5 sin embargo, porque esta viuda me es molesta, le haré justicia, no sea que viniendo de continuo, me agote la paciencia.
6 Y dijo el Señor: Oíd lo que dijo el juez injusto.
7 ¿Y acaso Dios no hará justicia a sus escogidos, que claman a él día y noche? ¿Se tardará en responderles?
Romanos 12:11 En lo que requiere diligencia, no perezosos; fervientes en espíritu, sirviendo al Señor;
12 gozosos en la esperanza; sufridos en la tribulación; constantes en la oración;
Colosenses 4:2 Perseverad en la oración, velando en ella con acción de gracias;
3 orando también al mismo tiempo por nosotros, para que el Señor nos abra puerta para la palabra, a fin de dar a conocer el misterio de Cristo, por el cual también estoy preso,

DATOS GENERALES ACERCA DEL TEMA

Enseñanza: Resaltar los beneficios que los primitivos cristianos recibieron a través de la oración.
Autor: Lucas, probablemente en Cesarea; Romanos en Corintios; Colosenses desde Roma.
Fecha: Romanos, año 58 d.C.; Lucas, año 59 d.C.; Colosenses, año 62 d.C.
Destinatario: Creyentes de origen griego y romano.
Lugar: Iglesias en Palestina, Asia y Europa.
Personajes: Jesús, Pablo y discípulos en diferentes regiones.

BOSQUEJO DEL ESTUDIO

I. La oración como una necesidad (Lucas 18:1-8)
   A. La oración perseverante (18:1-6)
   B. La respuesta de Dios (18:7,8)
II. La constancia en la oración (Romanos 12:11,12)
   A. El estilo de un cristiano activo (12:11)
   B. El hábito de la oración (12:12)
III. La oración intercesora (Colosenses 4:2,3)
   A. Perseverancia en la oración (4:2)
   B. Intercediendo por crecimiento (4:3)

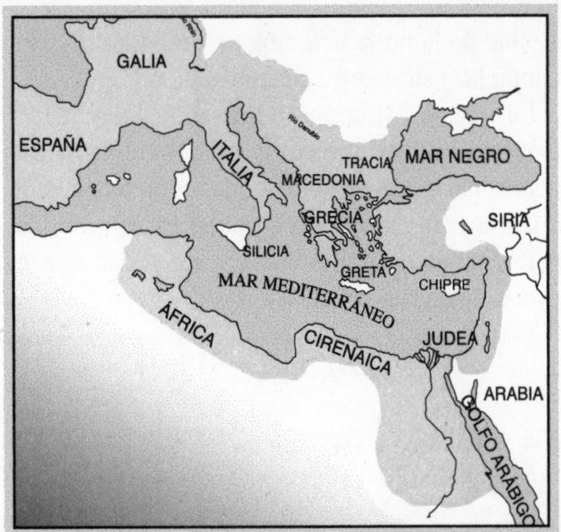

"Orando también al mismo tiempo por nosotros, para que el Señor nos abra puerta para la palabra, a fin de dar a conocer el misterio de Cristo" (Colosenses 4:3).

LECTURAS DEVOCIONALES DIARIAS

Lunes: Oración de Daniel por su pueblo (Daniel 9:1-10).
Martes: La oración triunfante (Mateo 21:18-22).
Miércoles: Jesús ora en el desierto (Marcos 1:35-39).
Jueves: La oración de Zacarías (Lucas 1:8-25).
Viernes: La oración intercesora (Juan 17).
Sábado: Oración con acción de gracias (Filipenses 4:1-7).

INTRODUCCIÓN

Una de las disciplinas cristiana más importante es la oración; practicada tanto en el Antiguo Testamento como en el Nuevo Testamento por lo hombres a quienes Dios llamó para determinada misión. Se podría definir la oración como una plegaria que el cristiano dirige al Dios creador de la vida con el propósito de: (1) Adorarlo y reconocerlo como Señor de su vida; (2) Pedirle perdón por las faltas cometidas; (3) Agradecerle por los favores que a diario se reciben de su mano; (4) Interceder por los que padecen necesidad y por todos los que se ocupan en la obra de la predicación del evangelio; estos y muchos más pueden ser los propósitos por los cuales se hace una oración dirigida al Padre celestial. Pero fundamentalmente pueden ser dos los aspectos principales en la oración, así como lo hicieron los santos hombres de la antigüedad. Primero, presentarse ante Dios como pecador, que implora el favor de Dios por sus faltas o errores, reconociendo la gracia y la misericordia de Dios, y segundo, interceder por el pueblo que se ha extraviado del camino correcto. Una de las oraciones clásicas es la de Daniel que se registra en el capítulo 9 de su libro; en esta oración el profeta dice: "Y volví mi rostro a Dios el Señor, buscándole en oración y ruego, en ayuno, cilicio y ceniza" (Daniel 9:3). El profeta sabía que solo de esta forma podía hallar la misericordia de Dios. Después se reconoce como pecador juntamente con el pueblo cuando dice que "hemos pecado". El profeta no alude al pueblo únicamente, sino que él se incluye como participante de la rebeldía del pueblo. Después presenta su petición diciendo: "Oye, Señor; Oh Señor, y perdona; presta oído, Señor, y hazlo, no tardes, por amor de ti mismo, Dios mío; porque tu nombre es invocado sobre tu ciudad y sobre tu pueblo" (Dan. 9:19).

La iglesia primitiva tenía bien entendido el valor de la oración, no solo por la enseñanza del mismo Señor, sino por la misma práctica de los apóstoles.

El Señor Jesús puso en evidencia su vida devocional; en repetidas ocasiones los evangelios narran como el Señor oraba a toda hora, unas veces se le ve orando en la madrugada, otras en la tarde y también oraba en cualquiera de las vigilias de la noche. Esto quiere decir que el Señor siempre que tenía oportunidad de orar lo hacía; si el día estaba muy cargado de actividad al final de la tarde ocupaba un bien tiempo para hablar con su Padre celestial.

La iglesia había aprendido muy bien la lección, de manera que era la oración el arma poderosa para vencer no solo las tentaciones, sino a los enemigos que procuraban exterminarlos, para acabar de una sola vez por todas con el evangelio y con la iglesia.

DESARROLLO DEL ESTUDIO

I. LA ORACIÓN COMO UNA NECESIDAD (LUCAS 18:1-8)

Ideas para el Maestro

La oración es el puente entre el cielo y la tierra. La oración no puede ser una arenga. Tiene que caracterizarse por pensamientos amorosos y profundos.

Definiciones y etimología

* *"Parábola"*. Palabra griega que significa: comparación, alegoría. Narración que se basa en un hecho que sirva de comparación con una enseñanza moral o religiosa. Como ejemplo de parábolas, tenemos las narradas por Cristo en los evangelios. Lo que los profetas contaron en enigmas, el Señor Jesús narró en alegorías.

A. La oración perseverante (18:1-6)

La lección de este pasaje, nos enseña varios principios con respecto a la oración. Jesús quiere plasmar en el corazón de sus oyentes el gran principio de la oración. (1) El declaró que es una "necesidad". El hombre para poder subsistir, debe satisfacer sus necesidades básicas, tales como la alimentación, el vestido, la vivienda, etc. Si no se satisfacen estas necesidades, se hace casi imposible tener vida saludable; no se pueden prescindir de ellas, se podrá subsistir por un tiempo de manera precaria y al final sobreviene la muerte.

Jesús enfatizó el principio de la oración calificándola como una necesidad básica para la vida espiritual del creyente; sin ésta el cristiano no podrá tener vida saludable, no será un hombre o mujer con vida abundante tal como es la voluntad del Señor. Una de las misiones de Cristo fue traer vida a los hombres, él dijo: "El ladrón no viene sino para hurtar y matar y destruir; yo he venido para que tengan vida, y para que la tengan en abundancia" (Juan 10:10). Para tener vida en abundancia se requiere que se cultive a través de la oración, de donde se establece que el cristiano que se ejercita en este principio, indudablemente tendrá salud espiritual. Jesús siempre apartó tiempo para orar y aprovechar el tiempo de manera inteligente, entregándose constantemente a la oración. (2) Una cualidad importante en la vida del creyente es su perseverancia en la oración, esto quiere decir que nunca debemos apartarnos de ella, sino que en todo tiempo sea este bueno o malo, la oración nunca debe faltar. Hay quienes oran solo cuando están pasando penas, problemas o dificultades de cualquier índole, pero pasada la situación crítica se olvidan de la oración. La enseñanza de Jesús es la perseverancia, así como él lo ejemplificó con una vida de íntima comunión con su Padre celestial.

(3) La enseñanza de la parábola. Para que la gente entendiera bien las lecciones que Jesús enseñaba, él se valió del uso de parábolas. En este pasaje usa la figura de una mujer viuda y un juez a quien tituló de injusto. El drama se desarrolla en el tribunal donde escaseaba la justicia; donde un juez que no tenía conciencia ni se compadecía de la injusticia, era el encargado de impartirla; por otro lado, estaba una mujer que necesitaba que se le aplicara la justicia conforme a la ley. Esta mujer viuda sin duda que acudió muchas veces al tribunal; sin duda que era tan perseverante en su demanda que, cansando al juez, este se conmovió y le hizo justicia. Jesús hace hincapié en que el juez a pesar de ser un hombre sin temor de Dios y sin respeto a los hombres, por la insistencia de la viuda, le hizo justicia. Esto quiere decir que, si los hombres malos saben en determinadas cosas obrar con justicia, cuanto más nuestro Padre celestial.

B. La respuesta de Dios (18:7,8)

La comparación que Jesús hace entre el juez injusto y el Padre eterno es abismal; porque el hombre por más bueno que sea, por naturaleza no puede compararse a Dios, mucho menos el hombre injusto. Por las Sagradas Escrituras sabemos que Dios por naturaleza es Justo. Esto quiere decir que él aplica la ley de manera justa, pronta y cumplida. Una de las cualidades sublimes de Dios, es que tiene abiertos sus oídos al clamor de los que acuden a él en demanda de una bendición; la Biblia dice: "Claman los justos, y Jehová oye, y los libra de todas sus angustias" (Salmo 34:17). Hay que dejar bien claro que Dios no se tarda en responder la oración de sus escogidos, contrario al juez injusto que en medio de su impaciencia hizo justicia a la mujer que tantas veces le rogó por justicia. Cuando la Palabra de Dios dice que él tiene abiertos sus oídos, está indicando que todo el tiempo oye la oración de los creyentes que de conformidad le piden justicia. Jesús dio una promesa a sus discípulos con relación a las peticiones que se hacen al Padre, cuando dijo: "Y todo lo que pidiereis al Padre en mi nombre, lo haré para que el Padre sea glorificado en el Hijo. Si algo pidiereis en mi nombre, yo lo haré" (Juan 14:13,14). También se tiene que hacer constar que no todas las oraciones son atendidas y respondidas, es cierto que Dios las oye, pero no responde, debido a que lo que se pide, no está de acuerdo con su voluntad. Las oraciones que Dios responde son aquellas que están de conformidad a lo establecido en su palabra. ¿Y cuáles son esas oraciones? (1) Las oraciones que van dirigidas al Padre. Jesús lo enseñó en el Padre nuestro cuando les enseñó a sus discípulos cómo debían de orar. Él les dijo: "Vosotros pues, orareis así: Padre nuestro que estás en los cielos, santificado sea tu nombre" (Mateo 6:9). Toda oración debe ser dirigida al Padre, este es el gran principio. (2) En nombre de Jesús. Él enseñó a sus discípulos a hacerlo todo en su nombre y San Pablo lo repite cuando escribe a los Colosenses diciendo: "Y todo lo que hacéis, sea de Palabra o de hecho, hacedlo, todo en el nombre del Señor Jesús..." (Colosenses 3:17). (3) Conforme a la voluntad de Dios. Todas las cosas que se piden deben ser de acuerdo a su voluntad; así lo establece el apóstol Juan cuando dice: "Y esta es la confianza que tenemos en él, que si pedimos alguna cosa conforme a su voluntad él nos oye" (1 Juan 5:14) (4) Con fe. Todas las oraciones dirigidas al Padre deben hacerse con fe de que él nos oye. Santiago escribe: "Pero pida con fe, no dudando nada; porque el que duda es semejante a la onda del mar que es arrastrada por el viento y echada de una parte a otra" (Santiago 1:6). Estos principios deben regir en todo aquel que se dirija en oración al Padre.

Afianzamiento y Aplicación

(1) ¿Cómo conceptuó Jesús a la oración?
(2) ¿Cuál fue la figura que Jesús uso para demostrar el resultado de la perseverancia en la oración?

II. LA CONSTANCIA EN LA ORACIÓN (ROMANOS 12:11,12)

Ideas para el Maestro

(1) Pregunte a la clase, si se puede orar aun estando en medio de la tormenta o la tribulación.
(2) ¿Cómo puede uno ejercitarse en la oración?

Definiciones y etimología

* *"Esperanza"*. Una de las virtudes cardinales de la fe cristiana, mediante la cual se motiva al creyente, a creer en lo imposible y a vislumbrar la intervención divina en los momentos críticos.

A. El estilo de un cristiano activo (12:11)

Él apóstol Pablo escribiendo su carta a los hermanos de la pujante Iglesia de Roma. Entre muchas recomendaciones que les hace toma en cuenta tres aspectos importantes de la vida cristiana. Aunque Pablo no había estado en Roma; sin embargo, conocía sino a todos, al menos a gran parte de los miembros de dicha iglesia; por eso con esa libertad les escribe varios principios para prosperar en la vida cristiana. (1) Diligencia. El diccionario de la Real Academia Española define a la diligencia como "El especial cuidado en la realización de algo". En el cristianismo si algo hay que cuidar es la vida cristiana y hay que hacerlo con esmero y de una manera activa. Esto quiere decir que no hay que dejar que la pereza espiritual gane partido en la vida del creyente, sino que hay que estar activos. La diligencia también es relativa a la inteligencia no es simplemente llenarse de actividades sin sentido y sin metas. La lucha que el cristiano realiza debe ser inteligente; el apóstol Pablo refiriéndose a esto dice: "Así que, yo de esta manera corro, no como a la ventura; de esta manera peleo, no como quien golpea al aire (1 Corintios 9:26). Así que diligencia tiene que ver con nuestra actividad en la obra del Señor, sabiendo que la obra que se realiza o el cuidado que tenemos que poner a nuestra vida cristiana, debe ser sabiamente. (2) Fervientes en espíritu. Lo que el apóstol recomienda a los romanos es poner el fervor necesario en la obra del Señor. Esto requiere del creyente no solo fervor, sino eficacia en la consumación de toda actividad que tenga que ver en la evangelización y en la vida eclesial. También tiene que ver el celo ardiente que hay que poner en las cosas de Dios. Los ciento veinte hermanos del aposento Alto, después del Pentecostés, todos hombres y mujeres se convirtieron en verdaderos servidores del Señor. Entre las cualidades que distinguían a este grupo de cristianos, era su celo o fervor espiritual; se puede decir que eran fervientes en espíritu. (3) Sirviendo al Señor, el cual debe hacerse con buen ánimo, con toda la buena disposición y voluntad, así como lo hicieron los discípulos como dice Hechos "Y con gran poder los apóstoles daban testimonio de la resurrección del Señor Jesús, y abundante gracia era sobre todos ellos" (Hechos 4:33). No cabe duda que nunca faltó el coraje en los discípulos para predicar la palabra de Dios, y esto es lo que el apóstol pide o demanda a los de la Iglesia de Roma.

B. El hábito de la oración (12:12)

En la lista de reglas cristianas que el apóstol Pablo describe o enumera en este capítulo, tiene el objetivo de fortalecer la vida cristiana y hacerla fructífera. (1) El gozo. El diccionario RAE, define el gozo como una situación del alma producida por la complacencia a causa de un acontecimiento agradable o por algo que se tiene o que se espera. Si aplicamos esta definición a la vida cristiana se puede decir que el gozo, es la alegría suprema que el cristiano posee por el gran acontecimiento de la salvación y de la esperanza de gozar en el reino de Dios. El apóstol Pablo coloca el gozo como un fruto del Espíritu cuando dice: "Y el Dios de esperanza os llene de todo gozo y paz en el creer, para que abundéis en esperanza por el Poder del Espíritu Santo" (Romanos 15:13). Según el apóstol es el poder del Espíritu, el que produce el gozo en el creyente y viene a ser un distintivo de la gracia de Jesucristo. Esto quiere decir que el cristiano debe distinguirse de los demás hombres por el gozo que disfruta, por la esperanza que tiene en la vida eterna prometida y obrada por los méritos de Cristo en la cruz del Calvario. Por otro lado, el creyente es animado a gozarse en el amor del Señor (Filipenses 3:1); además ese gozo es de una naturaleza tal que puede disfrutarse aun en medio de las tribulaciones, así como lo confiesa Pablo: "Mucha franqueza tengo con vosotros; mucho me glorío con respecto de vosotros; lleno estoy de consolación; sobreabundo de gozo en todas nuestras tribulaciones" (2 Corintios 7:4). Esta es otra de las cualidades de que goza el cristiano que, en medio de la tormenta, enfermedad, pobreza y demás penas de la vida, tiene el gozo del Señor, porque este gozo es su fuerza.

Sin duda el apóstol Pablo al momento de escribir su carta, tenía mucha información acerca de la iglesia en Roma, de cómo era el comportamiento de los hermanos. Conforme a este conocimiento el apóstol hace una serie de recomendaciones o reglas para la prosperidad en la vida cristiana; pone especial énfasis en la oración misma que debe ser constante tanto en la vida individual, como congregacional. La iglesia puede resistir todos los ataques del enemigo si aparta tiempo para orar; no hay arma más poderosa que la oración constante, para salir victoriosos de cualquier circunstancia adversa. Posiblemente los hermanos de Roma, no estaban pasando por tribulaciones como la Iglesia de Jerusalén; sin embargo, Pablo les recomienda hacer de la oración un hábito en la vida diaria al estilo del profeta Daniel, que cuando supo del edicto que prohibía hacer oraciones al Dios de los hebreos dice "Cuando Daniel supo que el edicto había sido firmado, entró en su casa, y abiertas las ventanas de su cámara que daban hacia Jerusalén, se arrodillaba tres veces al día, y oraba y daba gracias delante de su Dios, como lo solía hacer antes" (Daniel 6:10).

El ejemplo de Daniel es recomendable para los cristianos de hoy, en el sentido de que, en los momentos de la prueba, es cuando se deben redoblar los esfuerzos en la oración, así como lo hizo el profeta cuando supo que la amenaza se había hecho realidad o estaba para consumarse.

Hay una constante lucha contra las fuerzas del mal, que no da tregua alguna. El creyente tiene que estar preparado para vencer las fuerzas del maligno, y esto solo se logra con una oración constante, acompañada de acciones de gracias.

Afianzamiento y aplicación

(1) Reflexionar en la clase acerca de la importancia de la oración y cómo debe ser una constante en la vida del cristiano y de la iglesia de hoy.

(2) Reflexionar con los alumnos que la oración no debe ser una carga, sino un deleite, estar en comunión, nada menos que en la presencia de Dios.

III. LA ORACIÓN INTERCESORA (COLOSENSES 4:2,3)

Ideas para el maestro

(1) Lea con el grupo el capítulo 17 del evangelio de Juan y señale cuando menos tres peticiones del Señor en favor de los discípulos.

(2) Comente con la clase, cuáles son los motivos que expone el apóstol Pablo para que intercedan por él.

Definiciones y etimología

* *"Perseverancia"*. Constancia, tenacidad, capacitación que el creyente recibe, por medio del Espíritu Santo, para permanecer fiel hasta la venida del Señor. En el griego, el término sirve para ilustrar el valor del soldado en plena batalla.

A. Perseverancia en la oración (4:2)

Una de las características distintivas de la iglesia primitiva, era su perseverancia tanto en la doctrina, la comunión unos con otros, en la Cena del Señor y en las oraciones. Es decir que no eran fáciles de moverse en lo que habían creído, sino que cada día se afirmaban haciéndose perseverantes en los postulados del evangelio. El Señor Jesús también hizo especial énfasis en la permanencia en la fe, cuando dijo: "y seréis aborrecidos de todos por causa de mi nombre; más el que persevere hasta el fin, éste será salvo" (Mateo 10:22) Los cristianos de la primera iglesia no solo permanecían en la fe, sino que también insistían en las prácticas devocionales como la oración y la asistencia a las reuniones para adorar a Dios.

Aunque el apóstol Pablo nunca estuvo en la ciudad de Colosas; sin embargo, tiene la autoridad como apóstol de enviar a través de su carta un imperativo como: "Perseverad en la oración". Es posible que los hermanos colosenses, se hubieran descuidado en este campo, así como muchas iglesias de hoy, que están inmersas en un activismo sin procedente, que tienen muy poco o casi nada de tiempo para ocuparse de manera perseverante en la oración. Todo lo que se hace en la iglesia sin duda que tiene algún resultado, pero la oración constante es la garantía de un éxito total especialmente en el terreno de la evangelización. Lo mejor que hizo la Iglesia de Jerusalén, cuando se sintieron amenazados por los religiosos del judaísmo, para no predicar la Palabra de Dios, ellos se reunieron para orar;" Cuando hubieron orado, el lugar en que estaban congregados tembló y todos fueron llenos del Espíritu Santo, y hablaban con denuedo la palabra de Dios" (Hechos 4:31). El otro aspecto que se tiene que tomar en cuenta según Pablo es que la oración, ya sea particular o congregacional, debe llevar el ingrediente de la gratitud. El cristiano que ora con sentido de acción de gracias, está en la voluntad de Dios como lo dice el mismo Pablo "Dad gracias en todo, porque esta es la voluntad de Dios para con vosotros en Cristo Jesús" (1 Tesalonicenses 5:18). La gratitud le da sentido a la oración, por eso, en el pasaje a nuestra consideración, se agrega el agradecimiento a Dios, como una regla que todo cristianismo debe practicar.

B. Intercediendo por crecimiento (4:3)

Pablo solicita que la iglesia de colosas haga una oración intercediendo a Dios por su equipo evangelístico; él sabía perfectamente que la oración de los santos es eficaz para el ensanchamiento del reino de Dios. Una de las peticiones del Señor Jesús en su oración intercesora, fue la de rogar al Padre por sus discípulos presentes y por los que habían de venir después, Él dijo. Mas no ruego solamente por estos, sino también por los que han de creer en mí por la palabra de ellos" (Juan 17:20). Esta intercesión hecha ante el Padre celestial tuvo sus efectos porque los discípulos llevaron la palabra hasta los confines más remotos del Imperio romano y a finales del siglo primero eran miles los que se contaban como cristianos, era un movimiento tan poderoso que hizo temblar los cimientos de este Imperio.

La petición del apóstol era que Dios le abriera puertas para predicar el evangelio; aunque en los momentos de escribir la carta, él se encontraba preso, pero tenía la esperanza de quedar libre para seguir su ministerio expansivo. En la carta a los romanos él manifiesta su deseo no solo de visitar la capital del imperio para compartir un don con la iglesia, sino que su alcance misionero era llegar hasta España, un territorio vírgen en cuanto a la predicación del evangelio, no sabemos si esta visión misionera la llevó al fin a cabo, lo que si se debe dejar claro es que el apóstol tenía una visión universal y que se sentía deudor tanto a judíos como griegos con respecto al evangelio de Jesucristo. La petición complementaria era para que se mantuviera dentro de la doctrina cristiana cuando dice "para que lo manifieste como debo hablar". Hay en el mundo de hoy muchos predicadores que están fuera de la Palabra y predican otro evangelio diferente al verdadero. En su reclamo a la iglesia de los gálatas al apóstol le señala que no hay otro evangelio aparte del enseñado por Jesucristo; por eso, aunque en forma tácita, pide a los colosenses a interceder por él, a fin de no errar la verdad de Dios, enseñando una doctrina que esté al margen del verdadero evangelio de Jesucristo.

Afianzamiento y aplicación

(1) Pregunte a la clase ¿Por qué es un imperativo la oración en la vida de los creyentes?

(2) Reflexionar con los alumnos el valor que tiene la intercesión en la vida de la iglesia.

RESUMEN GENERAL

Nuestro estudio ha hecho énfasis en el valor de la oración en la vida de los creyentes y en la vida de la iglesia. Se ha mencionado que en las enseñanzas de Jesús se incluye como parte importante la oración tanto individual como colectiva. Se ha explicado que la oración implica: (1) La constancia como un elemento valiosísimo y quienes tanto en el Antiguo Testamento como en el Nuevo fueron perseverantes en la oración sin dar lugar al desánimo o a la pereza espiritual, recibieron las recompensas prometidas por el Señor de los cielos; fue la constancia la que determinó que aquella pobre viuda tuviera éxito en su gestión ante un juez injusto. Cuando el apóstol Pedro estaba preso y próximo a ser ejecutado, fue la oración de la Iglesia la que determinó que él fuera liberado "Así que Pedro estaba custodiado en la cárcel; pero la iglesia hacía sin cesar oración a Dios por el" (Hechos 12:5). La oración de los fieles fue escuchada y se obró el milagro de la liberación.

(2) La oración diligente es un factor determinante en el servicio cristiano. Esto quiere decir que hay una demanda muy fuerte para los que sirven en el ministerio de la iglesia. ¿A quiénes ataca constantemente el enemigo? Sin duda a los que sirven en la obra del Señor. Esa fue la experiencia de Jesús cuando inicio su ministerio, el diablo no atacó primero a los discípulos sino al Señor. Pero él estaba en oración y en ayuno, precisamente para resistir la prueba. El cristiano que es diligente en este aspecto, será difícil que el enemigo logre vencerlo. Pueden venir tribulaciones de cualquier índole que pretendan destruir la obra de Dios y el enemigo pueda emplear sus armas sin embargo, siempre saldrá derrotado por el poder de la oración.

(3) La intercesión. El apóstol Pablo era un verdadero intercesor; se hace constar en todas sus cartas, cómo constantemente él ora por las iglesias y por los hermanos en particular. A los hermanos romanos les dice "Porque testigo me es Dios, a quien sirvo en mi espíritu en el evangelio de su Hijo, de que sin cesar hago mención de vosotros en mis oraciones" (Romanos

1:9); a pesar de que no conocía a toda la Iglesia, ellos estaban presentes en sus oraciones; constantemente intercedía al Padre por ellos. A los hermanos Colosenses les escribe "Por lo cual también nosotros, desde el día que lo oímos, no cesamos de orar por vosotros, y de pedir que seáis llenos del conocimiento de su voluntad en toda sabiduría e inteligencia espiritual" (Colosenses 1:9). El apóstol no solo fortalece a las Iglesias por medio de sus cartas sino que también intercede por ellos. De la misma manera él quiere que se corresponda, intercediendo por él.

Ejercicios de Clausura

Haga un comentario acerca del estilo de intercesión que el Señor hizo en favor de sus discípulos, comparándola con las intercesiones que Pablo hacía en favor de las iglesias.

PREGUNTAS Y RESPUESTAS

1. ¿Cuál fue la razón por la cual el juez injusto, hizo justicia a la viuda?

La viuda persistió en su petición ante el juez y logró su objetivo de que se le hiciera justicia.

2. ¿En la parábola del Señor hay una similitud entre el juez y el Padre celestial?

No. Dios no se compara con el Juez injusto. La parábola enseña que hay que orar siempre sin desmayar

3. ¿Se puede orar en medio de la tribulación?

El apóstol Pablo enseñó que la oración debe formar parte de nuestros hábitos y que debemos perseverar en la oración en todo tiempo.

4. ¿Cuál es el ejemplo de Jesucristo en cuanto a la oración?

Que Jesús en su ministerio terrenal, siempre apartó tiempo para estar en comunión con el Padre.

5. ¿Por qué Pablo pidió que oraran por él?

Para que el Señor le abriera puertas para seguir predicando y que se guardara en la sana doctrina

PARA LA PRÓXIMA SEMANA

Estudiaremos el tema: "Esteban el protomártir del cristianismo", es decir, el primer mártir de la iglesia, quien dio testimonio de su fe con valor y firmeza, y a semejanza de Cristo perdonó también a sus verdugos. Motive a su clase a leer Hechos capítulos 6 y 7.

ESTEBAN EL PROTOMÁRTIR DEL CRISTIANISMO

ESTUDIO BÍBLICO 23

Base bíblica
Hechos 6:3-5; 7:42, 43, 7:51-60

Objetivos
Al concluir el estudio los participantes estarán en capacidad de:

1. Comprender que en la iglesia todos están llamados a anunciar las buenas nuevas de salvación.
2. Tener conciencia de que siempre habrá oposición a la predicación del evangelio.
3. Asumir el compromiso de vivir y morir por Cristo sabiendo que a Él pertenecemos.

Fecha sugerida:___/____/____

Pensamiento central
El avance victorioso del cristianismo, en todas las épocas, siempre ha tenido un alto costo, como lo fue Esteban el primer mártir del cristianismo.

Texto áureo
Pero Esteban, lleno del Espíritu Santo, puestos los ojos en el cielo, vio la gloria de Dios, y a Jesús que estaba a la diestra de Dios (Hechos 7:55).

LECTURA ANTIFONAL

Hechos 6:3 Buscad, pues, hermanos, de entre vosotros a siete varones de buen testimonio, llenos del Espíritu Santo y de sabiduría, a quienes encarguemos de este trabajo.
4 Y nosotros persistiremos en la oración y en el ministerio de la palabra.
5 Agradó la propuesta a toda la multitud; y eligieron a Esteban, varón lleno de fe y del Espíritu Santo, a Felipe, a Prócoro, a Nicanor, a Timón, a Parmenas, y a Nicolás prosélito de Antioquía;
51 ¡Duros de cerviz, e incircuncisos de corazón y de oídos! Vosotros resistís siempre al Espíritu Santo; como vuestros padres, así también vosotros.
52 ¿A cuál de los profetas no persiguieron vuestros padres? Y mataron a los que anunciaron de antemano la venida del Justo, de quien vosotros ahora habéis sido entregadores y matadores;
53 vosotros que recibisteis la ley por disposición de ángeles, y no la guardasteis.
54 Oyendo estas cosas, se enfurecían en sus corazones, y crujían los dientes contra él.
55 Pero Esteban, lleno del Espíritu Santo, puestos los ojos en el cielo, vio la gloria de Dios, y a Jesús que estaba a la diestra de Dios,
56 y dijo: He aquí, veo los cielos abiertos, y al Hijo del Hombre que está a la diestra de Dios.
57 Entonces ellos, dando grandes voces, se taparon los oídos, y arremetieron a una contra él.
58 Y echándole fuera de la ciudad, le apedrearon; y los testigos pusieron sus ropas a los pies de un joven que se llamaba Saulo.
59 Y apedreaban a Esteban, mientras él invocaba y decía: Señor Jesús, recibe mi espíritu.
60 Y puesto de rodillas, clamó a gran voz: Señor, no les tomes en cuenta este pecado. Y habiendo dicho esto, durmió.

DATOS GENERALES ACERCA DEL TEMA

Enseñanza: La proclamación del evangelio costó la vida del Señor Jesús, que murió como mártir en el calvario. Él nos invita a seguir su ejemplo poniendo nuestra vida a su servicio.

Autor: Lucas, desde Roma, durante el primer encarcelamiento de Pablo.

Fecha: Entre los años 60 y 62 d.C.,

Destinatario: Teófilo, ciudadano romano de origen griego y todos los creyentes.

Lugar: La ciudad de Jerusalén, año 30-32 d.C.

Personajes: Esteban, Pedro, religiosos y el pueblo de Israel.

BOSQUEJO DEL ESTUDIO

I. El ministerio y mensaje de Esteban (Hechos 6:3-5; 7:42,43)
   A. El perfil de Esteban (6:3-5)
   B. El mensaje de Esteban (7:42,43)
II. La defensa de Esteban (Hechos 7:51-54)
   A. Una denuncia directa (7:51-53)
   B. Una reacción inmediata (7:54)
III. Visión y muerte de Esteban (Hechos 7:55-60)
   A. Vio la gloria de Dios (7:55,56)
   B. Perdonó a sus enemigos (7:57-60)

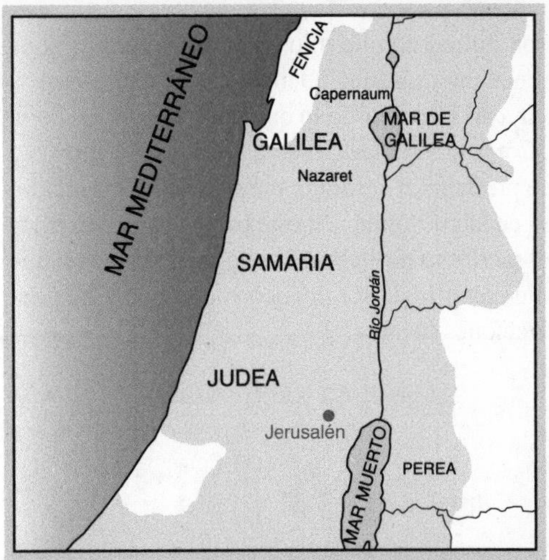

Jerusalén, lugar donde fue apedreado Esteban, el primer mártir de la iglesia.

LECTURAS DEVOCIONALES DIARIAS

Lunes: La sangre de Abel el Justo (Génesis 4:2-10).
Martes: Muerte de Juan el Bautista (Marcos 6:19-29).
Miércoles: Muerte de Jacobo (Hechos 12: 1-5).
Jueves: La muerte de Pedro (Juan 21:15-19).
Viernes: Martirio de Pablo (Hechos 20:17-25).
Sábado: Martirio de los Santos (Hebreos 11:32-40).

INTRODUCCIÓN

Desde tiempos del Antiguo Testamento ha habido hombres y mujeres que por causa de su fidelidad a Dios y su fe en el Señor han sufrido vituperios y hasta la muerte. La lista es muy larga, pero en todos ellos siempre ha habido una demostración de valentía, coraje y una decisión férrea de morir o padecer por Él.

Durante el primero y segundo siglo la Iglesia sufrió la más cruel persecución comandada por el Imperio Romano; los emperadores de manera despiadada y sanguinaria, persiguieron a la Iglesia Cristiana, llevando a todo aquel que profesaba la fe en Jesús, al suplicio, o martirio por el simple hecho de ser cristiano. Aún quedan testigos mudos como el famoso Coliseo Romano en donde cientos de cristianos regaron con su sangre las arenas de ese monumento a la crueldad.

Jesús lo había anticipado a sus discípulos cuando dijo: "Mas seréis entregados aun por vuestros padres, y hermanos y parientes y amigos; y matarán a algunos de vosotros; y seréis aborrecidos por, causa de mi nombre (Lucas 21:16,17). Así que, ser testigo de Jesucristo representaba entre muchas cosas el ser aborrecido por las gentes, despreciados por la sociedad, sin derecho a la justicia de los hombres; bien dice el autor del libro a los Hebreos cuando se refiere al sacrificio de los testigos de Cristo: "otros experimentaron vituperios y azotes, y a más de esto prisiones y cárceles. Fueron apedreados, aserrados puestos a prueba, muertos a filo de espada, anduvieron de acá para allá cubiertos de pieles de ovejas y de cabras, pobres, angustiados, maltratados" (Hebreos 11:36,37).

Entre todos estos mártires se encuentra el primer hombre que pagó con su vida el precio de su fe, como lo fue Esteban, aquel líder de la iglesia primitiva que, por ser el primer mártir, es conocido como el "Protomártir" del cristianismo (Proto, del griego que significa "el primero"); en el presente estudio haremos énfasis en las características de su martirio, que al igual que muchos otros del Antiguo Testamento y en la era cristiana, supieron ofrendar sus vidas por su Señor y Dios.

La historia hace mención de los siglos que siguieron a la era apostólica de hombres que como Pablo pusieron su cabeza valientemente en la guillotina; según la tradición antes de ser ejecutado él dijo estas celebres palabras: "Si tres cabezas tuviera, las tres cabezas las ofrecería por amor del Señor". Lo mismo sucedió con Policarpo que dijo, cuando se le pidió que renunciara a su fe: "Ochenta años tengo de servir a mi Dios y todo lo que me ha hecho es bien, ¿Cómo puedo traicionar a mi Dios? Y gustoso se presentó al verdugo, para que este lo ejecutara en la guillotina. En este estudio analizaremos el sacrificio de un hombre llamado Esteban, que dio ejemplo de ser un siervo de Dios y de convicciones firmes.

DESARROLLO DEL ESTUDIO

I. EL MINISTERIO Y MENSAJE DE ESTEBAN (HECHOS 6:3-5; 7:42, 43)

Ideas para el Maestro

(1) Defina en el grupo en qué se diferenciaban los diáconos de los apóstoles.
(2) Haga un análisis del diácono Esteban como predicador del Evangelio.
(3) Cuáles fueron los argumentos bíblicos del mensaje de Esteban.

Definiciones y etimología

* "*Sabiduría*": Del latín, "*sapere*" dadiva: Don sobrenatural conferido por el Espíritu Santo, cuyo principal objetivo es dar consejos extraordinarios a la Iglesia en época de crisis y de urgencia en el cumplimiento de la gran comisión.

* "*Testimonio*": Obra sobrenatural del Espíritu Santo en el interior de la persona que recibe a Cristo, demostrando la filiación divina y el pleno acceso a las bendiciones de Dios.

A. El perfil de Esteban (6:3-5)

Las demandas de una Iglesia en crecimiento exigieron que se eligieran personas que se ocuparan de los asuntos administrativos, tales como, servir a las mesas en la distribución diaria de los alimentos, pues los apóstoles no daban abasto para atender estos menesteres y a la vez cumplir con el ministerio de la predicación. Así que, la resolución con el consenso de toda la asamblea acordó elegir siete varones para hacerse cargo de los asuntos sociales de la iglesia. Ante todo, estipularon el perfil que debieran tener los elegidos, así que fue del parecer de todos establecer, cuando menos tres requisitos muy indispensables: (1) Buen testimonio. La palabra testimonio tiene cuando menos, dos acepciones importantes; la primera se refiere al estilo de vida de una persona; denota un determinado comportamiento o conducta sea bueno o malo. En este caso la demanda es específica cuando dice: "Varones de buen testimonio". Esto quiere decir, personas que tenían una conducta intachable y evidente a toda la comunidad de fe. Segunda: La palabra testimonio es relativa a "testigo". Es alguien que tiene conocimiento directo de un evento o que puede hablar de él por reportes o información que haya recibido de manera fehaciente. En este caso Esteban es un testigo de la muerte y resurrección de Cristo.

La iglesia primitiva daba una importancia esmerada al buen testimonio; para ellos una persona de estas cualidades era tenido en alta estima. Timoteo era un joven de buen testimonio como dice el libro de hechos "Después llegó a Debe y Listra; y he aquí, había allí cierto discípulo llamado Timoteo… y daban buen testimonio de él los hermanos que estaba en Listra y en Iconio" (Hechos 16:1,2)

El diácono Esteban estaba dentro de esta categoría, es decir, se había dado a conocer como buen cristiano y testigo de la muerte y resurrección de Cristo. (2) Llenos del Espíritu Santo. Una de las cualidades que la iglesia demandaba de sus dirigentes era la llenura del Poder del Espíritu Santo; en este sentido Esteban era un hombre revestido de este poder y por eso calificó para ser elegido como primer diácono de la iglesia. El trabajo asignado parecía sencillo o quizás simple; sin embargo, se necesitaba de hombres con este perfil, esa altura espiritual de la cual gozaba Esteban. Sin duda que era difícil poder destacar de entre toda la multitud de creyentes, pero si era posible darse a conocer, debido a que la persona de buen testimonio, es como una luz que en medio de la oscuridad brilla más. (3) Sabiduría. La sabiduría de Dios nunca puede compararse con la sabiduría de los hombres, porque la sabiduría que Dios da sobrepasa a todo entendimiento como dice la Escritura "Seáis plenamente capaces de comprender con todos los santos cual sea la anchura, la longitud, la profundidad y la altura y de conocer el amor de Cristo, que excede a todo conocimiento…" "(Efesios 3:18,19). Se puede decir que la clase de sabiduría que Esteban poseía no era la de los escribas y fariseos que pretendían saber mucho, pero que en realidad estaban vacíos del conocimiento que proviene de Dios.

B. El mensaje de Esteban (7:42, 43)

El mensaje del diácono Esteban puede dividirse en dos grandes partes, (1) Primero hace un recorrido histórico en todo el capítulo siete de Hechos, haciendo resaltar a los grandes patriarcas, como Abraham, Jacob y José quienes se caracterizaron por su obediencia y fidelidad a Dios y cómo el Señor los bendijo de manera abundante y contaron siempre con su presencia en los tiempos adversos (2) Luego recalca la desobediencia e infidelidad del pueblo de Israel, cuando comandados por Moisés a quien Dios había hablado en el monte Sinaí para dirigir al pueblo a través del desierto, pero ellos le desecharon y no aceptaron su liderazgo como dice Esteban… "Al cual nuestros padres no quisieron obedecer, sino que le desecharon, y en sus corazones se volvieron a Egipto" (Hechos 7:39). Esteban resalta la rebeldía del pueblo, cayendo en la idolatría cuando construyeron un becerro de oro y comenzaron a rendirle culto; tal extravío le costó al pueblo el que Dios se apartara de ellos y no solo eso, sino que también rindieron culto a Moloc, una de las deidades cananeas y a la estrella del dios Renfán, rindiéndose a la adoración de los astros, por lo cual Dios los transportaría más allá de Babilonia. Esteban trae a la memoria de los israelitas que le estaban oyendo estos extravíos del pueblo, para señalarles que también ellos se habían extraviado del verdadero camino, así como sus antepasados y les acusa diciendo "Duros de Cerviz e incircuncisos de Corazón y de oídos! Vosotros siempre resistís al Espíritu Santo; como vuestros padres, así también vosotros" (Hechos 7:51).

Afianzamiento y Aplicación

(1) Comente acerca de los personajes de los cuales hace mención Esteban en su discurso y cuál fue la característica de cada uno de ellos.

(2) Pregunte a la clase que consecuencias trae al pueblo cuando este se extravía por caminos distintos a los que Dios señala.

II. LA DEFENSA DE ESTEBAN (HECHOS 7:51-54)

Ideas para el maestro

(1) Haga un comentario acerca del valor que tuvo Esteban para denunciar la culpabilidad de los judíos al haber dado muerte al Señor.

(2) Mencione que no solamente con el Señor se portaron crueles, sino que también sus antepasados lo mismo hicieron con los profetas que anunciaron la venida del Mesías prometido.

Definiciones y etimóloga

* *"¡Duros de Cerviz"!* El término se refiere a la parte posterior del cuello. La expresión duros de cerviz, posiblemente nació de la observación de los bueyes que no respondían a las señales del arador, porque tenían la cerviz menos flexible que los otros. Con esas palabras se quiere señalar, a alguien que posee una mezcla de terquedad, orgullo y persistencia en desobedecer.

A. Una denuncia directa (7:51-53)

Al pueblo de Israel durante toda su historia se le conoce como un pueblo rebelde, desobediente e infiel. Dios siempre denunció este comportamiento y en repetidas ocasiones, los profetas y demás varones de Dios llamaron al pueblo a la reflexión y enderezar los caminos torcidos que habían elegido. El salmo 95 hace una remembranza de la actitud de la nación israelita cuando dice: "Si oyereis hoy su voz, no endurezcáis vuestro corazón como en Meriba, como en el día de Masah en el desierto", donde me tentaron vuestros padres, me probaron y vieron mis obras" (Salmo 95:8,9). Por el relato de Éxodo capítulo 17, sabemos que el pueblo altercó con Moisés y dudó de la presencia de Dios en medio de ellos; por eso, Dios dice que estuvo "cuarenta años disgustado con la nación" y declaró que era "un pueblo que divaga de corazón, y que nunca conocieron los caminos de Dios" (95:10).

El profeta Isaías también hace un llamado a la

reflexión en su libro, cuando denuncia el estilo de vida del pueblo diciendo: "Lavaos y limpios; quitad la iniquidad de vuestras obras de delante de mis ojos; dejad de hacer lo malo; aprended a hacer el bien; buscad el juicio, restituid al agraviado, haced justicia al huérfano, amparad a la viuda" (15:16,17). Por los términos que usa el profeta entendemos que el pueblo andaba en malos pasos y que Dios los invita a enderezar su camino cuando dice "Venid luego y estemos a cuenta" (15:18); Él siempre quiso que el pueblo tuviera ordenado su camino, pero ellos siempre resistieron a su voz.

El profeta Jeremías es otro ejemplo en la proclamación de esta denuncia. Jeremías al igual que Isaías denunció los males del pueblo y les instó a buscar el buen camino ya que ellos se habían apartado de él y vivían como los demás pueblos paganos a pesar de que tenía la voz profética; sin embargo, estaban en constante rebeldía; por eso, Jeremías les hace un llamado diciendo "Así dijo Jehová: Paraos en los caminos, y mirad y preguntad por las sendas antiguas, cual sea el buen camino, y andad por él, y hallareis descanso para vuestras almas. Mas dijeron no andaremos" (Jeremías 6:16). En este pasaje se ve la abierta rebeldía y desobediencia del pueblo al responder al profeta "no andaremos". Es posible que estaban conscientes de su condición pecaminosa, pero deliberadamente querían mantenerse inmersos en sus delitos y pecados.

Esteban al dirigirse al pueblo, les hace alusión de que los antepasados tuvieron la misma postura al igual que ellos; ahora la denuncia de Esteban es tan fuerte como la de los profetas, pues les recrimina tres aspectos de su actitud diciéndoles: (1) Duros de Cerviz se refiera a que no eran moldeables y susceptibles a la voluntad de Dios, sino todo lo contrario; (2) eran incircuncisos de corazón y oídos. Sin duda se refiere a que su corazón no atendía a los preceptos de Dios y que tampoco querían que se le hablara la palabra de Dios, es decir, cerraban su corazón y tapaban sus oídos; (3) resistían al Espíritu Santo. Entendemos que presentar resistencia no solamente es oponerse, sino combatir. Así que Esteban de una manera enfática les dice que ellos desde hace mucho tiempo han venido rebelándose a la voz del Espíritu Santo y a la vez negando las obras hechas por el Espíritu de Dios. Esteban también trae a colación cómo el pueblo había perseguido y matado a quienes les amonestaron, a pesar de tener el conocimiento de la ley y que en vez de guardarla se extraviaron en sus tradiciones y costumbres religiosas, dando más énfasis a la letra que al Espíritu.

B. Una reacción inmediata (7:54)

Las reacciones del pueblo que oía las denuncias de Esteban, no se hicieron esperar; al igual que el pueblo reaccionó cuando Pilato el gobernador romano, quería de alguna manera salvar la vida del Señor, pero no avanzaba en su defensa debido a la obstinación del pueblo, el evangelio de Mateo dice: "Viendo Pilato que nada adelantaba, sino que se hacía más alboroto, tomó agua y se lavó las manos delante del pueblo, diciendo: inocente soy de la sangre de este Justo, allá vosotros" (Mateo 27:24). Esta misma situación se estaba viviendo en el caso de Esteban. El pasaje refiere la indignación de la gente en contra de este siervo del Señor, que les exhortaba a reconocer su culpabilidad por la muerte de Jesús y aceptarle como el Hijo de Dios, el verbo divino que había descendido del cielo para obrar la salvación de los hombres. El texto dice que se enfurecían en sus corazones; esto quiere decir que el odio contra Esteban, no era producto de un simple impulso emotivo; a veces los hombres reunidos en masa, actúan motivados por una imitación, por curiosidad o por seguir la corriente de la mayoría. La furia de la gente era incontenible, era como detener un rio; nadie les hacía entrar en razón, estaban con el ánimo alterado, oyendo las acusaciones de Esteban hechas de manera frontal; que ellos lo tomaron como un desafío a tal grado que crujían los dientes contra él; no había duda, Esteban estaba en la boca del león y le faltaban unos pocos momentos para ser ajusticiado por el pueblo que se había rebelado contra Dios.

Afianzamiento y aplicación

(1) Comente con la clase la manera en que Esteban en un acto de valor impulsado por el Espíritu Santo, confronta al pueblo para señalarles su pecado.

(2) Repase con la clase, cuáles fueron los pecados que el pueblo había cometido y cuál fue la reacción.

III. VISIÓN Y MUERTE DE ESTEBAN (HECHOS 7:55-60)

Ideas para el maestro

(1) Pregunte a la clase si se recuerdan de algún personaje bíblico que haya tenido una visión y qué diferencia hay con la visión de Esteban.

(2) Reflexione con la clase si hubo otro mártir al igual que Esteban.

Definiciones y etimología

* *"Visión"*. Es la palabra que se utiliza para describir una revelación de Dios, como fue la experiencia de los profetas del Antiguo Testamento. Estas revelaciones de Dios pueden realizarse por la vía sensible, no necesariamente hay que estar en éxtasis para tener esta experiencia (Éxodo 3:3).

A. Vio la gloria de Dios (7:55,56)

En el Antiguo Testamento hubo sucesos en que los grandes hombres de Dios, tuvieron la dicha y bendición de ver la gloria de Dios. Podríamos enumerar varios de estos eventos, pero solo haremos mención de tres de ellos, aunque la manifestación de la gloria no fue de la misma manera. Moisés suplicó a Dios que le mostrara su gloria y Dios se la reveló, aunque no de manera plena. Dios le dijo a Moisés: "y cuando pase mi gloria, yo te pondré en una hendidura de la peña y te cubriré con mi mano hasta que haya pasado. Después apartaré mi mano y verás mis espaldas; más no se verá mi rostro": (Éxodo 33:22,23). Esta fue una visión sublime, una experiencia de suma trascendencia para Moisés, una visión que si bien es cierto no la vio completa, fue algo que Moisés vivió. El otro evento que nos llama la atención fue la dedicación del templo de Salomón, la Biblia dice que "Cuando los sacerdotes salieron del santuario, la nube llenó la casa de Jehová y los sacerdotes no pudieron permanecer para ministrar por causa de la nube; porque la gloria de Jehová había llenado la casa de Jehová (1. Reyes 8:10,11). Fue tan sorprendente la presencia de Dios en medio del pueblo, que todos bendijeron y adoraron a Dios. La tercera visión a la que haremos referencia es a la del profeta Isaías, cuando comienza su ministerio, de manera elocuente dice: "En el año que murió el rey Usías vi yo al Señor sentado sobre un trono alto y sublime y sus faldas llenaban el templo" (Isaías. 6:1). El hecho sobresaliente es que el profeta de manera fehaciente declara su visión diciendo: "Yo vi al Señor". La reacción de Isaías fue sentirse miserable ante la majestad y esplendor de la gloria de Dios y no tuvo otro recurso que sentirse indigno ante la sublimidad del Rey Jehová de los ejércitos.

En el Nuevo Testamento se registra una visión cuando el Señor se transfiguró ante sus discípulos, días antes de enfrentar la cruz; el evangelista Mateo hace una relación vívida cuando describe: "y se transfiguró delante de ellos, y resplandeció su rostro como el sol y sus vestidos se hicieron blancos como la luz" (Mateo17:2). La reacción de Pedro y la de sus compañeros fue quedarse en el mismo lugar, pero mientras ellos proponían al Maestro un plan, mientras ellos hablaban "una nube de luz los cubrió; y he aquí una voz desde la nube que decía: Este es mi Hijo amado; en quien tengo complacencia, a él oíd". (Mateo 17:5). Después de esta revelación aquellos discípulos no iban a dudar de la divinidad del Señor, más bien serían testigos de él hasta la muerte.

La visión de Esteban es similar a la del profeta Isaías, aunque en circunstancias distintas. Esteban en un momento crucial y dramático, es fiel en describir su visión y establece la veracidad del mensaje y de las promesas del Señor cuando dijo: "Ahora pues, Padre, glorifícame tu al lado tuyo, con aquella gloria que tuve contigo antes que el mundo fuese" (Juan 17:5). Los discípulos habían entendido que el Señor regresaría a ocupar su lugar al lado del Padre, no solo porque el mismo Señor se los había dicho, sino que también les prometió que verían su gloria. En la oración sacerdotal del capítulo 17 de Juan el Señor ruega al Padre, para que sus discípulos tuvieran el privilegio de ver su gloria y le dice al Padre "Padre aquellos que me has dado, quiero que donde yo estoy, también ellos estén conmigo, para que vean mi gloria que me has dado..."

(Juan 17:24). Esta petición la tenía bien presente el diácono Esteban cuando exclama "He aquí veo los cielos abiertos, y al Hijo del Hombre que está a la diestra de Dios" (V.56). Una de las grandes doctrinas del Evangelio es aceptar que Jesús es Señor, y que está a la diestra del Padre, con el objetivo de interceder por los creyentes, como dice Hebreos: "Por lo cual puede también salvar perpetuamente a los que por él se acercan a Dios, viviendo siempre para interceder por ellos". (Hechos 7:25). Quiso Dios revelar su gloria a un siervo y testigo fiel, en momentos antes de partir de este mundo, para señalar, que no importaba los sufrimientos de esta vida, porque en la vida venidera gozaran perpetuamente de la presencia de Dios, como Jesús lo prometió y como Esteban lo autenticó en la hermosa visión.

B. erdonó a sus enemigos (7:57-60)

Según la tradición judía ningún hombre podía adjudicarse la calidad de Mesías y nadie podía ver a Dios con los ojos materiales. Quien incurriere en cualquiera de estos dos delitos era digno de muerte. Así que Esteban al declarar que estaba viendo la gloria de Dios y a Jesucristo a su diestra había caído en una falta gravísima y los judíos no tenían otro remedio que ajusticiarlo con la lapidación.

El Señor Jesús se había anticipado a esta situación y había preparado a sus discípulos para afrontar la adversidad que los enemigos del evangelio desatarían en su contra, cuando les dijo: "Estas cosas os he hablado, para que no tengáis tropiezo. Os expulsarán de las sinagogas; y aun viene la hora cuando cualquiera que os mataré, pensará que rinde servicio a Dios" (Juan 16:1,2). Así que Esteban estaba dispuesto hasta las últimas consecuencias, con tal de que el nombre del Señor fuese glorificado en su vida, sabía que le esperaba el sacrificio, pero con coraje y buena disposición afrontaría la muerte, y al igual que los demás apóstoles, ser digno de padecer por Cristo, como dice la Escritura "Y ellos salieron de la presencia del concilio, gozosos de haber sido tenidos por dignos de padecer afrenta por causa del Nombre" (Hechos 5:41). Qué bueno es ofrendar la vida por causa del Señor y hacerlo con gozo. El apóstol Pablo dijo algo muy elocuente con respecto a esto mismo, en su discurso de despedida en Mileto: "Pero de ninguna cosa hago caso, ni estimo preciosa mi vida para mí mismo, con tal que acabe mi carrera con gozo..." (Hechos 20:24): sabiendo Pablo por medio de profecías que le esperaban prisiones y tribulaciones a su regreso a Jerusalén; sin embargo haciendo uso de buen ánimo y valentía no desiste de su viaje a Jerusalén.

Esteban es conocido en la historia como el protomártir de la Iglesia, debido a que su muerte en manos de los judíos se asemeja a la muerte de Cristo al menos en dos aspectos: (1) En el momento de su muerte invocó al Señor diciendo "Señor Jesús recibe mi Espíritu, al igual que el Señor cuando pendía de la cruz, clamó al Padre a gran voz y dijo: "Padre en tus manos encomiendo mi espíritu". (2) Esteban "Clamó a gran voz: Señor, no les tomes en cuenta este pecado". El señor Jesús en el momento de su sacrificio, dijo: "Padre perdónalos porque no saben lo que hacen". La mejor forma de morir es estar en paz con Dios y con los hombres.

Afianzamiento y aplicación

(1) Explique la importancia que Dios da a los que mueren por la causa de Cristo según Mateo 5:10-12.

(2) Comente con la clase que a partir de la muerte de Esteban, muchos cobraron valor y afrontaron la persecución con ánimo y no les importó morir por la causa de Cristo.

RESUMEN GENERAL

Hay algunos aspectos importantes que aprendemos de este estudio y que pueden ser de utilidad en nuestra vida cristiana. (1) Vemos que en la iglesia primitiva no había distinción de cargos, sino que todos, apóstoles, diáconos y demás dirigentes de la iglesia y aun los laicos, todos abrazaron la causa de Cristo. Los cientos veinte y los miles que aceptaron a Cristo, se convirtieron en seguidores del Señor y proclamaron el mensaje de Jesucristo. (2) Aprendemos también que el mensaje del evangelio debe desenmascarar el pecado y denunciar a aquellos que se oponen a que la Palabra de Dios sea proclamada de la manera que lo hizo Esteban, aunque la reacción de los enemigos sea violenta. (3) Se hizo mención de que la muerte de Esteban fue semejante a la del Señor Jesús el algún aspecto. Cristo en sus últimos momentos de su vida terrenal cumplió con lo que Él mismo había enseñado acerca del amor a los enemigos cuando dijo: "Pero a vosotros los que oís, os digo: Amad a vuestros enemigos, haced bien a los que os aborrecen; bendecid a los que os maldicen, y orad por los que os calumnian" (Lucas 6:27,28). Esteban oró al Padre para que no les imputara su muerte a sus victimarios, de esta manera el cumplió con la regla que Cristo cumplió en la cruz del Calvario al perdonar a sus enemigos y victimarios.

Ejercicios de Clausura

Reflexione con la clase el porqué del sufrimiento de Esteban y su significado para los creyentes de estos tiempos.

PREGUNTAS Y RESPUESTAS

1. ¿Cuáles fueron las razones para que la congregación eligiera a Esteban como diácono?

Esteban era un varón de buen testimonio, lleno del Poder del Espíritu Santo y de sabiduría; era el perfil que se requería para el cargo.

2. ¿Cuál fue la acusación que Esteban hizo al pueblo con relación al Señor Jesús?

Esteban acusó al pueblo de que ellos habían sido los responsables directos de la muerte de Cristo y que siempre resistían a la voz del Espíritu Santo.

3. ¿Cuál fue la reacción de los enemigos?

Se enfurecieron en sus corazones y crujían los dientes por la cólera que sentían en contra de Esteban. Luego arremetieron contra él y le dieron muerte.

4. ¿Cuál fue la visión de Esteban?

Vio el cielo abierto y la gloria de Dios en toda su majestuosidad y sublimidad y al Hijo del Hombre a la diestra del Padre Celestial.

5 ¿En qué se parece la muerte de Esteban a la del Señor Jesús?

En que el Señor muere con valor y que estando en su tormento tiene una actitud compasiva hacia sus enemigos y los perdona al igual lo hizo Esteban.

PARA LA PRÓXIMA SEMANA.

Seguiremos con el próximo tema: "La evangelización de Samaria" Veremos cómo la iglesia naciente superó los prejuicios raciales, culturales, y llevó el mensaje de salvación más allá de sus fronteras. Sugerimos leer Hechos 8:4-17 y las lecturas devocionales diarias.

LA EVANGELIZACIÓN DE SAMARIA

ESTUDIO BÍBLICO 24

Base bíblica
Hechos 8:4-17

Objetivos
Al concluir este estudio los participantes podrán:

1. Conocer la realidad histórica en el tiempo en que se inició la evangelización en Israel.
2. Descubrir los dones que puede poner al servicio del Señor.
3. Sentirse motivado a servir en la labor evangelística.

Fecha sugerida:___/___/___

Pensamiento central
El evangelio predicado por hombres ungidos produce gran gozo en la comunidad.

Texto áureo
Pero los que fueron esparcidos iban por todas partes anunciando el evangelio (Hechos 8:4).

LECTURA ANTIFONAL

Hechos 8:4 Pero los que fueron esparcidos iban por todas partes anunciando el evangelio.
5 Entonces Felipe, descendiendo a la ciudad de Samaria, les predicaba a Cristo.
6 Y la gente, unánime, escuchaba atentamente las cosas que decía Felipe, oyendo y viendo las señales que hacía.
7 Porque de muchos que tenían espíritus inmundos, salían éstos dando grandes voces; y muchos paralíticos y cojos eran sanados;
8 así que había gran gozo en aquella ciudad.
9 Pero había un hombre llamado Simón, que antes ejercía la magia en aquella ciudad, y había engañado a la gente de Samaria, haciéndose pasar por algún grande.
10 A éste oían atentamente todos, desde el más pequeño hasta el más grande, diciendo: Este es el gran poder de Dios.
11 Y le estaban atentos, porque con sus artes mágicas les había engañado mucho tiempo.
12 Pero cuando creyeron a Felipe, que anunciaba el evangelio del reino de Dios y el nombre de Jesucristo, se bautizaban hombres y mujeres.
13 También creyó Simón mismo, y habiéndose bautizado, estaba siempre con Felipe; y viendo las señales y grandes milagros que se hacían, estaba atónito.
14 Cuando los apóstoles que estaban en Jerusalén oyeron que Samaria había recibido la palabra de Dios, enviaron allá a Pedro y a Juan;
15 los cuales, habiendo venido, oraron por ellos para que recibiesen el Espíritu Santo;
16 porque aún no había descendido sobre ninguno de ellos, sino que solamente habían sido bautizados en el nombre de Jesús.
17 Entonces les imponían las manos, y recibían el Espíritu Santo.

DATOS GENERALES ACERCA DEL TEMA

Enseñanza: Cuando un pueblo abre su corazón al evangelio, obtiene grandes dividendos como el gozo que produce la salvación.
Autor: Lucas, desde Roma, durante el primer encarcelamiento de Pablo.
Fecha: Entre los años 60 y 62 d.C.
Destinatario: Teófilo, ciudadano romano de origen griego y toda la iglesia.
Lugar: Ciudad de Samaria al norte de Jerusalén, entre los años 32 y 35 d.C.
Personaje: Felipe el diácono, los apóstoles y habitantes de Samaria.

BOSQUEJO DEL ESTUDIO

I. Primeros avances evangelísiticos (Hechos 8:4-8)
  A. La evangelización fuera de Jerusalén (8:4)
  B. La evangelización de Samaria (8:5-8)
II. Felipe el evangelista (Hechos 8:9-13)
  A. Un mensaje engañoso (8:9-11)
  B. El mensaje de Felipe (8:12,13)
III. Los frutos de la buena noticia (Hechos 8:14-17)
  A. La supervisión apostólica (8:14)
  B. Los beneficios del avivamiento (8:15-17)

LECTURAS DEVOCIONALES DIARIAS

Lunes: Su rival insultaba a Ana, porque el Señor la había hecho estéril (1 Samuel 1:1-8).
Martes: El reino de Dios está cerca (Marcos 1:14-20).

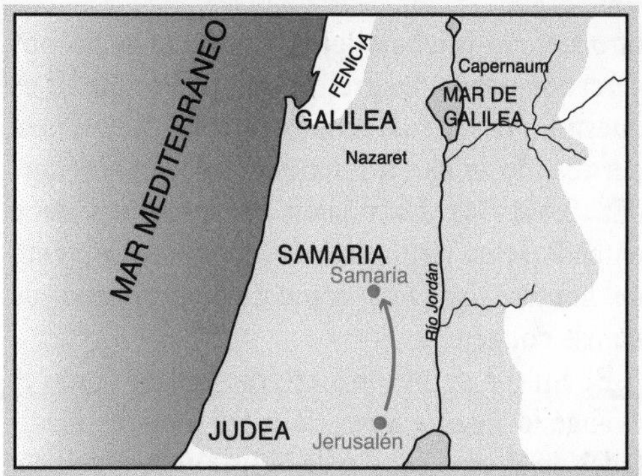

Samaria, ciudad donde fue Felipe a predicar y se produjo un gran avivamiento.

Miércoles: Te ofreceré, Señor, un sacrificio de Alabanza (Salmo 115).
Jueves: ¿Quién soy yo, mi Señor? y ¿qué es mi familia? (2 Samuel 7:18-29).
Viernes: Serás el pueblo santo del Señor (Deuteronomio 26:16-19).
Sábado: Sean perfectos como el Padre celestial es perfecto (Mateo 5:43-48).

INTRODUCCIÓN

Los evangelios nos enseñan cómo Jesús empezó a hacer y a enseñar el evangelio del reino de Dios. De forma magistral el escritor del tercer evangelio en el orden canónico, el doctor Lucas, "el médico amado", presenta toda la obra de Jesús previo a su ascensión, en su primer tomo, y posteriormente la obra de sus discípulos en el segundo tomo, el libro de los Hechos de los Apóstoles. Dentro de este espacio nos explica como la misión evangelizadora iniciada por Jesús fue continuada por sus discípulos quienes realizaron la actividad misional en el orden en el que se les fue ordenado: primero en Jerusalén, posteriormente Judea y Samaria y luego hasta lo último de la tierra. Este estudio enseñará como se inició el proceso de pasar de las comunidades judías a las comunidades gentiles mayoritarias fuera del entorno de Jerusalén.

Cuando Jesús ordenó que su evangelio fuera predicado no solo en Jerusalén y sus alrededores, sino también en Samaria, estaba rompiendo con los prejuicios de los judíos con relación a los samaritanos. Desde muchos años atrás, existía entre judíos y samaritanos una enemistad, que había hecho mucho daño a ambos pueblos. Esa rivalidad los había conducido a posiciones extremas, tanto así que los judíos evadían toda relación personal con cualquiera de los samaritanos, y hasta donde fuera posible evitaban pasar por cualquiera de los pueblos de Samaria. El concepto que los judíos tenían de los samaritanos era de gente pecadora, inmunda y gentil. Por el contrario, los samaritanos alegaban ser los verdaderos descendientes de Abraham, Isaac y Jacob. Recordemos la conversación que Jesús sostuvo con la mujer samaritana, cuando esta le dijo: "¿acaso eres tu mayor que nuestro Padre Jacob, que nos dio este pozo, del cual bebieran él, sus hijos y sus ganados? (Juan 4:12). La alusión que la mujer hace acerca de su origen es elocuente y nos señala que los samaritanos reclamaban ser parte del linaje escogido. Jesús no contradijo esta calidad que la mujer le refiere, lo que indica que el mismo Señor reconocía que su ministerio de salvación también alcanzaba a todos los pueblos gentiles o no gentiles, judíos o no judíos; el venía a romper las barreras de prejuicios entre los pueblos naciones; como bien dice el Apóstol Pablo: "Pero ahora en Cristo Jesús, vosotros que en otro tiempo estabais lejos, habéis sido hechos cercanos por la sangre de Cristo. Porque él es nuestra paz, que de ambos pueblos hizo unos, derribando la pared intermedia de separación" (Ef. 2:13, 14). La misión de Jesucristo debe entenderse en términos de reconciliación, tanto del hombre con Dios, como del hombre con sus demás congéneres.

El énfasis de nuestro estudio radica cómo el evangelio llegó a Samaria y los grandes resultados de la predicación de Felipe el evangelista.

DESARROLLO DEL ESTUDIO

I. PRIMEROS AVANCES EVANGELÍSTICOS (HECHOS 8:4-8)

Ideas para el líder o maestro

(1) Utilice mapas físicos para poder indicar la zona geográfica de Samaria.
(2) Busque un material audiovisual que resuma la labor realizada por Jesús, como introducción a esta temática.

Definiciones y etimología

* "*Samaria*": La ciudad capital del Reino del Norte de (Israel), formado por diez tribus. La ciudad fue fundada por el Rey Omri en el 880 a.C, en una colina de unos 300 pies de altura que perteneció a un hombre llamado Semer, de donde viene la raíz de Samaria. Elías y Eliseo, desempeñaron su ministerio profético en relación con Samaria.

A. La evangelización fuera de Jerusalén (8:4)

Para la iglesia en Jerusalén todo marchaba sobre ruedas en materia de evangelización; todo era un verdadero avivamiento; la membresía se contaba por miles; había una íntima relación entre toda la comunidad de fe y todas las necesidades tanto espirituales como materiales eran suplidas de tal manera que todas las cosas estaban en común. Cuando los tres discípulos vieron la hermosa visión de la transfiguración de Jesús exclamaron: "Es bueno estar aquí"; esto podría decirse de Jerusalén, era bueno estar y ser parte de la iglesia. Pero la orden del Señor no era solamente predicar en Jerusalén, también tenían que dejar la comodidad de la ciudad y todos sus beneficios para lanzarse al campo, principalmente, en toda la provincia de Judea, donde había un gran pueblo esperando las buenas nuevas de salvación; así que el momento había llegado, cuando todos serían esparcidos para llevar el evangelio a sus propios paisanos judíos diseminados en toda la provincia. El evangelista Lucas describe con toda precisión, cómo la iglesia de Jerusalén, cumple con el mandato de Jesucristo, cuando dice que: "iban por todas partes" anunciando el evangelio.

En el contexto anterior en el verso 4, Lucas narra que después del martirio de Esteban se levantó un hombre llamado Saulo quien se dio a la tarea de querer exterminar el movimiento evangelístico, no solo en Jerusalén, sino que en todas partes asolaba a la Iglesia y entrando casa por casa, arrastraba a hombres y mujeres y los entregaba a la cárcel. La iglesia al verse amenazada por esta persecución tuvo que salir de la ciudad y quizá sin saberlo o sin quererlo, estaban cumpliendo el mandato misional de Cristo.

Tenemos que hacer notar que los que fueron esparcidos rompieron las fronteras de Judea y cumplieron con su misión en varios países del Imperio Romano, como bien dice Lucas: "Ahora bien, los que habían sido esparcidos a causa de la persecución que hubo con motivo de Esteban, pasaron hasta Fenicia, Chipre y Antioquía no hablando a nadie la palabra, sino solo a los judíos" (Hechos 11:19). Lo esencial de este pasaje es que toda aquella multitud de predicadores que salieron de Jerusalén, se dedicaban a evangelizar solo a los judíos; centraron su atención en la clase religiosa, que tenía presencia en todos los países del Imperio, pues casi en todas las ciudades había colonias de judíos, los cuales seguían el cumplimiento de la ley mosaica y tenían sus sinagogas, donde cada sábado se reunían. Este campo sin duda era fértil y se ganó a mucha gente; sin embargo, descuidaron la acción evangelista entre los gentiles.

B. La evangelización de Samaria (8:5-8)

Samaria, la región en donde fue a evangelizar el personaje de nuestra historia, Felipe, era un lugar cuya topografía característica era montañosa, pertenecía a la región norte del Reino de Israel, cuando ya la división política se había concretado. Sin embargo, desde la perspectiva religiosa, Samaria era considerada un lugar de pecado. Debido al etnocentrismo propio del judaísmo post-exílico, Samaria, no era considerada como una región de habitantes puros, ya que en años anteriores los israelitas de ese lugar, se habían unido familiarmente con los habitantes asirios que habían sido enviados a colonizar esa región israelita luego de haberla invadido, conquistado, despoblado y saqueado. De esta cuenta, es un gran adelanto teológico que el evangelista Felipe estuviese por esas regiones anunciando el reino de Dios.

Los samaritanos habían tenido una historia no muy agradable con relación a los judíos; primero, porque los samaritanos se ofrecieron para reconstruir el templo en tiempos de Zorababel, pero los judíos rechazaron la oferta. Comenzó así una guerra fría entre ambos; en virtud de ello los samaritanos se convirtieron en opositores y enemigos de la reconstrucción de Jerusalén. Segundo; porque los judíos siempre los consideraron una raza mezclada, debido a que cuando el emperador Sargón II conquistó la ciudad de Samaria trasladó gran parte de la población a Asiria y trajo gente de diversos países y los puso en Samaria; así que los pocos samaritanos que quedaron en la ciudad, tuvieron que emparentar con ellos, perdiendo así, su identidad como pueblo de Dios. Cada vez que Jesús quería lastimar el orgullo y la soberbia de los judíos, usaba una parábola en donde el protagonista era un samaritano, dando a entender que ellos también eran parte de las bendiciones o bien que eran más sensibles a hacer la voluntad del Señor.

Felipe, sintiendo un impulso del Espíritu Santo desciende a Samaria, ciudad aborrecida por los conservadores judíos y comienza una campaña evangélica de grandes proporciones. El narrador del Libro de los Hechos es fiel en describir las reacciones de los samaritanos al oír la predicación de Felipe: (1) La gente estaba unánime. Una de las características de un pueblo cristiano es su unanimidad, esto quiere decir que los samaritanos se unieron en mente y voluntad al obedecer a la voz de Felipe. (2) Escuchaban atentamente las cosas que él decía. Una de las exhortaciones de las Sagradas Escrituras, es saber oír la voz de Dios, prestar atención a las cosas espirituales, sin duda es una de las virtudes cristianas; (3) viendo las señales que hacía. El apóstol Juan dice en su primera carta: "Lo que era desde el principio, lo que hemos oído, lo que hemos visto con nuestros ojos. Lo que hemos contemplado y palparon nuestras manos tocantes al verbo de vida" (I Juan 1:1). Los samaritanos, sin duda, que podían decir lo mismo al ver las grandes maravillas de Dios hechas por el gran evangelista Felipe. Era una palabra de autoridad sobre las fuerzas del mal, sobre esos espíritus inmundos que habían esclavizado a los samaritanos por mucho tiempo, a la voz de Felipe salieron dando grandes voces; así mismo los paralíticos eran levantados de su lecho de dolor, también los cojos eran sanados. Así que, había gran gozo en aquella ciudad.

Cuando las buenas nuevas llegan al corazón del hombre, este se llena de un gozo desbordante, porque experimenta la libertad, la sanidad del alma como la del cuerpo ¿Cómo no iba a haber alegría y regocijo en aquella ciudad, si Dios estaba con ellos?

Afianzamiento y aplicación

(1) Enseñe sobre las divisiones geográficas del pueblo israelita.
(2) Haga un esbozo histórico de los que han sufrido martirio por Cristo.

II. FELIPE EL EVANGELISTA (HECHOS. 8:9-13)

Ideas para el líder o maestro

(1) Utilice figuras humanas creativas para ejemplificar el personaje de Felipe.
(2) Realice tres preguntas que le guiarán para dar la enseñanza cubriendo todo el contenido.

Definiciones y etimología

* *"Magia"*. Los antiguos hombres como las civilizaciones antiguas, creían que estaban rodeados de seres espirituales que influenciaban con su existencia para bien o para mal. Este mundo espiritual podía ser encaminado mediante ciertas ceremonias o encantamientos.

* *"Mago"*. Era un hombre con ese supuesto conocimiento "esotérico", la Biblia condena di-

chas prácticas.

A. Un mensaje engañoso (8: 9-11)

Los samaritanos no solo estaban sumidos en la más grande pobreza espiritual, oprimidos por los demonios y enfermos físicamente y como que esto fuera poco, había agentes demoniacos como el mago Simón que por mucho tiempo los había explotado a través de sus supuestos poderes, haciéndoles creer que era el poder de Dios. No hay situación más crítica para un pueblo que estar inmerso en el engaño o la falsedad. Los samaritanos manifestaban una terrible ignorancia; no podían hacer la diferencia entre el bien y el mal; sus conceptos y creencias acerca del Dios verdadero, carecían del verdadero valor y de principios firmes; faltaba el verdadero conocimiento de Dios; ellos no sabían que las Sagradas Escrituras condenan severamente las prácticas mágicas, ritos ocultos, hechicerías y el consultar a los muertos, etc.

En el libro de Deuteronomio se registra una orden al pueblo israelita en donde se le prohibe cualquier práctica que atente contra el culto a Dios cuando dice: "No sea hallado en ti quien haga pasar a su hijo o a su hija por el fuego, ni quien practique adivinación, ni agorero, ni sortilegio, ni hechicero, ni encantador, ni adivino, ni mago, ni quien consulte a los muertos" (Deuteronomio 18: 10,11). Dios no solo abomina estas prácticas, sino que también castiga a quienes las practican, porque suplantan la voluntad de Dios; por ejemplo, los adivinos, pretenden predecir el futuro o hacer conocer cosas misteriosas por medio de diversos métodos; el encantador, es un experto en manejar serpientes, mediante conjuros o por poseer un poder especial, o una relación con alguna deidad; el sortilegio, intenta leer la fortuna o adivinar la suerte de los demás. Simón estaba dentro de una de estas categorías de engañadores y había embaucado a Samaria con sus artes mágicas. Un pueblo que no tiene el conocimiento de Dios fácilmente se pierde o es engañado siguiendo caminos equivocados; bien dice la palabra de Dios "Mi pueblo fue destruido, porque le faltó conocimiento. Por cuanto desechaste el conocimiento yo te echaré del sacerdocio; y porque olvidaste la ley de tu Dios, también yo me olvidaré de tus hijos" (Oseas 4:6). Si Samaria estaba olvidada, era porque se habían olvidado de la ley de Dios; pero Dios todavía los tomaba en cuenta.

B. El mensaje de Felipe. (8:12-13)

Felipe es parte de los primeros creyentes post-pascuales. No hay indicios de que fue un seguidor de Jesús antes de la crucifixión. Las primeras noticias de él son entendidas cuando le nombran uno de los diáconos del capítulo 6 del Libro de los Hechos. Fue compañero de trabajo de Esteban, el primer mártir del nuevo pacto dentro del marco canónico de la iglesia primitiva, y es mencionado como uno de los primeros evangelistas. Es decir, si Esteban es el primer mártir, Felipe es el primer evangelista del canon del Nuevo Testamento en el contexto pos-pascual.

Felipe es escogido por el Espíritu Santo con propósitos específicos. En primer lugar, los apóstoles vieron en él un hombre confiable para realizar una labor administrativa eclesiástica muy importante. Para ello él tenía que tener tres características indispensables: Buen testimonio, ser lleno del Espíritu Santo, y ser lleno de sabiduría. El hecho de haber sido escogido para tan distinguido privilegio testifica que él era portador de esas tres características fundamentales desde la perspectiva espiritual.

Felipe, adicional a ello fue poseedor del don del evangelismo. El texto bíblico narra que este hombre fue usado para la conversión de personas que no eran judías, sino gentiles, las cuales en ese tiempo eran consideradas condenadas y no aceptadas dentro de las comunidades religiosas. Felipe demostró ser un hombre sin discriminación, por ello andaba en regiones donde Jesús les enseñó a ir. Llevaba a todo lugar un mensaje de salvación, restauración, perdón de pecados y arrepentimiento a todos los lugares. Era un hombre poderoso en palabra y hechos porque las señales de sanidades y milagros de diferente índole le seguían.

El doctor Lucas resume el contenido del mensaje de Felipe diciendo que "predicaba a Cristo". Esto nos hace pensar que este evangelista tenía un mensaje que sus raíces eran las enseñanzas de Jesús. Esto hace derivar algunos pensamientos positivos: (1) El contenido del mensaje de Felipe, de lo que predicaba, no había sido cambiado, por medio de los que le enseñaron ni por el mismo. (2) Que el mensaje llevaba el respaldo del Poder del Espíritu Santo, puesto que lo que sucedía cuando Jesús predicaba, era lo que sucedía cuando Felipe también lo hacía.

Afianzamiento y aplicación.

(1) Cuántas de las características de Felipe están en nuestras vidas.
(2) Realice un análisis del mensaje de los predicadores actuales para considerar si es un mensaje Cristocéntrico.

III. LOS FRUTOS DE LA BUENA NOTICIA (HECHOS 8:14-17)

Ideas para el líder o maestro

(1) Realice una lista de sanidades que se conocen en la vida de Jesús.
(2) Haga un listado de los beneficios de la predicación de Felipe.

Definiciones y etimología

* *"Imposición de manos"*. Práctica observada por la iglesia primitiva, que consistía en imponer las manos sobre los aspirantes al santo ministerio. Se usaba de igual modo en la oración por los enfermos según la orden del Señor en (Marcos 16:18).

A. La supervisión Apostólica (8:14)

Hay en este pasaje una enseñanza muy útil para los cristianos de todos los tiempos. La iglesia en Jerusalén cada día aumentaba en membresía y reconocimiento, aunque no tenían templos, ni edificios propios pues se reunían en las casas y sus cultos públicos probablemente los llevaban a cabo en la plazuela que se ubicaba frente al pórtico de Salomón. Seguramente el aposento alto era el centro de operaciones o de donde se emanaban las órdenes de los apóstoles y dirigentes de la naciente iglesia, pero era insuficiente por diversas necesidades. Sin embargo, notamos dos aspectos importantísimos que, a pesar de las limitaciones persistentes en la iglesia, sobresalen en la narrativa del doctor Lucas. Primero: El liderazgo apostólico estaba y seguía vigente, firme y en la debida autoridad pertinente. No cabe la menor duda de que el evangelista Felipe estaba bajo la sujeción apostólica, de lo contrario, no hubieran tenido el éxito de su campaña evangélica en Samaria, así que inferimos la idea en este pasaje que Felipe bajó a Samaria con la bendición apostólica. Notamos que había una anuencia entre el liderazgo de la iglesia tanto de los apóstoles como de los evangelistas que salían a predicar el evangelio; todos estaban unidos por la misma causa; su visión era proclamar las buenas nuevas de salvación bajo la guianza del Espíritu Santo. Los evangelistas reconocían la autoridad de los apóstoles y estos a su vez delegaban una cuota de autoridad sobre los que hacían la obra evangelistica.

Segundo: Notamos también en este pasaje que entre los apóstoles había consenso en las decisiones apostólicas. Lucas dice que cuando la noticia del avivamiento en Samaria llegó a oídos de ellos, delegaron a Pedro y Juan no para llamar a orden a Felipe por lo que estaba haciendo, sino para manifestar su (1) apoyo apostólico, es decir, a dar el visto bueno a la evangelización de Samaria; (2) manifestar su compañerismo a Felipe y animarlo a seguir haciendo la obra de Dios; (3) colaborar en la evangelización, orando e imponiendo las manos sobre enfermos y nuevas convertidos para que recibiesen el poder del Espíritu Santo. Así que la visita de Pedro y Juan a Samaria, no era solamente para comprobar la verdad de Dios, sino para autenticarla.

B. Los beneficios de avivamiento (8: 15-17)

Todos los avivamientos genuinos del Espíritu Santo, siempre dejan grandes dividendos espirituales como los habidos en Samaria. Cuando se está bajo la guianza del Espíritu de Dios como el caso de Felipe, hay sin duda grandes resultados. Enumeremos algunos resultados del avivamiento habido en la ciudad de samaria. (1) Liberación (v.7). Las personas eran liberadas de demonios por medio de la predicación de Felipe, la cual tenía los contenidos de las enseñanzas de Jesús. Es importante hacer mención que cuando se predica el mensaje en el nombre de Jesús y con el poder del Espíritu Santo, entonces, los milagros ocurren. Se debe resaltar que las acciones del mago Simón habían traído a los pobladores cautiverio, de lo cual, la poderosa predicación de Felipe les estaba liberando. (2) Sanidad (v.7). El poder del mensaje de Felipe también era demostrado por la manifestación de sanidades que habían mientras el predicaba. El texto evidencia que no había un momento especial para orar por ellos, sino que el simple hecho de predicar, el poder del Espíritu Santo se manifestaba y las sanidades más imposibles se veían. No era algo que se planificaba, sino que sucedía de forma espontánea bajo la unción y la dirección del Espíritu Santo que moraba en la vida de Felipe. (3) Transformación. Este es el distintivo de la predicación de Felipe. Solamente una predicación, una enseñanza, un sermón, etc., lleno del poder del Espíritu Santo, puede lograr que personas experimenten una transformación en su interior. El escritor sagrado relata que las personas creían y se bautizaban, lo cual en las circunstancias y el tiempo en el que Felipe evangelizaba, era una gran muestra de poder del Espíritu de Dios, sobre todo cuando uno de ellos era un mago muy famoso del lugar.

(4) Gozo. (v.8). En medio de la situación política, social, económica y religiosa, los samaritanos no tenían muchas razones para tener gozo en sus corazones. Quizá una alegría momentánea y pasajera podían experimentar en sus corazones; sin embargo, era muy superficial y efímera. Es por ello que se hace relieve del gozo samaritano en medio de las sanidades, liberaciones y confesiones públicas de fe. (5) Bautismo con el Espíritu Santo. (v. 17). El arribo de los apóstoles Pedro y Juan a Samaria, vino a confirmar la Palabra de Dios predicada por Felipe, pues ellos con la autoridad espiritual de la que estaban revestidos, impusieron sus manos sobre aquellos samaritanos, que por mucho tiempo estaban fuera de las promesas y de las bendiciones de Dios como dice Efesios: "En aquel tiempo estabais sin Cristo, alejados de la ciudadanía de Israel y ajenos de los pactos de la promesa, pero ahora en Cristo Jesús, vosotros que en otro tiempo estabais lejos, habéis sido hechos cercanos por la sangre de Cristo" (Ef. 2:12,13).

Afianzamiento y aplicación

(1) ¿Tendrán nuestras enseñanzas y predicaciones el poder del Espíritu para lograr los cinco beneficios antes mencionados en las personas que nos oyen?

(2) ¿Será que la predicación que realizamos produce gozo en los oyentes o tan solo culpabilidad?

RESUMEN GENERAL

El evangelio del reino fue inicialmente predicado por Jesús dentro de la región de Galilea, mayoritariamente. Los evangelios hacen énfasis en que, en las demás regiones israelitas, Jesús anuncio el mensaje del reino con intenciones de enseñar a sus discípulos que la buena noticia no excluía a quienes el judaísmo considera como condenados y rechazados. Esta fue la orden de Jesús previo a la ascensión: ir y predicar por todos los lugares empezando en Jerusalén y continuando hasta lo último de la tierra. Por ello, Felipe está en una región, que en su contexto histórico era considerada como contaminada y no apta para ser beneficiaria de la buena noticia. El Dios todopoderoso respaldaba este movimiento kerigmático por medio de las señales poderosas del Espíritu de Dios, que certificaba la enseñanza y predicación de Felipe y la inclusión de los oyentes. Ahora los samaritanos, aunque estaban excluidos del judaísmo, eran incluidos en el cristianismo. Por ello, estas comunidades tenían gran gozo.

Ejercicio de clausura.

Hacer un listado de personas que han sido excluidas dentro de la sociedad en todas las áreas humanas y religiosas y orar por cada una de ellas.

PREGUNTAS Y RESPUESTAS

1. ¿Por qué Samaria era una ciudad excluida de las promesas de Dios?

Porque era una población mezclada con gente de otras naciones. No habían guardado su identidad como pueblo de Dios.

2.¿Cuál fue la orden del Señor en relación con Samaria?

Que los apóstoles y los 120 que estaban en el aposento alto, tomarán en cuanto a Samaria para predicarles el evangelio. (Hechos. 1:8).

3. ¿Qué representaba para la iglesia de Jerusalén, la predicación del evangelio en Samaria?

Significaba que el evangelio no era solamente para la comunidad judía, sino que era para toda criatura.

4. ¿Quién había engañado a los samaritanos por mucho tiempo?

Un mago llamado Simón, que con sus artes mágicas decía tener el poder de Dios.

5. ¿Qué señales seguían a Felipe?

Muchos que tenían espíritus inmundos, salían éstos dando grandes voces y muchos paralíticos y cojos eran sanados.

PARA LA PRÓXIMA SEMANA.

Se estudiará el tema: "La universalidad del mensaje evangélico" basada en el texto bíblico de Hechos 9:1-19. Se recomienda consultar: diccionarios, concordancias, comentarios, etc., para una mejor compresión del tema.

LA UNIVERSALIDAD DEL MENSAJE EVANGÉLICO

ESTUDIO BÍBLICO 25

Base bíblica

Hechos 9:1-19

Objetivos

Al terminar este estudio los participantes estarán en capacidad de:

1. Tener un panorama del avance del cristianismo en las primeros cincuenta años de predicación del evangelio.
2. Conocer los costos que conlleva la evangelización.
3. Analizar que el mundo no ha sido evangelizado totalmente y es responsabilidad de todo cristiano completar la misión.

Fecha sugerida:___/____/____

Pensamiento central

En su plan eterno, Dios llama a hombres de todos los estratos sociales, para que lleven el mensaje del evangelio a todo el mundo.

Texto áureo

El Señor le dijo ve, porque instrumento escogido me es éste, para llevar mi nombre en presencia de los gentiles, y de reyes y de los hijos de Israel (Hechos 9:15).

LECTURA ANTIFONAL

Hechos 9:10 Había entonces en Damasco un discípulo llamado Ananías, a quien el Señor dijo en visión: Ananías. Y él respondió: Heme aquí, Señor.

11 Y el Señor le dijo: Levántate, y ve a la calle que se llama Derecha, y busca en casa de Judas a uno llamado Saulo, de Tarso; porque he aquí, él ora,

12 y ha visto en visión a un varón llamado Ananías, que entra y le pone las manos encima para que recobre la vista.

13 Entonces Ananías respondió: Señor, he oído de muchos acerca de este hombre, cuántos males ha hecho a tus santos en Jerusalén;

14 y aun aquí tiene autoridad de los principales sacerdotes para prender a todos los que invocan tu nombre.

15 El Señor le dijo: Ve, porque instrumento escogido me es éste, para llevar mi nombre en presencia de los gentiles, y de reyes, y de los hijos de Israel;

16 porque yo le mostraré cuánto le es necesario padecer por mi nombre

17 Fue entonces Ananías y entró en la casa, y poniendo sobre él las manos, dijo: Hermano Saulo, el Señor Jesús, que se te apareció en el camino por donde venías, me ha enviado para que recibas la vista y seas lleno del Espíritu Santo.

18 Y al momento le cayeron de los ojos como escamas, y recibió al instante la vista; y levantándose, fue bautizado.

19 Y habiendo tomado alimento, recobró fuerzas. Y estuvo Saulo por algunos días con los discípulos que estaban en Damasco.

DATOS GENERALES ACERCA DEL TEMA

Enseñanza: El llamamiento que Dios hace a los hombres para ser predicadores del evangelio, es santo, divino, celestial e irrenunciable.

Autor: Lucas escritor del libro de los Hechos, en la ciudad de Roma, durante el primer encarcelamiento del apóstol Pablo.

Fecha: entre los años 60 y 62 d.C.

Destinatario: Teófilo, ciudadano romano de origen griego y todos los creyentes.

Lugar: En la ciudad de Damasco de Siria, año 35 d.C.

Personaje: Saulo de Tarso y Ananías.

BOSQUEJO DEL ESTUDIO

I. La conversión de Saulo (Hechos 9:1-6)
   A. Saulo el perseguidor (9:1,2)
   B. Camino a Damasco (9:3-6)
II. Ananías el enviado de Dios (Hechos 9:10-14)
   A. Comisionamiento de Ananías (9: 10-12)
   B. La resistencia de Ananías (9:13,14)
III. Empoderamiento de Saulo (Hechos 9:15-19)
   A. El mensaje profético de Ananías (9:15,16)
   B. El revestimiento de poder de Saulo (9:17-19)

Damasco, capital de Siria, donde Pablo se encontró con Cristo y Ananías fue enviado a orar por él.

LECTURAS DEVOCIONALES DIARIAS

Lunes: Saulo predica en Damasco (Hechos 9:20-22).
Martes: Misión de los setenta (Lucas 10:1-12).
Miércoles: Jesús y la mujer samaritana (Juan 4:1-30).
Jueves: Visión de Daniel junto al rio (Daniel 10:1-21).
Viernes: Él envío de Jonás a Nínive (Jonás 1:1-17).
Sábado: El evangelio a los gentiles (Romanos 15:7-21).

INTRODUCCIÓN

El escritor Lucas relata con lujo de detalles la conversión de un hombre, que inmediatamente después de su encuentro con Cristo, es llamado al Santo Ministerio de la Evangelización del mundo gentil. Como hemos señalado en estudios anteriores, la iglesia judía solo se concretó al principio en predicar a los judíos; pero faltaba la visión de ir en busca de un pueblo numeroso, a quienes se les conocía como los "gentiles"; aunque el apelativo no es despectivo, pues se refiere a los ciudadanos de todas las naciones fuera de la nación judía. Además, Jesús había venido por todos los pecadores incluyendo a gentes de todas las naciones, pero sería la iglesia la que debía cumplir con esta misión.

Saulo de Tarso tenía características muy especiales, el perfil que Dios requería para llevar el evangelio a la clase gentil. Esta tarea requería de un hombre de la talla de Saulo de Tarso, en primer lugar, porque el campo o territorio a evangelizar, era vasto; en casi la mayoría de países se hablaba el griego, especialmente en Europa. Pablo conocía perfectamente el idioma griego y hebreo. Además, en todos los países había residentes judíos que se reunían en las sinagogas, y a estos también había que alcanzar con la Palabra de Dios. En segundo lugar, Saulo era un hombre culto, estudioso de la ley de Dios, así como de la filosofía griega y otras ciencias; educado a los pies de Gamaliel, el maestro judío más capacitado y distinguido en su tiempo. En tercer lugar, tenía una doble nacionalidad; era de ascendencia judía y poseía la ciudadanía romana.

La orden que Dios le dio a Ananías era bien explícita, se le dijo: "Ve, porque instrumento escogido me es este, para llevar mi nombre en presencia de los gentiles, y de reyes y de los hijos de Israel" (Hechos 9: 15). Saulo era el hombre que Dios había escogido para la proclamación del evangelio en todo el Imperio Romano; daría testimonio en presencia de autoridades romanas y también al pueblo de Israel.

La estrategia para esta misión estaba bien definida; primero predicaba en las sinagogas, después se iba en busca de los gentiles en donde el evangelio no había sido nombrado; establecía iglesias y las consolidaba por medio de sus cartas; discipulaba a otras personas para ubicarlas en las iglesias que iba fundando. Este trabajo tuvo resultados positivos, como el mismo Pablo lo escribe a los hermanos romanos: "Porque no osaría hablar sino de lo que Cristo ha hecho por medio de mí para la obediencia de los gentiles, con la palabra y con las obras, con potencia de señales y prodigios, en el poder del Espíritu de Dios; de manera que desde Jerusalén, y por todos los alrededores hasta lírico, todo lo he llenado con el evangelio de Cristo" (Romanos 15: 18,19). Lo que Dios le dijo a Ananías se cumplió en el ministerio de aquel hombre llamado Saulo en hebreo y Pablo en la lengua romana. Posiblemente no se ha levantado otro hombre que haya contribuido en la difusión del evangelio y haya puesto los cimientos de las misiones, como lo hizo el apóstol Pablo.

DESARROLLO DEL ESTUDIO

I. LA CONVERSIÓN DE SAULO (HECHOS 9:1-6)

Ideas para el maestro.

(1) Haga una radiografía del apóstol Pablo en cuanto a su personalidad y su potencial humano.
(2) Haga un breve comentario acerca de los alcances evangelísticos a través del apóstol de los gentiles.

Definiciones y Etimología

* *"Sumo Sacerdote"*. Del hebreo, "*Cohengado*"; del latín, "*summus pontifex*". El principal entre los sacerdotes. En el sistema levítico, era responsable del culto, adoración y sacrificio en la congregación de los hijos de Israel. Su función principal era representar a los israelitas delante de Dios, y hacer expiación por ellos. La intercesión era el fundamento de este ministerio exclusivo del antiguo pacto.

* *"Damasco"*. Ciudad de Siria. Uno de los asentamientos más antiguos del mundo. Está situada a unos 80 km. de la costa mediterránea en un oasis cerca del monte Hermón. Hay varias menciones de Damasco en la Biblia.

A. Saulo el perseguidor (9:1,2)

No se sabe con exactitud el historial de Saulo en Jerusalén; es posible que frecuentaba la ciudad por razones religiosas o por algunos otros motivos, lo que sí se sabe es que estaba bien relacionado con el Judaísmo y sus representantes en Jerusalén, como el mismo testificó más tarde acerca de su identidad diciendo: "Mi vida pues desde mi juventud, la cual desde el principio pasé en mi nación, en Jerusalén, la conocen todos los judíos; los cuales también saben que yo desde el principio, si quieren testificarlo, conforme a la más rigurosa secta de nuestra religión, viví fariseo" (Hechos 26: 4,5). El pasaje anterior da a conocer que desde su juventud adoptó la secta farisaica y según parece era un destacado representante. En su epístola a los Filipenses da otro perfil de su vida diciendo: "Circuncidado al octavo día, del linaje de Israel, de la tribu de Benjamín, hebreo de hebreos; en cuanto a la ley fariseo" (Filipenses 3: 5). El acusa ser un cumplidor de la ley como fariseo, que era la secta más numerosa en Jerusalén y a quienes el Señor atacó fuertemente y recomendó a sus discípulos no ser como ellos; también dice Saulo en cuanto a su identidad como judío, ser hebreo de hebreos, es decir de la descendencia del Patriarca Abraham y nacido o descendiente de la tribu de Benjamín. Según él estas credenciales lo acreditaban como un celoso del cumplimiento de la ley, y le daban la autoridad para combatir corrientes que no estuvieran de acuerdo a sus principios farisaicos.

Con esta calidad el escritor Lucas lo describe como el que presidía el martirio de Esteban, o quien daba las órdenes pertinentes de la ejecución del primer mártir del cristianismo, tanto así que Lucas dice: "Y echándole fuera de la ciudad, le apedrearon; y los testigos pusieron sus ropas a los pies de un joven que se llamaba Saulo" (Hechos 7:58). Al parecer esta ejecución de Esteban despertó el interés de los judíos encontrando a un hombre con el valor necesario para martirizar a los cristianos, y se dio inicio al decir de Lucas, una gran persecución contra la iglesia que estaba en Jerusalén; "y todos fueron esparcidos por las tierras de Judea y de Samaria, salvo los apóstoles".

Habiendo tenido éxito en su persecución en Jerusalén, Saulo se extiende hacia otras ciudades, como Damasco, para traer presos a hombres y mujeres que profesaban su fe en Cristo y con ello frenar el avance de la Iglesia del Señor. Lo que no sabía Saulo era que esta obra no se podía exterminar. Jesús lo había dicho: "Edificaré mi Iglesia, y las puertas del Hades no prevalecerán contra ella". No había poder humano, ni diabólico, capaz de detener el avance evangelístico de la iglesia desde ese entonces hasta nuestros días.

B. Camino a Damasco (9:3-6)

Uno de los principios fundamentales del Evangelio, es que "...el Hijo del hombre ha venido para salvar lo que se había perdido" (Mateo 18: 11). La iniciativa de Dios es buscar al hombre; este principio se establece desde el Antiguo Testamento; por ejemplo, cuando Dios quiso encontrar a Moisés, lo buscó en el desierto y se le apareció por medio de una zarza ardiendo, algo extraordinario para Moisés; cuando Dios quiso llamar a Isaías, lo hizo a través de una visión por demás maravillosa; con Jeremías sucede lo mismo, lo encuentra en el momento oportuno con una visión que impresionó al profeta. Todos los que fueron encontrados y llamados al santo ministerio tuvieron una experiencia similar, Dios se les reveló de una manera sobrenatural, extraordinaria y portentosa.

En el caso de Saulo de Tarso, sucede lo mismo, él no podía ser la excepción: (1) Dios lo buscó y lo encontró en el momento oportuno y en el lugar adecuado. Camino a Damasco significaba para Saulo, el cumplimiento de una misión; Dios transforma la misión en una visión celestial. Más tarde el testifica su reacción a este encuentro diciendo" por lo cual, oh rey Agripa, no fue rebelde a la visión celestial" (Hechos 26:19). (2) Hay una relación extraordinaria. Repentinamente le rodeó un resplandor de luz del cielo. No podía ser de otra manera, para hombres de la talla de Saulo, Dios tenía que emplear un recurso convincente y divino; conociendo el temple de la personalidad de Saulo, él no se iba a convencer fácilmente por una teoría o un pensamiento superfluo que le hiciera destituir de la tarea que se había impuesto, como lo era perseguir a la iglesia hasta exterminarla. El encuentro con Dios tenía que ser una experiencia extraordinaria, sobrenatural y divina. (3) Cayendo en tierra. Todos los llamados por Dios tuvieron la misma experiencia de humillación reconocieron su pequeñez, su irresponsabilidad y su miseria. No hay mejor lugar para el hombre que desde su miseria humana reconozca la grandeza de Dios. El hombre se postra en tierra delante de Dios, retrata su incapacidad, su debilidad y su pobreza, ante la manifestación de Dios, y es allí y en esa condición donde Dios levanta a los hombres y les encomienda la misión más noble, como lo es la salvación de las almas. (4) Oyó una voz que le decía: Saulo, Saulo, ¿Por qué me persigues? Nadie puede servir a Dios, si primero no oye su voz, Samuel el profeta, juez y sacerdote de Israel, tuvo que oír la voz de Dios que le llamaba al ministerio, a pesar de ser un niño; sin embargo, fue merecedor de oír la voz audible de Dios. No se puede hacer la voluntad de Dios sin antes ser instruido por Él. Saulo necesariamente tenía que oír la voz celestial para confirmar lo extraordinario y trascendente del encuentro con Dios. (5) Señor ¿Qué quieres que yo haga? Lucas es preciso en describir la condición en que se encontraba Saulo. ¿Quién eres Señor? El reconocimiento que Saulo hace llamando "Señor" a la voz que hablaba con él, es señal de humillación; él no estaba en condiciones de altercar con Dios, dadas las circunstancias en que se encontraba, tirado en el suelo y ciego por la luz que vio, no podía más que reconocer su impotencia y carencia de su fe religiosa; (6) ¿Qué quieres que yo haga? Lucas dice que temblando y temeroso no tiene otra alternativa que obedecer a las órdenes del Señor.

A partir de este momento Saulo es un hombre distinto, su orgullo y soberbia desaparecieron y ciego como estaba tuvo que ser llevado de la mano como un niño y durante tres días estuvo en ayunas.

Afianzamiento y aplicación

(1) Explicar que Dios llama de manera distinta a los hombres que Él quiere utilizar en su obra, lo importante es que se obedezca a su llamado.

(2) Discutir con los alumnos cómo Dios llama a un hombre que antes de ser lla-

mado, era perseguidor de la iglesia.
(3) Hacer énfasis que Dios llama a las personas y a la vez les señala cuáles son los propósitos del llamamiento.

II. ANANÍAS EL ENVIADO DE DIOS (HECHOS 9:10-14)

Ideas para el Maestro

(1) Tomar en cuenta que en todas partes hay hombres a quienes Dios puede hablar, para que cumplan con una misión importante, como el caso de Ananías.
(2) Reflexionar que siempre que Dios envía a alguien a su obra, no solo le señala el campo, sino que también le da el mensaje a comunicar.
(3) Preguntar a la clase, en que se fundaba el temor de Ananías, para no ir a donde Saulo estaba hospedado.

Definiciones y etimología

* *"Saulo"*. Forma helenizada del hombre hebreo "Saulo". Era el nombre que usaba Pablo antes de su primer viaje misionero (Hechos 7:58; 8:1, 9:1-27). En sus cartas; sin embargo, siempre usó su nombre romano "Pablo".

A. Comisionamiento de Ananías (Hechos 9:10-12)

No se dispone de mucha información acerca de la vida de Ananías, no se sabe de su origen, ni el desarrollo de su ministerio; sin embargo, se infiere, que puede haber sido uno de los convertidos en el avivamiento en Jerusalén y que, a causa de la persecución desatada en contra de la iglesia, él fue uno de los que huyó a la ciudad de Damasco. Por la información del escritor Lucas sabemos que era un hombre piadoso y lleno del poder del Espíritu Santo. Si es que Ananías fue uno de los esparcidos por la persecución, es fácil entender entonces que el propósito de Dios, se estaba cumpliendo en este santo varón, pues antes que Saulo llegara a Damasco después de la experiencia de su conversión ya Ananías estaba ubicado en aquella ciudad y Dios lo estaba preparando para el Comisionamiento de un hombre que sería un instrumento útil en las manos de Dios.

La disposición de servicio y obediencia de Ananías, se pone de manifiesto cuando Dios le habla y el responde "Heme aquí, Señor". Esta respuesta no era una simple frase estereotipada, sino más bien era la respuesta usada por tantos hombres de Dios a quienes Él comisionó para tareas delicadas y temerarias. Por ejemplo: Isaías el más grande de los profetas, también respondió de la misma manera "Heme aquí, envíame a mí" (Isaías 6.8). Ananías también responde a la voz de Dios con esa frase bíblica, que lo identifica como un siervo disponible a la orden de Dios.

Cuando Dios comisiona a un siervo para determinada tarea, él es específico y señala con exactitud el propósito y el lugar preciso. A Ananías se le dio la dirección exacta a donde debía de ir; "la calle derecha" donde se ubicaba la casa de Judas (no el Iscariote porque él ya había muerto); también Dios le da el nombre de Saulo y se le dice que se encontraba en oración. Además de estas indicaciones, Dios ya se había anticipado en la vida de Saulo mostrándole una visión, y quien llegaría a orar por él para la sanidad de sus ojos. En todo esto aprendemos que Dios no improvisa, pues Él lo hace todo a su debido tiempo y usa a las personas que en su soberana voluntad él escoge para cumplir sus propósitos.

B. La resistencia de Ananías (9:13,14)

Era natural que Ananías se resistiera a la comisión que Dios le estaba ordenando, debido a la crueldad con que Saulo asolaba a la iglesia especialmente en Jerusalén, tanta era la fama de Saulo como perseguidor de la iglesia, que en varias partes del Imperio, tenían desconfianza de él y en algunos pueblos no fue bien recibido o al menos costó que su ministerio fuese reconocido ya siendo predicador del evangelio, como el mismo lo declaró a los Gálatas: "Después fui a las regiones de Siria y de Cilicia y no era conocido de vista a las iglesias de Judea, que eran en Cristo; solamente oían decir: aquel que en otro tiempo nos perseguía, ahora predica la fe que en otro tiempo asolaba". (Gálatas 1:21-23). Era un momento crucial para Ananías tener que confrontarse con el hombre que según él tenía toda la autoridad de apresar a los hermanos que habían huido hacia

Damasco. La cantidad de cristianos sin duda era considerable, en virtud de que llamó fuertemente la atención del perseguidor, que se propuso terminar con la Iglesia en Damasco. Ananías era ignorante de lo que había sucedido en el camino a su ciudad, con el perseguidor; no sabía del cambio del rumbo de este, así que su temor estaba fundado en los informes que venían de Jerusalén. Pero como un siervo de Dios, obedeció a la voz de su Señor, con la confianza de que Él estaría pronto para auxiliarlo y protegerlo en caso las circunstancias fueran contrarias.

Afianzamiento y aplicación

(1) Haga comentario acerca de la vida de Ananías como discípulo de Cristo y cuál era la razón por la que se encontraba en Damasco.
(2) Haga una comparación entre el llamamiento de los santos hombres del Antiguo Testamento con el personaje de nuestro estudio (Saulo de Tarso)
(3) Comente con la clase, que Dios nos puede usar al estilo de Ananías, quien oró y comisionó al más grande de los misioneros de todos los tiempos.

III. EMPODERAMIENTO DE SAULO (HECHOS 9:15-19)

Ideas para el maestro

(1) Analice con la clase la distancia entre Jerusalén y Damasco y la razón porque muchas de los cristianos prefirieron huir a Damasco.
(2) Analice con los alumnos cuál fue el papel protagónico de Ananías en el empoderamiento de Saulo de Tarso.

Definiciones y etimología

* *"Instrumento escogido"*. Cualquier hombre que es usado por el Señor en un ministerio definido, no es más que un instrumento para los propósitos de la obra del Señor.

* *"Llevar mi nombre"*. Se refiera a la predicación del Evangelio; cuando se hace mención de los gentiles, se refiere a que la proclamación de las buenas nuevas, debe hacerse en todas las naciones del mundo.

A. El mensaje profético de Ananías (9:15,16)

Vemos a partir de esta sección el principio que Dios establece en relación al llamamiento al ministerio: Él es el que envía y el que da el mensaje. El hombre no es otra cosa que un instrumento en sus manos para cumplir sus propósitos. Si nos detenemos a examinar el llamamiento de Jeremías, encontraremos estos aspectos bien definidos. Primero Dios es el que llama; a Jeremías Dios le dijo: "Antes que te formases en el vientre de conocí, y antes que nacieses te santifiqué, de ti, por profeta a las naciones" (Jeremías 1:5). Está bien claro que es Dios quien llama y envía según sus propósitos. En este sentido Dios ejerce su voluntad soberana, escogiendo a quienes o quien ha de ser el enviado; porque hemos de notar que hay quienes no son enviados como dice Jeremías "No envié yo aquellos profetas, pero ellos corrían; yo no les hablé, mas ellos profetizaban" (Jeremías 23:21). Para cumplir un ministerio es de vital importancia ser llamado y enviado por Dios; de lo contrario la obra no tiene el éxito esperado y el trabajo es en vano. Segundo: Después de ser llamado es necesario llevar el mensaje; Dios no envía sin el mensaje correspondiente. Cuando Jeremías fue enviado al pueblo de Israel, iba seguro de llevar en sus labios la palabra de Dios; que él previamente había puesto en su boca "y extendió" Jehová su mano y tocó mi boca y me dijo Jehová: He aquí he puesto mis palabras en tu boca (Jeremías 1:9). Esto mismo sucedió con Ananías, primero Dios le habló y le ordenó que se levantara y que se fuera a la dirección donde aquel perseguidor le estaba esperando; luego le da el mensaje que tenía que comunicarle a aquel hombre. El mensaje era por demás claro; aquel hombre llamado Saulo, era comisionado para llevar el evangelio al mundo gentil sin descuidar al pueblo judío. No era fácil pero tampoco imposible; el hombre a quien Dios había escogido, solo estaba esperando que se le comisionara, para emprender la gran comisión, desde el momento en que este hombre dijo: "Señor que quieres que yo haga", ya estaba en cuerpo y alma en condiciones de servicio dispuesto a salir en busca de los perdidos del reino y traerlos no para el suplicio, sino para la integración del cuerpo de Cristo que se llama la iglesia.

La otra parte del mensaje era la parte álgida que Ananías no tardó en comunicárselo, se trataba del precio que se tenía que pagar. El sufrimiento que conlleva la gran comisión. En varias ocasiones el Señor Jesús se los dijo a sus discípulos, anticipándose antes a los padecimientos que sufrieron por causa del evangelio, les dijo: "Estas cosas os he hablado para que en mi tengáis paz. En el mundo tendréis aflicción; pero confiad yo he venido al mundo" (Juan 16:33). Saulo que después se identificó como Pablo, lo testificó varios años después en el capítulo 6 de Segunda a los Corintios, donde hay una gran lista de sufrimientos que él reporta como sus credenciales por causa de la evangelización (2 Corintios 6:4-10), o como Dios le dijo a Ananías en su llamamiento por causa del nombre de Cristo.

B. El revestimiento de Poder de Saulo (9:17,19)

En el pasaje bajo nuestra consideración observamos algunos aspectos importantes en el empoderamiento de Saulo, para ser el hombre que llevaría el evangelio a los distintos países que formaban el Imperio Romano en aquella época. (1) Ananías después del diálogo con el Señor, entiende la misión que se le estaba encomendando; va a la casa donde se hospedaba Saulo y la primera impresión que recibe es el saludo: "Hermano Saulo"; Ananías ya sabía del encuentro que Saulo había tenido en el camino, y sabía también de la transformación que había sufrido, de manera que lo considera un hermano en la fe, ya no lo vio como el cruel perseguidor, es más lo vio como el instrumento que Dios había escogido para llevar su nombre a los gentiles y a todo el mundo. (2) La confirmación de que fue el Señor Jesús quien se le había aparecido en el camino. Y él mismo le había ordenado buscarlo para orar por el nuevo convertido. La oración que Ananías iba hacer era para que se operara en Saulo el milagro de la sanidad; la vista se le había oscurecido y durante tres días estuvo sin ver, pero al llegar Ananías, no solamente se le confirmaba la visión, sino que un nuevo amanecer estaba por experimentar. Saulo al recobrar la vista veía al mundo de una manera distinta. Lo que pasa cuando el hombre que encuentra a Cristo, se le abren los ojos y exclama porque tanto tiempo estuve ciego; así la palabra de Dios se cumpliría en la vida de Saulo. Una de las misiones del Señor fue precisamente eso, abrir los ojos de los ciegos espirituales, que no podían entender el mensaje del evangelio. (3) El mandato de empoderar a Saulo con el poder del Espíritu Santo, era otro de los propósitos de la visita de Ananías. Todos los discípulos fueron llenos del poder de Dios, con el propósito de ser testigos de la palabra, como dice Lucas: "Pero recibiréis poder, cuando haya venido sobre vosotros el Espíritu Santo y me seréis testigos en Jerusalén, en toda Judea, en Samaria y hasta lo último de la tierra" (Hechos 1:8). Ananías estaba frente a un hombre a quien Dios había escogido como un testigo de su evangelio, por lo tanto, indiscutiblemente tenía que ser lleno del poder de Dios para cumplir la gran tarea que asumiría a partir de ese momento. Una de las prácticas apostólicas adoptadas por la iglesia era la imposición de manos, como una señal de autoridad espiritual. Ananías cumplió con este cometido al imponer las manos sobre un hombre, que sería un gigante de la fe, pero que en ese momento era como un niño temeroso frente a un humilde siervo del Señor como Ananías.

El milagro se operó por la mano de un anónimo Ananías que, al imponer sus manos sobre Saulo, inmediatamente se le cayeron como escamas de los ojos y recobró la vista y también recibió el poder de Dios, para ser uno de los grandes de la fe cristiana encargado de universalizar el evangelio por todo el mundo conocido.

Afianzamiento y aplicación

(1) Repase la enseñanza que aprendemos de la Palabra de Dios, que antes de enviar, empodera a sus testigos con el Poder del Espíritu Santo.

(2) Saulo que más tarde se llamó Pablo, sufrió persecuciones cárceles, azotes, golpes con vara y tantos otros vejámenes, pero no desistió y no fue rebelde a la visión celestial.

(3) El evangelio debe triunfar siempre a

costa de cualquier sacrifico. Leer 2 Corintios 11:24-33.

RESUMEN GENERAL

Nuestro estudio versó sobre uno de los personajes más emblemáticos de la historia de la Iglesia cristiana como lo fue Saulo de Tarso, que después fue conocido como el apóstol Pablo y apóstol de los gentiles debido a la misión que Dios le encomendó. Varios aspectos se conjugaban en la personalidad de este hombre: su carácter fuerte casi desafiante, una aguda inteligencia reconocido por los mismos apóstoles de Jerusalén, quienes lo tuvieron como un hombre lleno de sabiduría, firme en sus creencias y convicciones a quien no amedrentaron los padecimientos en su ministerio. En una sola palabra era un hombre excepcional; él fue el encargado de romper las fronteras con el mensaje del evangelio. Su conversión fue por demás impactante ocurrida en camino a Damasco a donde se habían refugiado un gran contingente de cristianos. Es admirable como Dios trata con hombres como Saulo de Tarso, y los convierte en servidores suyos.

Los aspectos relevantes de nuestro estudio, tienen que ser: (1) La reacción y la correspondencia de Saulo, al llamamiento de Dios. La disposición que Saulo manifestó al declarar ¿Qué quieres que yo haga? Es una señal inequívoca de su obediencia y sumisión al Señor que hablaba con él (2) El mensaje que Ananías le transmitió. Era un verdadero desafío, llevar el evangelio no solo a los gentiles, sino también a los que gobernaban el imperio de Roma. Saulo tenía la capacidad académica para presentarse a las cortes romanas, pero no bastaba eso; su mensaje tenía que ir acompañado de señales o evidencias de que el mensaje era divino. (3). Se necesitaba la llenura del poder de Dios. Todos los predicadores de la naciente Iglesia de Jerusalén, habían sido llenos o revestidos del poder de Dios; sin esta calidad muy poco se podía hacer. Así que, Saulo no podía ser la excepción, él también por la mano de Ananías, recibiría el poder de Dios para llevar a cabo la gran comisión.

Después de las manifestaciones de poder llevadas a cabo tanto en la conversión, como en el empoderamiento, Saulo dio las primeras muestras de obediencia a la visión celestial predicando inmediatamente en las sinagogas de Damasco proclamando que Jesús era el Hijo de Dios.

Ejercicios de Clausura

Haga una reflexión con la clase acerca del llamado que Dios ha hecho en el pasado y que en nuestros días, Dios sigue llamando a hombres y mujeres para aceptar los desafíos del ministerio cristiano.

PREGUNTAS Y RESPUESTAS

1. ¿A qué distancia quedaba Damasco de la costa mediterránea?

Damasco era un punto estratégico dada a su cercanía al mar que era de 80 km. La ciudad era próspera debido a su comercio.

2.¿Por qué Saulo fijó su atención en Damasco para perseguir a los cristianos?

Porque se cree que una buena parte de los cristianos de Jerusalén habían huido hacia esa ciudad, por la persecución en contra de la iglesia.

3. ¿Cuál fue la reacción que Saulo tuvo cuando el Señor se le apareció en el camino?

Primero preguntó quién era el personaje que se le había aparecido, ¿Quién eres Señor? y segundo, en una actitud sumisa se pone a las órdenes del Señor diciendo ¿Señor, qué quieres que yo hago?

4. ¿Cuál fue el mensaje que Dios le dio a Ananías con relación a Saulo?

El Señor le dijo que era un instrumento escogido para llevar su nombre al pueblo gentil, de reyes y de los hijos de Israel.

5. ¿Qué experiencia tuvo Saulo en la visita de Ananías?

Dios operó por la imposición de manos de Ananías el milagro de la sanidad de la vista y del empoderamiento en el Espíritu Santo.

PARA LA PRÓXIMA SEMANA

La próxima semana terminaremos este ciclo con el tema: "Una iglesia en crecimiento", analizaremos principios fundamentales para el avance de la iglesia del Señor. Motive a los participantes a leer y a estudiar el tema correspondiente.

UNA IGLESIA EN CRECIMIENTO

ESTUDIO BÍBLICO 26

Base bíblica

Hechos 11:15-18; 20-30

Objetivos

Al concluir este estudio los participantes podrán:

1. Conocer los inicios de la iglesia naciente de acuerdo al libro de los Hechos.
2. Motivarse a llevar adelante a labor evangelística sin límites de fronteras ni razas.
3. Seguir el ejemplo de personajes bíblicos que han servido fielmente al Señor.

Fecha sugerida:___/____/____

Pensamiento central

El evangelio predicado por los migrantes de Jerusalén dio un gran resultado en la fundación de la primera iglesia gentil.

Texto áureo

Y la mano del Señor estaba con ellos, y gran número creyó y se convirtió al Señor (Hechos 11:21).

LECTURA ANTIFONAL

Hechos 11:15 Y cuando comencé a hablar, cayó el Espíritu Santo sobre ellos también, como sobre nosotros al principio.

16 Entonces me acordé de lo dicho por el Señor, cuando dijo: Juan ciertamente bautizó en agua, mas vosotros seréis bautizados con el Espíritu Santo.

17 Si Dios, pues, les concedió también el mismo don que a nosotros que hemos creído en el Señor Jesucristo, ¿quién era yo que pudiese estorbar a Dios?

18 Entonces, oídas estas cosas, callaron, y glorificaron a Dios, diciendo: ¡De manera que también a los gentiles ha dado Dios arrepentimiento para vida!

19 Ahora bien, los que habían sido esparcidos a causa de la persecución que hubo con motivo de Esteban, pasaron hasta Fenicia, Chipre y Antioquía, no hablando a nadie la palabra, sino sólo a los judíos.

21 Y la mano del Señor estaba con ellos, y gran número creyó y se convirtió al Señor.

22 Llegó la noticia de estas cosas a oídos de la iglesia que estaba en Jerusalén; y enviaron a Bernabé que fuese hasta Antioquía.

23 Este, cuando llegó, y vio la gracia de Dios, se regocijó, y exhortó a todos a que con propósito de corazón permaneciesen fieles al Señor.

24 Porque era varón bueno, y lleno del Espíritu Santo y de fe. Y una gran multitud fue agregada al Señor.

25 Después fue Bernabé a Tarso para buscar a Saulo; y hallándole, le trajo a Antioquía.

26 Y se congregaron allí todo un año con la iglesia, y enseñaron a mucha gente; y a los discípulos se les llamó cristianos por primera vez en Antioquía.

DATOS GENERALES ACERCA DEL TEMA

Enseñanza: El Evangelio de Jesucristo rompe barreras sociales, religiosas, sociales y culturales, en virtud de que es predicado a toda criatura.

Autor: Lucas en la ciudad de Roma.

Fecha: Entre los años 60 y 62 d.C.

Destinatario: Teófilo, ciudadano romano de origen griego y todos los creyentes.

Lugar: Cesárea, Jerusalén y Antioquía de Siria, entre los años 30 a 40. d.C.

Personajes: Cornelio, Pedro, Bernabé y la iglesia de Jerusalén.

BOSQUEJO DEL ESTUDIO

I. Vislumbres de la iglesia gentil (Hechos 11:15-18)
  A. Dios bautiza a los gentiles (11:15,16)
  B. El derecho a arrepentirse (11:17,18)

II. Antioquía, una iglesia gentil (Hechos 11:20-24)
  A. Evangelización de los griegos (11:20,21)
  B. Bernabé el enviado de Dios (11:22-26)

III. Una iglesia espiritual y solidaria (Hechos 11:27-30)
  A. Aceptando el mensaje profético (11:27,28)
  B. Compartiendo con la iglesia (11:29,30)

Lugares gentiles hacia donde se extendió el evangelio en la primera etapa del crecimiento de la iglesia.

LECTURAS DEVOCIONALES DIARIAS

Lunes: Rasguen los corazones y no las vestiduras (Joel 2:12-18).

Martes: Reconcíliense con Dios, ahora es tiempo favorable (2 Corintios 5:20-6:2).

Miércoles: Tu padre, que ve en lo secreto, te lo pagará en público (Mateo 6:1-18).

Jueves: Hoy te pongo delante la bendición y maldición (Deuteronomio 30:15-20).

Viernes: Dichoso el hombre que ha puesto su confianza en el Señor (Salmo 1).

Sábado: El que pierda su vida por mi causa la salvará (Lucas 9:22-25).

INTRODUCCIÓN

Los primeros cristianos fueron de nacionalidad judía. Para ellos no era fácil concebir en sus mentes y en sus corazones que el hombre que creció en una de las regiones de peor reputación y en condiciones humanas de limitación económica, fuese el Mesías prometido, y más aún que fuese el Dios encarnado. Adicional a ello, les parecía un insulto que las personas y naciones que durante muchos años habían rechazado la fe monoteísta, que incluso habían causado mucho dolor al pueblo judío, tuviesen la apertura divina a lo que ellos consideraban ser de propiedad privada y exclusiva.

Es dentro del contexto de estas afirmaciones que se da la inclusión en el trabajo ministerial de uno de los enemigos más acérrimos del cristianismo, por medio de un discípulo y apóstol que ha superado las barreras etnocentristas.

El apóstol Pedro por muchas razones se había convertido en el paladín de la iglesia judía. Su predicación, y su ministerio entre los de su nación, habían fijado en él, la exclusividad del evangelio solo para judíos. No había reparado en la idea que también los gentiles, necesitaban no solo oír el evangelio, sino aceptar la salvación de sus almas, reconociendo a Jesús como Salvador. No recordaba que Cristo el Señor, un día le había encomendado la misión de romper barreras, paradigmas y demás complejos religiosos cuando dijo: "Y a ti te daré las llaves del reino de los cielos; y todo lo que atares en la tierra, será atado en los cielos; y todo lo que desatares en la tierra, será desatado en los cielos" (Mateo 16:19). Pedro sería, entonces, la persona que se encargaría de desatar las ligaduras del pueblo gentil, con el poderoso mensaje del evangelio de Jesucristo, lo que posteriormente el apóstol Pablo explica a los hermanos Efesios acerca de la misión de Jesucristo diciéndoles: "Porque él es nuestra paz, que de ambos pueblos hizo uno, derribando la pared intermedia de separación, aboliendo en su carne las enemistades, la ley de los mandamientos expresados en ordenanzas, para crear en sí mismo, de los dos uno solo y nuevo hombre, haciendo la paz." (Efesios. 2:14,15). La misión de Jesucristo no solo se centraría en la restauración y reconciliación de las ovejas perdidas de Israel; también él declaró que tenía otras ovejas que no son de este redil, a quienes convenía ganarlos para el reino de los cielos.

DESARROLLO DEL ESTUDIO:

I. VISLUMBRES DE LA IGLESIA GENTIL (HECHOS 11:15-18)

Ideas para el líder o maestro

(1) Utilice mapas físicos para poder indicar la zona geográfica de Samaria.

(2) Busque un material audiovisual que resuma la labor realizada por Jesús, como introducción a esta temática.

Definiciones y etimología

* *"Cesarea".* Ciudad que Herodes el grande construyó en honor de Augusto Cesar en la costa de Judea, a unos 104 km, al noreste de Jerusalén. Cornelio el centurión vivía allí y fue donde se predicó por primera vez a los gentiles (Hechos capítulo 10).

A. Dios bautiza a los gentiles (Hechos. 11:15,16)

En el contexto anterior a este pasaje, se registra uno de los sucesos más notables para el mundo gentil, sucedido nada menos que en la casa de un soldado romano (centurión), este según la narración del evangelista Lucas era un varón "Piadoso y temeroso de Dios con toda su casa, y que, hacia muchas limosnas al pueblo, y oraba a Dios siempre" (Hechos 10:2). Por las calidades que se dice de este hombre, entendemos que tenía el perfil que Dios siempre busca y que premia con su bendición. Hombres así, de esta talla, es a quienes Dios habla para revelarles las buenas nuevas de salvación y también a quienes Dios bautiza con su Santo Espíritu. Cesarea era el lugar designado por Dios, para romper los paradigmas y complejos existentes en la mentalidad judía, los cuales estaban arraigados especialmente en la clase religiosa conservadora del judaísmo y que de alguna manera había influido en la naciente iglesia de Jerusalén y de toda Judea. No escapaban pues a esta influencia los apóstoles comandados por Pedro, pero era la hora y había llegado el momento de que aquel gran pueblo llamado gentil, también oyera en forma oficial, el mensaje del evangelio y que tuvieran la experiencia del bautismo con el Espíritu Santo. Pedro el conservador judío tenía que ser el designado para esta nueva misión. Dios necesitó de una visión que demostrara a este hombre la nueva tarea a realizar. La visión era por demás elocuente; un lienzo que contenía de toda clase de animales, que bajaba del cielo y que llegaba hasta el apóstol; luego oye la voz que le daba la orden de matar y comer, a lo que Pedro se resiste, pero la voz del cielo le responde: "Lo que Dios limpió, no lo llames tu común". El mensaje celestial para Pedro era bien claro; para el pueblo judío, todas las personas que no eran pertenecientes a la nación judía, eran consideradas comunes o inmundos; Pedro como judío, pensaba lo mismo, pero el Señor le dice en la visión que todos pueden ser limpios por la sangre de Jesucristo. La visión se complementa cuando llegan los tres hombres enviados por Cornelio, para que fuese a Cesarea; luego el Espíritu le habla para que sin dudar fuese a la ciudad donde se le necesitaba. Pedro al llegar a la casa de Cornelio, oyó de labios de este, como Dios también le había hablado por medio de una visión, para que Pedro que se encontraba en Jope fuese traído a Cesarea para predicar el evangelio a una congregación gentil. Cuando Pedro comenzó a predicar el Espíritu Santo cayó sobre aquella pequeña congregación formada por gente que estaba al servicio del centurión, familiares y amigos que oían al apóstol disertar la Palabra de Dios.

De esta manera no solo se abría la puerta de salvación para los gentiles, sino que también se comenzaba a cumplir la profecía de Joel repetida por el apóstol cuando dice: "Porque para vosotros es la promesa, y para vuestros hijos, y para todos los que están lejos; para cuantos el Señor nuestro Dios llamare" (Hechos. 2:39). Los gentiles que en otro tiempo estaban lejos de las promesas, ahora se habían hecho cercanos a las bendiciones que proporciona el saberse salvos por el sacrificio de Cristo y llenos del poder del Espíritu Santo.

B. El derecho a arrepentirse (11:17,18)

Uno de los propósitos entretejidos entre los

capítulos del libro de Hechos de los Apóstoles, es la apertura del evangelio a las comunidades no judías. Siendo el doctor Lucas, discípulo de Pablo, el escritor de este maravilloso libro, se puede entender que su teología quiere evidenciar que el mensaje salvífico no solo debía ser predicado a los judíos. Esto sería anular el nuevo pacto de Jesús, ya que, aunque el antiguo solo privilegiaba a los israelitas, este nuevo pacto incluye a los pueblos griegos y gentiles. Aunque esta afirmación no fue entendida por los primeros discípulos de Jesús, si lo fue por el apóstol Pablo, quien no solo la predicó, sino que la enseñó a sus discípulos, entre los cuales estaba Lucas, el escritor de este libro.

Ahora las puertas del cielo se habían abierto por la sangre de Cristo a todas las naciones, quienes también tenían el derecho de pertenecer al reino de Dios. La oportunidad de la salvación también tenía que ser para aquellos que por los complejos del judaísmo habían estado proscritos. Por fin la iglesia judeo cristiana había comprendido que también a los gentiles les llegaba la gracia de Jesucristo. Cuando Pedro dio su reporte en relación a lo que había ocurrido en casa de Cornelio en Cesarea, expuso algunos puntos muy determinantes para la doctrina cristiana. (1) Es explícito en declarar que los gentiles habían recibido el mismo don que los apóstoles y la iglesia en Jerusalén habían recibido en el Pentecostés. Aprendemos de esta declaración, que Dios no hace acepción de personas y que la gracia y sus dones son derramados en los corazones que los anhelan y que no hay poder humano que pueda impedir que esta gracia fluya, como bien lo dijo el apóstol: ¿Quién era yo que pudiese estorbar a Dios? Pedro entendió que la bendición de Dios no solo puede ser derramada a todos los hombres no importando su raza o cultura, sino que también no hay quien pueda impedirlo por poderoso que sea. (2) La iglesia en Jerusalén que interpelaba a Pedro, acerca de su conducta en casa de Cornelio, también comprendió que ante los designios de Dios no pueden haber impedimentos de ninguna naturaleza que detengan la obra de Dios. Ante este plan divino, solo haremos bien en callar, como lo hicieron los hermanos de Jerusalén y que en vez de frenar la buena marcha de los propósitos de Dios, se debe primeramente reconocer y glorificar a Dios porque en su gran misericordia Él ha tomado en cuenta a todos aquellos que estando alejados de sus promesas, vienen a ser herederos del reino de Dios. (3) La iglesia en Jerusalén también entendió que la doctrina del arrepentimiento tiene vigencia para todo el mundo. Lo esencial del mensaje de Jesucristo fue que todos los hombres procedan al arrepentimiento para el perdón de pecados. Esta doctrina no tenía que ser exclusiva para el pueblo circunscrito a la esfera judía; tampoco tenía una dedicatoria para el pueblo escogido, sino que el evangelio, según la orden de Jesús tenía y tienen que ser predicado en todo el mundo y que todo hombre conozca a Jesucristo mediante el arrepentimiento para el perdón de los pecados.

Afianzamiento y aplicación

(1) Ubicar en un mapa de Senda de Vida, los lugares que se mencionan en nuestro estudio (Jerusalén, Jope, Cesarea).

(2) Has una reflexión con la clase acerca de cómo los propósitos de Dios se llevan a cabo, pese a las circunstancias adversas.

II. ANTIOQUÍA UNA IGLESIA GENTIL (HECHOS 11:20-24)

Ideas para el maestro

(1) Señale en un mapa, la localización de Antioquía de Siria, y haga un estudio breve de las condiciones de esta ciudad.

(2) Haga un análisis de la Iglesia de Antioquía en comparación con la Iglesia de Jerusalén.

Definiciones y etimología

* *"Antioquía"*. Ciudad que fue capital del Imperio seléucida, una de las cuatro partes en que se dividió el Imperio de Alejandro. Llegó a ser una de las tres grandes ciudades del Imperio romano. Siendo Roma la primera, después Alejandría y luego Antioquía.

A. Evangelización de los griegos (11:20,21)

En las lecciones anteriores se ha señalado

que a causa de la persecución que sufrió la iglesia en Jerusalén muchos discípulos tuvieron que salir de la ciudad y se refugiaron en los pueblos circunvecinos a Jerusalén y otros traspasaron las fronteras de Judea, esparciéndose por todas las naciones del mundo conocido. Lucas, describe que a donde quiera que iban, no cesaron de hablar la palabra de Dios. Esta evangelización dio como resultado que en muchas ciudades se empezaran a formar pequeñas congregaciones de creyentes, tal es el caso de unos hermanos de Chipre y Cirene que incursionaron en la ciudad de Antioquía con el fin de predicar el evangelio, tuvieron la oportunidad de hacer contactos con ciudadanos griegos, los cuales recibieron y aceptaron a Jesús como salvador, formándose así una iglesia griega (gentil), a diferencia de los demás que se concretaron a predicar el evangelio solo a los judíos. El libro de los Hechos, es fiel en describir que producto de esta campaña evangelística en la ciudad de Antioquía, gran número de griegos creyó en el Señor iniciándose al igual que en Jerusalén una poderosa iglesia; "porque la mano del Señor estaba con ellos". Jesús refiriéndose a estas congregaciones que aparte de la iglesia judía se iban formando a medida que el evangelio iba avanzando por todo el Imperio Romano, dijo: "También tengo atrás ovejas que no son de este redil; aquellas también debo traer, y oirán mi voz; y habrá un rebaño y un pastor" (Juan 10:16). Jesús no estaba equivocado pues en todas partes del mundo conocido, se levantarían congregaciones compuestas por gente de distintas nacionalidades y comenzaban a organizarse, siguiendo los patrones de los apóstoles y el modelo de la iglesia en Jerusalén.

Tenemos que notar que la ciudad de Antioquía era una gran metrópoli, donde convergían gentes de distintas partes del mundo por diversas razones; Estaba considerada como la tercera ciudad más importante del Imperio, así que la iglesia también tenía que ser de igual importancia y así fue, porque más tarde según Hechos 13 la iglesia había alcanzado gran número de miembros y una organización sólida, pues contaba entre sus adherentes personalidades de la administración pública y ministraban a la iglesia los profetas que Dios había levantado en la congregación.

B. Bernabé el enviado de Dios (11:22-26)

Cuando la noticia llegó a la ciudad de Jerusalén de que los griegos (gentiles) habían fundado una iglesia en Antioquia, inmediatamente se solidarizaron con los hermanos y en señal de compañerismo y apoyo espiritual, enviaron a un varón de alta calidad moral y de conocimiento bíblico que se llamaba Bernabé, un líder de la iglesia judía que prácticamente se convirtió en pastor de la reciente iglesia, en donde no había una organización eclesiástica formal. El surgimiento de personas que tuviesen iniciativa de liderar y estar al frente de las decisiones, era necesario. Los líderes son aquellos que no necesitan que se les asigne una labor o tarea para realizar una actividad para trabajar. Así era Bernabé. Leemos que en medio del liderazgo apostólico, Bernabé surge como una persona que realiza acciones importantes. Es un discípulo a quien se le tiene confianza para conferirle atribuciones ministeriales. Sin duda, Bernabé era una bendición en medio de la agenda tan cargada de actividades de los apóstoles, porque se podía compartir con él las cargas del trabajo apostólico. Un hombre lleno de Espíritu Santo y fe: los siguientes versículos enseñan el porqué, los apóstoles le atribuían a Bernabé actividades ministeriales. La Biblia testifica que este discípulo era lleno de Espíritu Santo y fe. Es importante hacer notar que previo al privilegio y actividad entregada, Bernabé llenaba las expectativas espirituales necesarias en un líder. Todo líder debe ser una persona que posea la dirección espiritual para desarrollar su liderazgo eclesiástico, ya que trabajará dirigiendo a personas que están dentro del grupo eclesiástico voluntariamente y eso requiere mucha sabiduría espiritual. Además de ello se dice que estaba lleno de fe. Característica que se hace indispensable en el líder ya que tendrá que trabajar con fe y fortaleza para desarrollar los proyectos que el Señor ponga en su corazón. Un líder sin fe no logra ni para él ni para su grupo victorias espirituales determinantes. Un hombre que era inclusivo con los demás: Bernabé no era egoísta. Él había ganado una posición importante entre los creyentes de aquel tiempo, pero eso no le hizo que se limitará a establecerse cómodo en su posición de liderazgo, sino que, pensando en incluir más personas en el liderazgo, pensó en involucrar a Pablo, quien había sido rechazado por los creyentes judíos que no creían en su conversión. Bernabé nos muestra a una persona que no tenía ni egoísmo, ni envidia. Nos muestra que era una persona que confiaba en los demás, que no solo pensaba en sí mismo, sino que tenía un corazón dadivoso, compasivo, e incluyente. Definitivamente, esto era fruto de su llenura espiritual.

Afianzamiento y aplicación.

(1) Realice un listado de las cualidades del liderazgo de Bernabé.

(2) Haga un comentario de un hombre judío como lo era Bernabé, vino a ser el pastor o dirigente de una iglesia gentil como lo era Antioquía.

III. UNA IGLESIA ESPIRITUAL Y SOLIDARIA. (11:27-30)

Ideas para el maestro.

(1) Haga un comentario acerca del ministerio profético, que se menciona en los pasajes de nuestro estudio.

(2) Haga una reflexión sobre el tema de la solidaridad de los creyentes de Antioquía con relación a la iglesia de Jerusalén.

Definiciones y Etimología.

* *"Agabo"*. Profeta que vivía en Jerusalén y que ministró a la iglesia de Antioquia.

* *Gran Hambre.* Tanto el historiador Romano como el historiador judío llamado Josefo, dan testimonio de la escasez de alimentos que se presentó en varios lugares del Imperio, especialmente en Judea.

A. Aceptando el mensaje profético (11:27,28).

Producto del derramamiento del Espíritu Santo en la Ciudad de Jerusalén, los dones espirituales se desarrollaron en la iglesia y quizá los dones de sanidad fueron los más relevantes, pero esto no quiere decir que los demás dones fueron descuidados, la prueba la tenemos en los versículos 27 y 28, donde se menciona que unos hermanos profetas descendieron de Jerusalén a Antioquía. El apóstol Pablo menciona entre los ministerios que el Señor estableció según Efesios, está el de profecía "Y el mismo constituyó a unos apóstoles, a otros profetas, a otros evangelistas, a otros pastores y maestros" (Efesios 4:11). Todos estos dones ministeriales fueron instituidos para la edificación de la iglesia; la iglesia de Antioquía necesitaba fortalecer sus principios de fe, de doctrina y organizacionales y para esto había sido enviado Bernabé y más tarde llegó Saulo para echar los cimientos espirituales de una iglesia que daba muestras de ser una congregación con mucho futuro. Así que no es de extrañar que hombres con el don de profecía, llegaran a la creciente iglesia, para contribuir en su edificación.

Entre la delegación que descendió a Jerusalén iba un varón llamado Agabo, de quien se tiene poca referencia de él; sin embargo, era un profeta, que por el Espíritu comenzó a predicar que venía un "gran hambre" en toda la tierra habitada, la cual se cumplió en tiempos de Claudio (Emperador Romano que gobernaba entre los años 41 al 54 d.C.). Todas las profecías que pronunciaron los profetas del Antiguo Testamento se cumplieron a cabalidad, debido a que es un mensaje de Dios, y él nunca falla en sus designios. La Biblia dice: "El cielo y la tierra pasarán, pero mis palabras no pasarán" (Lucas 21:33). Las palabras proféticas de Agabo, habían sido dichas bajo la unción del Espíritu Santo, así que irremisiblemente tenía que tener un cumplimiento exacto.

De esta cuenta, un profeta llamado Agabo, notifica un mensaje no muy agradable para los habitantes de la iglesia judeocristiana, "habrá hambre en toda la tierra habitada". Aunque el mensaje no trataba de algún aspecto positivo, de prosperidad, de "declaración de abundancia", el mensaje no solo fue creído sino también obedecido. La iglesia actual debe aprender este aspecto de la iglesia primitiva. Los mensajes proféticos deben ser recibidos porque vienen de Dios. Lamentablemente se tiene la tentación de aceptar y abrazar los mensajes que solo anuncian beneficios, pero no los que denuncian, los que piden respuestas de arrepentimiento, que demandan cambios profundos de conducta.

B. Compartiendo bienes con la iglesia (11:29,30)

El anuncio profético de Agabo, no solo fue creído, sino que la iglesia hizo algo al respecto. Al considerar que habría una gran hambre los hermanos en Antioquía decidieron realizar una colecta económica para ayudar a sus hermanos de la región de Judea. Este acto generoso habla muy bien de la iglesia primitiva, y especialmente de la iglesia gentil de Antioquía. Porque ante la necesidad que sobrevendría, ellos se anticiparon a las consecuencias, y siendo prudentes, iniciaron un proceso de recolección de alimentos. No obstante, el acto generoso tiene mayor valor cuando se hizo de una comunidad gentil a otra judía, siendo que estos últimos, los despreciaban y condenaban todo el tiempo. Con esta colecta, la iglesia gentil en Antioquía demostraba ser no solo solidaria y generosa, sino espiritual y no religiosa. Una de las demostraciones de unidad entre ambas iglesias, fue la solidaridad que los hermanos de Antioquía demostraron al hacer las colectas para socorrer a los hermanos de Judea. Esto nos demuestra que la hermandad, el amor mutuo y el auxilio en tiempos difíciles era una manifestación de que el perdón entre el pueblo cristiano, tenía su máxima manifestación. La baja estima de los gentiles se había superado. Primero los judíos colaboraron en la edificación del cuerpo de Cristo en Antioquía, luego, fueron enviados los profetas encabezados por Agabo, para compartir dones en los creyentes y tantos otros más que descendieron de Jerusalén para apoyar a la hermandad de Antioquía; segundo: ahora esta iglesia devolvía en el amor de Jesucristo, sus mejores dádivas para suplir las necesidades materiales de los hermanos judíos; la concordia y la comunicación entre hermanos, era una realidad. No cabe duda que el mundo se ha de haber fijado en esta cordialidad evangélica entre dos pueblos que habían estado alejados por diferencias raciales, culturales y religiosos, pero que ahora eran un solo cuerpo que se llama iglesia.

Afianzamiento y aplicación.

(1) Antes de conocer el amor de Jesucristo judíos y gentiles no se trataban ¿Cuál era la razón de esta diferencia?

(2) ¿Cómo respondieron los judíos al llamado de los hermanos de Antioquía? ¿De qué manera recompensaron al apoyo espiritual que recibieron estos hermanos?

RESUMEN GENERAL:

La iglesia cristiana desarrolló en el inicio una evangelización endógena desde el marco judeocristiano. Se tenía la perspectiva de la evangelización solamente a los círculos judíos, sin embargo, la comprensión de la misión de Jesús vino a desarrollar un trabajo exógeno, el cual permitió que los creyentes realizarán la actividad evangelística en círculos no judíos. Uno de estos discípulos que entendían este labor fue Bernabé, quien era un hombre lleno del Espíritu Santo y fe, el cual teniendo esa visión amplia de la misión, es comisionado por los apóstoles para realizar actividades misioneras y pastorales. De esta cuenta, realiza una acción de amor fraterno con el apóstol Pablo, quien no había sido recibido por sus compañeros de ideología judía pero cristianos, quienes no creían en su conversión. No obstante Bernabé sí confió en él y lo ayudó, signo de una iglesia incluyente no excluyente. Esta iglesia gozaba del movimiento profético genuino, no solo había declaraciones proféticas para endulzar el oído de los oyentes, sino la realidad del mensaje divino.

Ejercicio de clausura.

Diseñar un proyecto de ayuda social, según la necesidad de las personas circunvecinas de la iglesia, aunque estas no sean actualmente cristianas evangélicas.

PREGUNTAS Y RESPUESTAS.

1. ¿Quiénes llevaron el evangelio a Antioquia?

Los que habían sido esparcidos por la persecución de la iglesia en Jerusalén, entre los cuales había varones de Chipre y Cirene, ellos evangelizaron a los griegos residentes en Antioquia.

2. ¿Cuál fue la reacción de los griegos al mensaje del evangelio?

Gran número creyó al evangelio y se convir-

tieron al Señor formando así la primera iglesia gentil.

3. ¿Quién fue el que llegó a ministrar a la iglesia de Antioquía?

Bernabé fue el enviado por la iglesia de Jerusalén a Antioquía, para apoyar a estos hermanos, porque eran varón bueno y lleno del Espíritu Santo.

4.¿Cuál fue la profecía de Agabo?

Que vendría un gran hombre sobre toda la tierra habitada. Dicha hambruna se cumplió bajo el gobierno de Claudio el Emperador Romano.

5. ¿Cómo auxiliaron los hermanos de Antioquía a los de Judea?

Enviando una ayuda tanto en especia como en dinero.

PARA LA PRÓXIMA SEMANA.

Se dará inicio a una nueva temática. Asegúrese de que cada participante haya adquirido su guía de estudiante. Motive a su grupo a poner en práctica todo lo aprendido durante este trimestre.

DISTRIBUIDORES EN ESTADOS UNIDOS

CALIFORNIA

005-00128
LIBRERÍA CRISTIANA EMMANUEL
ARLETA, CALIFORNIA
Tel. 818-893-8044

005-00150
DISTRIBUIDORA NUEVA JERUSALEM
CUDAHY, CALIFORNIA
Tel. 323-771-6405

005-00158
LIBRERÍA CRISTIANA JOSUÉ 1:9
MONTCLAIR, CALIFORNIA
Tel. 323-273-2418

005-00159
ASAMBLEA DE IGLESIAS CRISTIANAS
RIALTO, CALIFORNIA
Tel. 909-275-0549

005-00188
LIBRERÍA EMMANUEL
CAMPTON, CALIFORNIA
Tel. 435-919-7169

005-00214
LIBRERÍAS EBENEZER
HUNTINGTON PARK, CALIFORNIA
Tel. 323-581-6463

005-00214
LIBRERÍAS EBENEZER
LOS ANGELES, CALIFORNIA
Tel. 213-382-0777

005-00331
ALABADLE, CHRISTIAN STORE
LONG BEACH, CALIFORNIA
Tel. 562-436-0590, 562-591-7691

005-00376
DISTRIBUIDORA PALABRA DE DIOS
SAN PABLO, CALIFORNIA
Tel. 510-236-8282

005-00376
LIBRERÍA PALABRA DE DIOS
SAN FRANCISCO, CALIFORNIA
Tel. 415-821-9710

005-00377
DISTRIBUIDORA LLAMADA FINAL
DOWNEY, CALIFORNIA
Tel. 562-231-4660

005-00386
GUATEMALA MARKET
SAN DIEGO, CALIFORNIA
Tel. 619-282-2327

005-00418
DISTRIBUIDORA CELESTIAL
BELL, CALIFORNIA
Tel. 213-479-1912

005-00427
LIBRERÍA CRISTIANA EL JORDÁN
LANCASTER, CALIFORNIA
Tel. 661-723-0123

045-00270
DISTRIBUIDORA FUENTE DE VIDA
COMMERCE, CALIFORNIA
Tel. 888-944-2404

CONNECTICUT

007-00102
BREAD OF LIFE, BOOKSTORE
BRIDGEPORT, CONNECTICUT
Tel. 203-371-9951

007-00185
LIBRERÍA CRIST. MANÁ DEL CIELO
NEW BRITAIN, CONNECTICUT
Tel. 860-816-3724

DELAWARE

008-00101
SOLDIER OF THE LORD BOOKSTORE
WILMINGTON, DELAWARE
Tel. 302-777-7177

008-00107
LIBRERÍA EL FARO
MILFORD, DELAWARE
Tel. 302-422-6044

FLORIDA

010-00132
LIBRERÍA INTERAMERICANA
MIAMI, FLORIDA
Tel. 305-642-1079

010-00138
LIBROS LUCIANO
OPA LOCKA, FLORIDA
Tel. 305-687-0087

010-00158
LIBRERÍA A.I.C.
BRADENTON, FLORIDA
Tel. 941-751-6292

010-00167
IGLESIA DE DIOS PENTECOSTAL M.I.
ORLANDO, FLORIDA
Tel. 407-856-7997

010-00194
LIBRERÍA CRISTO LA ROCA
ORLANDO, FLORIDA
Tel. 407-438-5097

010-00194
LIBRERÍA CRISTO LA ROCA
KISSIMMEE, FLORIDA
Tel. 407-518-5593

010-00325
LIBRERÍA CRISTIANA HOSANNA
FORT MYERS, FLORIDA
Tel. 239-936-2433

010-00336
JOSTOM DISTRIBUTORS
MIAMI, FLORIDA
Tel. 305-233-5699

010-00412
REJOICE CHRISTIAN BOOKSTORE
KISSIMMEE, FLORIDA
Tel. 407-931-1100

010-00433
LIBRERÍA MANÁ
WINTER HAVEN, FLORIDA
Tel. 863-294-8588

010-00442
THE GUIDE POST BOOKSTORE
PALATKA, FLORIDA
Tel. 386-325-5786

010-00445
LIBRERÍA CRISTIANA EMMANUEL
WEST PALM BEACH, FLORIDA
Tel. 561-963-4533

010-00447
SPANISH EVANGELICAL DISTRIBUTORS
TAMPA, FLORIDA. Tel. 813-231-2350

010-00454
ASAMBLEA DE IGLESIAS CRISTIANAS
BRADENTON, FLORIDA
Tel. 941-301-5115

010-00455
DISTRIBUIDORA VIDA Y LUZ
PALM HARBOR, FLORIDA
Tel. 727-443-2061

010-00482
LUCIANO'S BOOKSTORE
OPA LOCKA, FLORIDA
Tel. 305-769-3103

010-00487
SPIRIT AND TRUTH CHRISTIAN BOOK
FRUITLAND PARK, FLORIDA
Tel. 352-728-3777

010-00500
CLARAMENTE CRISTIANOS, INC
JASPER, FLORIDA
Tel. 386-792-1400

010-00502
ZOE CHRISTIAN BOOKSTORE
MIAMI, FLORIDA. Tel. 305-275-8353

GEORGIA

011-00133
LIBRERÍA CRISTIANA BETHESDA
ATLANTA, GEORGIA
Tel. 404-996-6290

011-00134
LIBRERÍA CRISTIANA GENESIS
GAINESVILLE, GEORGIA
Tel. 770-402-8682

ILLINOIS

014-00148
ASAMBLEA DE IGLESIAS CRISTIANAS
CICERO, ILLINOIS. Tel. 779-537-6284

014-00156
IGL. DE DIOS PENTECOSTAL M.I. M.O.
CHICAGO, ILLINOIS. Tel. 779-276-7013

014-00162
LIBRERÍA MANÁ
YORKVILLE, ILLINOIS
Tel. 773-301-8985

ISLAS VÍRGENES

049-00113
ALL SEASON GOSPEL CRAFT & MORE
SAINT CROIX, VIRGIN ISLANDS
Tel. 340-778-0383

MARYLAND

021-00101
RINCÓN CRISTIANO BOOKSTORE
TAKOMA PARK, MARYLAND
Tel. 301-431-2633

021-00111
CENTRO CRISTIANO VIDA NUEVA
ADELPHI, M ARYLAND
Tel. 301-422-2029

021-00119
LIBRERÍA ESPERANZA DE GLORIA
NEW CARROLLTON, MARYLAND
Tel. 301-552-8293

MASSACHUSETTS

022-00150
LUIGIS STORE
HOLYOKE, MASSACHUSETTS
Tel. 413-539-6965

022-00181
AVILA'S LIBRERÍA CRISTIANA
LAWRENCE, MASSACHUSETTS
Tel. 978-691-2762

022-00194
HERITAGE HOUSE BOOKSTORE
BROCKTON, MASSACHUSETTS
Tel. 508-587-7705

022-00209
LIBRERÍA SALVACIÓN CRISTIANA
LYNN, MASSACHUSETTS
Tel. 781-586-0545

NEW JERSEY

031-00114
BETSAIDA CHRISTIAN BOOKS
UNION CITY, NEW JERSEY
Tel. 201-866-2126

031-00149
RAMOS CHRISTIAN MUSIC B/S
VINELAND, NEW JERSEY
Tel. 856-457-5386

031-00213
LIBRERÍA EL MESÍAS
NEW BRUNSWICK, NEW JERSEY
Tel. 908-812-0850

031-00218
PUERTA DE SALVACIÓN BOOKSTORE
UNION CITY, NEW JERSEY
Tel. 201-864-4799

031-00220
HOSANNA CHRISTIAN BOOKSTORE
UNION CITY, NEW JERSEY
Tel. 201-562-9677

031-00223
JÓVENES CRISTIANOS MUSIC CENTER
ELIZABETH, NEW JERSEY
Tel. 908-558-1430

031-00227
EVERBIND MARCO BOOK CO.
LODI, NEW JERSEY
Tel. 973-458-0485

031-00233
LIBRERÍA DIOS BENDICE SIEMPRE
PLEASANTVILLE, NEW JERSEY
Tel. 609-645-1702

031-00244
P. O. ENTERPRISES, LLC.
KENILWORTH, NEW JERSEY
Tel. 908-671-1784

NEW YORK

033-00108
LIBRERÍA BETHEL
BROOKLYN, NEW YORK
Tel. 718-388-3195

033-00120
PALABRA DE DIOS CHRISTIAN BOOKSTORE
BRONX, NEW YORK
Tel. 718-364-3633

033-00127
LIBRERÍA NUEVA JERUSALÉN
HAVERSTRAW, NEW YORK
Tel. 845-300-0036

033-00129
ASAMBLEA DE IGLESIAS CRISTIANA
BRONX, NEW YORK
Tel. 718-219-6462

033-00201
CHRIST IS THE ANSWER BOOKSTORE
ELMHURST, NEW YORK
Tel. 718-565-0902

033-00273
DIST.RIBUIDORA CRISTIANA INTERNACIONAL
BRONX, NEW YORK
Tel. 718-788-2484

033-00288
LIBRERÍA ASAMBLEA BUFFALO
BUFFALO, NEW YORK
Tel. 716-440-4790

NORTH CAROLINA

034-00139
LIBRERÍA CRISTIANA LOGOS
CHARLOTTE, NORTH CAROLINA
Tel. 704- 712-1299

OHIO

036-00111
LIBRERÍA CRISTIANA MARANATHA
CLEVELAND, OHIO
Tel. 216-631-4922

PENNSYLVANIA

039-00104
LIBRERÍA EBENEZER
LANCASTER, PENNSYLVANIA
Tel. 717-295-7539

039-00183
LIBRERÍA EL ARCA
ALENTOWN, PENNSYLVANIA
Tel. 610-820-9010

039-00198
HOSANNA SHOPPE BOOKSTORE
ALENTOWN, PENNSYLVANIA
Tel. 610-351-3414

039-00200
J.O.Y BOOKSTORE
SCHAEFFERSTOWN, PENNSYLVANIA
Tel. 717-949-6569

039-202 GUARDIÁN ÁNGEL B/S
RICHFIELD, PENNSYLVANIA
Tel. 717-694-3901

SOUTH CAROLINA

042-00115
LIBRERÍA CRISTIANA LA ANTORCHA
MYRTLE BEACH, SOUTH CAROLINA
Tel. 843-222-2123

TENNESSEE

044-00109
LIBRERÍA CRISTIANA LEÓN DE JUDÁ
NASHVILLE, TENNESSEE
Tel. 615-256-7667

TEXAS

045-00113
THE GOSPEL BOOKSTORE
LAREDO, TEXAS
Tel. 956-722-4047

045-00116
VIVA LIFE CHRISTIAN BOOKSTORE
MCALLEN, TEXAS
Tel. 956-631-2291

045-00167
LIBRERÍA PALABRA DE VIDA
HOUSTON, TEXAS
Tel. 832-287-5536

045-00230
LIBRERÍA LA VOZ DEL EVANGELIO
SAN ANTONIO, TEXAS
Tel. 210-521-1111

045-00270
DISTRIBUIDORA FUENTE DE VIDA
GARLAND, TEXAS.
Tel. 214-341-8949

045-00310
LIBRERÍA ESTRELLA DE BELÉN
BROWNSVILLE, TEXAS
Tel. 956-542-1717

045-00347
LIBRERÍA JABES
DALLAS, TEXAS.
Tel. 214-398-2339

045-00350
ASAMBLEA DE IGLESIAS CRISTTIANAS
MEXIA, TEXAS
Tel. 909-827-0817

010-00447
SPANISH EVANGELICAL DISTRIBUTORS
MCALLEN, TEXAS
Tel. 956-682-9895

VIRGINIA

048-00132
LIBRERÍA CRISTIANA PLENITUD
FALLS CHURCH, VIRGINA
Tel. 703-746-8516

WASHINGTON

050-00103
CÁNTICOS ALABANZA BOOKSTORE
UNION GAP, WASHINGTON
Tel. 509-453-3369

WASHINGTON D.C.

009-00106
LIBRERÍA CRISTIANAS DIOS ES AMOR
WASHINGTON D.C.
Tel. 202-541-9888

WISCONSIN

052-00117
LIBRERÍA CRISTIANA P.D.V.
MILWAUKEE, WISCONSIN
Tel. 414-336-5999

052-00118
ELOHIM CHRISTIAN BOOKSTORE
MILWAUKEE, WISCONSIN
Tel. 414-595-4985

052-00119
LIBRERÍA CRISTIANA RAFA, INC.
MILWAUKEE, WISCONSIN
Tel. 414-234-0347

DISTRIBUIDORES EN PUERTO RICO

040-00103
LIBRERÍA CASA ISERN
BAYAMÓN, PUERTO RICO
Tel. 787-759-6390

040-00107
LIBRERÍA EVANGÉLICA DE CAROLINA
CAROLINA, PUERTO RICO
Tel. 787-769-4069

040-00108
LIBRERÍA CRISTIANA CIELOS
CAYEY, PUERTO RICO
Tel. 787-714-3222

040-00128
LIBRERÍA EVENGÉLICA EL MILAGRO
CAGUAS, PUERTO RICO
Tel. 787-743-8988

040-00131
LIBRERÍA EL SEMBRADOR
CAROLINA, PUERTO RICO
Tel. 787-757-9798

040-00135
LIBRERÍA RHEMA
ARECIBO, PUERTO RICO
Tel. 787-878-1617

040-00138
AWAKENING LA TIENDA
CEIBA, PUERTO RICO
Tel. 787-885-1797

040-00139
MOVIMIENTO MISIONERO MUNDIAL
SAN JUAN, PUERTO RICO
Tel. 787-761-8806

040-00140
LIBRERÍA DAMASCO
HUMACAO, PUERTO RICO
Tel. 787-850-1011

040-00204
LIBRERÍA TU REGALO
AGUADILLA, PUERTO RICO
Tel. 787-882-2779

040-00208
LIBRERÍA GETSEMANÍ
GUAYAMA, PUERTO RICO
Tel. 787-864-7449

040-00211
LIBRERÍA MORADA DE PAZ
PUERTO NUEVO, PUERTO RICO
Tel. 787-782-2002

040-00224
ASAMBLEAS DE IGLESIAS CRISTIANAS
SAN JUAN, PUERTO RICO
Tel. 787-396-2445 / 787-726-8365

040-00236
LIBRERÍA CRISTIANA SHEKINA
PONCE, PUERTO RICO
Tel. 787-284-1169

040-00238
LIBRERÍA APOSENTO ALTO
DORADO, PUERTO RICO
Tel. 787-796-2976

040-00238
LIBRERÍA APOSENTO ALTO
AGUADILLA, PUERTO RICO
Tel. 787-406-1515

040-00240
CASA ISERN-RÍO PIEDRA
SAN JUAN, PUERTO RICO
Tel. 787-759-6360

040-00242
LIBRERÍA CRISTIANA SHALOM
GUAYANILLA, PUERTO RICO
Tel. 787-835-4102

040-00265
DIST. DE LITERATURA QUE EDIFICA
CANÓVANAS, PUERTO RICO
Tel. 787-559-5156 / 787-564-0722

040-00304
DIFFERENT VISION
MANATÍ, PUERTO RICO
Tel. 787-854-6000

040-00305
LIBRERÍA CANAÁN
RÍO GRANDE, PUERTO RICO
Tel. 787-887-4939

040-00320
LIBRERÍA MINISTERIO CRISTO VIENE
CAMUY, PUERTO RICO
Tel. 787-484-0025

040-00321
LIBRERÍA MUNDO MUSICAL CRISTIANO
HATILLO, PUERTO RICO
Tel. 787-898-0407

040-00331
LIBRERÍA CRISTIANA RENACER
BAYAMÓN, PUERTO RICO
Tel. 787-288-1300

040-00334
LIBRERÍA CRIST. LA ROSA DE SARÓN
CAROLINA, PUERTO RICO
Tel. 787-776-7760

040-00336
LIBRERÍA CRISTIANA KERIGMA
FAJARDO, PUERTO RICO
Tel. 787-860-6387

040-00338
LIBRERÍA CASA DEL ALFARERO
GUAYAMA, PUERTO RICO
Tel. 787-864-1163

040-00368
LIBRERÍA UNIVERSAL DE JESUCRISTO
CANÓVANAS, PUERTO RICO
Tel. 787-256-4510

040-00369
SOCIEDAD BÍBLICA DE PUERTO RICO
SAN JUAN, PUERTO RICO
Tel. 787-754-4460

040-00373
PURA VIDA BOOKSTORE
MAYAGÜEZ, PUERTO RICO
Tel. 787-831-7466

040-00376
LIBRERÍA HUERTO ALABANZAS
AGUADILLA, PUERTO RICO
Tel. 787-546-8806

040-00382
LIBRERÍA CRISTIANA HUELLAS
CAROLINA, PUERTO RICO
Tel. 787-276-0158

040-00384
LIBRERÍA JEHOVÁ ES MI PASTOR
YABUCOA, PUERTO RICO
Tel. 787-733-4454

040-00387
LIBRERÍA CRISTIANA WOW
BAYAMÓN, PUERTO RICO
Tel. 787-219-7345

040-00390
LIBRERÍA CRISTIANA SONIDO DE FE
CAROLINA, PUERTO RICO
Tel. 787-908-0549

040-00391
PURA VIDA BOOKS
GUAYNABO, PUERTO RICO
Tel. 787-998-4611

040-00394
LIBRERÍA SHEKINAH
TOA ALTA, PUERTO RICO
Tel. 787-993-5565

OFICINAS DE SENDA DE VIDA EN PUERTO RICO
Teléfonos: 787-757-6144 / 787-565-1330

DISTRIBUIDORES INTERNACIONALES

CANADÁ

070-00103
ALFA Y OMEGA BOOKSTORE
TORONTO, CANADA. Tel. 416-614-7492

070-00118
PRÍNCIPE DE PAZ BOOKSTORE
HAMILTON, CANADA

Tel. 905-573-6621

CHILE

071-00101
CRUZADA DE LITERATURA CRISTIANA
SANTIAGO DE CHILE
Tel. 562-2-697-7786

071-00110
DISTRIBUIDORA E.I.R.L. PAPIROS
SANTIAGO DE CHILE
Tel. 562-2-725-3027

COSTA RICA

073-00111
BIBLIAS EXPRESS
SAN JOSÉ, COSTA RICA
Tel. 506-235-8865
Tel. 506-356-9131

L SALVADOR

077-00110
INST. CULTURAL MINIST. BAUTISTA
SAN SALVADOR, EL SALVADOR
Tel. 503-2-260-1730

ESPAÑA

097-00114
CASA CRISTIANA EMANUEL
MADRID, ESPAÑA
Tel. 786-436-6774

GUATEMALA

084-00130
EDITORIAL SENDA DE VIDA
GUATEMALA, GUATEMALA
Tel. 502-2308-3688
Tel. 502-2440-7678
Tel. 502-5825-9866

084-00102
LIBRERÍA CENTROAMERICANA
GUATEMALA, GUATEMALA
Tel. 502-2471-1201

LIBRERÍA BETHEL
QUETZALTENANGO, GUATEMALA
Tel. 502-4100-5915

LIBRERÍA AMIGOS
CHIQUIMULA, GUATEMALA
Tel. 502-7942-0005

LIBROS RESTAURACION
JUTIAPA, GUATEMALA
Tel. 502-7821-5069 / 502-7968-6444

LIBRERÍA BIBLIA EXPRESS
COBAN, ALTA VERAPAZ GUATEMALA
Tel. 502-7951-1806 / 502-5022-9985

ABC MINISTERIO DE NIÑOS Y JOVENES
QUETZALTENANGO, GUATEMALA
Tel. 502-5340-0026 / 502-5971-7481

LA PALABRA BOOKSTORE
QUETZALTENANGO, GUATEMALA
Tel. 502-7763-7210 / 502-7767-4494

LIBRERÍA CRISTIANA TORRE FUERTE
PUERTO BARRIOS, IZABAL GUATEMALA
Tel. 502-7948-6659
Tel. 502-5656-9007

LIBRERÍA CRISTIANA PEPE-LAPIZ
CHIMALTENANGO GUATEMALA
Tel. 502-7839-3652 / 502-7840-4690

LIBRERÍA CENTROAMERICANA
QUETZALTENANGO, GUATEMALA
Tel. 502-2462-5858 Ext.103 / 2471-9626

LIBRERÍA LUZ Y VIDA
HUEHUETENANGO, GUATEMALA
Tel. 502-7769-1475

LIBRERÍA OASIS
GUATEMALA, GUATEMALA
Tel. 502-4047-8145

HONDURAS

087-00107
LIBRERÍA CRISTIANA GÉNESIS
SAN PEDRO SULA, HONDURAS
Tel. 504-2-550-0573

ITALIA

089-00101
MARCO CIRPIANI AIC
ROMA, ITALIA
Tel. 393-343-7842

MÉXICO

091-00113
DISTRIBUIDORA ARIEL
MÉXICO D.F., MÉXICO
Tel. 52-555-132-5500

091-00124
DIST. BÍBLICA RECURSOS SA. CV
YUCATAN, MÉXICO
Tel. 999-912-1840

091-00125
REVERENDO SIXTO JIMÉNEZ
TABASCO, MÉXICO
Tel. 993-139-5527

NICARAGUA

093-00107
ASAMBLEAS DE IGLESIAS CRISTIANAS
MANAGUA, NICARAGUA
Tel. 505-2249-3136

PANAMÁ

094-00107
IMPEX GLOBAL TR.
PANAMÁ, PANAMÁ
Tel. 507-229-3158

REPÚBLICA DOMINICANA

075-00108
REVERENDO MARCIAL REYES
SAN CRISTOBAL, REPÚBLICA DOMINICANA
Tel. 809-279-0158 casa
Tel. 809-366-1868 celular
Tel. 829-914-5441 celular
Tel. 809-713-8806 Arelis

075-00121
LIBRERÍA EL MAESTRO
SANTO DOMINGO, REPÚBLICA DOMINICANA
Tel. 809-681-8029

LIBRERÍA MARANATHA
SANTIAGO, REPÚBLICA DOMINICANA
Tel. 809-582-2309

REV. JOAQUÍN SUERO
SANTO DOMINGO, REPÚBLICA DOMINICANA
Tel. 809-536-2585

VENEZUELA

099-00103
DÉBORA RUIZ
CARACAS, VENEZUELA
Tel. 58-212-251-3405

OFICINAS DE SENDA DE VIDA EN GUATEMALA
Teléfono: 502-2439-6429